JN126306

エスニシティと物語り

――複眼的文学論

松本昇 監修
西垣内磨留美・君塚淳一・中垣恒太郎・馬場聡 編

金星堂

はしがき

かつて私は、アメリカの黒人作家ジェームズ・ボールドウィンの短編「サニーのブルース」について、次のような冒頭で書き始めた。

生の重荷に圧し潰されそうになりながらも、それでも生き延びようとして必死にもがく人にとって、代数のような崇高な多くの客観的真理より、たった一つの、それも他人から見れば取るに足りぬ主観的真理を獲得することが、緊急の課題かもしれない。

ある意味で、この文章には私が中学三年生だった頃の心境が反映されている。当時、一、二歳年上の近所の先輩たちとよく遊んでいたのだが、そのうちの三人が漁船の遭難事故にあって死んだのだ。彼らと別れてから四か月後の七月のことである。

三人の友人の死は衝撃的な出来事だった。以来、悲しみの日が続いた。「サニーのブルース」の主人公サニーは、高校生の時に黒人特有の現実の壁にぶつかり、ヘロインを試み、そして「学校で習うことなんか何もないよ」と言って退学してしまう。サニーと同様、私もまた面白かった授業がつまらなくなり、この短編の語り手の言葉を借りれば、「お喋り」にすぎないように思えてきた。学校では、悲しい出来事にあった時にどう生きるか、いかに生き延びるかを教えてくれなかったからだ。サニーにとって重き生に耐えるために、「バラバラに崩れてしまわないために」我がものにしなければならなかったのが黒人音楽、つまりジャズであり、ブルースであった。私の場合一種の崩壊感覚から逃れるためにのめり込んだのが太宰治の世界であった。当時は文学という学問があることを知らなかったが、文学に親しむようになったのはこの頃からである。やがて高校を何とか卒業すると、母親が父には内緒でくれた一万札をポケットに入れ、作家をめざして家出同然で上京するするのだが、今になって思うと、これは私にとって自然な成りゆきであった。尤も、作家にはなれなかったのだが。

学生街の喫茶店で深夜まで熱っぽく文学を語り合って過ごした時期を経て、私は大学の非常勤講師（結局、二年間続けた）として学究生活を始めた。その頃よく訊かれたのが、ハーマン・メルヴィルやウィリアム・フォークナーのようなメジャーの白人作家を研究しないで、アメリカ社会の周縁にいる黒人作家をなぜ研究するのか、というものだった。結論から言うと、環境がそうさせたと答えざるを得ない。

私が所属していた大学の文学部には、皆河宗一、関口功、須山静夫の諸先生、また、工学部から出講されていた浜本武雄先生がいらっしゃった。いずれもアメリカ黒人文学や、それと関連する分野を得意とする先生方である。当然のことながら、授業で取り上げられるのは、リチャード・ライトの『アメリカの息子』、ラルフ・エリスンの『見えない人間』、ジェームズ・ボールドウィンの『山に登りて告げよ』といった黒人作家の小説だった。私はこれらの小説が面白く、夢中になって読んだ。作家がアメリカの黒人であることなど少しも意識していなかった。

ところが、大学で教えることを生活の糧にするようになると、研究している作家の民族性が問われるようになった。言い換えれば、アメリカの黒人作家を研究する私の姿勢が問われるようになった。私は、急いで理論武装する必要に迫られたのである。

アメリカの哲学者ハーバート・マルクーゼが「社会のしわ寄せは周縁に住む人びとにくる」といった趣旨のことを述べたことがある。ふと、この言葉を思い出した。大学時代の私には、この言葉は当たり前すぎて陳腐なものに思えた。だが社会人になってみると、それがしだいに意味を帯びてきたのだ。そして、私の理論武装にヒントをもたらしてくれたのである。多民族から成るアメリカという社会のしわ寄せは、周縁に追いやられた少数民族にくる。だから、少数民族の住む周縁を拠点にして、民族性（エスニシティ）をも意識しながら社会の中心を見ていこう、と。私の場合、それが黒人であった。私は批判されればされるほど、信念を抱いていることは続ける反骨精神の持ち主である。だから、アメリカ黒人作家の研究を続けた。そして学究生活を始めてから七、八年後に、黒人研究の会（現在、黒人研究学会）の役員に関東でははじめて任命されたのである（事務局長は四日市大の山本伸氏であった）。この時は正直言ってうれしかった。私は何も自慢して言っているのではない。西洋の美の基準がしだいに変わってゆくように社会のものの見方も変わってゆくのだから、どんな試練に晒されても、信念をもっていることは貫くことの大切さを言いたいのである。

ある日、茨城大学の君塚淳一さんから電話がかかってきた。黒人研究の会は関西圏を中心に活動してきているが、その東京支部をつくりたい、というものだった。翌日、とりあえず話を聞こうと待ち合わせ場所の東京駅近くの喫茶店に着くと、そこには日本女子大学教授の斎藤忠利先生がすでにいらっしゃっていた。お二人から出された協力依頼にたいして、協力する代わりにひとつの条件を出した東京支部をつくったら、アフリカ系アメリカ人（当時の呼称はアメリカ黒人）、ネイティヴ・アメリカン、アジア系アメリカ人、カリビアン、チカーノといった、様々な少数民族を含む学会をつくりたい、と。お二人とも賛成してくださった。

それからというもの、私はひとり、黒人研究の会の例会が開催される神戸外大へ足を運んだ。東京支部設立のために四、五回行ったが、それ以上に行ったような気がする。交渉が難航したからだ。ほとんどの会員から反対された。他の学会と比べて会員数が少ないのだから、東京支部設立は会の分裂の危機に晒される、今こそ結束して会の発展をめざすべきだ、とのことだった。会全体の主旨は理解できないわけではなかったが、私は、関東近辺の会員は関西まで出張する金銭と時間がなくても、東京での支部例会であれば参加できる余裕があるし、それに新たな会員の発掘につながる、と力説した。何回も交渉を重ねた結果、黒人研究の会としては、東京支部の設立を黙認することになった。つまり、年会費は今までどおり黒人研究の会の本部に納めて、会費の一部を支部の運営に回さないことになったのだ。私たちは支部長に斎藤忠利先生になってもらい、年二回のかたちで東京支部を立ち上げた。

東京支部は盛り上がりを見せた。しかし、懇親会に出席する人数は事前に把握できず、しかも余興として歌手やダンサーを招いていたので、支部長と私、君塚さんと創価大学の岸本寿雄先生、それに青山学院大学短期大学部の酒向登志郎先生は、金の工面のために、財布の中身を見ながら冷や冷やしていたものだ。東京支部は盛況のまま、四、五年続いたと思う。

二〇〇三年十二月、東京支部を母体にして多民族研究学会が発足した。初代会長は岸本先生。当学会の設立にあたり、私の念頭にあったのは、今は亡き明治大学教授の関口功先生の言葉である。「ひとつの色からは時代はもう見えてこない。赤、青、黄、それぞれの色は単純な色かもしれない。だけど、赤、青、黄を混ぜ合わせると、アコヤ貝のような得も言われぬ鮮やかな色が出てくるんだよ」。当学会の主旨はこの言葉がヒントになっている。つまり、アフリカン、アフリカ系アメリカ人（アメリカ黒人）、ネイティヴ・アメリカン、カリビアン、チカーノなど、（少数）民族や民族間の研究にまい進することである。と同時に、個人においてもグループにおいても、物事を様々な角度から複眼的に見て、新たな地平を切り拓くことである。

最後になりましたが、この論集は私の退職にあたり、ご多忙のなか、貴重な時間を割いて原稿をお寄せくださった先生方の賜物であります。心から感謝申し上げます。また、出版を快諾された金星堂社長の福岡正人氏、編集でご尽力された倉林勇雄氏にお礼申し上げます。

雉の鳴き声を聞きながら、口之津にて

松本　昇

目　次

第二章　多民族文化研究のアプローチ

第三章　交錯するジェンダー

第四章　テクストとポリティクス

第五章　文化と表象

第一章

アフリカ系アメリカ文学の解釈学

1 埋もれた記憶
――『ビラヴィド』の世界へ

松本　昇

神は、記憶をとどめるために石を造った。

――ゾラ・ニール・ハーストン『騾馬とひと』

「死んだように見える冷たい石と同様、私にも、私を形作った内奥の記憶がある」とゾラ・ニール・ハーストンは語った。この「内奥の記憶」が、私の作品の下層土である。

――トニ・モリスン「記憶の場」

一　記憶への隷属[1]

ヘンリー・ルイス・ゲイツ・ジュニアは『黒の表象――言葉と記号と〈人種的〉自己』（一九八七年）の中で、時間の剥奪が黒人奴隷の自己に及ぼす影響について、次のように述べている。

南北戦争前のアメリカでは、奴隷が生きていくうちに、自分の身分が財産の一部であることに最初に気づいたのは、時間を剥奪されることによってだった。奴隷制における時間の輪郭は、記憶だけによって与えられた。それゆえ、彼らの存在の意識は記憶に依存していた。自己を形成したのは、とりわけ記憶だった。これは、なんと素晴らしい奴隷制度の下部構造だろう！というのも、記憶への依存は、先ず第一に、奴隷を自らの奴隷に、回想能力の囚われ人にしたからだ。（一〇〇―一〇一）

組織的に文化的時間を奪われたアメリカの黒人奴隷たちは、奴隷制の下で自己崩壊の危機に晒されながらも、それでもなお生き延びようとして「自己」の「存在」を意識する時、奴隷制下の自らの記憶に隷属せざるを得ない、というのがゲイツの見解である。当然、彼の見解は心身共に健全な黒人奴隷をも念頭に置いた上でのことと考えられる。

　それならば、ふつうの黒人奴隷でさえ自らの記憶に依存せざるを得ないのに、忌まわしい過去の出来事――ミルク事件とそれに伴う虐待、幼児殺害、墓場での石工との屈辱的な性行為——に生存の拠り所を置かざるを得なかったセサに、記憶の隷属からの解放は可能なのだろうか。トニ・モリスンの傑作『ビラヴィド』[2]（一九八七年）に登場するセサの場合、過去の出来事が、岡真理の言葉を借りて表現すれば、彼女の「意思とは無関係に」（五）彼女の身に襲いかかってくる。「心を乱さないですむように、できる限り何も思い出さないよう懸命に努力した。不運にも、彼女の脳は彼女の意思に逆らって働いた」（六）。

一見すると、彼女にとって、過去の記憶の呪縛は弛緩しないかのように見える。だが、セサは、心身に深い傷痕を負いながらも、長い時間をかけてではあるが、彼女の引き裂かれた「自己」を修復し、過去の記憶から解き放たれていく。本稿の目的は、その過程を照射することにある。

小説の冒頭近くに、次のような場面が描写されている。

> セサは草原を急いで横切っていた。ほとんど駆けるようにしてポンプ付きの井戸に着き、脚に付いたカミレルの汁を洗い落とそうとした。ほかのことは何も頭になかった。彼女の乳を吸いに来る男たちの様子は、洗濯板のように縮んだ皮膚をした背中の神経と同様、生気を失っていた。……〈中略〉……洗っている最中に何かが起こった。水がピシャッと跳ねる音。小道に放り出した靴とよじれたストッキング、足下の水溜まりで水をピチャピチャ飲む犬のヒヤボーイ。すると突然、スウィートホーム農園の光景がグルグル、グルグルまわりながら彼女の眼前に広がっていった。あの農園にある木の葉の一枚でさえセサに悲鳴を上げさせたくなるのに、スウィートホーム農園は、恥を知らない美しさで彼女の目の前に現れた。その光景は以前ほど恐ろしい光景に見えず、彼女は地獄もこのようにきれいな所なのかもしれないと思った。火と硫黄はたしかに燃えているがレースのように木の葉の揺れる木立の中に隠れて見えない……〈中略〉……。
>
> カミレルの最後の汁を洗い流すと、彼女は途中で靴とストッキングを拾って、家の正面へまわった。（傍点筆者、六）

この場面は、セサと娘のデンヴァーがふたりを苦しめる幽霊のことを話し合っていた時、セサが自ら殺害した娘の墓標に「ビラヴィド」と彫ってもらう代償として、石工とつがう墓場での光景が彼女の心に浮かんだ後に、続くものである。したがって、草原を駆け抜けてカミレルの汁を洗いに井戸に行く場面とセサの乳を吸いにやって来る男たちの様子は、共に過去の回想場面であるように思われる。ところが、前者は現在の出来事であり、後者は過去の出来事なのだ。また犬のヒヤボーイが水を飲んでいるのは現在の出来事であり、それに並列して続くスウィートホーム農園の描写は過去の回想場面である。にもかかわらず、後者は現在の瞬間であるかのように描写されている。このことから、セサにとって過去と現在の区別はほとんどなく、過去が現在と融合していることが分かる。過去という名のアイスピックは、彼女の現在に突き刺さっている。チャールズ・スクラッグズの言葉を借りるならば、「彼女にとって時間は停止したまま」（一八九）なのである。

これに関連して読者の注意を引くのは、懐かしの我が家を意味する筈のスウィートホームが「地獄」に喩えられている点である。セサにとって過去が現在と融合し時間が停止しているのであれば、彼女が十八年前に過ごしていたスウィートホーム農園は、「地獄」のイメージとして時空を超えて、現在形で彼女の心に鮮やかに息づいている。ということは、『ビラヴィド』の時代設定は一八七三年からのおよそ一年間に過ぎないが、黒人共同体から隔絶したまま、感覚的にセサは、「火と硫黄」（「創世記」第十九章）が燃え盛る「地獄」を十八年近く生きてきたことになる。

では、なぜそういうことになるのか。一つの契機は、先に引用した文章にも描かれているように、ミルク事件とそれに伴う虐待である。十八年前セサがスウィートホーム農園に奴隷としていた時、奴隷監督の甥にあたる二人の少年のうち、一人に体を押えつけられたまま、彼女は欲望をむき出しにしたもう一人の少年に乳を吸われた。その間監督は、彼女の動物的特徴と人間的特徴を冷徹にノートに記録していたのだった。事の真相をガーナー夫人に告げ口したことが分かると、監督は少年たちに、背中が石榴のように割れるまで彼女の背中を鞭で打たせたのである。この出来事がセサの精神に痛烈な打撃を加えたのだ。今でもセサの背中には「鉄細工のような傷痕」（二一〇）が残っているが、この傷痕は彼女の心の傷痕でもある。

もう一つの契機は、セサが他人の人生を狂わせてしまったことに対する彼女の激しい自責の念である。

トニ・モリスンは、セサの姑にあたるベイビー・サッグズの晩年を、次のように描写している。

吐き気を催すような人生と死者たちの悪意の間で宙づりにされたまま、彼女は、人生を去ることにも生きることにも興味が持てなかった。まして、そっと逃げていった少年たちのことなど、なおさらそうだつた。彼女の過去は彼女の現在に似ていた。つまり、耐え難いものだった。死は決して忘却どころではないことを知っていたので、彼女は残り少ない気力を、色彩を眺めることに費やした。（三—四）

何年も昔、一二四番地の家には、ベイビー・サッグズが食べ物を与えたり慰めたりする人々でざわめき、活気に満ちていた。見えない教会の説教師になっていたベイビー・サッグズは、機会ある毎に森の奥の開拓地に黒人たちを従えて行き、「平たくなった巨大な岩」（八七）の上に立ち、自分の体を慈しめと説いた。彼らはベイビー・サッグズの前で踊り、歌い、叫ぶほど彼女を慕っていたのである。ところが、セサが赤ん坊のデンヴァーを抱いて一二四番地のベイビー・サッグズ家に辿り着いてから、状況は一変した。最初は、ベイビー・サッグズがセサのために開いた宴の時であった。目の前のご馳走を見て、黒人たちは度が過ぎると思い、感情を害したのだ。この時から、彼らとベイビー・サッグズの間に心の溝ができたのである。次に、スレイブ・ハンターたちに追いつめられたセサが、地獄のような南部に連れ戻されるくらいなら死んだほうがましだと決意して、斧で子供を殺害した時である。以来、黒人たちはベイビー・サッグズの家に全く寄りつかなくなった。ベイビー・サッグズは失意の中で色彩を挑める以外は、キルトの暗い布団をかぶったまま、殺風景な家に引きこもってしまったのだ。セサは、ベイビー・サッグズの不幸は自分が荷馬車から降りた時から始まったことを痛感し、「自分を責めた。」（九〇）

そしてシックソウ。彼は、夜には森の中に踊りに行ったり、三十マイルの女との逢い引きに使うインディアンの無人の小屋に入る時、そこに棲むインディアンの霊に入る許可を求めたりする、きわめてアフリカ的な伝統を受け継いだ黒人奴隷だった。だが、奴隷監督の質問が彼の心を引き裂き、彼は英語には未来がないと言って、英語を話すのを止めたのだ。その後シックソウは、監督によって火あぶりにされ、殺されてしまう。シックソウの心を引き裂いた監督の質問とは、ノートに彼の動物的特徴と人間的特徴を記録するためのものだったのだが、書き残すインクを作ったのは、他ならぬセサだった。セサは、自分がインクを作りさえしなければ彼を破滅させることはなかったのにという思いを、死ぬ時まで持ち続けることになる。

自ら受けた虐待と他人の人生を狂わせたことに対する自責の念が引き金となって、過去の出来事がセサの心にトラウマ記憶として刻印されている。過去の出来事が恐ろしいイメージとなって繰り返し彼女の脳裏に鮮やかに甦ってくるが、彼女はそれを他人に打ち明けることはしない。居間で独り言をつぶやくだけである。「一切が水遠に今までと同じようにあり続ける純粋記憶の世界という概念は、地獄の宗教的な概念の核心である」(一七五)と言うのはノースロップ・フライであるが、セサの場合、過去の出来事が彼女の内面で暴力的に繰り返されるトラウマ記憶という「地獄」の世界に住んでいる。

二　記憶の隷属からの解放

下河辺美知子は『歴史とトラウマ――記憶と忘却のメカニズム』(二〇〇〇年)の中で、トラウマ記憶から解放されるためには、その記憶を物語記憶に置き換える必要があると述べている。

他者に向けて語りかけるために、その凍てついた〈トラウマ記憶〉は、外からアクセス可能である〈物語記憶〉に変換されねばならない。〈トラウマ記憶〉を〈物語記憶〉に変換する時、その記憶は言語化されて、他人に伝わるように物語の脈略を付与される。そうして、初めてその記憶は、自分自身や他者の過去についての知識へと統合されるのである。(四三)

下河辺の言う〈物語記憶〉とは、ピエール・ジャネの記憶理論にヒントを得たきわめて示唆的な言葉であるが、この言葉は、物語と置き換え可能であるように思われる。というのも、ある意味で物語は、記憶とほぼ同じ意味を持つ言葉だからだ。あるいは、物語そのものが記憶を孕んでいるからである。物語に関してトニ・モリスンは、一九九三年のノーベル文学賞受賞記念講演の時に寓話を用いて、その寓話に登場する青年に「物語を作ってごらんなさい。物語は根源的なものであり、それが作られかけたまさにその瞬間に、私たちを創造し始めるのです」(*The Nobel Lecture* 二七)と語らせた。一方、記憶についてモリスンは「エッセイ、記憶、創造、そして執筆」(一九八四年)の中で、記憶は思い出すという意識的な行為であるとした上で、それは「意思を伴う創造形式である。記憶は現にあったように思い出そうと努力することとは違う――探求である」("Memory, Creation, and Writing" 三八五)と述べている。

物語と記憶は共に「創造」する行為だ、というのがモリスンの見解である。物語は、何らかの媒介を通してメッセージを伝えようとする発信者とそのメッセージを受け取る受信者がいると成立するが、モリスンの見解を汲み取って解釈すれば、物語とは、聞き手が聞くことを通して自らを変革し創造するだけでなく、語り手が、聞き手に対して過去の記憶を語る過程で過去を再構築し、自らを創造する行為である、と言える。このことには、記憶は断片的なものの積み重なったものであり、忘却と想起を、要するに変容を伴うことが前提になっている。それゆえ、セサがいまだに居間で独り言を呟いたり、押し寄せてくる過去を拒絶したりしている限り、彼女が自己を創造することは不可能である。このことを実現するための前段階として、セサは錯綜した恐ろしいイメージ群から成る過去と向き合い、欠如した「彼女自身の物語」（Henderson 八四）を回復し、我がものにしなければならない。それには何よりも先ず、彼女は独白から対話へと進むことが必要なのだ。

心を閉ざしてきたセサが沈黙を破り家族以外の人と話をするのは、十八年ぶりに再会した、かつての奴隷仲間ポールDである。彼女が痛みを伴いながらも過去の出来事を語ることができたのは、聞き手がスウィートホーム農園での地獄を共に体験し、「過去をいくらか共有していた」（五八）ポールDであるからだ。セサは、自分の乳が無理やり盗まれたこと、自分の背中に木が生えていることを彼に打ち明ける。背中の木とは、鞭で打たれてできた癌のように隆起した傷痕のことである。ポールDは「鉄細工職人の装飾品」（一七）のように見える彼女の背中に頬をこすりつけ、「彼女の悲しみを、悲しみの根を」（同）知るが、背中の「鉄細工の迷路」（二一）に入って彼女の暗黒の世界を共有できないのは、セサと同様、彼には秘められた過去があるからだ。彼は十八年間の過去の記憶を錆びたタバコ入れの缶にしまい込んだままである。一方のセサは、幼児殺害という忌まわしい過去の記憶を彼に打ち明けていない。それでもセサがスウィートホームの最後の男がそばにいてくれるから、「物事を信じたり、思い出したりすることができるかもしれない」（一八）と思えるようになったのは、彼女が自らの過去と向き合う第一歩である。

トニ・モリスンは、セサをさらに自らの過去と対峙させるために、十九歳の黒人少女ビラヴィドを登場させる。ビラヴィドは、死者は「必要な場合には、この世に姿を現す能力を持つ」（Mbiti 九二）というアフリカ的死生観を反映して、一度は母親のセサに殺害されたが、母親への愛の渇望と復讐心からこの世に出現した死者である。ある意味でセサにとって、ビラヴィドのこの世への帰還は、デブラ・ウォーカー・キングの言葉を借りるならば、「埋もれた過去の重要な認識だけではなく、成長しない子供の寄生的で破壊的な性質や、現在に圧倒的な力を及ぼす過去を象徴する」（一六六）。したがって、セサが埋もれた過去を回復できるかどうかは、彼女がビラヴィドと和解できるかどうかにかかっている。

セサに対して物語への欲望をむき出しにするのは、ビラヴィドである。「あなたのダイヤモンドはどこ？」（五八）という質問を契機にしてビラヴィドは、セサに物語を執効にせがむ。彼女が物語を語ってやると、ビラヴィドは非常に満足するのだった。一方、セサにとって過ぎた日々の話をすることは、その度に痛みを伴った。「過去のすべての出来事は苦痛に満ちているか、喪失したものだった。彼女とベイビー・サッグズは、過去の人生は、口に出して言わなかったが、言葉にならないほど辛いものだという点で一致していた」（五八）。だが、セサは、語ることが思いがけない楽しみをもたらすことに気づく。

私たち読者にとって興味深いのは、セサが物語を語るうちに、忘れられていた彼女の記憶が甦ってきたという点である。これまで彼女の意思とは関係なく繰り返し思い出すのはミルク事件とそれに伴う虐待、幼児殺害、墓場での石工との性行為と云ったトラウマ記憶に関するものだった。ところが今や、埋もれていた新たな記憶が彼女の心に加わったのだ。例えば、それは、彼女の母親にまつわる記憶である。セサの母親は南部で奴隷として長時間働いていた。ある日、母親は彼女の母親の印として、脇腹にある「円に十字」（六一）を彼女に見せたこと、その母親が白人に反逆し木に吊るされて焼き殺されてしまったことを、セサは思い出す。セサの反逆の精神は母親から受け継いだものである。

母親にある「円に十字」の焼き印の思い出は、セサの自分にまつわる記憶を甦らせることになる。セサが幼かった頃、彼女に乳を与えたのは片腕の黒人女性のナンだったが、そのナンによれば、彼女の母親は船で海の向こうからやって来た。母親は船上で何度も犯され、その結果産まれた赤ん坊たちを海に捨てたが、セサだけは捨てず、しかも彼女に黒い肌の男の名前にちなんで名づけたのだという。このことはセサを少なからず勇気づけたに違いない。というのも、「黒人が名前をつける慣習は、祖先を喪失したり魂が死んだりすることに抵抗する行為である」（四一）というデブラ・ウォーカー・キングの言葉から窺い知ることができるように、セサは、祖先との繋がりを絶たれる傾向にあった奴隷制の下で、母親との繋がりを持てただけではなく、母親から愛された自分を発見したからだ。

さらに読者にとって興味深いのは、ビラヴィドが我が子であることを知ったセサが、トラウマ記憶を克服したという点である。ある日ビラヴィドが鼻歌を歌っていた時、セサは、その歌は自分が作って子供たちに歌って聞かせてやったものであることに気づき、ビラヴィドが現世に帰還した自分の子供であることを認める。たしかに藤平育子が『カーニヴァル色のパッチワーク・キルト』(一九九七年)の中で指摘するように、「子供と認める決め手が……記憶に埋もれていた音という設定は、口承による記憶の神秘さえ窺わせる」(二二〇)。だが、「記憶に埋もれていた音」が甦ったのは、セサがビラヴィドに繰り返し物語を語ったことの結果であることを、私たちは忘れてはならない。一年近くビラヴィドに物語を語る過程で、徐々にトラウマ記憶が薄れ、セサに記憶の変容が生じたのである。ゾラ・ニール・ハーストンが代表作『彼らの目は神を見ていた』(一九三七年)の中で、「女たちは、思い出したくないことはすべて忘れ、忘れたくないことはすべて覚えている」(九)と言ったように、娘との再会を契機にしてセサは、思い出したくないことはすべて忘れようとする。一方で彼女は、埋もれていた「自分が信頼していた白人たちや、自分の幸運なあらゆる記憶」(一八八—八九)——結婚の記念にイヤリングをくれたガーナー夫人のこと、自分が絶望の淵にいた時に救済の手を差し伸べてくれた白人の少女エイミー・デンヴァーのこと、留置場で優しくしてくれた保安官のことなど——を甦らせる。そうすることで彼女は、今までの自分とは違う新たな自分を創造するのだ。そして「荷馬車に乗った誰かが声をかけてくれたら、今日こそは乗せてもらおう」(一九一)という文章が物語るように、セサは、隔絶していた黒人共同体との結びつきを積極的に持とうと決意するのである。

ゾラ・ニール・ハーストンは『彼らの目は神を見ていた』の中で、夕暮れ時のポーチでお喋りに興じる黒人たちを描くと同時に、ランプの明かりの下で様々な体験談を友人のフィーピーに話すジェイニーを描写しているが、黒人たちは、悲しいにつけ嬉しいにつけ、物語を語ってきた。というのも、書き言葉を奪われた歴史を持つ黒人たちにとって、物語を直接聞き手に語る行為は、人生の暗闇に放つ光であってきたからだ。物語を語ることで、黒人たちは祖先の記憶と伝統を継承し、それらを子孫に語り継いできた。とりわけ奴隷制の集団的記憶は、セサが自分の過去の記憶を娘のデンヴァーに話したように、語られねばならないし、語り継がれなければならないのだ。それは、今は亡き祖先との心の繫がりを持つと同時に、未来を生きる子孫たちにとって心の糧になるのである。

三　歌の力

ラルフ・エリスンはエッセイ『影と行為』（一九六四年）の中で、ブルースについて次のように定義している。

ブルースは、残酷な経験の細部とエピソードを個人の疼く意識の中に保っておき、その傷だらけの肌合いに触れて、哲学的な慰みによってではなく、半悲劇的、半喜劇的な叙情性を絞り出すことで、そこから超越しようとする衝動である。形式としてのブルースは、叙情的に表現された個人の破局の自伝的な記録である。[3]（七七―七八）

鞭による虐待、幼児殺害、刑務所暮らしなどの「残酷な経験」を味わってきたセサの生き方は、エリスンのブルースの定義を彷彿とさせる。『ビラヴィド』で描写されているのは、まさしくセサの「叙情的に表現された個人の破局の個人的な記録」なのである。またジエイムズ・H・コーンが言うように、ブルースが「悲しみ、挫折感、絶望、そしてこれらを現実の上に引き受け、しかも正気を失わないようにする試み」（二五〇）であり、「ブルースの重要な貢献は、直接的不条理に直面しつつ、黒人的人間性を肯定することにある」（二一二）とすれば、セサが物語の終わり近くで、悲しみと絶望を克服し自らの人生を肯定したという点で、たしかに彼女は、ブルースの精神を受け継いでいる。

『ビラヴィド』にはブルースや黒人霊歌の歌声が至る所に響き渡っているが、先ずこの物語の中に織り込まれたブルース形式――繰り返しとコール・アンド・レスポンス――に注目してみよう。

ブルースの特徴の一つは、同じ言葉が繰り返されることである。たいていは三回繰り返されるが、『ビラヴィド』でもまた同じ場面や象徴が執拗に繰り返される。例えば、セサがスウィートホーム農園から身重の体で、しかも背中に鞭の痛々しい傷をつけられたまま逃げている時に、オハイオ川近くの森の中で白人少女のエイミー・デンヴァーに助けられる場面が、そうである。セサの背中の傷は奴隷制の残酷さを物語っている。だがエイミーは、その傷を桜の木と読み替えて、「これは木だよ、ルウ。桜の木だ。花も咲いている。小さい、白い花がね。おまえの背中には、木が一本丸ごと生えているよ」（七九）と言う。セサは、ポールDと再会した時に、「私の背中には木が生えている」（一五）と告白する。西洋では、桜は「祝福された者の喜び」や「自然の生殖力」を象徴し、桜の木は「神」を象徴するが、セサは、この言葉を「ブルースを唱うように」（吉田　一七四）繰り返すうちに、背中の傷跡をアフリカ特有の生命の木に変えてしまうのだ。

そしてコール・アンド・レスポンス。

マイケル・オークワードは『アメリカ黒人女性小説――呼応する魂』（一九八九年）の中で、黒人の語り手と聞き手の間で見られるコール・アンド・レスポンスの特徴を、「聞き手は語り手の演技を盛り上げるばかりでなく、自らも演技する。黒人の一人一人が対話に参加させられる。実際、聞き手は語り手でもあり、語り手も聞き手の反応で盛り上がる聞き手なのだ」（四九）と指摘した上で、西洋文化の直線的な対話と比較して、次のように言う。「黒人文化における対話をいみじくも象徴しているのは、幾何学的図形の円である。西洋文化にある語り手と聞き手の間の障壁は、黒人の対話にはない。黒人の聞き手は話を聴いているだけではない――その創造の手伝いをする」（四九）。すなわち、コール・アンド・レスポンスは、身振りや合いの手によって語り手と聞き手が一体感を持って、新たなものを「創造」する黒人特有の行動様式である。

マイケル・オークワードは、ゾラ・ニール・ハーストンが『彼らの目は神を見ていた』の中に、コール・アンド レスポンスの様式を採用した証として、「フィービーの熱心な聞きぶりが、ジェイニーに話を続けさせた」（ハーストン　二三）という一節を引用し、「フィービーはジェイニーの話を励ましているに違いない」（オークワード　五〇）と述べているが、『ビラヴィド』においても、この行動様式が用いられている。ビラヴィドの物語への欲望が、セサに何度も物語を語らせるのである。「ビラヴィドは、あらゆる機会を利用して、セサに滑稽な質問をし、話をさせた。デンヴァーは、この少女が貪欲なまでにセサの話を聞きたがっていることに気づいた」（六二―六三）。またデンヴァーが母から開いた自分の誕生に纏わる話をビラヴィドに語ってやると、ビラヴィドは彼女の話に熱心に聞き入るのである。

> デンヴァーが微に入り細に入り事細かく語れば語るほど、ビラヴィドはますます喜んだ。そこでデンヴァーは、母や祖母が話してくれた話の断片に血を通わせ――鼓動を持たせて、ビラヴィドの質問を待った。二人が一緒に横になっているうちに、実際、独白は二重奏になった。（七八）

ここで興味深いのは、ビラヴィドの熱心な聞きぶりがデンヴァーの話を盛り上げるだけでなく、彼女自身も聞き手になっている点である。「デンヴァーは、自分の語っている話を聞いているだけではなかった。自分の話を目で見ていた」

（七七）。しかも彼女が「ほんとうに起きた出来事や、存在した光景を創造するために」（同）、ビラヴィドと二人で最善を尽くしていたという点である。この「創造」が真の意味での二人の心を結びつけるのだ。このように『ビラヴィド』では、「独白」が「二重奏」（対話）へ、「二重奏」が、「言葉で言い表せない、口に出しで語られることもなかった思い」（二一九）を語る、セサを交えた三重奏（三人の語り合い）へ、そして黒人共同体の「コーラス」へと発展していく。これは、コール・アンド・レスポンスが人々の間で精神共同体を形成するという特徴を示している。

次に歌そのものに関してであるが、黒人奴隷にとって歌は、奴隷制度の過酷な状況の中で彼らの人間らしさを維持し、閉ざされた未来に活路を見出す手段だった。ローレンス・W・レヴィンが『黒人文化と黒人の意識』（一九七七年）の中で指摘するように、「奴隷たちの口承伝統、彼らの音楽は……凄まじい猛威を振るう奴隷制度から、彼らの人格を少なくとも潜在的には護ることができる文化的な避難所だった」（五四）。ポールDは、スウィートホーム農園で罰として口の中に鉄のビットを填められるという辛い体験をした。さらに彼は、ジョージア州アルフレッドでもっと辛い体験をすることになる。彼はライフルを持った看守に見張られ鉄の足枷を填められたまま、四十五人の囚人たちと一緒にハンマーで石を砕く重労働を課せられた。その間彼はハンマーを振り下ろしながら「石を砕いて時間を砕け」（四〇）と叫ぶように歌うが、彼にとって歌は、極限状況の中で人間としての正気を保つ唯一の手段だったのだ。

だが、姑のベイビー・サッグズと同様、セサは絶望のどん底にいる時に、歌を歌わない。もっと正確に言うと、彼女は、娘のデンヴァーが幼かった頃を除いて、歌うことを忘れてしまっている。セサがようやく歌うようになったのは、昔自分の作った歌をビラヴィドが歌っているのを聞いて、ビラヴィドが自分の死んだ娘であることを、知ってからのことであった。以来、彼女は、母親の愛情を注いで娘のビラヴィドに歌を歌って聞かせることになる。「昔はデンヴァーに歌って聞かせた歌でさえ、彼女は、ビラヴィドのためにだけ歌った」（二四〇）。セサに歌うことを思い出させたのは、まさしくビラヴィドだったと言えよう。

トニ・モリスンは、ビラヴィドをして、物語るという行為と歌うことの大切さを忘却の淵からセサの記憶に甦らせようとした。その過程で彼女は記憶の呪縛から解放されていくのだが、それを可能にしたのは、物語と歌の力であった。これは、読み書きを習うことで西洋の活字文化と黒人の口承文化を融合させて生きていく娘のデンヴァーとは対照的に、時計の読み方さえ知らず、黒人の伝統的な文化を継承してきたセサの生き方にふさわしい。

注

1　「記憶への隷属」は、藤平育子著『カーニヴァル色のパッチワーク・キルト』の中で既に用いられた言葉である。章の題名として、氏の言葉を使わせて頂いた。

2　テクストは、Toni Morrison, *Beloved* (1997) の Vintage 版を使用した。執筆にあたり、吉田廸子訳『ビラヴド』(集英社、一九九〇年)を参考にさせて頂いた。

3　ラルフ・エリスンのこの一節は、拙稿「『サニーのブルース』について——ブルースが意味するもの」(『黒人研究』第五九号)の中でも、引用したことをことわっておく。

引用文献

Awkward, Michael. *Inspiriting Influences*. N.Y.: Columbia UP, 1989

岡真理『記憶/物語』岩波書店、二〇〇〇年。

Ellison, Ralph. *Shadow and Act*. N.Y.: Vintage Books, 1972.

Frye, Northrop. *The Secular Scripture*. Cambridge: Harvard UP, 1976.

藤平育子『カーニヴァル色のパッチワーク・キルト』。学藝書林、一九九六年。

Gates, Jr., Henry Luis. *Figures in Black*. N.Y.: Oxford UP, 1987.

Henderson, Mae G. "Toni Morrison's *Beloved*: Re-Membering Body" in *Toni Morrison's Beloved*. Eds. William L. Andrews and Nelly Y. McKay. Oxford: Oxford UP, 1999.

Hurston, Zora Neale. *Mules and Men*. Bloomington: Indiana UP, 1978.

——. *Their Eyes Were Watching God*. Urbana: University of Illinois Press, 1978.

コーン、ジェイムズ・H(梶原寿訳)『黒人霊歌とブルース』新教出版社、一九八三年。

King, Debra Walker. *Deep Talk*. Charlottesville: UP of Virginia, 1998.

Mbiti, John S. *African Religion and Philosophy*. N.Y.: Anchor Books, 1970.

Morrison, Toni. "Site of Memory," in *Inventing the Truth*. Ed. William Zinsser. Boston: Houton Mifflin Co., 1987.

——. *The Nobel Lecture in Literature*. N.Y.: Knopf, 1994.

——. "Memory, Creation, and Writing," *Thought*, Vol. 59. No. 235 Dec.

Scruggs, Charles. *Sweet Home*. Baltimore: Johns Hopkins UP, 1993.

下河辺美智子『歴史とトラウマ』作品社、二〇〇〇年。

吉田廸子『トニ・モリスン』清水書院。一九九九年。

※この拙稿は『記憶のポリティックス——アメリカ文学における忘却と想起』(南雲堂フェニックス、二〇〇一年)に掲載したものを転載したものである。

2 ゾラ・ニール・ハーストン
——連邦作家計画をめぐって

西垣内　磨留美

はじめに

連邦作家計画（以降、作家計画）は、フランクリン・ルーズベルト政権下でニューディール政策の一環として発足した公共事業促進局（雇用促進局から改称）の連邦芸術プログラムの一つであり、各州で支部が組織され、実地調査に基づくアメリカンガイドの制作を主たる目的としてアメリカ国家規模で行われた事業である。作家計画の文化史を扱った著作によれば、雇用者側は、アメリカの国民性を宗教的、民族的に定義することを嫌い、代わりにコスモポリタニズムを擁護した（ハーシュ　七）。しかしながら、調査の過程で収集されたデータは、民族色を帯びてくる。把握されていなかった民衆の歴史や文化にも光を当て、国の細部をも描き出そうと試みた所以である。例えば、同書によると、データの中には、農場労働者、家内使用人、職人へのインタビューのみならず、奴隷の受けた罰のタイプ、解放後に就いた職業の種類、南北戦争後の再建時代の移住のパターンなどが含まれている（一五二）。無論、これらはアフリカ系アメリカ人の特殊な歴史と切り離して語ることはできない。

アフリカ系の歴史や文化を調査する上で、ゾラ・ニール・ハーストンは申し分ない人物であった。アフリカ系アメリカ人が設立した最も初期の町の一つであり現存する最古の町、民話の宝庫ともいえるフロリダ州イートンヴィルの出身であったことに加え、文化人類学を学び、すでに実地調査の経験者であったのである。ハーストンは、一九三八年四月から一九三九年八月にかけて一年五ヶ月間、作家計画に参加している。資料や文学作品、上演活動の記録などが数多く残され、作家、劇作家、文化人類学者としてのキャリアが目に見えて積み上がった時期である。また、直前のハーレム・ルネッサンス期とともに、その態度や行動でハーストンの人となりまでわかる時代でもある。本稿は、ハーストンと作家計画の関わりを検証することで映し出される、歴史的な事象や文化人類学者、作家としてのハーストンを記述する試みである。

一　フロリダ支部の「ニグロ編集者」
――参加への経緯と処遇

ハーストンには作家計画への参加の先駆けとなる経験が存在する。一九三五年に連邦劇場計画のハーレムユニットに参加しているのである。この参加について、ヘメンウェイは、「黒人の生活を肯定するのに舞台こそふさわしい」とハーストンが考えたからとしている（二二三）。ハーストンはニグロユニットの最初の作品『共に歩もう』の制作に参加しているが、参加期間は六ヶ月と短く、ボイドによれば、ハーレムユニットの有名な作品『マクベス』の上演時に劇場に駆けつけることもなかった（二七九）。その頃すでにグッゲンハイム奨学金を獲得して、ジャマイカ、ハイチでの調査が始まっていたのである。それに先立ち、連邦劇場計画参加中にも、民話集『騾馬と人』が出版され、劇作より文化人類学上の仕事がハーストンの強い関心事となっていったことが窺われる。一九三六年から三七年は、調査旅行と、『彼らの目は神を見ていた』の執筆、出版の年となった。

一九三八年に至って、作家計画との関わりが現れる。正式参加に先立って、フロリダ支部で企画された『フロリダ・ニグロ』のコンサルタントとしてのオファーがあった。一旦は断るが、奨学金が少なくなり、フロリダ支部に雇用される道を選んだのである。

しかし、この時はコンサルタントではなかった。最初は「臨時雇用の執筆者」という待遇で、白人被雇用者の最低賃金に満たない給料で一九三八年四月から雇われることになったのである。のちに「ニグロ編集者」の名を当てられるも、実質的な編集の仕事からは遠ざけられていた。ハーストンは、参加前に多数の短編に加え大手出版社から二冊の小説『ヨナのとうごまの木』と『彼らの目は神を見ていた』を出版しており、それは「フロリダ支部でただ一人が持つ経験」であった（ケネディ　一二）。この待遇について、ハーストン自身の言葉がなく、忸怩たる思いであったろうと推測する以外にないが、同年六月、ロリンズ・カレッジの合唱団とともにワシントンの国内民俗文化祭に参加した折に、ハーストンが行動に出たことで、やはり納得のいく環境ではなかったことが明らかになる。作家計画のワシントン本部を訪れ、総指揮をとっていたヘンリー・オールズバーグに面会しているのである。その後、彼はハーストンの昇給や仕事面での活用をフロリダ支部に勧告したが、それがすぐさま実現するというわけにはいかなかった。フロリダでは、白人編集者は本雇いであったのに対し、臨時雇いのアフリカ系アメリカ人が指導的役職に就くなど論外とされていたからだった。民俗学のスキルを持つハーストンに企画の監督を担わせたいとする本部の意向はあっても、現場ではそうはいかなかったということである。組織の中で、ある個人の能力を活用しきれないという事象は時代に関係なく普遍的に頻繁に起こりうる。しかし、作家計画におけるハーストンの場合は、個人のレベル以前にアフリカ系という民族的背景が負の方向に大きく作用したという点で、作家計画当局の理念がコスモポリタニズムを標榜しようとも、活動の現場では、この時代以前と同様、「民族」という負荷を背負い、動くことになったのである。

ところが、ハーストンにとって幸運であったのは、直接の上司、フロリダ支部長カリタ・コースにより抜け道が用意されたことであった。プラントによる伝記には、次のような待遇が記述されている（八〇）。旅費が追加され、結果的にオールズバーグの勧告に近い額が支給されるようになった。フィールドライターとして、時間的自由も与えられ、在宅勤務が認められた。多くのフィールドワーカーに求められた日誌も免除され、週ごとの報告は課せられたが、これもあまり守られなかった。表向きは個人での調査の時期であるが、実施された形跡はなく、催促されたときには、過去に採集した手持ちの資料を提出している。熱心な仕事ぶりとは言えないが、ここで選択された資料は注目に値する。表面の物語と抵抗について語る暗号化されたメッセージとの両方が含まれた「両刃の剣」であったという指摘があるのである。ハーストンは、民話には白人読者の目をすり抜ける深い意味があることを知っており、フロリダのガイドブックに、アフリカ系の視点を盛り込む好機を察知したとするボーデロンの主張である（二六―二七）。ここにもアフリカ系の魂が息づくハーストンの信念が現れているということだろう。

作家計画での勤務形態は、ハーストンにとっては、事務職よりずっと好都合であった可能性が高い。ハーストンは、バーナード大学時代にファニー・ハーストの秘書をしたが、ハーストを魅了し友情が育まれたものの、秘書としては役に立たなかったという過去を持っているのである。フロリダ支部に精勤する必要がなかったハーストンは、一九三八年一〇月に出版された『告げよ、我が馬』のプロモーションや講演を行うことができ、『山の男モーゼ』の執筆に取り組むこともできた。コースの配意により自由な時間を得たことが、ハーストンの文化人類学者、作家としてのキャリアの積み上げに繋がっていたのである。

この待遇の背景には、コースとの良い関係があったことが考えられる。コースは、教師、コースとの良い関係...

ースは南部の進歩的白人女性であり、ハーストンと興味や背景が一致する部分があり、ハーストンの価値や彼女がもたらす上質の資料を理解していた（ボーデロン 二〇）。オールズバーグに宛てた書簡で、民俗文化資源に関するハーストンの深い知識に言及し、調査隊に同行すべきだと伝えていることが裏付けになるだろう（コース書簡）。隔離政策によってアフリカ系の被雇用者は呼ばれなかった本部にハーストンを招くこともあったという。一方で、ボイドのように、ハーストンに編集業務をさせなかったとしてコースに厳しい目を向ける研究者がいることも事実である。しかし、「一九三〇年代のアメリカ南部」であったことを考慮すれば、ハーストンに白人編集者と同等の処遇を与えるには無理があったことは想像に難くない。コースの側からすれば、かなりの厚遇で処したと考えるのが妥当ではないだろうか。

ハーストンからコースへの書簡も、二人の関係や作家計画の状況を知る手がかりとなる。一九三八年六月十六日付の書簡では、録音機が手に入れば、フロリダを回って、適切なサンプルが得られると述べられている。カプランは、この書簡がコースからオールズバーグに回され、当時としては貴重な録音機がフロリダ支部に貸与されたと報告している（四一五）。ハーストンは、聞き取りのみでは何度も歌ってもらわねばならず、そのうちに普段歌っているものが失われ、ありのままの採集ができないと説明して、録音機を所望しているのであるが、すでに実地調査で経験を積んだ者としての発言と言えよう。この書簡はハーストンが雇用されて二ヶ月後のものであるが、録音機を使って能力を発揮できるようになるには、ほぼ一年を待たねばならなかったことも、当時の状況を写すものとして注目すべきかもしれない。

コース宛の書簡には、この時期のハーストンを探る上でさらに押さえておく必要があるものが含まれている。一九三八年十二月三日付の書簡には、「ボス」という呼びかけの繰り返し、加えて、自らを「あなたのお気に入りの黒んぼ」と呼ぶ表現が見られるのである。同じ書簡には、「書けなくてごめんなさい。でももの書きのあなたならわかるでしょう。書けない時があるって」（四一八）といった、仕事の遅延に対して共感を求める内容も含まれており、好意を得ようという姿勢であったことは容易に想像できる。しかしそれにとどまらず、へりくだった物言いは、かつての後援者であったメイソン夫人への態度を連想させもする。夫人からは奨学金や調査旅行の資金を引き出すことに成功している。結局のところ、ハーストンは、表面では下位の役割に甘んじながら、有利になる実を取るのであろう。『騾馬とひと』の冒頭、「私たちは礼儀正しいのだから、『出ていって！』なんて言いはしない。にっこりして白人が満足するようなことを言うのだ。私たちのことなんかちっとも知らなくて、そこにない大事なものがわからないのだから」と語る姿とも通底する（二）。トリックスター的対処をもって生き抜いていくしたたかさをも感じさせる書簡なのである。

二 面目躍如の時——活動と成果

作家計画の活動に対する熱意を疑わせる時期が過ぎ、ハーストンに活躍の時が到来する。一九三八年十二月から翌年二月にかけ、作品の一部であったミュージカルやフォークコンサートのプロデュースを依頼され、上演したのである。例えば、オーランドーで開催された公共事業促進局の「国内技術展」において「火の踊り——アフリカングロテスク」を上演している。これは、オフブロードウェイですでに上演された『素晴らしき日』の一部（真夜中の場）である。聴衆であった白人中産階級から好評を得たと報告されている。

一九三九年五月には、録音調査に参加した。クロス・シティのテレビン油（松ヤニ）製造所での資料収集へ向かったのである。しかし、なお人種混交の実地調査チームは考えられない時代であり、ハーストンは、「歌の提供者のスカウト」として現地に前もって送り込まれたのであった（ケネディ 一七）。この調査では、大部の調査記録とエッセイ「テレビン油製造所」を残している。その内容については、後述する。

同年六月には、ジャクソンヴィルで、録音セッションに参加している。若い白人民俗学者ハルパートの調査のためのセッションではあったが、中心的役割を担い、ハーストンの肉声による歌が収録された。それぞれの歌の前後で、ハーストンはハルパートの質問に答え、歌そのものの特徴や収集の方法を解説している。例えば、「ハリマファスク」（音声データでは「ハリマファック」）を歌い終え、その採集の方法について、歌っている集団の中に入っていき、よく聞いて、歌に加わり、音と歌詞がしっかり頭に入るまで続ける、そして今度は自分の歌を聴いてもらい、同じと言ってもらえるまで続けると、説明する（「ジャクソンヴィル録音集」 一七二）。それでよしとせず、その歌を知っている別の集団にも確認して記憶に止めると述べており、できる限り学術的な調査の手法を取ろうとしていることがわかる。歌に付随するハーストン自身の説明によって、機器による録音の手段を持たなかった当時の苦労も見える音声データとなっている。

作家計画での最後の数ヶ月に至って、ハーストンはようやくその真骨頂を示す機会を得たと言えるだろう。この録音によって、ハーストンの肉声や採集の手法が公共事業促進局で保管されることとなった。しかし、当時は、音声データを入手できるのはごく一部の人々に限られており、公表されるためには活字化される必要があったが、紙ベースではほとんど採用されず、データは可視化されずに終わったのである。

資料採集の結果としての著作は、『フロリダ・ガイド』、『フロリダ・ニグロ』の二つの企画に向け執筆された。しかし、作家計画は、クロス・シティでの調査記録や「テレビン油製造所」を活用することはなかった。またオコイー暴動（一九二〇年）について執筆しているが、これも採用されず、部分のみ取り入れられるという扱いであった。「サンクティファイド・チャーチ」は、『フロリダ・ニグロ』の宗教の章のために執筆された解説である。ハーストンによれば、二つの宗派があり、プロテスタントの高尚で抑えの効いた傾向に反して根源的、原初的な傾向の、アフリカの文化を色濃く反映した教会である。音楽についての記述も興味深い。「ニグロの作った教会音楽は全て踊れる」あるいは、「動きのない音楽はニグロには不自然なのだから」儀式にはダンスがつきものと語り、そこではリズム、音楽、動きを伴う祈りが行われることを紹介している（『民話、自伝ほか』九〇一—〇二）。民族の文化や信者の心と密着した宗教活動として、アフリカ系の文化を報告した貴重な資料と言えよう。ハーストンは、作家計画離職後にも教会へのインタビューを続行している。宗教的な価値のみならず、文化的な価値を見出して深めるべきという判断があってのことではないかと思われる。しかしながら、この原稿自体は白人編集者によって全文削除されるという憂き目に遭っている。

ガイドブックの編集者であったステットソン・ケネディは、当時の仕事に関する著作に「ゾラの貢献」という章を設け、本人は書かなかった当時の様子を伝えてくれるのであるが、ハーストンがもたらした資料を「価値は計り知れない」と評価しながらも、「フレーバーとして『フロリダ・ガイド』の原稿に散りばめた」というのである（一三）。原稿を採用せずに部分を散りばめたという行為は、果たしてハーストンの真価を理解していたと言えるのだろうか。

「芸術など」は、『フロリダ・ニグロ』の芸術／文学のための一章に向け執筆されたが、単にアフリカ系の芸術を紹介する内容ではなかった。同じく作家計画の被雇用者であったリチャード・ライトやスターリング・ブラウンによってアフリカ系の人々や文化の明るい語りに過ぎず社会性がないと非難された『彼らの目は神を見ていた』を擁護するものであったのである。代表作を意識して書かれたと考えられることも、ハーストンの作家計画時代を織り成す一場面として興味深い。アフリカ系だからといって人種問題にとらわれず、芸術性を高めるべきといった文学的観点を表明するものである(『民話、自伝など』九〇五—一一)。ケネディら編集者はハーストンが作家、文化人類学者であることを認識してはいても、彼女に対し、また、その著作に対し、敬意を払ったかどうかは疑わしい。彼らは抗議文学の先鋒であったライトを擁護し(ボーデロン 三五)、「芸術など」の主張と対立する姿勢であったのである。かくして、ハーストンの全ての原稿は、『フロリダ・ニグロ』の最終稿から削除された。この最終稿自体が未刊に終わり、『フロリダ・ニグロ：連邦作家計画の遺産』として出版されたのは一九九三年のことである。

自由な時間を与えられるなど、アフリカ系の被雇用者としては結果的に厚遇となったと言えるかもしれないが、白人の上から目線で大目に見てもらった感はぬぐえず、白人支配の中で気に入られて得られた待遇であった面も否定できない。また、執筆した著作の単体が掲載されることもなく、署名すら記載されることもなく、ハーストンを含む当時の人々にとっては、作家計画におけるハーストンの功績は、紙面から滑り落ちた、いや、払い落された結果となったのである。表面的には、安定収入があったという一方的なメリットの評価しか見えない状態では、直後に書かれた自伝では、この仕事や時期に触れなかったのも無理からぬことであったかもしれない。音声データにせよ、著作にせよ、ハーストンの実績が可視化されるのには時間を要した。この時期は面目躍如の時であったと、後世から振り返り、ようやく言えるのである。

三 「テレビン油製造所」と『スワニー川の天使』——作品への影響

作家計画のための著作は採用されずに終わったが、作家ハーストンの中からこぼれ落ちたわけではなかった。ボーデロンは、「作家計画時代の経験と『スワニー川の天使』(以降『スワニー川』)の結びつきは固く」、登場人物の口から出るのはこの時期の調査記録の語句としている(x)。『スワニー川』の序文においてカービィが指摘するように、以前のハーストン作品に見られるアフリカ系の方言が白人であるミサーヴ家の人々から発せられ(ix)、このことは論議を呼んだ。しかし、実地調査を経験したハーストンの執筆にはそれなりの強みや信憑性がある。現地の白人労働者とアフリカ系労働者の間で言葉の相違が存在したならば、発音に敏感で方言のありのままを写そうと活字化した作家が、この作品では、言語上の差異を気にかけることなくアフリカ系の言葉に統一したとは考えにくい。

　登場人物の言葉に加え、クロス・シティでの実地調査から得られた素材が作品には生かされている。作品の舞台は、材木とテレビン油の町、西フロリダのソーリー、「無知と貧困と寄生虫が居座っていた」（一）。最も顕著なのは、『スワニー川』の主人公アーヴェイの父ブロック・ヘンソンや夫ジム・ミサーヴがテレビン油製造所の監督であったという設定である。「テレビン油製造所」は、ジョン・マクファーリンを案内人として、彼が監督する松ヤニ採集の現場を回った記録であり、他の作業員と比べ現地で最も接触のあった監督の職を主要人物の職としたことも納得がいく。「テレビン油製造所」と『スワニー川』の直接の関係を示すものとして、引き合いに出されるのが、マクファーリンの言葉「松ヤニの森はどこか寂しい」（一二九）と「ジムは作業場から作業場へ馬を駆りながら松林の美しさと寂しさの両方を楽しむことができた」（四二）というくだりである。エッセイでは、作業員による松ヤニ採集の具体的な様子だけでなく、監督の職務や待遇なども報告され（一三〇）、作品で描かれるヘンソンの家（九）、ジムの仕事の様子や作業用語、職名、作業員とのやりとり（四二―四九）など、クロス・シティでの調査記録に負うところが大きいことを窺わせる。

　カービィは、「ハーストンは『スワニー川』で南部の真の姿を写そうとしていた」とするが（viii）、活写された南部の人々らしい掛け合いの中で、監督ジムが作業員ジョーに向かって発する言葉も、その一端であろう。仕事を完了しなかったことを冗談交じりに責められて、ジョーが諸々の苦しい言い訳をした直後である。

> 「わかってる、わかってる」ジムが厳格ぶって言い返す。「お前を困らす土曜の夜だからな、ジョー。給料が出た土曜の夜は、酒と女にありったけ使っちまうってこった。で、前金をせがみにくるってわけだ。キャンプは大方この調子だ。土曜の晩！土曜の晩！きっとお前ら黒人の生きがいってもんだな、土曜の晩！」（四四）

説教されながら神妙そうにしていたジョーの言い分も聞いてみよう。

> 「土曜の晩のことは仰せのとおり、ジムさんよ。全くもってそのとおり。けどな、一晩だけでも、土曜にニグロにな

ってみちゃあどうかね？　二度と白人に戻りたくなくなるぜ」（四四）

誠に、これぞハーストンと言うべき応酬である。

無論、ハーストンは作家計画のために資料を収集したのではあるが、のちの作品に役立つ貴重な調査であることを知っていたとするボーデロンの論述は説得力がある（四一）。いずれ作品に生かそうという意図も持ちつつ精力的に収集したと考えると、大部の調査記録と二ページほどにまとめられた短いエッセイの落差も説明がつくのである。十年近くたって当時の資料をもとに作品の設定や場面が構築されたことを考慮すると、資料採集時の印象が深く、フロリダの生活の記述として重要と考えていた証と判断していいだろう。

結び

作家計画時代のハーストンの著作は、長く公の目に触れることはなかった。当時、大衆が手にできる唯一の手段であった紙媒体として残らなかったからである。公民権運動からははるか前の時代に闇に葬られたかに見えたアフリカ系作家、そして文化人類学者の仕事は、現代に至って、保存データの体系的な整理と公開により評価に堪えるものとなった。アメリカを切り取った、アフリカ系の文化を伝えた、様々に言うことができようが、アフリカ系の魂を持つ文化人類学者の目で耳で資料を採集し残そうとした、まさにこの点において、ハーストンの仕事は、作家計画の方針に優等生的に沿う仕事となり、資料は後世の貴重な宝となったのである。優れた資料を残したのは、ハーストンの実力のなせる業であろう。『フロリダ・ガイド』、『フロリダ・ニグロ』の編集者が軽視した価値は、長いスパンでの評価において、看過できないものとなったのである。

緩急使い分けて冷遇をはね返し、自由な時間に別の活動を行なったこと、調査によって学者としての興味を満たし、創作に有効な収集資料と著作を得たことは、ハーストンにとってもやはり実り多き経験であったのではなかろうか。その当時はないも同然であった作家計画におけるハーストンの足跡は、後世の技術革新によって共有化された資料、また、追って執筆された作品との関連の検証を通じ、色鮮やかに残っていたことが認められるのである。

引用文献

Bordelon, Pamela. "Foreword." *Go Gator and Muddy the Water*, pp. ix–xiii.

——. "Zora Neale Hurston: A Biographical Essay." *Go Gator and Muddy the Water*, pp. 3–49.

Carby, Hazel V. "Foreword." Hurston. *Seraph on the Suwanee*. vii–xviii.

Corse, Carita D. Letter to Henry G. Alsberg. 23 May 1939. Carita Doggett Corse Correspondence File. Library of Congress.

Boyd, Valerie. *Wrapped in Rainbows: The Life of Zora Neale Hurston*. Scribner, 2003.

Hemenway, Robert E. *Zora Neale Hurston: A Literary Biography*. 1977. U of Illinois Press, 1980.

Hirsch, Jerrold. *Portrait of America: A Cultural History of the Federal Writers' Project*. North Carolina UP, 2003.

Hurston, Zora Neale. *Mules and Men*. 1935. Harper Perennial, 1990.

——. *Seraph on the Suwanee*. 1948. Harper Perennial, 1991.

——. *Folklore, Memoirs, and Other Writings*. The Library of America, 1995.

——. *Go Gator and Muddy the Water: Writings by Zora Neale Hurston from the Federal Writers' Project*. Edited and with a Biographical Essay by Pamela Bordelon, Norton, 1999.

——. "Turpentine." *Go Gator and Muddy the Water*, pp. 128–30.

——. "The Jacksonville Recordings." *Go Gator and Muddy the Water*, pp. 157–77.

——. *Zora Neale Hurston: A Life in Letters*. Edited by Carla Kaplan. Doubleday, 2002.

Kennedy, Stetson. "Florida Folklife and the WPA, an Introduction." *A Reference Guide to Florida Folklore from the Federal WPA Deposited in the Florida Folklife Archives*. Florida Division of Historical Resources, 1990. www.floridamemory.com/onlineclassroom/zora_hurston/documents/stetsonkennedy/.

Plant, Deborah G. *Zora Neale Hurston: A Biography of the Spirit*. Rowman & Littlefield, 2007.

※本稿は、多民族研究学会シンポジウム「連邦作家計画を読み解く——作家と民族の地平から」（二〇一八年七月二十八日）の報告論文（『多民族研究』第十二号）をもとに、作品への影響などを中心に扱う範囲を広げて加筆を施し、再構成したものである。

3 矛盾に隠された抗議
──ラルフ・エリスンの『見えない人間』における強き敗者

田中　千晶

一　はじめに

ラルフ・エリスンの『見えない人間』は、グレアム・ラッセル・ホッジズが「その最も恒久的なテーマは語り手のアイデンティティの探求にある」(一四二)と述べているように、アフリカン・アメリカンの青年の内面に焦点を当てた物語として一般的に考察されてきた。また、アーネスト・カイザーによる「黒人抗議小説という偉大な伝統を軽視している」(ライリー　一一二)という批判が示しているように、抗議小説との違いも先行研究では強調されている。抗議小説では、白人への反感、憎悪、恐怖心を明確に表現して、アフリカン・アメリカンの人間としての尊厳を奪うアメリカ社会への異議申し立てが行なわれているのに対して、『見えない人間』の語り手は、「僕は不満を言っているのでも、抗議しているのでもない」(三)と述べている。

エリスン自身も一九九五年版の序章に、「取り組む価値のある小説は、人間そのものにかなりの比重を置いた迫力ある考察であるべきだと考えているので、抗議小説になってしまわないようにこれまでずいぶん苦労を重ねてきた」(xviii)と記述している。しかし、注目すべき点は、このように抗議小説ではないことを強調しているエリスンが、「世間と水差し」というエッセイでは、「『見えない人間』の中に」抗議はある。黒人の状況を目の前にして私がどうすることもできなかったからではなく、私がそこに表現し**たかった**からだ」(『影と行為』一三七)と明言していることである。本論では、「抗議小説になってしまわないように」した小説の中に「抗議はある」ということの矛盾を考察するにあたって、『見えない人間』の中の矛盾する表現、とりわけ撞着語法に焦点を当てる。

先行研究では、繰り返し用いられる「はい」と「いいえ」や、エピローグの最後の「だから僕は憎み、愛する」(五八〇)への言及はしばしば見られる一方で、矛盾する表現だけに注目した論考はない。トーマス・シャウブが、ブロードウェイより明るいという暗い穴や、あまりにも現実的すぎる夢の世界についての記述を撞着語法ととらえているが、シャウブの論はこのような表現に本来備わった曖昧性を、「『人間がどこまでも複雑で曖昧である』(『影と行為』一二五)ことを伝えるための絶好の手段」(オミーリー『批評集』一二八)と指摘するにとどまっている。本論では、『見えない人間』において、語り手が矛盾する表現をどのようにして理解し、どのように用いているのかを考察することによって、エリスンの述べている抗議小説とは異なる抗議とはどのようなものかを明らかにしていく。

二 アフリカン・アメリカンのヴァナキュラーとしての強き敗者

『見えない人間』における矛盾する表現について具体的に論じる前に、アフリカン・アメリカンの歴史や文化において矛盾する表現がしばしば用いられてきたことをまず概観する。奴隷制時代に自伝を記したフレデリック・ダグラスは、奴隷たちが「時には最も嬉しそうに最も悲しい調べを歌い、最も悲しそうに最も嬉しい調べを歌うこともあった」(一八)ことを指摘している。すなわち、人間でありながら人間として扱われない理不尽な制度のもとで、彼らは白人の前で表情と感情を相反するものにする術を身につけた。一八九六年には、「分離すれども平等」という矛盾した判決が連邦最高裁判所によって下され、この判決のもとで人種隔離が行われた日々の葛藤を、ポール・ローレンス・ダンバーは、「おれたちは仮面をかぶっている」という詩に「心を引き裂かれて血を流しながら、俺たちは笑っている」(七一)と書き、ラングストン・ヒューズは、「道化師」という詩に「涙が俺の笑いだ、笑いが俺の痛みだ」(五三)と記述している。

矛盾はアフリカン・アメリカンの音楽にも見出すことができる。ヒューストン・A・ベイカー・ジュニアは、「特定の地方や場所に固有の、あるいは特有の」(二)技巧をヴァナキュラーと呼び、アフリカン・アメリカンのヴァナキュラーであるブルースでは、「無数の矛盾に折り合いがつけられている」(七)と説明している。ジャズについても、エリスンが、「ジャズという形式そのものには容赦のない矛盾がある。というのも、真のジャズは、個人が集団の中で集団に逆らいながら自己主張する芸術であるからだ」(『影と行為』二三四)とその矛盾を指摘している。さらに、リロイ・ジョーンズは、『ブラック・ミュージック』に収められたエッセイに「変わっていく同じもの」という撞着語法を用いたタイトルをつけ、「人生は、単純であり続けながら複雑である」(二一五)のような表現を使って黒人音楽について論じている。

アフリカン・アメリカンの民話もまた矛盾と切り離すことができない。中でも本論の考察に重要な示唆を与えてくれるのが、「ゾウとクジラの綱引き」という民話である。この民話の主人公のウサギは、陸の支配者になりたいゾウと、海の支配者になりたいクジラの会話を耳にする。ウサギはゾウとクジラのそれぞれを訪ねて、「とてもお優しくて、とてもお強い」（エイブラハムズ　八九）とおだてた後に言葉巧みに騙して、背中合わせに綱引きをさせる。お互いを全力で引っ張っていたことに気づいたゾウとクジラが激怒しているところに、死んだシカの皮をかぶり、怪我をしたシカを装ったウサギが現れる。シカになりすましたウサギは、ウサギには悪魔から与えられた毒を盛る力があり、そのためにひどい目にあった、気をつけなさいと苦しそうに話す。ゾウもクジラも悪魔の力を恐れて、ウサギに仕返しをするのを止める。この物語の最後に、ゾウとクジラのいないところで、ウサギは友達と一緒に大笑いをしながら、「誰が一番大きいなんて関係ないさ……一番強いのはやっぱり僕だ――ともかく頭を使えばね！」（同書　九二）と言う。

　この「ゾウとクジラの綱引き」をはじめとする、力の弱い者が強い者を巧みに騙す物語について、『アフリカン・アメリカンの民話』の編者ロジャー・D・エイブラハムズは、「強き敗者」という撞着語法を用いて次のように説明している。

> ［これらの物語では］小さな動物が間に入ったり喧嘩を吹っかけたりして、外見上はより力の強い動物の行動に首尾よく関与し、思い通りに事を運ぶ……これらの物語のほとんどでは、粗暴な強さを使って動かすことと才知を使うことがぶつかり合う。たいていの場合、どちらの方法からも勝者は生まれない。これらの物語は、どうすれば強き敗者になるかについてのたとえ話とさえ言えるだろう。（八二）

エイブラハムズが、力を使う側からも才知を使う側からも勝者は生まれないと述べているように、「ゾウとクジラの綱引き」のウサギは、ゾウとクジラの前ではあくまでもへりくだった「敗者」でありながら、相手を思い通りに操るための才知において勝っている。以下の章では、『見えない人間』の語り手が、祖先から受け継いできた矛盾する表現を駆使して、敗者のように見せかけて相手を巧みに騙すというアフリカン・アメリカンのこのヴァナキュラーをどのように実践していくかを明らかにしていく。

三 『見えない人間』における矛盾する表現

『見えない人間』における矛盾する表現に注目した時、第一章から第八章で描かれているのは矛盾を理解できない語り手である。語り手が最初に耳にする矛盾する表現は、先行研究においてよく引用される「ハイと言いながらやつらを打ち負かし、ニヤニヤ笑いをしながら少しずつ衰えさせ、同意しながら死と破滅へと向かわせてほしい」(一六)という祖父の遺言である。同意しながら相手を破滅させよというこのメッセージは、幼い語り手には「なぞ」(一六)でしかない。また、高校生になった語り手が、町の白人有力者の前で演説した日の夜に見た夢にも矛盾する表現が用いられている。賞品の折りかばんに入っていた手紙には、「黒人をずっと走らせよ」(三三)と書かれていた。一九九五年版の『見えない人間』の序章において、エリスンは、この言葉の後には、通常「ただし、馴染のある同じ場所で」(xv)が続くことを明かしている。すなわち、「黒人をずっと走らせよ」という言葉には、同じ場所で走り続けることを強いる白人社会への痛烈な皮肉が込められているが、高校生の語り手はそれを理解することができない。このあとの章でも、近親相姦を犯した小作人トゥルーブラッドが、「動かずに動かなきゃなりませんでした」(五九)と話したり、ブレッドソー校長が語り手のことを「教育を受けたばか者」(一四三)と批判したりしているが、語り手はこれらの撞着語法には全く関心を示さない。

このような語り手を大きく変化させるのが、第九章においてニューヨークの公園で出会う、青写真の入ったカートを引く男である。先行研究においても、この男の口ずさむブルースや巧みな言葉遊びについては言及されている。[1] しかし、本論の考察において重要な点は、語り手が矛盾する表現を理解するにあたって、この男の果たす役割である。語り手は、この男と別れる際には、それ以前とは違って、聞き慣れた「ブギウギ・ブルース」について「なぜあんな矛盾だらけの言葉で誰かのことを表現するのだろう」(一七七)と考えたり、この男に対する「誇りなのか嫌悪なのかわからない」(一七七)という自らの矛盾する感情にも気づいたりしている。

語り手がこのように変化した背景には、退学処分を受けた後、紹介状の相手に次々と面会を拒否され、所持金も尽きかけて不安にさいなまれていたために、立ち止まって他者の言葉に耳を傾けることができるようになっていたという状況がある。しかし、見逃すことはできないのは、このカートを引く男の優れた教育方法である。男はまず言葉遊びを投げかけ、そのあとニューヨークで生きのびるために必要なものとして、「少量のくだらないもの（シット）、根性（グリット）、生来の才知（マザーウィット）」（一七六）の三つを韻を踏みながら教える。「生来の才知」については、アラン・ダンデスが「必ずしも本や学校で学ぶような分別のことではない……日々の経験や祖先から受け継いできた集団としての知」（xvi）と説明している。すなわち、このカートを引く男は、アフリカン・アメリカンのヴァナキュラーである「生来の才知」の重要性を語り手に伝えるとともに、その才知を使って自ら実践し、真似をさせ、去る時にもブルースを歌って復習の機会を与えている。

さらに、この男に路上で出会っていることも、語り手を変化させた一因と言える。H・ラップ・ブラウンは、「路上が若い黒人の教育の場である。私は話し方を路上で学んだ」（ダンデス　三五四）と記述している。ゴールデン・デイで出会った帰還兵も、ニューヨーク行きのバスの中で、「公然と隠されている」（一五四）ことを理解すれば勝利をつかめると、矛盾する表現を用いて語り手に生き方を示唆しており、語り手自身もカートを引く男が帰還兵に似ていると感じている。しかし、バスの中で成功を夢見ていた語り手は、帰還兵の言葉に心を動かすことはなかった。ニューヨークの公園では、助言を受け入れる気持ちになっていた時に、適切な教育を、路上という伝統的な場で受けたことが、語り手を矛盾する表現の理解へと近づけたと言えるだろう。

さらに、このカートを引く男は、このあとの語り手の言動に強い影響を及ぼす次のような言葉も発している。「ときどき俺のところに来いよ。俺は、ピアノ弾きで、ポーカーの博打うちで、ウィスキーの飲んだくれで、ごろつきさ。ためになる悪行ってやつを教えてやるよ。これからのあんたには必要だからな」（一七六）。この「ためになる悪行」という撞着語法によって示される善と悪の混在は、このあとブラザーフッド協会での活動を経て知ることになるラインハートへとつながっていく。

ラインハートは、語り手がアイデンティティを探求する中で、自らの可能性に気づくきっかけを与える人物として考察されることが多い。しかし、矛盾する表現に注目すると、牧師でありながら、賭博師であり、警察にわいろを渡していて、複数の愛人を持つラインハートは、まさに善と悪の混在を体現する人物である。また、心霊述者のラインハートのちらしには「古きものは常に新しい……見えざる見えぬものを見よ」（四九五―九六）のように撞着語法が用いられている。ラインハートを知った段階での語り手は、以前だったら関わり合いを避けていたこの男になりすますだけでなく、言葉遊びをするほどまでに矛盾への理解を深めている。例えば、語り手は、ラインハートについては、「彼自身がライン（外側）とハート（内側）の両方であるなんてことがありうるのか？」（四九八）と言い、「信じられないことだけが信じられるのだろう。真実は常に嘘なのだろう」（四九八）と考えている。さらに、ラスについても「外国の衣装を身につけたこの狂った男は現実だが現実ではない」（五五八）、「間違っているが正当であり、狂っているが冷静で正気である」（五六四）のように、矛盾する言葉を次々と繰り出している。

その上で、語り手は、これまで耳にした矛盾する表現を実際の行動に移していく。祖父の遺言のとおりに、ハイと言いながらブラザーフッド協会を破滅に導こうと決意することや、「僕自身は動かされることなくあいつらを動かさなくてはならない」（五〇七）とトゥルーブラッドと同様の表現をした上で、架空の会員カードの作成や、ブラザーフッド協会への虚偽の報告のような「ためになる悪行」を実践しているのがその例である。このように考察すると、『見えない人間』の第一章から第二十五章は、語り手が、最初は理解できなかったアフリカン・アメリカンのヴァナキュラーの一つである矛盾する表現を自らのものとする物語となる。

四　プロローグとエピローグに隠された抗議

前章のようにとらえると、この第一章から第二十五章の前後に置かれたプロローグとエピローグは、矛盾する表現を自らのものとした語り手がその技巧を存分に発揮する場となる。プロローグの語り手は、千三百六十九個の電球の光に満ちた暖かいビルの地下室にいて、活力を感じている。一方、エピローグの語り手は、真っ暗なマンホールの穴にいて、「わが過失なり」（五七五）、「無気力」（五七九）、「失敗」（五七九）、「武装解除」（五八〇）、「死」（五八〇）などの否定的な言葉を発している。したがって、どちらも同じハーレムの暴動から逃れる途中で穴に落ちた後の語り手の独白であるにもかかわらず、この二つは矛盾している。

さらに、語り手は、プロローグとエピローグのそれぞれをも矛盾させている。プロローグでは、光に満ちた地下室で行動を起こすために準備しているはずの語り手が、冬眠している熊に自分を例え、最後から二番目のパラグラフでは「無責任」（一四）という語を五回用いて、最後は「混乱しすぎていた……臆病者だった」（一四）と告白している。逆にエピローグでは、失敗を口にして武装を解除し、死の匂いさえ感じている語り手が、「僕は態度を表明しなければならない、立ち上がらなければならない……見えない人間でさえ果たすべき社会的役割があるという可能性がある」（五八一）と立ち上がる決意や社会的役割に言及している。「小説の結末には救済の可能性があることをはっきりと感じる」（ライリー　四七）ととらえる批評家もいれば、「この見えない人間は完全なる失敗を確信しながら話している」（クライン　八三）と指摘する批評家もいることも、エピローグの矛盾を示している。

このようにプロローグとエピローグ、プロローグとエピローグのそれぞれを矛盾させ、「頭のおかしいやつのくだらない話」（五八一）と読者に思わせておいて、語り手は何をするのか。その答えが「闘い」であることを示唆するのが、プロローグの「だが、僕は気づかれることなくやつらと闘い続けることができるとついに知った」（五）という言葉である。この気づかれることのない闘いを、語り手は矛盾する表現を巧みに用いて行う。その一つが、エピローグの直前の「終わりは始まりにあった」（五七一）である。ヘンリー・ルイス・ゲイツ・ジュニアやアラン・ネイデルは、この文がT・S・エリオットの「イースト・コーカー」の「私の終わりは始まりにある」を想起させると指摘している（ゲイツ　二三五、ネイデル　三五）。一方、この「始まり」を、『見えない人間』の第一文ととらえた場合、語り手が最後に伝えたいことは冒頭の「僕は見えない人間である」（三）であることになる。

この場合、この第一文に「存在していたのに」がつけ加えられた、「そう、僕は存在していたのに見えない人間だった。それが根本にある矛盾だったのだ」（五〇七）という第二十三章における矛盾への気づきとの共通点が重要になる。ハンブローの家を訪ねて、ブラザーフッド協会に利用されていたことを知った語り手のこの気づきは、強烈な印象を与える冒頭の一文とは違って目立たない位置に置かれている。しかし、この気づきの後に語り手は「今、僕は自分が不可視であることをはっきりと理解した」（五〇八）と述べている。この二つの文を結びつけると、『見えない人間』の矛盾する表現についての考察の核心となる点が浮かび上がる。すなわち、アメリカ社会の中であたかもそこにいないかのように扱われることへの絶望のように見せかけた冒頭の「僕は見えない人間である」という一文は、「存在するのに目に見えない人間である」という矛盾への断固たる抗議となる。したがって、タイトルもまた、『（存在するのに）見えない人間』という撞着語法が隠された、アメリカ社会への異議申し立てとなる。

このように、矛盾した表現を用いて抗議することを、「気づかれることなくやつらと闘い続ける」ための語り手の技法ととらえると、「音響の中の沈黙を聞く」（一三）という矛盾する表現もまた、『見えない人間』に密かに書き込まれた抗議を読み解く手がかりとなる。アフリカン・アメリカンの音楽と抗議の関係については、リロイ・ジョーンズが次のように説明している。「黒人の宗教音楽には、常に抗議の要素が含まれている。いわゆる『目に見えない教育』である黒人奴隷の礼拝前のお祈りでは、主人に気づかれないように、たいていは聖書の言葉で暗に示しながら、自分たちをユダヤ人などに置き換えて、奴隷は自由について歌ったのだ」（二三七）。『見えない人間』において、語り手は、音楽によって白人に気づかれないように抗議するというこのアフリカン・アメリカンのヴァナキュラーを、ルイ・アームストロングのブルースを用いて実践している。「こんなに憂鬱で暗い私は何をしたんだろう?」という陰鬱なブルースの「沈黙を聞く」ことを促されてはじめて、読者はこの疑問文が「何もしていない!」という反語でもあることに気づく。このとき、「僕が一体何をしたというのだ!何もしていない!」という、言葉で表されることのない抗議が聞こえてくる。

　さらに、アームストロングのブルースに隠された抗議は、『見えない人間』の最後の「低周波で僕が君に向かって話していることに誰が気づくだろう?」（五八一）という問いかけに隠されたメッセージも明らかにする。リチャード・D・レーハンが「語り手は最後に一人で地下の石炭の上に置き去りにされる。山積みの石炭は社会からの隠遁、孤独と沈黙の場所となる」（ライリー　一一〇）と述べているように、暗い穴にいる孤独な青年の「誰も気づいてはくれない……」という絶望を示唆する独白でこの小説は終わる。しかし、この問いかけもまた「誰も気づきはしないのだ!」という反語ととらえると、ウサギがゾウとクジラの前ではへりくだっておきながら巧みに騙したように、矛盾する表現を用いて、読者に気づかれないように抗議を書き込んだ語り手の勝利の宣言となる。先行研究においてしばしば比較されるリチャード・ライトの「地下にひそむ男」では、主人公は最後に水に流されてしまう。それに対して、『見えない人間』の語り手は、矛盾する空間としてのプロローグとエピローグを創り出し、そこに抗議と決意を書き込み、「一番強いのはやっぱり僕だ——ともかく頭を使えばね!」と言うウサギのように、自らの才知を高らかに誇っている。

結び——強き敗者エリスン

以上の考察から、『見えない人間』では、アフリカン・アメリカンのヴァナキュラーである矛盾する表現を巧みに用いて、エリスンの述べている抗議小説とは異なる抗議が読者にわかりにくいように行われていると結論づけることができる。エリスンは、アフリカン・アメリカンの青年がアイデンティティを探求する物語の中に、絶望しているように見せかけて密かに抗議をする才知を自らのものにした強き敗者の物語を書き込んだ。エリスンが、初期の短編「列車に乗った少年」[2]では、「世の中はむごい。だからあたしたちは闘わなくちゃならないんだよ」(『短編集』一八)のように、明確に闘うことを宣言する母親を描いていたことを考えると、エリスンもまた、『見えない人間』を書き上げた段階で、矛盾する表現を用いて強き敗者となるための才知を、語り手と同様に手にしていることになる。

ヒューストン・A・ベイカー・ジュニアは、『見えない人間』におけるトゥルーブラッドのエピソードに注目し、批評家としてのエリスンがエッセイの中でフォークロアを軽視する一方で、芸術家としてのエリスンはブルースというヴァナキュラーのもつ力を存分に発揮させているという二面性を指摘した(一九七—九九)。本論の考察は、『見えない人間』が抗議小説ではないことを強調するエリスンと、矛盾する表現を巧みに用いて密かに抗議するエリスンという二面性を明らかにする。『見えない人間』を書くことで、エリスンは、カートを引く男が語り手に真似をさせたように、強き敗者となるための才知の重要性と、その才知を用いる手法を後世の人々に伝えている。

注

1 ロバート・G・オミーリーがこの男について最も詳細に論じている(『技法』七九、八三、八七—八八)。また、ホロヴィッツ(ライリー 三五—三六)、ホッジズ(一三一—一三二)、マクスィーニー(六八—六九)、ビーバーズ(一九七—九八)もこの男について考察しているが、いずれも「ためになる悪行」には言及していない。

2 未発表のこの短編について、ジョン・F・カラハンは、『ラルフ・エリスン短編集』の序章で、正確な執筆年を特定することはできないが「初期の物語」というラベルのつけられたフォルダーに収められていたと説明している(xxii)。

引用文献

Abrahams, Roger D. *African American Folktales*. New York: Pantheon, 1985.『アフロ—アメリカンの民話』北村美都穂訳、青土社、一九九六年。

Baker, Houston A., Jr. Blues, *Ideology, and Afro-American Literature: A Vernacular Theory*. Chicago: Chicago UP, 1984.『ブルースの文学——奴隷の経済学とヴァナキュラー』松本昇他訳、法政大学出版局、二〇一五年。

Beavers, Herman. "Documenting Turbulence: The Dialectics of Chaos in Invisible Man." Lucas E. Morel, ed. *Ralph Ellison and the Raft of Hope: A Political Companion to Invisible Man*. Kentucky: Kentucky UP, 2004. 193–217.

Douglass, Frederick. *Narrative of the Life of Frederick Douglass, an American Slave, Written by Himself*. New York: W. W. Norton, 1997. 『数奇なる奴隷の半生——フレデリック・ダグラス自伝』岡田誠一訳、法政大学出版局、一九九三年。

Dunbar, Paul Laurence. *The Complete Poems of Paul Laurence Dunbar*. New York: Dodd, Mead, 1913.

Dundes, Alan. *Mother Wit from the Laughing Barrel: Readings in the Interpretation of Afro-American Folklore*. Jackson: Mississippi UP, 1990.

Ellison, Ralph. *Flying Home and Other Stories*. New York: Vintage, 1996. 『ラルフ・エリスン短編集』松本一裕他訳、南雲堂フェニックス、二〇〇五年。

——, *Invisible Man*. New York: Vintage, 1995. 『見えない人間 I・II』松本昇訳、南雲堂フェニックス、二〇〇四年。

——, *Shadow and Act*. New York: Vintage, 1995. 『影と行為』行方均他訳、南雲堂フェニックス、二〇〇九年。

Gates, Henry Louis, Jr. *The Signifying Monkey: A Theory of Afro-American Literary Criticism*. New York: Oxford UP, 1988. 『シグニファイング・モンキー——もの騙る猿／アフロ・アメリカン文学批評理論』松本昇・清水菜穂監訳、南雲堂フェニックス、二〇〇九年。

Hodges, Graham Russell, ed. *Studies in African American History and Culture*. New York: Routledge, 2003.

Hughes, Langston. *The Weary Blues*. New York: Alfred A. Knopf, 1926. 『ニグロと河』斎藤忠利訳、国文社、一九六四年。

Jones, LeRoi. *Black Music*. New York: Akashic Books, 2010. 『ブラック・ミュージック』木島始他訳、晶文社、一九六九年。

Klein, Marcus. *After Alienation: American Novels in Mid-Century*. Chicago; Chicago UP, 1964.

McSweeney, Kerry. *Invisible Man: Race and Identity*. Boston: Twayne, 1988.

Nadel, Alan. *Invisible Criticism: Ralph Ellison and the American Canon*. Iowa: Iowa UP, 1988.

O'Meally, Robert G., ed. *New Essays on Invisible Man*. Cambridge: Cambridge UP, 1988.

——, *The Craft of Ralph Ellison*. Cambridge: Harvard UP, 1980.

Reilly, John M., ed. *Twentieth Century Interpretations of Invisible Man*. New Jersey: Englewood Cliffs, 1970.

地下鉄道に乗って逃げて
――コルソン・ホワイトヘッドの作品における移動の表象

程　文清

「この国がどんなものか知りたいなら、私は常に言うさ、鉄道に乗らなければならないと。列車が走るあいだ外を見ておくがいい。アメリカの真の顔がわかるだろう」そして貨車の壁をぱしんと叩いた。それが合図だった。列車はぐらつきながら出発した。（八九）

はじめに

コルソン・ホワイトヘッドの『地下鉄道』（二〇一六）は、一五歳の奴隷少女コーラが本物の地下鉄道に乗り、アメリカ各州へ逃げ回る逃亡劇を描いた物語である。二〇一六年八月に出版されるや、たちまち反響を呼び、大きなヒット作となった。ニューヨーク・タイムズ・ベストセラーの一位になり、人気タレントオプラ・ウインフリーのブッククラブにも選ばれた。さらに、ピュリッツァー賞、全米図書賞、アーサー・C・クラーク賞、カーネギー・メダルなど数々の名誉ある文学賞を受賞した。

主人公のコーラはアメリカ南部ジョージア州にあるランドル農園で暮らす独りぼっちの奴隷少女である。母親のメイベルは数年前に農園から脱出してしまった。以来、コーラはほかの奴隷から孤立され、農園ののけものたちと一緒に暮らす羽目になり、日々過酷な生活を強いられている。ある日、新入りの奴隷シーザーから誘われ、逃亡を決断する。アンテ・ベラムのアメリカでは、奴隷に対する所有者の絶対的な権利が法によって守られていたため、脱走は命がけであった。逃亡奴隷は常に保安官や奴隷狩りに追われていて、失敗して連れ戻される場合には、残虐な罰が待ち受けている。コーラは危険を十分承知している。しかし、「自分以外のどんな主人にも仕えていない」（六三）未来を自分の目で確かめるために逃亡を決意する。コーラたちは農園を抜け出し、追っ手の追跡を振り切り、奴隷狩りの一人を殺して、やっとの思いで辿り着いたのが「地下鉄道」の「駅」だ。そこで彼女たちは、駅の地下に隠されている「巨大なトンネル」と地下を走る線路を目にして驚嘆する。地上の鉄道を使えない逃亡奴隷のために秘密裏に造られた文字通り地下の鉄道である。一風変わった駅長に冒頭に引用した言葉を言われ、コーラたちは列車に乗り、自由を目指して旅に出る。しかし、執拗に迫ってくる奴隷狩りから逃れるため、彼女は一つの場所に留まることができず、様々な州を「通り抜け」(八八)、そのたびに各地の様々な「習慣と流儀」(八八)に直面し、また幾多の困難と苦境も経験する。

作中の出来事、登場人物、スラングなどの点において、『地下鉄道』は奴隷体験記の伝統から着想を得ていることは明らかであろう。苛酷な奴隷生活、バラバラに引き裂かれた家族、残虐極まりない農園の主人、読み書き能力の習得など作中のエピソードは多くの奴隷体験記を構成する重要な要素にもなっている。しかし、こうしたアフリカン・アメリカの文学の伝統を汲みながら、この小説はホワイトヘッド作品ならではの特徴も見せている。それは何と言ってもデビュー作*The Intuitionist*(一九九九年)から一貫して、社会性とスリリングなエンターテインメント性を併せ持っていることであろう。人種問題と黒人の歴史に深く切り込んだ彼の作品は、サイエンス・フイクション、マーベルコミックスやホラー映画など異なるジャンルの要素を文学に取り込み、自在に融合させている。『地下鉄道』の中でとりわけ注目に値するのは、地下鉄道という暗号また比喩的表現を、文字通り地下を走る本物の鉄道に置き換えて物語に登場させることである。アメリカの鉄道建設は一八二〇年代の後半に始まり、四十年代に急速な発展を遂げたが、物語の舞台とされている一八五〇年代に地下鉄道はもちろんなかった。この「大胆」かつ常識に捉われない設定によって、主人公は「逃げ続けねばならない」(谷崎 三九一)緊張とスピード感に溢れる展開となっている。この論文をこうしたコーラの移動に焦点を当て、奴隷体験記の研究では重要視されたことがまだ少ない「旅」の問題について考察していく。奴隷制の下、移動が完全に制限されていた奴隷にとって、プランテーションから脱出することは奴隷制に対する反抗であり、また自由を獲得して、主体を構築するプロセスでもある。移動はコーラにどんな影響を与え、また彼女はいかに変化していくかを論文の中で明らかにしてみたい。次に、この小説は地下鉄道という抵抗と救済の典型的なアメリカ神話を問い直し、隠された声と真実を探ろうとしている作品であると論じたい。最後に、以上の分析を踏まえて、この作品は現在のアメリカ社会に示唆していることについても触れておきたい。

1 奴隷体験記と移動

まず、ホワイトヘッドの作品に大きな影響を与えた奴隷体験記の語りの特徴を見てみよう。逃亡奴隷や元奴隷によって膨大な数の自伝や証言が残されている。本の形で出版されたものや口述記録など合わせて六千以上がある。独立戦争前の一七六〇年から一八六五年までの間と、南北戦争後の二つの時期にもっとも多くの奴隷体験記は本やパンフレットの形で世に出た。さらに、一九三〇年代に連邦作家計画（FWP）の一環として収集された元奴隷のオーラル・ヒストリーは約二千五百以上ある。南北戦争の前では、奴隷制をめぐる論争や奴隷廃止運動の機運が高まるなか、奴隷制の非人道性を世に知らしめるという政治的、プロパガンダ的な役割を果たした。この点について、例えばリン・スコットは次のように述べている。「アンテベラム期の一八三六年から一八六一年に、奴隷体験記はその影響力の頂点と表現形式の円熟に達していた」。さらに、彼女は、この時期に奴隷体験記は「明確な文学のジャンルになっていた」ことや、「北部、主に白人の読者層の間では絶対的な人気と影響力を得ていた」[1]ことについても述べている。

「奴隷体験記は隷属状態から自由への物理的及び精神的な旅の自伝的記述」[2]の定義の通り、スレーブ・ナラティブは奴隷制度の現実とその非人間性を描いた作品だけではなく、元奴隷たちが自尊心と人間性を回復する旅「journey」の語りでもある。ジェームズ・オルニーの研究によれば、奴隷体験記の特徴を表す「マスター・アウトライン」（master outline）があるという。例えば、ほとんどすべてのナラティブに共通する内容としては、激しく鞭で打たれた経験、危険を冒しながら読み書きを学ぶなど奴隷制度の悪を告発するものが挙げられているが、そのなかで最もドラマチックで北部の読者の関心を引く部分は何と言っても、非人道的な束縛から脱走を図る「英雄的」抵抗であろう。

しかし、これまでの研究では、奴隷体験記における移動や旅のモチーフに関する議論が少なかった。フレデリック・ダグラスの自伝について考察したコックスによれば、すべての点において、旅は極めて中心的なテーマであるにも関わらず、「ダグラス自伝の研究者の多くは、彼の作品あるいは人生においてリテラシーがどんな役割を果たしているかに焦点を当ててきた」（コックス　六九）。実際、ほとんどすべてのダグラス研究は「リテラシーの重要性と意味」というただ一つの問題を「中心に」に展開されていたと彼が批判した。

では、なぜ移動は奴隷体験記と結び付けられて来なかったか。今まで、人々は冒険、植民地開拓、キリスト教の普及、余暇など様々な目的のため夥しく場所から場所へ移動してきた。しかし、従来の研究におけるトラベル・ナラティブの定義が狭く、国境を越えたインターナショナルな旅の記述に限るうえ、レジャートラベル (leisure travel) しか扱わなかった。[3] それゆえ「奴隷体験記はトラベル・ナラティブの観点から研究されたことが滅多になかった」(コックス 一三)。西洋のトラベル・ナラティブは、植民地支配と拡張の歴史を背景に、ヨーロッパによるアジア、アフリカとアメリカなど非西洋の他者を表象してきたが、同時に自律した自分の意志で旅する主体[4] (autonomous traveling subject) をも確立してきた。それに対して、奴隷体験記の主人公のほとんどは、所有者から脱走しても、法律上自由の身として認められず、追っ手から逃れながら、アメリカ南部から北部へ目指し、時にハリエット・ジェイコブスのように長い間身動きが取れない (stasis) 場合もある。しかしどんな旅でも、何らかの文化的、地理的な境界線を越えて、また旅と出会いは自己のアイデンティティの形成[5]につながることには変わりがない。

そこで、二つのジャンルの間の交渉と「混淆」の可能性をはっきりさせるために、コックスはトラベル文学の再定義を試みた。「トラベル文学は必ずしも国境をまたぐ旅を描いたものだとは限らない。ある種の境界を、それは例えば地理的、政治的、イデオロギー的、社会、人種、あるいは個人のものにせよ、越えることは一般的な特徴である」(一四)。『地下鉄道』の構成上では、境界を越えること、またプラットの言葉を借りればある種の「コンタク・ゾン」に入ることは大変重要な要素になっている。地下鉄道という二重の意味を持つ語りの装置によって、逃亡の旅は前景化され、その緊張感と興奮も増している。物語は『ガリバー旅行記』のように構成され、登場人物たちは「駅」から「駅」へと逃げ続け、場所が変わる度に、物語が再開し、各々の場所の社会現実に直面し、その対応に迫られる。また、ヨーロッパやアメリカのトラベル・ライティングの主体は「西洋人男性観察者」(Western male observer) (ルカシー 五二三) に対し、逃亡奴隷のコーラは「自分の移動を完全にコントロールできない」(コックス 六九) 運ばれる存在 (trafficked) ではあるが、時と場所により、彼女の身分が曖昧になり、奴隷から旅人に変化して鋭い観察眼を持つことも可能になっていく。

2 地下鉄道という空間

この作品は一二の章から構成され、ジョージア、サウスカロライナなどコーラの行く先々の州名がタイトルになっている偶数の章が六つで、またコーラの祖母アジャリーやシーザー、奴隷狩りのリッジウェイなどの名前を冠した章も六つがある。作品の全体は三人称全知の語り手により、複数の登場人物の視点から語られ、多層的なテクスト構造になっている。各章のタイトルが示しているように、空間と場所はコーラの移動のなかで大変重要な役割を果たしている。「旅は、ある場所から他の場所へと移動するだけでない。旅する自己が絶えず見知ったものとそうでないものとの間での交渉、この場所、あの場所、その他の場所との間の交渉をしなければならない」[6]。コーラにとっては、アメリカ各地を回る逃避行は自由になるためのプロセスであり、その都度境界を越え、新しい経験を手に入れ、「交渉」、変容の過程でもある。

逃亡の話をコーラに持ちかけたのはバージニア州からきた新入りの奴隷シーザーで、彼は温情主義的な主人ガードナー夫人の元で育たられ、自由が約束されたが、それが実現されないまま、ガードナー夫人が死んでしまい、シーザーと両親が深南部に売り飛ばされてしまう。彼は両親に「運命を自由に選べると言われて育ってきた」(二九二)ため、リッチモントのような「素晴らしい場所」まで旅することを夢見る。ランドル農園から逃げ出したコーラとシーザーは、馬車の荷台に隠れて地下鉄道の駅に運ばれるが、ここまでは伝統的な奴隷体験記とさほど変わらない。しかし、ここからの驚きの展開となっていく。まず、彼女たちの目に飛び込んだのは「鎖」だった。「壁の釘から何千もの手枷や足枷がぶら下がり、怖気を震わせる光景を作り出していた。足首や手首、首などを、ありとあらゆる組み合わせで繋ぎ合わせる鎖。人間が逃亡することを妨げ、手を動かすことを妨げる鎖」(八四)。逃亡中の二人に奴隷制そのものを象徴するような「恐ろしい展示」(八四)を見せるのはいかにもホワイトヘッドの作品らしくグロテスクな描写である。さらに、このようなコレクションをあちこちから集めた駅長のランブリーの人物像も、これまでのアメリカ文化の中で描かれてきた敬虔なクエーカー教徒のイメージとかけ離れている。コーラたちには、彼の喋り方は「農場にいた正気を失ったものたちの話し方」(八五)のように聞こえた。

そのランドリーに連れられて地下に降り立った彼らの目の前に広がった光景に驚きのあまり、しばらく言葉が見つからなかった。「巨大なトンネルの真っ黒な口が両側に開いていた。高さ七メートルありそうな壁には、暗い色と明るい色の石が交互に模様を描いて飾られていた。こんな事業を成し遂げるには、徹底した努力がなければ無理だ。コーラとシーザーは線路に気づいた。鋼でできた二本の線が、地面に枕木で固定され、トンネルの奥へと目の届く限りずっと続いていた」（八六）。

この不思議な光景に対して、コーラたちは身の危険すら忘れ、ランブリーに質問攻めにしてしまう。しかし、組織と仲間を守るために、ランブリーは多く語ってくれない。シーザーの「誰が作ったの」の質問に「この国にあるものすべて、誰が作った」（八六）としか答えなかったが、このやり取りから、この小説はアメリカ文化における地下鉄道の表象に疑問を呈していることが読み取れるのであろう。これまでの奴隷廃止運動の文脈では、逃亡奴隷を救援する人道主義的な側面が強く、ウィリアム・ロイド・ガリソン、リーヴァイ・コッフインなどクェーカー教徒や白人活動家のイメージが定着しているが、黒人の「車掌」といえば、ハリエット・タブマンぐらいしか広く知られていないことについて近年批判が多くなってきた。例えば、キャスリン・シュルツは白人運動家の役割は「過大評価」(overrepresented) されてきたことを指摘し、歴史はいかに歪められ、また元奴隷、自由黒人と黒人教会が果たした極めて重要な役割がいかに軽んじられていたかについて分析した。『地下鉄道』では、コーラたちの旅と出会いを通して、これまでのイメージと違った「車掌」や「駅長」の姿が示されている。コーラはトンネルを見ながら、プランテーションにいた時の重労働と徹底的に搾取されたことを思い出し、地下鉄道を作った無名な人たちに思いを馳せた。「このトンネル、この線路。絶望の果てにここの停車駅と時刻表の組み合わせに救済を見たものたち――これは誇るべき奇跡だった。これを建てた人たちが然るべき報酬得たかどうか」（八八）。

南部から北部へ、奴隷制の繋縛から解放へ、この小説において地下鉄道は奴隷州と北部を繋ぐ、そのあいだの空間である。奴隷体験記など従来の語りにおいて、地下鉄道には「救済」や自由、希望、移動といったポジティブなイメージは付随しがちだが、この小説の地下鉄道は駅によってその作りは「丁寧な装飾が施されていた」ものから長年使われていない「幽霊トンネル」まで様々である。さらに、ストーリーの展開とともに、地下鉄道は「暗闇」、「墓穴」、絶望、飢餓などネガティブで静止した姿に変容することもしばしばある。この小説では、この不思議で、非日常的な空間は近代技術発展の象徴ではなく、逃亡奴隷が経験した苦難な道なりを浮き彫りにする語りの装置になっている。トンネルは暗く、逃亡奴隷を運び出す「貨車のなかはあっという間に墓穴そっくりになった」（一一三）。さらに、地下鉄道のなかに囚われて、外に出られなくなる恐怖がコーラを襲う時もある。サウスカロライナ州に居心地の良さを感じ、さらに北部へ逃げることを先送りにしていたうちに、ずっと恐れていた奴隷狩りのリッジウェイが連れ戻しにやってくる。コーラは間一髪で地下鉄道に逃げ込む。だが、シーザーと駅長のサムの行方が分からず、駅の上にあるサムの家も暴徒に放火されてしまう。その間、コーラはシーザーとサムがリンチされる悪夢と幻覚に苛まれながら、暗闇の中でじっと耐えていた。「片側に飢餓と恐怖が積み上がり、その増加に伴って反対側では希望が減っていく。この暗闇に迷っている時間を知る唯一の方法は、ここから救い出されることだった」（一七七）。各章の前に載っている逃亡奴隷の捕獲懸賞広告が示すように、「逃亡奴隷取締法」で守られていた南部の奴隷制度の影響は実際北部までにも及んでいた。地下鉄道という超現実的な装置は逆に奴隷制の支配から逃れることの難しさを浮き彫りにしている。逃亡奴隷にとっては、移動することに常に死と再び連れ戻される危険が伴う。

3　移動、街の風景、タイムトラベラー

コーラの逃避行はジョージア州から、地下鉄道でサウス・カロライナ、ノース・カロライナ州へ疾走し、その後奴隷狩り人のリッジウェイの幌馬車に鎖で繋がれテネシーへ運ばれるが、道中自由黒人のロイヤルとその仲間たちに助けられインディアナ州へ。しかし、黒人たちが住む農園は白人人種主義者に襲撃され、リッジウェイも捕獲に来るが、コーラは彼を地下鉄道の階段の下に突き落とし重傷を負わせ、暗闇の中自力でトロッコを運転し逃げ続ける。

「この小説の最も優れた部分には新しい場所を理解する努力が必要とされる」とシュルッが示したように、旅するコーラは絶えず見知らぬ場所、他者と出会い、さらに経験したものと未知のものの間で交渉し、他者と自己を理解しようとしている。サウス・カロライナでは温情主義的な人種関係を経験し、限られた自由と現代的町の風景を楽しむが、その裏に隠されているおぞましい「陰謀」を知り、自分の置かれている状況を思い知らされる。しかし、そんな生活も奴隷狩り人リッジウェイによって「終止符」を打たれてしまう。次の移動先のノース・カロライナでは、「神経質で不安に駆られがちな性格」（一八七）の駅長マーティンに出会い、無数のリンチされた黒人の死体が吊るされる「自由の道」というなんともグロテスクな光景を見せられ、そこから彼の家の屋根裏部屋に数ヶ月間身を隠すことになる。この章のストーリーはハ

リエット・ジェイコブスの有名な奴隷体験記から着想を得ているとホワイトヘッドが言うが[7]、この小説は奴隷体験記の伝統に改変を加え、語りの複雑さ緊張感をさらに高めた。例えば、ジェイコブスの場合は、祖母の家の屋根裏部屋に隠れ、自分の子供たちの声を聞き、隙間から姿を確認することもできるが、日々会えない辛さに苦しむ。『地下鉄道』では、マーティン家の屋根裏部屋の壁にある小さな穴から、コーラは家の前に広がる公園の風景と人々の日常の暮らしを観察するが、毎週そこで行われる「陰惨」な「金曜祭」も目の当たりにする。その祭りの演目は判事のスピーチに、白人が黒人に扮するミンストレル・ショー、そして目玉の演目はいつも最後に行われる黒人奴隷の公開リンチである。その後、コーラの逃避行はインディアナ州まで続き、自由黒人が経営するユートピア的な農園に身を寄せるが、黒人内部の分裂によって逃亡奴隷がいることを密告され、農園は白人人種主義者により襲撃、破壊されてしまう。以下サウス・カロライナの章を例にコーラの旅と変化を考察してみたい。

サウスカロライナはコーラの地下鉄道の旅の中で訪れた最初の場所である。ここでは、コーラとシーザーは隷属状態から一歩踏み出し、自由であることを味わって理解していく。「サウス・カロライナは南部のほかの州に比べて、黒人の地位の向上について進歩的な考えを持っている」と駅長のサムが誇らしげに言うが、それは見せかけでしかないことは後に思い知らされる。サムは偽の身分証を用意してくれて、逃亡者の二人は「合衆国の所有物」になる。つまりコーラたちは「政府により購入された」奴隷である。彼女たちは、「食べ物も得られるし、仕事も家もある。心の向くままにやってきて去ることができるし、好きな相手と結婚し、子供を産んでも奪われることなく育てることができる。仕事もいい仕事だ。」奴隷仕事じゃない」(一一七)。サウス・カロライナ州の「進歩的」政策を擁護しているサムの話をまとめると、コーラたちの、「所有物」である身分には変わりがないが、自由黒人と同じように振る舞うことができる。つまり、作中のサウス・カイロライナでは、日常生活の中で奴隷と自由人の境界線が曖昧になったが、実質黒人は完全な自由人になれず、彼らは白人政府の温情主義的な管理の下に限られた自由しか与えられていない存在である。

三人称の語り手は、主にコーラの視点から、見知らぬ街に出会う時の興奮と心の躍動、煌びやかでモダンな風景、人との関わりと気持ちの揺れ動きを語っている。現代的な街並みや景色に心が動かされる一方、過去の記憶と奴隷制の傷跡は消えることがなく、時々不意に蘇って彼女に付き纏う。例えば、仕事帰りに目抜き通りを歩いて寮に帰るシーンでは、コーラが場所や景色に向ける眼差しはすっかり旅人のそれになっていた。「歩道をゆく彼女は自由黒人だった。追われることもなく暴行されることもない」(一一〇)。

寮がならぶのは街の向こう端だったが、歩いてもそう遠くなかった。近道することもできたけれど、活気に満ちた目抜き通りの夜を感じ、街をゆく白人や黒人と混ざり合いつつ歩くのが好きだった。豪奢な建物を見つめて歩き、壁一面のショーウィンドウの前では必ずたち止まるのだった。

(一〇八)

そのなかでも、グリフィンビルは彼女の環境の根本的な変化を示す「記念碑」(一〇九)的な存在である。「十二階の建ての建物は国でも指折りの高層建築で、南部においては間違いなくもっとも高かった。この街の誇りなのだ」(一〇九)。コーラは雇い主のアンダーソン夫人の遣いで、この建物に訪れたことがある。彼女は「美しいロビーの床に自分の足音が小気味よく響いた」のを聞き、また「魔法のような」エレベーターに「歓喜と恐怖の両方を強く感じた」(一〇九)。さらに、サウス・カロライナにいる最後の夜に、コーラは再びグリフィンビルの屋上にやってくる。この時、彼女はすでに自分の意志でこの地に留まることを決め、自分の将来のイメージに思いを馳せている。「いつか私もあそこで暮らすんだろうか?いまだ敷かれていない通りに面したちいさなコテージに。息子と娘を二階に寝かせて。コーラはそこにいるはずの男の顔を思い浮かべようとした」(一四八)。高いところから俯瞰することは、物事を広い視野で客観的に捉えようとする意味がある。プランテーションの世界しか知らなかったコーラは、旅の経験により新たな自己認識ができ、そのうえ過去と現在を俯瞰的に見て、自分の置かれる立場を捉えようとする。彼女は南のランドル農園を見ようとしたが、「南はすでに夜の暗闇に覆われつつあった」(一四八)。これは暗い過去を忘れ去ろうとするコーラの心情の表れであろう。

しかし、これまで論じてきたように、ホワイトヘッドの作品では、逃亡、救済と自由という従来奴隷体験記の筋書き通りには事が運ばない。彼は一八五〇年代が舞台の奴隷少女の逃避行に様々な時代の出来事を編み込み、歴史の改変を行なっている。地下鉄道という語りの装置もそうだが、摩天楼やエレベーターは物語の時代にはなかった。アメリカ近代建築、技術、ビジネスと富を象徴する摩天楼が誕生したのは一八八〇年代のシカゴで、ニューヨークの高層ビル建設ラッシュは一九三〇年代に入ってから漸く始まった。

さらに、この小説における時間のズレは語りの道具や装置に限らず、物語にアメリカの人種差別の歴史の様々な時代から切り取った出来事が「当然のことのように」(ホワイトヘッド　四)織り込まれている。例えば、コーラが何度も勧められた断種、あるいは不妊手術はその一例といえよう。医者に「サウス・カロライナは大がかりな公衆衛生事業中心地」であることを説明され、「人々に新しい外科技術ー女性の腹部にある管を切断して胎児の成長を防げる技術を啓発している」、またその「処置は簡単かつ永続的で、危険も問わない」(二四一)という触れ込みに、したくないと言うコーラに「それはきみの自由さ」と医者が言うが、その後も寮母からほかの黒人の「お手本」になるようにしつこく促される。コーラの「自分で決めます」の答えは、彼女本来の意思の強さと新しい環境の中で培った問題意識は読み取れるだろう。「進歩的」かつ「温情主義的」なサウス・カロライナの人種政策の裏にアフリカ系アメリカ人に対する生殖支配が行われているのである。「戦略的な断種を、まず女に、ゆくゆく両方の性に施さないことには奴隷たちを安心して解放できない」(一五三)とある医者が語っているように、この小説では、断種を黒人の人口をコントロールして、黒人反乱を防止する対策として描かれているが、その根底にある人種主義や自由黒人に対するアメリカ白人の恐怖とヒステリーをグロテスクなほど表象されている。

歴史上では、優生思想は十九世紀末アメリカの革新主義の時代にイギリスから伝わった。その当時のアメリカでは、様々な社会問題を解決すべく多くの改革が行われ、奴隷解放後の人種をめぐる深刻な問題に加え、世界各地から流入した移民に対する社会の緊張、不安と危機感も増していた。その中でも特に問題視されていたのは、劣った人種、民族、「精神薄弱」など「社会不適応者」が引き起こすアメリカ社会と民族の「劣化」問題である(飯田　四七九)。この流れの中で登場したのは断種法である。一九〇七年にインディアンアナ州で世界初の断種法が制定され、その後アメリカ三十以上の州に広まり、「一九三〇年代末までに全国で三万人以上が強制断種」(飯田　四七九)されたと言われている。こうして、この小説は、奴隷制廃止後も続いた黒人への暴力と抑圧を奴隷少女の物語に混在させ、虚構と現実の境目を曖昧化にしながら、アメリカの人種差別と偏見の歴史を色濃く反映している。

ホワイトヘッドの「アナクロニズム」の設定によりコーラは場所を移動するだけではなく、過去と未来を行き来するタイム・トラベラーにもなっているといえよう。サウス・カロライナの章では、一九三〇年代から一九七〇年代までに、黒人大学タスキギーで行われた忌まわしい梅毒実験も物語に織り込まれている。さらに、ほかの章では、人種隔離時代のアメリカを思わせる白人の暴力、世紀転換期に頻発するリンチの描写、またナット・ターナーの反乱も登場する。『地下鉄道』における逃亡奴隷の自由を求める旅は、「トロイの木馬のようなもの」になっているとジュリアン・ルーカスが指摘する。その中に隠されているのは、奴隷制の後、南北戦争から公民権運動までの間の各時代にアフリカ・アメリカンが体験した「終わりなき悪夢」と「最悪な失望」[8]である。ホワイトヘッド作品の世界では、登場人物たちは奴隷解放という喜びを経験せずに、「いきなり奴隷制からその後の時代に入り」、「各時代は継ぎ目がなくフィクションの世界に縫い込まれている」[9]。このように、コーラは自由を手に入れようとアメリカ各地を逃げ回るが、移動中に体験したことと見た風景は、彼女の不自由と、奴隷制から逃れることの不可能に近い難しさがより浮き彫りにされている。

おわりに

ホワイトヘッドの小説が出版された頃のアメリカでは、奴隷制や地下鉄道のテーマは小さなブームになっていた。テレビでは、「ルーツ」のリメイク版や「アンダーグラウンド」(二〇一六)が放送され、映画では「ジャンゴ繋がれざる者」(二〇一二)や「それでも夜は明ける」(二〇一三)などがあり、文学ではホワイトヘッド以外にヤア・ジャシなどの作品はこのテーマを扱っている。二一世紀に入ってから、社会の格差が広がり、分断が深まるアメリカでは、白人至上主義者、とりわけオルトライトの勢いを増している。このような社会情勢を背景にトランプ政権が生まれ、彼がまたこの状況をうまく利用し、白人の差別的感情、怒りと憎しみを煽ってきた。ホワイトヘッドの小説はこのように様々な矛盾、歪み、不合理と難題を抱えるアメリカを映し出している。「奴隷制の傷跡は決して消えない」(七)とホワイトヘッドがインタビューの中で語っていたように、この小説の登場人物が経験した問題は今のアメリカにも通ずる。

注

1 奴隷体験記の歴史とジャンルとしての特徴について、リン・オリラ・スコットの論文を参照。

2 *Ibid.*

3　従来のトラベル・ナラティブの定義及びコックスの批評はコックス一三—一四を参照。
4　旅する主体のコンセプトについてルカシー　五二三を参照。
5　コックスは著書の中で境界線を越えることについて定義し直した。コックス一四。
6　この部分の和文引用は伊多波の論文から。伊多波 二〇を参照。また原文についてはミンーハの論文を参照。ミンーハ 九—二六。
7　この引用について、ホワイトヘッドがナショナル・パブリック・ラジオで受けたインタビューを参照。
8　ジュリアン・ルカスの書評を参照。ルカス 二—四。
9　*Ibid.*

参考文献

Cox, John D. *Traveling South.* Athens and London, The University of Georgia Press, 2005.

Dubek, Laura. "Fight for it: The Twenty-First-Century Underground Railroad." *The Journal of American Culture*, vol. 41, no. 1, March 2018, pp. 68–80.

Lucas, Julian. "New Black Worlds to Know," *The New York Review of Books*, September 29, 2016 issue, https://www.nybooks.com/articles/2016/09/29/colson-whitehead-new-black-worlds/. Accessed March 22, 2019.

Lucasi, Stephen. "William Wells Brown's 'Narrative & Traveling Subjectivity." *African American Review*, vol.41, no. 3, pp. 521–539, Fall 2007. JSTOR, Http://www.jstor.org/stable/40027411.

Minha, Trinh T. "Other Than Myself/My Other Self." *Travelers Narratives of Home and Displacement*, edited by John Bird, Barry Curtis and Melinda Nash, Routledge, 1994, pp. 9–26.

Olney, James. "I Was Born' Slave Natives. Their Status as Autobiography and as Literature." *The Slave's Natives*, edited by Charles T. Davis and Henry Louis Gates Jr., Oxford UP, 1984, pp. 148–174.

Schultz, Kathryn. "The Perilous Lure of the Underground Railroad." *The New Yorker*, August 22, 2016 issue, https://www.newyorker.com/magazine/2016/08/22/the-perilous-lure-of-the-underground-railroad. Accessed March 22, 2019.

Scott, Lynn Orilla. "Autobiography: Slave Narratives." *Oxford Research Encyclopedia of Literature*. Retrieved 29 Apr. 2019, from http://oxfordre.com/literature/view/10.1093/acrefore/9780190201098.001.0001/acrefore-9780190201098-e-658.

Whitehead, Colson. "Colson Whitehead's *Underground Railroad* Is A Literal Train to Freedom." Interviewed and hosted by Terry Gross, National Public Radio, August 8, 2016. Transcript, https://www.npr.org/2016/11/18/502558001/colson-whiteheads-underground-railroad-is-a-literal-train-to-freedom. Accessed April 29, 2019.

Whitehead, Colson. *The Underground Railroad*. Anchor Books, 2016.
『地下鉄道』谷崎由依訳、早川書房、二〇一八年。

飯田香穂里「欧米における優生学とその影響」、『科学と社会二〇一〇』(2011)、pp. 477–498, http://id.nii.ac.jp/1013/00002196/ Accessed March 22, 2019.

伊多波宗周「『ツーリズム研究年報』所収論文・解説と翻訳「自己と《他者》——旅行者、民族誌家、ツーリスト」（ヴァァジリキ・ガラニ＝ムタフィ著）について」、『神戸夙川学院大学観光文化学部紀要』(2012), vol 2゛ pp.18–36, http://www.shukugawagakuin.net/wp-content/uploads/bulletin/2011_5_itaba.pdf#search. Accessed April 29, 2019

『ビラヴド』で描かれた心象風景
——セサと植物

寺嶋　さなえ

はじめに

一九九三年にノーベル文学賞を受賞したトニ・モリスンの『ビラヴド』[1]は、『ニューヨーク・タイムズ』が選ぶ、過去四半世紀の中で最も優れたアメリカ小説とされ[2]、極めて多角的な読みが可能な作品である。事実、筆者もこれまでエクリチュールと権力をキーワードとし、支配者側の言語がいかに社会的マイノリティとされる人々を「創造」していくのか、その過程を作品に照らし合わせて考察したり、『ビラヴド』で描かれた音に着目して、奴隷にとっての音の意味やその文学的効果についての分析を試みたりした。

しかし今回は『ビラヴド』における植物の描写に焦点を当て、それが主人公セサの境遇や心象風景を伝える上で、どのように用いられているのかといった点について論じていくこととする。

『ビラヴド』の舞台は南北戦争をはさむ一八四〇年代から七〇年代の頃のアメリカ。黒人奴隷として生きた女主人公セサの物語である。セサが「スウィートホーム」と呼ばれるプランテーション（ケンタッキー州）で働いていた時代から自由州であるオハイオへと渡り、そこで娘と暮らす現在までが描かれている。物語は時系列に進むのではなく、過去と現在が入り交じった語りの中から、少しずつセサの記憶の断片が引き出されていくため、読者はそれらを繋げて物語を再構築する必要がある。

一　トラウマ記憶と植物

苦難に満ちた奴隷時代の記憶は、フラッシュバックとしてセサの心に蘇る。その際、植物の描写がセサの心象風景を鮮明に映し出す。

たとえばオハイオに住むようになってからもカモミールを目にした時には、セサは男たちから陵辱された過去を思い出す。ある日、セサの体に偶然、カモミールの汁がついてしまうのだが、そのことが当時の辛酸を呼び起こしてしまう。

> 草原を横切った。それからほとんど駆けるようにしてポンプのある井戸へ行き、足についたカモミールの汁を洗い落とそうとしていた。他のことは一切考えなかった。あのとき自分の乳を吸いにきた男たちは生気を失っていた。……井戸に着くと、水とぼろきれでカモミールを洗い流し、小さなシミ一つ残すまいと神経を集中させていた。（六）

かつて働いていたスウィートホーム農園では「先生」と呼ばれる人物が奴隷を監督していたが、セサは彼の甥たちに体を拘束され、いたずら目的で母乳を吸われたのだ（セサは出産後の体であった）。そしてその場から逃げ帰る時、足に付着したカモミールの記憶が彼らの卑劣な行為を連想させ、今もセサを苦しめている。このセサの語りでは現在と過去のカモミールの描写がリンクしており、セサのトラウマが浮き彫りとなる。

　またセサがスウィートホーム農園のことを思う時には、きまってスズカケの木が思い出される。それは黒人の首が吊るされる木でもあるのだが、セサにとっては皮肉にも「この世で一番美しい木」（六）であり、その美しさは今も心に刻まれている。

> 突然、この現実の世界にスウィートホーム農園の光景がぐるぐる回りながら広がっていった。……炎は燃えているのに木の葉の揺れる森の中に隠れてよく見えないのだ、この世で一番美しいスズカケからぶら下がっている男の子たちの姿が。セサは彼らのことではなく、風にざわめく見事な木立の姿を思い出したことに後ろめたさを感じた。子供たちの姿を思い浮べようとしても、その度にスズカケの木だけが蘇るので、セサは自分の記憶を許すことができなかった。（六）

回想では、スズカケから連想される残虐性や悲しみよりもその美しさの方が強調され、そこから心の奥底に潜むセサの深い悲しみを読み取ることができる。すなわちセサは悲惨な光景を浄化したり「できる限り思い出さぬよう努めたり」（六）することで、なんとか精神のバランスを保ち、これまで生き延びてきたのだ。しかし同時に、農園にいた人間よりもそこに生えていた木そのものに強い印象を抱く自分に矛盾を感じ、そこから生じる腹立たしさや罪悪感がセサの心に重くのしかかる。

　さらにこのスズカケには、青々とした葉をつける生命力と、死のイメージの両方が存在するが、それは常に死の危険に晒されながらも強い意志をもって生きてきたセサの境遇をも思わせる。
スズカケの描写の二面性と、その木にまつわるセサの矛盾や皮肉は、セサの深層心理を理解する上で極めて重要である。
次に、セサの背中の描写にも注目したい。鞭で打たれ、その傷が大きく盛り上がったセサの背中は、サクラの木にたとえられる。セサが逃亡中に出会った少女は、セサの背中を見て次のように表現する。

これはサクラの木だよ、ルウ（セサの偽名）。見てごらんよ、これが幹だ――赤くてまるでスイカをぱかっと割ったみたいだよ。汁がいっぱい溜まってる。それからここで分かれてるのが枝だよ。枝はたくさんあるよ。葉っぱもあるし。ホント葉っぱにそっくりだ。それからなんと背中に花も咲いてるよ。小ぶりのサクラで白い花だよ。（七九）[3]

少女はセサの傷の深さに驚き、それを植物にたとえたのだが、この表現はセサが奴隷仲間のポールDと再会した時にも思い出され、使われている。セサはポールDに次のように語り始める。

（私の背中のことを）木って呼んだのは、助けてくれた白人の少女なの。…その子が言ってた、私の背中はサクラの木みたいだって。幹、枝、そして葉っぱまで付いてるって。細い、小さなサクラの葉っぱが。（一六）

セサ自身の目では直接見ることのできない背中の傷跡がサクラの木にたとえられるという状況からは、計り知れないセサの不安が窺える。背中に大きく広がり、膿をもつその傷は、セサの肉体の傷であるとともに、いつまでも癒えない心の傷を表している。
一方、セサの背中を目にした義母は、その血が滲んだ傷口からバラの花を連想する。

「授乳が済んだら私をお呼び」と言って行きかけたベイビー・サッグス（義母）の目に、ベッドのシーツについた何か黒いものがちらっと止まった。彼女は眉をひそめ、胸元の赤ん坊を覗き込んでいるセサの背中に目をやった。セサの肩を覆った毛布に、バラの花が咲いたように血が点々と滲んでいた。ベイビー・サッグスは片手で口を覆ってしまった。（九三）

一般に、サクラやバラは美や平穏の象徴としてしばしば用いられる植物だが、モリスンはそのような植物をあえて拷問や暴力と結びついた場面で用いることによって、その酷い仕打ちやセサの心に根づいた深い悲しみを伝えている。

二　セサの希望と植物

これまではカモミール、スズカケ、サクラを例に挙げ、セサと植物との関係を考察してきた。それらはどれも主人公のトラウマを示唆する場面での描写であった。しかしここからはセサの比較的明るい心情が伝わる箇所に着目し、その場面で使われている植物の描写について見ていくことにする。

スウィートホーム農園にいたセサは同じ農園で働くハーレを好きになり、二人は結婚する。セサは奴隷の身分でありながらも結婚を許され、束の間の幸福感を味わうことができたのだ。セサとハーレの悦びはトウモロコシ畑の風景と共に映し出される。

最初の二回は、小さなトウモロコシ畑を新床にした。トウモロコシは人も家畜も食べられるので、ガーナー氏が作替えしないでおいた畑だった。そこでハーレもセサも自分たちの姿は隠れているものと思い込んでいた。茎の間でもみくしゃになって何も目に入らず、頭上ではトウモロコシの穂が揺れて、それがみんなに見えていることに全く気づかなかった。……（仲間たちは）眼下に広がる畑の中でトウモロコシの房がザワザワと揺れ動く様子をじっと見ていた。下半身が興奮したまま、真っ昼間にトウモロコシの茎が踊るのを座って見つめているのは、彼らにとってつらいことだった。（二七）

この場面では、夢中になって交わるセサとハーレの様子や、それを羨ましそうに見ている奴隷仲間の様子がトウモロコシの描写をまじえながら、ユーモラスに描かれている。そしてその後もセサがハーレのことを思い出す時には、ハーレと共にトウモロコシ畑の光景が目に浮かぶのである。

ポールDの背中を見ながら、セサはトウモロコシの茎が折れてハーレの背中にかぶさるように曲がったことや、自分の指が掴んでいたものの中には、トウモロコシの外皮や絹のような房もあったことを思い出した。あの絹の毛のなんと滑らかに乱れ広がったことか。なんとたっぷり汁がその実から流れ出したことか。……なんと滑らかに乱れ広がった絹のような毛。なんと細く、滑らかで、しなやかな。
（二七）

実は作品の中でトウモロコシ畑についての言及は他にもみられる。それは身重になったセサが逃亡の際、自分の子供たちを信頼できる者に託す場所としても描かれている。しかし引用部分では、実り豊かな畑の光景と好きだったハーレの面影が重なり、トウモロコシ畑にセサの幸せな時間が投影されている。この場面には若い頃のセサの嬉しい気持ちやときめきが溢れている。

また大きなお腹のセサは逃亡中、偶然出会った少女エイミーの助けを借りて小舟の中で出産するのだが、その場面では川に漂うアオシダの胞子が幻想的に描かれている。

川の堤に沿って広がる窪地に自生するアオシダの胞子は、幾筋もの銀青色の列を作って水に向かって漂っていく。太陽の光の矢が低く流れ、生気を失って落ちる頃、川べりに寝そべって漂う胞子の行列の中か、それとも近くにいなければ銀青色の行進はなかなか見えないのだ。しばしばその行列は虫とまちがえられる——だが、それは無量無数の種子の群れで、その中で丸ごと一つの世代が未来を信じ切って眠っている。一つ一つの種子が未来を持ち、胞子の中に含まれている可能性は全て実現するだろうと、信じることは一瞬たやすい——その一つ一つが予定された命を全うするだろうと。（八四）

陣痛と難産の苦しみを乗り越えたセサは、ほっとして放心状態になる。その時、川面に流れるアオシダの胞子は、川の水と血でぐしゃぐしゃになったセサとは対照的に、美しく銀青色に輝いて見える。このアオシダの胞子の命は、ほんの一瞬にすぎない。それでも生を信じるように流れていくアオシダの胞子は、逆境にありながらも新しい命を得、その赤ん坊に未来があることを信じるセサの姿と重なるものである。この場面でのアオシダの描写はセサの生への強い願いを示唆するばかりでなく、作品の中で優しく切ないトーンを醸し出している。

ところで、奴隷にとって植物は単に鑑賞するものではなく、生活の知恵から用いるものでもあった。たとえば、奴隷は木の葉の色や咲く花の種類によって季節を知り、草花を薬とし、木の実で楽器や玩具を作り、その手作りの楽器は逃亡の際の合図の音[4]としても使われたのだ。作品の中でポールDが「花盛りのスモモに案内されるボロを纏った黒い人影」（一二三）と表されるように、木々の花（開花前線）を辿り、それを道しるべとして進んで行く行為もその一例であろう。この場面でセサがアオシダの胞子を敏感に察知できたのも、このような奴隷の習性があるからかもしれない。

次に、セサと娘ビラヴドとの関係において植物がどのように描かれているのかについて見てみよう。作品のタイトルでも使われている「ビラヴド」とは、セサの亡くなった娘の墓碑銘であり、呼び名である。奴隷であったセサは奴隷捕獲人に捕らえられそうになった時、幼い娘が他人の手に渡って奴隷となる位なら、いっそのこと自分で殺してしまおうと考え、娘の喉を掻き切ってしまう。それはセサにとって娘を守るための苦渋の選択であった。その後、命を絶たれたビラヴドは姿の見えない幽霊としてセサの家に住みつくが、ある日、実体のある若い女性の姿となってセサの前に現れる。セサはすぐにそれが自分の娘だとわかり、その子の帰還を喜ぶ。そして二人はそれまで奪われていた親子の時間を取り戻すかのように、二人の時間を大事に過ごし始めるのである。ビラヴドにとってセサのイメージは花と強く結びついたものである。ビラヴドは呟く。

私はビラヴド。そしてあの人（セサ）は私のもの。セサはお花を摘んでた人よ。うずくまる前の場所に咲いてた黄色のお花を。緑の葉っぱから取ってたわ。（二一五）

ビラヴドは幼くして命を絶たれてしまうが、昔セサが花を摘んでいた姿は今も記憶に残っている。ビラヴドの心象風景においても花は重要な要素となっている。そのためセサのことを喜ばせたくて、ビラヴドは自分たちの部屋を花でいっぱいにしようとする。

（ビラヴドは）暖かくなると芽を出す最初の草花を摘んで、次々にかごをいっぱいにしてセサに差し出した。タンポポ、ヴァイオレット、レンギョウを。セサはそれを活けたり挿したり、家中いたる所に巻きつけたりした。（二四一）

一方、セサの方でもビラヴドに対して次のような思いを抱き始める。

「私たち母娘にとってどんな素敵な春になるのか考えるとドキドキする。ビラヴドが見られるように、ニンジンを植えるわ、それからカブラも」（二〇一）

そしてセサは目を輝かせながら、野菜畑や花畑を作る計画を立てるのである。描かれた植物には、それぞれ相手を思う気持ちと再会できた喜びが投影されている。セサとビラヴドの二人の関係において、植物は母娘の絆を表すものの一つになっている。

その一方で、ビラヴドが水底に揺れる落ち葉をセサと並んで見つめていたいと願う描写には、二人の関係の危うさも暗示されている。

(ビラヴドは)川底から二人に向かってゆらゆら挨拶を送っている茶色の落ち葉のじゅうたんを何時間でも一緒に眺めてほしい、とセサにせがんだ。……氷がすっかり解けるのと待ちかねていたように、ビラヴドは自分をじっと見つめる自分自身の顔が小波に揺れ、折り重なり、広がり、水底の落ち葉の中に消えていくのを見つめていた。(二四〇—一)

その後、ビラヴドはセサとの時間をますます独占したがり、セサはビラヴドに愛情を注ぎながらも心身ともに消耗してしまう。その結果、セサのことを心配する近隣の住人がビラヴドを追い出し、セサには元の静かな生活が戻る。セサの家から幽霊が去るのである。

三　水と鉄と植物と

ところで、作品においてセサの描写には植物のイメージが多く使われているのに対し、ビラヴドには水、ポールDには鉄のイメージがそれぞれ与えられている。まず若い女性の姿としてのビラヴドは次のようにセサたちの前に現れる。そこでは水についての描写が印象的である。

盛装した女が水の中から上がってきた。……ずぶ濡れになって浅い息をしながら、彼女は二四時間、重い瞼と闘い続けた。日中の微風はドレスを乾かし、夜風はそれに細かいシワを作った。彼女が水から現れるのを目撃した者も、偶然そばを通りかかった者もいなかった。通りかかったとしても、近寄って行く前に一瞬ためらったかもしれない。ずぶ濡れだったからでも、まどろんでいたからでも、ぜんそくのような息をしていたからでもなく、そんな様子をしているのに彼女は微笑んでいたからである。(五〇)

作品の献辞では、モリスンはこの作品をアメリカ奴隷制の下に犠牲になった六千万余の人々に捧げるとしているが、このことからもわかるように、セサが奴隷捕獲人に捕らえられそうになったとき命を絶たれた「ビラヴド」（愛されし者）とは、当時、命を落としていった奴隷たちの表象だと考えられる。そして幽霊となったビラヴドが、ずぶ濡れになって「水の中から上がり」（五〇）、この世の母に会いに来たという設定からは、海を渡る奴隷船の中で亡くなったり、船から投げ落とされたりして命を絶たれた人々の状況が想起される。事実、ビラヴドは自分が以前いた場所について、そこは暗くて暑くて人が大勢いて動く場所もなく、周りに死んでる人もいた（七五）と話している。ビラヴドの母親を求める強い思いには、奴隷として犠牲になった人々の思いも重ねられている。しかし同時に、ビラヴドとは単に歴史から抹消され、奴隷貿易の犠牲になった人々の表象であるばかりでなく、主人公を苦しめる「現在を占領する過去」[5]「あまりにも鮮やかで生々しいので現実の肉体をもって立ち現れるかに思える過去」[6]の表象としても読める点を見落としてはならない。

　ビラヴドの描写については、その後もセサたちの前で「何杯も水を飲み続け」（五一）、「喉を鳴らして水を飲み」（五一）、さらに水をお代わりし、「飲み終わると小さな水滴が顎について」（五一）、「水を飲むためにだけに目を覚まして起きる以外は四日間も眠り続けた」（五四）とある。またビラヴドの願いの一つは、自分が昔よく遊んだ川辺へセサと行き、そこで何時間でも水辺に浮かぶ落ち葉を眺めることである。そしてある日、ビラヴドは妹のデンヴァー（セサのもう一人の娘）によって「裸足で水の中に立って」（一〇五）いる所を目撃され、過去の話題になると「私、水の中にいたの」（七五）、「私は青い水の中から出てくる」（二一三）、「私たちはみんな水に浮かんでいた」（二一二）と話し始める。語りの中で水は「忘れられてゆく死者たちの魂のすみか」[7]を思わせ、そこには「霊の渇望」[8]が存在する。作品では、オハイオ川を渡ると、セサたちは自由州へ逃れることができるというくだりもあり、水はセサやビラヴドの物語が展開する上で大事な要素となっている。

　次にポールDについての記述に目を向けてみると、鉄輪、鎖、鉄格子、鉄枷と言った単語が繰り返され、ポールDはその言動をひどく拘束された奴隷であり、囚人であったことがわかる。たとえば、ポールDの生活については次のように表現されている。

> その晩、手枷をかけられるために差し出した手首はしっかりしていたし、足の鉄輪に鎖が取り付けられたとき踏みしめて立っていた二本の足もしっかりしていた。……（奴隷の）四十六人全員がライフルの銃声で目が覚めた。……最

後の錠前が開けられると、三人の白人が戻ってきて、一つずつ鉄格子を引き上げた。……鎖が、ジョージア州一の手で鍛えられた鉄から作った四十六個の輪に通された。
（一〇七―九）

ポールDはセサに再会した時、「私の口の中にはハミがはめられていた」（六九）と語るが、別の場面でも「彼らはポールDの口に鉄を噛ませた」（一八八）とあり、ポールDの描写においてはしばしば鉄が強調されている。またポールDがスイートホーム農園からジョージア州アルフレッドへ移され、そこでは囚人として過酷な生活を送っていたことが明かされるのだが、セサはその話を聞いて当時の彼の心情を次のように推察する。

ポールDは私に話したがっている、とセサは思った。私がこの人にどんなに辛かったかを聞くのを待っている――舌が屈辱的な扱いを受けたこと、鉄で締め付けられ、唾を吐きたくても吐けず、苦しさのあまり叫んだことなどを私に聞いてほしいのだ。（七一）

セサの脳裏にはこのとき、以前目にした、ハミをはめられた大人たちや少年、少女の痛ましい光景が蘇るが、周知のとおり、アメリカの奴隷制度では奴隷が管理される際、鉄製の枷や鎖[9]がよく用いられていた。その史実はポールDばかりでなく、ビラヴドのせりふにも表れている。たとえばビラヴドが時々口にする「熱いもの」(a hot thing, 二一一）という言葉は、奴隷への拷問とその肉体的、精神的苦痛を示唆[10]している。このようにポールDに結びついた鉄の描写は、彼の境遇を際立たせ、また鉄の記憶は彼のトラウマを映し出す。そしてセサの植物、ビラヴドの水、ポールDの鉄といった、それぞれに付加されたイメージは読者の心に残り、文学的効果を高めている。

むすび

ここでもう一度、セサの方に視点を戻してみよう。セサは幼少期に母と離ればなれになり、スウィートホーム農園で奴隷として働き、夫と男の子供たちは消息不明となり、娘の一人を殺さざるを得なくなり、その娘の幽霊に悩まされ、心の傷を負ってトラウマから逃れられない人生を送ってきた。しかし、たとえどんなに過酷な境遇にあっても、セサはなんとか生き延び、家族を思う優しさと強さを持ち続けた。モリスンはそのようなセサの生きざまを、どんな厳しい環境にあっても種を落とし、花を咲かせ、たとえ枯れてしまっても次の世代へその生を繋げていこうとする、たくましい植物のイメージと結びつけて描いたのである。一般に奴隷が主人公の物語というと、作品のトーンが暗くなりがちだが、この作品には植物の描写がいたるところに散りばめられており、その生命力をモチーフとすることにより、セサの生きる力と明日への希望が窺える。それは小さなものかもしれないが、そこには誰も奪うことのできない生への強い意志とエネルギーが感じられる。

作品の終盤で、ポールDがセサの家に立ち寄ってみると、セサは「ジャックウィドー草はぐんぐん茂り、……ラムズウールも肩の上。バターカップとクローバーは飛んでいくよ」(二七二)と呟くように歌っており、その髪はまるで「立派な植物の黒々とした細い根っこのように、枕の上に広がりうねっている」(二七三)。

娘を殺してしまったトラウマから、セサの心の中の時間はしばらく止まったままであったが、ビラヴドが去ったあと、セサの時間はまるで歌詞の中の植物が成長していくように、再び動き始める。それは「お前自身がかけがえのない宝なんだよ」(二七三)とポールDに言われたセサが、「私が? 私が?」(二七三)と繰り返し、そのことにはっと気づく瞬間からも読み取れる。

『ビラヴド』で描かれた各場面での植物は、読者がセサの境遇と心象風景を読み解く上で、大きな役割を担っている。

注

1 *Beloved* からの引用は Pan Books 版による。以下テキストからの引用はこの版の頁数のみを記す。また日本語訳は吉田廸子訳を使用し、文脈に応じて一部変更させていただいた。
2 *The New York Times*, May 21, 2006. 参照。
3 原文では "a chokecherry tree." 北米によく見られる野生のサクラ。
4 作品の中でも奴隷の逃亡の際に、植物の実から作る「ガラガラ」(rattle, 二〇二)が使われている。
5 吉田廸子「時を超える記憶・死に挑む愛―現代の古典『ビラヴィド』の様々な読み」、吉田廸子編著『ビラヴィド』二〇頁。
6 Valerie Smith, *Toni Morrison: Writing the Moral Imagination*. p. 64.
7 風呂本惇子「先祖と向き合う姿勢――『ビラヴィド』とカリブ系アフロ・アメリカ作家」、吉田廸子編著『ビラヴィド』三三頁。
8 風呂本惇子「川が呼び起こす記憶――トニ・モリスンと川」、『川のアメリカ文学』九一頁。
9 その史実についてはモリスンとボニー・アンジェロとのインタビューでも言及されている。"The Pain of Being Black: An Inter-

view with Toni Morrison."

10 鵜殿えりかは「熱いもの」について、それは「嘆き、悲しみ、熱さ、痛み、飢え、渇き、焼きごての肉を焦がす音、足元から燃え上がる炎、手足の鎖、麻縄、舌に食い込むハミなどの黒人奴隷に加えられたありとあらゆる精神的・肉体的苦痛のすべての表現」と解釈した上で、それはまた「それらを表象することの不可能性の表現」でもあると指摘している。『トニ・モリスンの小説』一八七頁。

引用文献

Bonnie, Angelo. "The Pain of Being Black: An Interview with Toni Morrison." *Time*. May 22, 1989. 120–23.
岩山太次郎、別府恵子編『川のアメリカ文学』南雲堂、一九九二年。
Morrison, Toni. *Beloved* .London: Pan Books, 1987.『ビラヴド』吉田廸子訳、早川書房、一九九〇年。
Smith, Valerie. *Toni Morrison: Writing the Moral Imagination*. Hoboken: Wiley-Blackwell, 2012.『トニ・モリスン——寓意と想像の文学』木内徹、西本あづさ、森あおい訳、彩流社、二〇一五年。
鵜殿えりか『トニ・モリスンの小説』彩流社、二〇一五年。
吉田廸子編著『ビラヴィド』ミネルヴァ書房、二〇〇七年。

6 『私はあなたのニグロではない』
——危機の時代がつなぐ反復のナラティブ

ハーン小路 恭子

はじめに

ラウール・ペック監督の二〇一六年のドキュメンタリー映画『私はあなたのニグロではない』は、ジェームズ・ボールドウィンの未完成原稿をベースにしている。「リメンバー・ディス・ハウス」という仮題がつけられた数十ページにわたる草稿は、一九六〇年代の公民権運動において重要な役割を果たした三人の黒人指導者、メドガー・エヴァース、マルコムX、そしてマーティン・ルーサー・キング・ジュニアをめぐる作品になるはずだった。

ペックの映画版においてまず目を引くのはその構成だろう。本作はボールドウィンの構想に基づいてエヴァース、Xとキングの功績を振り返りつつ、この三人が活動した一九六〇年代を中心にインタビューやディベート、未出版のものも含めたテクストを用いてボールドウィンのアメリカの人種関係についての考察を描き出した壮大な作品に仕上がっている。映画の公開に合わせて出版されたペンギン版のスクリプトにつけられたイントロダクションで、監督のペック自身がボールドウィンの妹グロリアの仲介で原稿に出会い、映像作品に作り変えていくプロセスについて説明している。[1]

> ［グロリア］は気軽な感じでこういった。「ほら、ラウール。あなたならこの原稿の使い道がわかるわよね。」
>
> 実際まもなく私は使い道を見つけた。書かれることのなかった本。それこそが私が必要とする物語だ。そしてなんという登場人物たち！ メドガー・エヴァースに、マルコムXに、マーティン・ルーサー・キング・ジュニア。草稿そのものは大した長さではなかったが、ボールドウィンが書いたほかのすべての作品にアクセスできることを考えれば、出発点としては十分だった。私の仕事は、その書かれざる本を見つけ出すことだったのだ。『私はあなたのニグロではない』は、その本を探す過程で思いがけなく生まれた作品だった。(xiii)

書かれることのなかった本を映画という別メディアにおいて「完成」させたこの『私はあなたのニグロではない』という作品を、われわれはどのように定義し、受容することができるのだろうか。そして、黒人指導者たちをめぐる実現されざる創作プロジェクトを忘却の淵から救い出し、二十一世紀のアメリカに、そして世界に向けて提出することの意義とはなにか。本論は近年成熟しつつあるアダプテーション理論の議論を参照しつつ、ペックがボールドウィンの作品を反復しつつ作り変えていくプロセスを注意深く考察し、そこにアメリカ黒人文化における、またそれをも超えていくようなグローバルな規模を持つ新しい物語のパターンを読み込んでみたいと思う。

一 アダプテーションとしての『私はあなたのニグロではない』

近年国内外で注目を集めるアダプテーション理論のもっとも重要な功績のひとつは、アダプテーションと、その参照元であるオリジナルの作品の固定的な関係に対して再考を促したことにある。オリジナルと引き比べたとき、しばしばアダプテーション作品は質の劣る二次的な創造物とみなされることが従来は多かった。文学作品の映画版をはじめとした複数のメディア間のアダプテーションにおいて、しばしば原作に対する忠実さの度合いばかりが問題とされるのも、オリジナルとアダプテーションの間のヒエラルキーが前提として存在するがゆえのことだ。しかし、アダプテーションの代表的な理論家のひとりであるリンダ・ハッチオンもいうように、われわれはそうではなく、「アダプテーションをアダプテーションとして」、オリジナルとの関係性において、しかしオリジナルとの優劣関係から解き放ち、適切に扱う必要がある（八）。

アダプテーションは不可避的にオリジナル作品と、それが制作された時代の歴史的・文化的コンテクストを受容する者のうちに想起させずにはおかないような性質を持つ。その二重性にも拘わらず、アダプテーションは単なるオリジナルの模倣ではない。アダプテーション作品の作り手と、それが作られる時代の新しいコンテクストを通じて、アダプテーションはオリジナルの作品世界を否応なく拡大し、新しい解釈を提供するような創造物であるからだ。それは反復ではあるのだが、変化をともなった反復だ。ハッチオンの言葉を借りれば、アダプテーションは「変化をともなった反復をつうじて共鳴する、他作品の記憶を呼び起こすパリンプセスト」なのだ（一一）。

ペックによるボールドウィン作品の再創造である『私はあなたのニグロではない』もまた、そのようにオリジナルを想起させながらも独自のコンテクストを持つ、「変化をともなった反復」として読み直すことができるだろう。ボールドウィンの文章をベースとしたシナリオの執筆過程についての覚書で、ペックは次のように語る。

> ドラフトのバージョンが進むごとに、私はより自由に書くようになり、段落やフレーズを前後させたり、ごくたまには言葉の順序を変えたりすることもあった。そこで気づいたのは、私にとっては好都合なことに、ボールドウィン自身もしばしば同じ文やアイデアや物語を少しばかり形や論点を変えて、別の文章や手紙や覚書の中で書き直すことがあったのだ。つまりいくつかのケースでは、私は自分の目的に最も適ったバージョンを用いたり、複雑な細部を改変したり、あるバージョンの始まりと別のバージョンの終わりを組み合わせたりすることができたのだ。(xvi)

シナリオのリライトを進める過程で、ペックはボールドウィンのオリジナルのテクストに対してより自由な関係を持ち始める。さらに興味深いのは、ペックのリライトのプロセスはそれ自体、ボールドウィンがもともと行っていた創作のプロセスの反復でもあるという点である。そこから明らかになるのは、一見神聖であるはずのオリジナル作品ですらも、純粋なインスピレーションのもとに一気に書き上げられたものではなく、同時期の作者の人生や思索における諸々の過程と文脈を反映した複層的でマルチ・テンポラルなものであるということだ。ペックによるボールドウィンのテクストのアダプテーションが明確にしているのは、オリジナルを書くということからしてそもそも書き直しや改変のプロセスを含んだ反復的行為であるということ、そしてそのように反復的なプロセスを経て書かれた過去の創作物との間に成立する自由でフレキシブルなコラボレーションにより、創作の地平を限りなく広げていく、そこにこそアダプテーションという創造行為の可能性があるということだ。

　第一の書き手であるボールドウィンはもう生きてはいないにしろ、本作におけるオリジナルとアダプテーション、作家と映画作家の関係は、たとえば伝記作家としてのアレックス・ヘイリーとマルコムXのそれに近いものともいえるだろう。Xの自伝のエピローグで、ヘイリーは書いている。

> この本の契約書にサインしたあと、マルコムXは私をじっ

と見ていった。「私に必要なのは作家だ、解釈者じゃなくてな。」私は客観的な記録者であろうと努めてきたが、彼は私が出会ったなかでもっとも刺激的な人物であり、いまでも亡くなったことが信じられない。彼は次の章に行ってしまっただけなのだ。残りの章は歴史家たちが書きあげるだろう。いまでも私には、そんなふうに感じられるのだ。

（四六二）

オリジナルが生きた生を正確に写し取ることがアダプテーションの意図のひとつであることには間違いはない。しかしこの引用部分と、マルコムXの自伝全体が明らかにしているのは、ヘイリーの存在を通して、マルコムXが後世に向けて語り継がれ書かれ続ける人物になっていくプロセスなのだ。ヘイリーの自覚とは裏腹に、アダプテーションの主体は単なる模倣者や書記ではない。オリジナルに働きかけ、信頼関係を勝ち取り、語りえなかったかもしれないことすら語らしめ、物語を来たるべき新たなバージョンへ（歴史家たちが記すであろう新たな章へ）とさらに開いていく。それこそがアダプテーションの役割だ。ペックが本作において成し遂げたのもまた、そのようにボールドウィンの未完のテクストを新たな読みの可能性に向けて開いていく作業であるといえるだろう。

二　フォーマットにおける反復

アダプテーションの変化をともなった反復は、『私はあなたのニグロではない』において、具体的にはどのように実演されているのだろうか。ボールドウィンによって書かれたテクストを映画という別メディアに変換するにあたって最も大きく変化しているのは、当然ながら草稿にはなかった画像、映像と音声が加わっていることだ。ペンギン版でエディターのアレクサンドラ・ストラウスが語っているように、書かれたテクストの読者とは違い、映画を（少なくとも劇場で）見る観客は、映像を止めて前の部分に戻ることはできない。絶えず流れていく時間のなかで、オリジナルのテクストを瞬時に理解させるためには、適切なタイミングで適切なイメージや音や概念を挿入する必要がある（xix）。

もちろんオリジナルの草稿が公民権運動時代の三人の黒人指導者を扱うことを表明している以上、映像作品中のいくつかのイメージは彼らの姿を映し出している。しかし肝心なのは、『私はあなたのニグロではない』は、厳密にはこれらの三人の指導者の人生を追ったドキュメンタリーではないということだ。映画の主題は三人の生と死を見つめる際に介在するボールドウィンという目撃者の視点であり、彼の眼を通して一九六〇年代という時代を振り返るときに見えてくるものだ。そのことは草稿のなかでもボールドウィン自身が明らかにしている。『リメンバー・ディス・ハウス』のプロジェクトを進める上でまず彼がしなくてはならないのは、南部に戻り、生前親交のあった三人の指導者の遺族たちに再会することだった。「旅に出ることは」と、ボールドウィンは書いている。「著名な父を持つ子どもたちに、その父の生と死に立ち会った目撃者としての自分の存在をさらけ出すことだ」（二五）。また、「目撃者」と題されたチャプターでも、彼はエヴァースとともに公民権運動の只中にある南部を巡った経験と、運動の「当事者」であるエヴァースやほかのふたりの指導者に対して、自分はあくまで「目撃者」であったこと、そして目撃者であり続けることの意味について語っている。「私はひとつの街にとどまることはなかった。ときにそれはみずからの倫理観に反するようなことだったが、時間が経つうちに受け入れるしかないことでもあった。目撃者としての私の責任は、できるだけ多くの場所をできるだけ自由に移動し、物語を書き、世に出すことだったからだ」（三一）。

この記述で気づかされるのは、ボールドウィンの立ち位置と、監督としてのペックの立ち位置の類似性だ。膨大なアーカイブをもとにボールドウィンの生きた時代を振り返るペックの視点もまた、目撃者のものなのだ。ボールドウィンが公民権運動の時代を見て綴ったテクストを、ペックはさらにもうひとつ外側のフレームから目撃し、画面に焼き付けていく。ゆえに全編を通して挿入されるイメージ群は、単にある時代の記録であるばかりでなく、作家ボールドウィンの頭の中を、アダプテーションの主体であるペックが覗き込んで見えてくるようなものでなくてはならない。アーキビストによって収集された、ニュース映像から映画、コマーシャルまで二十世紀のアメリカ社会を映し出す膨大なイメージは、二重の「目撃者」の視点のもとに、ひとつの物語にまとめ上げられている。[2]

映像に加えていまひとつ大きな変化といえるのは、音声である。ペックの作品において中心的な位置を占めているのはやはりボールドウィンの言葉であり、ロバート・j・コーバーが指摘するように、作品は映像を視覚的に確認するだけでなく、ボールドウィンの言葉を「聞くことの重要性」に対して観客の注意を向ける（一六二）。そのことをもっともわかりやすく示しているのが作中に挿入されているナレーションである。作中では、俳優サミュエル・L・ジャクソンがエッセイや手紙などのボールドウィンのテクストを読み上げている。しかし問題は、作中にはボールドウィン本人の映像も入っているということだ。つまり、挿入されているインタビューやディベートの映像を通して、観客はあらかじめボールドウィンその人がどのように話し、その声がどのように聞こえるかを知っているのだ。この作品を見る上でこのふたつの声の混在に注意を払う観客はおそらくあまりいないだろうが、そのこと自体がこの作品におけるナレーションの持つ驚異的な効果だといえるのではないだろうか。観客はサミュエル・L・ジャクソンの声がボールドウィンその人の声ではないことを知っているのだが、そのことはこのふたりめの声を聞き、物語を理解するうえでの妨げにはならず、むしろ声の差異のうちにこの映画がボールドウィンの書かれたテクストに対して持つメタ構造、批評家ウォーレン・クリクローの言葉を借りれば、「ボールドウィンの比類なき詩的な現前性に対するパラレル宇宙」ともいうべきものを発見することになる（一四）。実際、作中に登場するボールドウィン本人はしばしば聞く者を圧倒するような雄弁で力強い語りを見せるが、ジャクソンのナレーションにおける声のトーンはそれとは対照的に、内省的で落ち着きを保っている。ジャクソンはボールドウィンを模倣し、演技によって作家になりきることをあらかじめ放棄する。ふたたびクリクローを引くならば、ジャクソンは「ボールドウィンとともに、もしくはその傍らに存在するが、彼に代わって語ろうとしているのではない」のだ（同）。その意味でボールドウィンの当時の映像とジャクソンによるナレーションはまさしくオリジナルとアダプテーションの関係そのものを表しており、そのふたつの間で繰り広げられる変化をともなった反復を、映像というフォーマットにおいて実践しているのだ。

三　反復、暴力、死

それでは、『私はあなたのニグロではない』のコンテント＝内容において反復的に描かれている事柄とは一体何だろうか。前述のように、映画はボールドウィンの草稿に倣ってエヴァースとXとキングという三人の指導者に焦点を当てている。もちろんその功績はいうまでもなく、公民権運動への貢献である。しかし本作において前景化されている三人の共通点とは、いずれも暗殺という暴力的な形で志半ばにして死を迎えたという事実にある。アメリカの人種関係の歴史において、市民運動の高まりを受けて公民権法の制定に至る六〇年代は、間違いなく革命と前進の時代だった。しかしそれは同時に、暴力と死に彩られた時代でもあったのだ。ボールドウィンの草稿における物語のタイムラインは、キングが注目を集めはじめた一九五五年から、彼が暗殺される一九六八年までとなっている。もっとも若いエヴァースは一九六三年に、マルコムXは一九六五年に暗殺されている。ペックは膨大な資料のなかからそれぞれの指導者の死に際してボールドウィンが直接反応しているテクストを見つけ出し、作中で反復的に再現している。残された遺族の写真から、ボールドウィンによる葬儀の描写、涙を流す群衆の映像まで、これらの記録が語っているのは、この時代が物理的な暴力に満ちた時代であったということだけではない。暴力によってもたらされた死が（たとえば射殺されたマルコムXの遺体の写真がまもなく報道によって多くの人の目に触れショックを与えたように）、暴力的なスピードで拡散していくさまでもある。作中には入っていないが、一九六三年一一月二十二日、テキサス州ダラスでケネディ大統領が射殺された数分後から、すでにCBSやNBCのニュース番組が事件をカバーしていたこともまた、暗殺に彩られた時代の忌まわしいスピード感を伝える証拠のひとつだ。もちろん反復される死は、暗殺という形には限らない。たとえば映画は、ボールドウィンと親交のあった劇作家ロレイン・ハンズベリーのわずか三十四歳での病死にも触れている。また、暴力は死という非日常と結びついたものだけではない。作中の前半に挿入される同時代の白人の群衆の姿、公立学校における人種統合に反対して黒人学生に唾を吐きかけ、南部の人種隔離一般を死守するため、今なら一目でヘイトと認定されるような文言のプラカードを誇らしげに掲げて公共の場に立つ彼らの姿は、同時代の暴力と、それがいかにありふれたものであったかということを、戦慄とともに想起させる。

ただし『私はあなたのニグロではない』は、一九六〇年代がその暴力性において特殊であるとか、際立っているとか主張しているわけではない。むしろ同種の暴力が、時代を超えて反復されるさまを作品は描いている。指導者の暗殺に加え、デモ行進やワッツ暴動など、六〇年代の映像の合間に挿入されているのは、リンチされ木に吊るされた数々の黒人の遺体、虚ろな目をして地面に横たわるチェインギャング、激しく殴打されるロドニー・キングと、それに続くロス暴動のニュース映像、警官に殺害されたティーンエイジャーたちの写真、さらには地元警官による一八歳のマイケル・ブラウンの射殺後、ブラック・ライブズ・マターをはじめとする抗議運動が展開されたミズーリ州ファーガソンの様子などだ。それらのイメージは全体として、時代を超えて黒人に対して反復的に行使され偏在する暴力のあり方であり、しかも警察暴力の場合に顕著なように、そうした暴力は制度の側が行使者となって限りなく反復されているのだ。一九六〇年代に限らず、アメリカの人種関係の歴史は反復される暴力の歴史にほかならず、究極的にはその歴史の起源には、アフリカの植民地化や奴隷貿易という、黒人の人間性を否定し従属させる西洋世界の企図が存在している。もちろん北米での奴隷制成立に至る歴史そのものは、作品の語りの範囲を超えている。だが本作においてボールドウィンは、そしてペックは、複数の歴史上の出来事や人物のなかに暴力の反復という共通性と関係性を見出し、それを梃子にして物語を紡ぎつつ、見る者のうちにアフェクティブな反応を引き出す。のちに再び触れるように、この暴力の反復こそ、危機を迎えた現代において重要な表現のジャンルを形成するものだといえる。

四　映画と白さ――「隠された、かけがえのない、だが否定された」イメージ

反復される暴力とともに、本作を構成する需要な要素になっているのは、映画をめぐるボールドウィンの思索である。一九二四年生まれのボールドウィンはハリウッド古典映画の黄金時代に少年期を過ごし、数々の映画を見て育ってきた。作家になってからも、アメリカの人種関係について考えるうえで、映画は彼に数々の材料を提供した。エディターのストラウスも指摘するように、「ボールドウィンは、シネマとそれがわれわれの文化やイデオロギーを形成するうえで果たす役割について網羅的に書いていた。(中略)ボールドウィンの見た映画は(中略)彼のヴィジョンを映像とサウンドを通して解釈するための最良の手段となった」(xx)。デモや暴動、公民権運動など大きな社会的イベントの映像の合間に挿入されるハリウッド映画の数々の場面は、一見そのような騒乱とはひたすら無関係な牧歌的な光景のようにも思えるが、どちらも実際は人種隔離を背景として成立する二十世紀前半から中盤にかけてのアメリカ社会とその人種関係の現実を反映し、また形成する要素にほかならない。

作中でのボールドウィンの映画をめぐる思索は、一九三一年公開のジョーン・クロフォード主演映画『暗黒街に踊る』のダンスの場面で幕を開ける。ペンギン版に採録されたテクストは、一九七六年出版のエッセイ集『悪魔が映画を作った』の冒頭からの抜粋である。母親とクロフォードの映画を見たあと、七歳だったボールドウィンは使い走りに出て、クロフォードそっくり(と少年には映った)美しい黒人女性に遭遇し、魅了される(一五)。挿入された映画の場面は古典映画らしく大量の照明とソフト・フォーカスを用いて、女優

の白い肌を一層白く見せている。クロフォードが白人であることは知ってはいても、同時代の人種の概念をまだ深くは理解していない黒人少年にとっては、スクリーン上の白人女性も街角で出会う黒人女性も、その美しさにおいては差異を持たない。だが、そのように人種の概念が未分化な状態にもやがて変化が訪れる。少年はハリウッド映画には、ステレオタイプ的なストック・キャラクター以外の黒人がほとんど登場しないことに気づきはじめる。決定的な変化を媒介するのは西部劇だ。同時代の人種イデオロギーを強く反映した西部劇の物語群を非白人の観客が見るという経験は、不可避的に作品の受容において奇妙な心理的ねじれを引き起こす。観客は黒人であっても、正義を代表する白人登場人物に感情移入しつつ作品を見ようとする。そもそも観客が白人でないこと自体、想定されていないのだ。だがやがて黒人の観客は気づく。「ゲーリー・クーパーがインディアンを殺す場面を見て、ゲーリー・クーパーを応援しているはずの自分は、実のところインディアンなのだと」（一二三）。

　映画というメディアと、イデオロギー装置としてのその役割の強力さを論じた点において、ボールドウィンの回想はすぐれた同時代性を持つ。一方でこのようにして黒人がみずからが黒人であることを悟る「人種の発見」の瞬間は、トランスアトランティックな黒人文学や文化言説において歴史的に数限りなく取り上げられてきた主題でもある。たとえばフランツ・ファノンの『黒い皮膚・白い仮面』（一九五二）においても、著者の育ったアンティル諸島のネイティブたちは自分たちのことを黒人として認識していない、という挿話が登場する。

> 実のところ、アンティル人たちは自分を黒人だと思っていない。彼らはあくまでアンティル人なのだ。黒人はアフリカに住んでいる。その主観と知性において、アンティル人は白人のようにふるまう。だが実は彼は黒人なのだ。ヨーロッパを訪れ、現地のひとびとが「黒人」について話すのを聞いてはじめて、彼は気づく。ヨーロッパ人たちが、セネガル人について話すのと同じ調子で彼について話しているということに。（一二六―一二七）

ファノンがここで語るトランスアトランティックな植民地体験は、本質的にはボールドウィンが生きた時代の合衆国でも反復されている。白人のイデオロギーを内面化するほどに、黒人の主体は（ちょうどデュボイスの二重意識のように）ふたつの存在へと分裂し、その自意識は限りなく混乱してゆく。映画について語るボールドウィンが明らかにしようとしているのも、これと同様のプロセスである。「引用可能な現実の出来事、レイプや殺人、血なまぐさい抑圧の事例といった、われわれがすでに慣れきった事柄は脇に置くとして、従属する側に起こることというのは、現実感覚の破壊なのだ」(一二三)。映画というメディアが魅力的であると同時に恐ろしい呪縛力を持つのは、このような破壊力においてであろう。白人として映画を受容することを強いられる過程で思いがけなく人種的他者としての自己存在を発見する黒人観客は、作中でも触れられているようにふたつのレベルでアメリカを体験している。ひとつはドリス・デイの作品に代表されるような、瀟洒な郊外の住宅で、社会的、人種的なコンフォートゾーンに浸りきった白人女性のグロテスクなまでの多幸感であり、もうひとつは盲目のレイ・チャールズが繰り広げるダークな、しかし躍動感に満ちたパフォーマンスが醸し出す、「隠された、かけがえのない、だが否定された」アメリカのイメージなのだ(九九)。

エンターテイメントの世界におけるふたつの対照的なイメージは、決して統合されることなく見る者の意識のなかで反復的に再生され、人種隔離を背景として成立する分断された同時代の社会と、そこに生きる主体の分裂した自己意識を映し出しつづける。[3]『私はあなたのニグロではない』は、トランスアトランティックな黒人文化の言説に共通する、自己の一部が自己に属していないかのような不安に貫かれた人種意識を鋭く捉えている。そのことは、ハイチに生まれ、幼少の頃にコンゴへと移り住み、その後フランス、アメリカ、ドイツへと移動をつづけた監督のペック自身のディアスポラ体験と無縁ではないだろう。奴隷制がもたらした強制的な移動とは異なる文脈ではあれ、多感な十代においても継続的にノマド的な移動を余儀なくされたペックにとって、ボールドウィンは「『自分たちの』と名指すことのできる数少ない作家のひとりだった」(vii)。特定の空間に自己意識のよりどころを求めることが難しかったペックに、ボールドウィンはアイデンティティの縁ともいうべきものを提供してくれたわけだ。人種隔離の最悪の時代にパリに移住しながら公民権運動のさなかの南部へと立ち戻るボールドウィンの動きと、ヨーロッパやアフリカで育ちながらもアメリカに表現の主題を求めていくペック自身の人生の道程はここでも、差異を持ちつつ重なり合い、反復されている。

五　ニグロ／ニガーとはだれか

最終的に『私はあなたのニグロではない』は、同作が『リメンバー・ディス・ハウス』と題された草稿からどのような変化を経て「ニグロ／ニガー性」の否定に至る物語として完成されたのかを明らかにする。[4]

一九六三年のフロリダ・フォーラムのディベートの映像は、人種隔離についてのボールドウィンの基本的立場をわかりやすく示している。ボールドウィンによれば、人種隔離の基底にあるのは黒人に対する敵意や憎悪ではなく、「無関心と無知」だ（四〇）。「壁の向こうで何が起こっているが、誰も知らない。知りたくないのだ」（同）。「純粋さ」と題されたセクションにおいて、ボールドウィンは続けて人種隔離の背後にある感情について思索を繰り広げる。「私はいつも、アメリカにおける底なしの感情の貧困と、人間の生や触れることに対する根深い恐怖に驚かされてきた。そうした感情はあまりに激しすぎて、アメリカ人はだれひとりとして公的なスタンスと私生活との間に現実的で有機的なつながりを見出すことができなくなっているのだ」（五六）。ここでボールドウィンが主張しているのが、人種隔離の背景に存在するアメリカ人の接触への、他者との親密さを育むことへの深い恐怖と混乱であることは疑いがない。隔離された「ニグロ／ニガー」とは、あるべき形で他者と親密な関係を持つことができなくなっているアメリカ人が、他者の人間性を否定することによって自己存在を保つための、一種の感情のアウトレットとして創出した虚構の存在に過ぎない。最終セクションでボールドウィンは聴衆に語りかける。

> 白人がすべきことは、なぜそもそも「ニガー」などというものが必要だったのか、自身の心に問うことでしょう。というのも、私はニガーではありません。私は人間なのです。あなたが私のことをニガーだと思うとすれば、あなたは私の存在に依存しているのです。（中略）もし私がニガーでなくて、それはあなたが作り出したものにすぎないなら、あなたがた白人はなぜそんなことをしたのか問わなくてはならないのです。この国の未来は、そのような問いかけが可能かどうかにかかっています。（一〇九）

ボールドウィンのこの鋭い指摘をもって、『私はあなたのニグロではない』は幕を閉じる。三人の黒人指導者の暗殺の物語から、「ニグロ／ニガー性」の否定に至る過程には、一見ある種の飛躍があるようにも思える。だが、物語全体を通してボールドウィン／ペックが行ってきたのは、白人から黒人に対する構造的な暴力の歴史のもとにばらばらの過去の出来事を現在へと接続すること、そして隔離と接触忌避の時代においてもなお、つながりを希求することに他ならない。最終章の冒頭には、ボールドウィンによる有名な警告が引用されている。「歴史は過去ではない。それは現在だ。私たちは歴史を携えて生きている。私たちこそが歴史なのだ。そうでないふりをすれば、私たちは文字通り罪びととなる」（一〇七）。

おわりに――危機の時代の物語パターン

ここまで、アダプテーションにおける変化をともなった反復の概念を手掛かりに、映画『私はあなたのニグロではない』における多層的な反復の諸相を確認してきた。この反復の概念を拡大し、特に黒人を対象として繰り返される暴力という視点をもって見れば、ジャンル上、テーマやイメージ上の反復は、黒人文学や文化テクストにおける一種の新しい表象のパターンをつくり出しているといえるだろう。本作はもちろんのこと、社会的危機を反復的に取り上げる文化的試みは、オーディオ・ヴィジュアル作品を中心に、近年とみに増えつつある。たとえば貧困や不平等を露呈させたハリケーン・カトリーナや警察暴力といった社会的危機を彷彿とさせる映像を多用し、それらと作り手個人の結婚の危機を鮮やかにリンクさせたビヨンセのヴィジュアル・アルバム『レモネード』（二〇一六）はそのひとつだ。作中でビヨンセは、自分自身の人生の歴史を、奴隷制以降のアメリカ黒人の歴史に重ね合わせ、そのイメージをハリケーンで水没したパトカーの屋根に横たわる自らのイメージに収束させる。また、本作にもエンディング曲を提供しているケンドリック・ラマーも、二〇一五年のＢＥＴアウォードにおいて、巨大なアメリカ国旗を背にパトカーの屋根に乗ってパフォーマンスを展開している。どちらのアーティストも、警察暴力に象徴される現代アメリカの人種関係の危機を、歌詞だけではなくヴィジュアルの反復表現を通して伝えることに注力している。

ドキュメンタリー映画としては異例のヒット作となった『私はあなたのニグロではない』は、厳密にはメインストリームのポップ・カルチャーから生まれた作品ではない。だがその反復のレトリックと危機意識において、今作は同時代の他の文化テクストと確実に共鳴し合うものをもっているといえるだろう。これらの作品群が全体として目ざしているのは、単にショッキングな映像によって観客の過剰な反応を引き出すことではない。繰り返される暴力の社会への影響を正確に伝え、問題の所在を明らかにし、そのうえで存在するかもしれない反復からの抜け道を探ることだ。奴隷体験記はもちろんのこと、黒人文学全体にとって、反復される歴史や物語パターンのなかで黒人としてのアイデンティティを表象することは重要な試みであり続けてきたが、二十一世紀の黒人文化の担い手たちは、反復だけでなく反復を通してなされる変革をこそ、みずからの表現の課題とみなしているのだろう。ペックによる刺激的なアダプテーションは、いまひとつの危機の時代を生きたボールドウィンのテクストに寄り添いながら、現代の観客に深いインパクトを与える危機の時代の物語パターンをつくり出している。

注

1 本論における『私はあなたのニグロではない』の引用項はすべてこのペンギン版に拠っている。

2 ただし作中で引用されているＦＢＩの報告書で明らかなように、ボールドウィンは当時（人種関係に関する文章を書いているというだけではなく、同性愛者の疑いがあるという理由によって）潜在的な危険分子とみなされていた（三二一―三二二）。

3 作中に引用されている、潜在的なセックスシンボルとしてのシドニー・ポワティエと、『手錠のままの脱獄』（一九五八）や『夜の大捜査線』（一九六七）における彼と白人男性キャラクターの親密さめぐる記述は、クイア的な読みの可能性を喚起する刺激的なものだ。氾濫する暴力に対抗するものとしての生／性は常にボールドウィンの関心事だった。ただ、作中ではボールドウィンのクイア性についての言及はほとんどない。コーバーが指摘するように、ペックは（人種にフォーカスするボールドウィン批評の多くがそうであったように）「クイア性よりも黒さに重きを置いている」ようだ（一六三）。

4 作中のインタビュー等でボールドウィン本人はもっぱら黒人に対する差別語として「ニガー」の語を用いているが、二〇一六年の映画作品は、現代の状況に即して「ニグロ」の語を代わりに選択し、タイトルに用いたと推察される。もっとも、「ニグロ」という言葉自体、いまでは使われることのない時代がかった表現であることは間違いなく、実のところみずからを上品だと自負する白人が用いていたＮワードの婉曲表現に過ぎなかったこともまた記憶されるべきだろう。

引用文献

Baldwin, James, and Raoul Peck. *I Am Not Your Negro*. Penguin Classics, 2017.

Corber, Robert J. "Queering *I Am Not Your Negro*: Or Why We Need James Baldwin More Than Ever." *James Baldwin Review* 3, October 2017, 160–172.

Crichlow, Warren. "Baldwin's Rendezvous with the Twenty-First Century: I Am Not Your Negro." *Film Quarterly*, vol. 70, no. 4, June

2017, pp. 9–22.
Fanon, Frantz. *Black Skin, White Masks*. Trans. Richard Philcox, Revised ed, Grove Press, 2008.
Peck, Raoul. *I Am Not Your Negro*. Magnolia Home Entertainment, 2017.
X, Malcolm. *The Autobiography of Malcolm X as Told to Alex Haley*. Reissue, ed. Ballantine Books, 1987.
リンダ・ハッチオン。『アダプテーションの理論』片渕悦久ほか訳、晃洋書房、二〇一二年。

7 「強迫性荷責」としての語り
——ジェイムズ・ボールドウィンの『私の頭上に』における「兄と弟」

清水 菜穂

一 亡くなった弟を語る兄

アフリカ系アメリカ人作家のジェイムズ・ボールドウィン（一九二四—一九八七）は人種問題について雄弁に語る『次は火だ！』（一九六三）などのエッセイにより、一九六〇年代の公民権運動のスポークスマンとして広く知られた。また前期の三つの長編『山に登りて告げよ』（一九五三）、『ジョヴァンニの部屋』（一九五六）、『もう一つの国』（一九六二）により事実上カミングアウトした彼は、アメリカ社会における人種と性の問題の複雑さを見事に表現する作家であると称賛された。一方、六〇年代後半以降は作家としての力量の衰えを指摘されることが多く、次第に批評の対象とされることも減り、読者数も大幅に減少していった。こうしたボールドウィンの受容のされ方は、キャノンの見直しとともにキャノン以外の作品も批評の対象とされるようになった二十世紀末以降徐々に変化し、現在では、コンセウラ・フランシスが「ボールドウィン・ルネサンス」（一二六）と呼ぶように、全作品に新たな検討が加えられるようになった。後期作品についても積極的に批評にとりあげられ（スコット、マクブライド）、ボールドウィンの重要性は再認識され始めている。

本稿ではボールドウィン最後の長編『私の頭上に』（一九七九）の再評価を試みる。『私の頭上に』（以下『頭上に』）に対する従来の評価は賛否両論にはっきりと分かれており、その最大の理由はその語りにある。全篇を通じて描かれる歌声などの音楽的要素が語りに大きな効果をあげていると高く評価（キャンベル、トレイラー）される一方で、一人称の語り手が実際に目撃したわけではないにもかかわらず、あたかも全知の語り手であるかのようにホモセクシュアルの弟の人生を語る手法に対して、語りの信頼性が薄い（ピンクニー）など手厳しく批判された。この批判の背景には、もちろんアメリカ社会におけるホモフォビアがあることは否めない。またボールドウィンが生涯にわたって追い求めたアイデンティティ、人種、性、家族のきずななど広範なテーマが扱われているために、どうしても全体が散漫な印象を与えてしまうことも評価の低い一因だと思われる。

『頭上に』は、ボールドウィンの短編の中でもっとも多くの読者を獲得してきた「サニーのブルース」（一九五七、以下「サニー」）とともに「兄弟モチーフ」による作品であり、前者は後者の続編とみなされている。ボールドウィンの「兄弟モチーフ」による作品には、社会的に成功した兄がアウトサイダーである弟の人生を語る一人称小説という特徴がある。ハーレムで生まれ育ちながらまっとうな職業に就いている兄にとって、麻薬中毒やホモセクシュアルといったいわゆる社会的には脱落した弟の存在は、自らの地位を脅かすものでしかない。しかし、最終的に語り手の兄はミュージシャンの弟が奏でるブルースやゴスペルによって彼の苦悩や希望に気づく。つまり「兄弟モチーフ」による作品は、兄弟間の確執と和解という普遍的なテーマに、音楽によって呼び起こされるアフリカ系アメリカ人としてのアイデンティティ確立の過程が描かれているとされる。ボールドウィンの伝記を書いたデイヴィッド・リーミングが、ボールドウィンの作品の多くはこのモチーフあるいはその変形を踏襲していると述べている（一三五）ように、「兄弟モチーフ」はボールドウィン作品にとっては欠かせないものとなっている。

しかし、「サニー」と『頭上に』での兄弟の描き方には大きな違いがいくつかある。一つは「サニー」では、弟は語られる時点で現役ミュージシャンであるのに対し、『頭上に』の弟はすでに亡くなっており、語り手は弟の死の二年後に語り始める設定となっている。また、「サニー」では語り手自身が実際に見聞きしたこと、つまり弟について語り手が直接経験したことが語られるのに対し、『頭上に』ではおそらく他者から聞いたであろうと思われる内容をあたかも全知の語り手のように語る部分が多くを占める。つまり、語りの明らかな変化が見られるのである。さらに「サニー」の語り手は最終的に弟を理解し、弟は麻薬中毒を克服しミュージシャンとしての苦悩を乗り越えてゆくことが示唆されているのに対し、『頭上に』の語り手は弟を理解しようとはするが、最終的に彼を理解し受け入れることができたかどうかは明確には描かれていない。従来「サニー」は、「兄弟が真のきずなを結ぶ」（フランシス、八三）物語として長く読まれてきたように、語り手である兄は弟の演奏する音楽を「この闇の世界で僕たちが手にする唯一の光だ」（一三九）と理解し、アフリカ系アメリカ文化の神髄でもある音楽を通して弟やアフリカ系の人々の未来への希望が示唆されている。しかし、『頭上に』では、語り手は夢の中で「行く手に何があるかは、人々がそれぞれ見つけるだろう」（五八四）と弟に向かって述べるだけで終わっている。初期の作品で未来への光を示唆することができたボールドウィンが、晩年の作品では最初から弟をこの世に存在させず、弟についての語り方を変化させ、なおかつ兄弟間の理解について曖昧な結末をもたらしたのはなぜだろうか。「すでに亡くなっている弟という設定」、「語りの変化」、「曖昧な結末」という「サニー」とのこのような相違は、何を意味するのだろうか。こうした問いを考えると、これらの相違はおそらくすべて一つにつながっているのではないかと思われる。というのは、『頭上に』の冒頭に描かれている非常に衝撃的な「弟の死」の場面が、「結末」に至るまでの「語り」全体に覆いかぶさる暗い影のように読者の脳裏から離れないイメージだからである。ここでは冒頭の弟の死の情景に焦点を当て、ボールドウィン作品にとって重要な「兄弟」が、『頭上に』という作品においてどのようなことを提示しているのかを、ジグムント・フロイトが提唱する「強迫性荷責」に基づいて考察する。

二　『頭上に』における弟の死と語りの変化

弟の死と語りの変化について考察をすすめる前に『頭上に』の梗概を紹介しておこう。ハーレムで生まれ育った語り手のホールは、ゴスペル歌手でホモセクシュアルの弟アーサーの死の二年後、ようやく彼の人生について語り始める。アーサーは少年ゴスペル・グループのメンバーだったが、後に独立する。一方語り手は朝鮮戦争で兵役に従事した後、定職に就いて妻や二人の子どもと安定した生活を送っていたが、アーサーの独立後に彼のマネージャーとなる。アーサーの人生は語り手が自分の目で見たことだけではなく、語り手が兵役で不在だった期間中の出来事も、あたかも実際に見たかのように語る。冒頭には、ロンドンのパブの地下のトイレで血まみれになったアーサーの死の姿が描かれ、結末では、アーサーの死因が心臓発作であることが示唆され、語り手の夢の中でアーサーが「雨の向こうには何があるのかをみんなに伝えるべきだろうか」（五八三）と問うのに対し、「人々がそれぞれ見つけるだろう」（五八四）と語り手が答えるところで終わる。

冒頭のアーサーが血まみれになって死んでいる場面は次のように描かれている。

> 血が溢れだしている。最初は鼻の穴、それから首筋を伝わり、真っ赤な鮮血が彼［アーサー］の口からほとばしった。血は目までおおい、アーサーは倒れ、倒れ、倒れ、床に崩れ落ちた。

電話はこのような詳しいことには何も触れなかった。電報にも何も書かれておらず、ただ弟が亡くなったので僕に来てほしいということだけだった。イギリスのそっけない新聞が「ほとんど忘れ去られた黒人の嘆きの歌手」が（中略）ロンドンのパブの地下室のトイレで死んでいるのが見つかったとだけ報じた。誰も弟がどんなふうに亡くなったのか教えてはくれなかった。（三）

弟の死を電話で知らされた語り手は、どのような亡くなり方をしたのかについては聞いていないと述べていることから、このアーサーの死の場面は語り手の想像上の情景だと考えられる。そしてアーサーの死後、彼について語ることができずにいた語り手は、ようやく今語ることができるようになったと述べて、その朝見た「洞穴から這い上がろうとした瞬間また落ちてゆく」（一五）という悪夢が頭から離れないと語る。この夢は、天井や重い梁があたかも「私（自分）の頭上に」（一五）落ち、その落下物の重みで窒息するような感覚だと表現されている。ここで注目すべきは、作品タイトルにもなっている「私の頭上に」というフレーズである。このフレーズは広く知られたゴスペル・ソングの一節で、「私の頭上に／音楽が聞こえる／私はほんとうに信じている／どこかに神様がおられることを」と続き、神に対する信仰と神による救済を求める内容の歌である。しかし語り手にとってこのフレーズは、けっして神の救いなどではない。地下の薄暗いトイレでの死の情景や洞穴の悪夢から語り始めるのは、語り手にとって弟について語ることは心理的な重圧をともなうものであることを示している。地下にある男性用トイレというホモセクシュアルを容易に想起させる場でのむごたらしく死んだ情景と暗い洞穴での転落の夢、そして天井がまさに頭上に落ちてくるような感覚は、あたかも刑罰を与えられたかのように亡くなった弟の汚辱や罪を表象している。すなわち語り手の想像する弟の死には、神による天罰あるいは処刑の場の雰囲気が漂っていることがわかる。

一方、語り手が兵役に就いていたために実際に目撃してはいないと述べ、あたかも全知の語り手によって語られているかのようなアーサーの姿は、けっして天罰などではなく、むしろゆるぎない神への救済の願いと恋人クランチとの強い信頼に基づく、力強く美しい情景として描かれている。

クランチのギターが始まり、アーサーも歌い始めた。／身を清める水辺へと我を導きたまえ／（中略）

アーサーは再び間をおき、目から汗をぬぐおうと頭をのけぞらした。彼は刻々と迫ってくる想像だにしなかった暗闇を信じ、歌の中でクランチと自分がともに新しい世界へと向かっているのを知っていた。これまでこのように歌ったことはなかった。アーサーの歌声はクランチの音色の中にあり、クランチの音色はアーサーの声を満たした。

（一九九―二〇〇）

暗闇の中にたつ教会で二人がゴスペルを歌うこの場面の直後には、彼らのホモセクシュアルの行為が語られるのだが、そこでは、二人は「暗闇」の中で「水辺」から引き離されるのを恐れるかのように「互いの腕の中に抱かれ」、「新たな世界へともに向かう」と表現されている。（二〇六―一二）「暗闇」、「水辺」、「新たな世界へともに向かう」など、歌と愛の行為には同様の表現が用いられ、アーサーにとってゴスペルで歌われる喜びと苦悩は性の喜びや苦悩と同じものであることが理解される。

　語り手は自らや周囲の人々の恋愛についても詳しく語るが、それはすべて男女の間のことである。直接自身が経験したことを語るのが異性愛についてであり、アーサーの歌と男性同士の愛は、全知の語りという明らかに対象との距離をおいた語り方になっているのである。

　この対象との間に距離をおく語りの理由は次のようなことだと考えられるだろう。アーサーの人生を語るのに、彼がホモセクシュアルであることを避けるわけにはいかない。しかし冒頭の死の場面から推察されるように、語り手には彼のセクシュアリティをそのまま受け入れることが難しい、いやそれどころか、おぞましいものとさえ感じている。だからこそ、語り手は自らの役割を放棄して物語の局外へと退却したのだと、テクストは主張しているのではないだろうか。いいかえれば、一人称の語りから全知の語りへの変化は、一人称の語り手のこうしたホモセクシュアルに対する（無）意識を表わしているのだと思われる。したがって語り手が自らの語りを亡くなった「弟へのラブソングであり、愛と死に向きあう試み」（五一七）と述べていることからもわかるように、『頭上に』の語りの変化からは、アーサーに対する愛情とともに、ホモセクシュアルのおぞましさに対して語り手が抱く嫌悪という対立する感情が読みとれるのである。

三　「強迫性荷責」を表象する語り

　愛と嫌悪を同時に物語る行為と弟の死の関係について考察するとき、役に立つと思われるのは、ジグムント・フロイトの一九一三年の論文「トーテムとタブー」における強迫性荷責（強迫自責ともいう）についての説明である。フロイトによると、愛する者が亡くなると生き残った者には「自分が不注意や怠慢によって、愛する人の死をひきおこしたのではあるまいか、というつらい疑念」（二三七）、すなわち強迫性荷責の念が生じるという。しかしそこには実は「意識されていない願望」（二三七）、すなわちその死を不満に思わない感情、極言すればその人の死を願う気持ちが無意識のうちに存在している。そしてこの無意識的な願望の反動として、生き残った者は死者に対して非難や敵意を抱く。このような死者に対する情愛に満ちた哀悼の念と敵意の間に起こる葛藤は次のように説明されている。

> いまや死んでしまった人に対する感情は、われわれの十分に根拠のある仮定によると、分裂しているが――情愛のこもった感情と敵意ある感情と――、それは死別のときに両方とも、つまり一方は哀悼として、他方は満足感として自分を目立たせようとするのである。この二つの対立者のあいだに衝突がおきざるをえない。ところで、対立する一方、すなわち敵意は――完全にあるいはその大部分が――意識されていないから、衝突の結果は、両方の強度を相互に引き算して剰余を固定することでは済まない。（中略）敵意について人は何も知らないし、それ以上知ろうともしていないが、その敵意は内的知覚から外界へと投げられて、そのさいに敵意が本人からとき放たれてほかの人に押しつけられるのだ。生き残ったわれわれはいま、死者から解放されたことを喜んでいるわけではない。われわれは死者を悼んでいるのだが、奇妙なことに死者はいじわるな悪魔になってしまった。（二四〇―四一）

もし、人が無意識にでも愛する者の死を願っていたとしたら、哀悼の念と敵意を同時に感じるはずだが、人はけっして敵意を引き受けることができない。したがってこのような敵意は意識されず、抑圧されることになる。その結果、敵意は外部に投射され、その人に悪魔のように迫ってくる。つまり、生前には意識にのぼることのなかった愛する人に対する敵意は、あたかも悪魔になったようにその人のところに回帰する。悪魔や悪霊、亡霊とは生き残った者の死者に対する敵意の形を変えた姿なのである。

　以上のようなフロイトの強迫性荷責についての説明は『頭上に』の一人称の語りにぴたりと当てはまる。語り手は、早くに亡くなったアーサーの死に対する兄としての情愛のこもった哀悼の念を持つと同時に、自らの成功者としての地位を脅かすアーサーのホモセクシュアルに対して嫌悪と敵意を無意識のうちに抱いている。アーサーの死を想像することにより、語り手の無意識の敵意は悪魔のような雰囲気が漂う想像や悪夢として回帰し、その悪魔に促されるかのように彼は語り始める。しかし無意識の嫌悪や敵意により、アーサーのセクシュアリティに直接向き合うことができないため、一人称の語りは後景に退き、他者からの伝聞という距離を置いた語り、つまり客観的な全知の語りでしか語ることができない。したがって、一人称から全知の語りへの変化とは、語り手のアーサーに対する無意識の嫌悪や敵意の表われだと理解される。「サニー」とは異なり、『頭上に』という作品が弟の死という設定をとったのは、語り手の弟に対する強迫性荷責の物語だからなのである。

四　『頭上に』の語りが示すもの

以上のように考察をすすめてくると、強迫性荷責から生じる語りからは『頭上に』という作品の新たな姿が見えてくる。

弟に対する兄の敵意といえば、創世記第四章のカインとアベルの物語が想起される。弟を殺し、神に「弟アベルはどこにいるのか」と問われたとき、「知りません。私は弟の番人でしょうか」（九節）と反対に神に問いかけたカインは、神によって追放される。社会的逸脱者であるサニーやアーサーに対し、彼らの兄は自らの社会的成功を脅かしかねないため、嫌悪のみならず恐怖をも抱き、しかしながら肉親としての愛と兄としての責任も感じて苦悩する。まさに彼らの語りの背後には、自らを「弟の番人」であるべきかどうか、いやそんなことはないのではないか、という内的葛藤が浮かび上がってくる。この葛藤こそ強迫性荷責に由来するものであるのは明らかだろう。しかし『頭上に』の強迫性荷責が「サニー」のそれと異なるのは、そこにホモセクシュアルという要因があるからだ。[1]

ボールドウィンは、彼の実際の人生と切り離すことができない自伝的要素の強い作品を多く書いた。実はアーサーというのは、ボールドウィンのミドルネームである。そして物語の最後に、語り手は「弟をジミーに引き渡し、ジミーのピアノのソロを弾いてもらおう」（五七四）と述べて、アーサーの最後の恋人ジミーに二人の愛について語らせるが、このジミーとはまさにボールドウィンの愛称でもある。キリスト教の熱心な少年説教師としての経験を持ち、その教義では許されないホモセクシュアルでもあるボールドウィンの作品で、ホモセクシュアルの登場人物二人の名前がともに作者自身の実名であることには重要な意味があるはずだ。

エルドリッジ・クリ―バーやアミリ・バラカからブラック・パワーの活動家から、ボールドウィンのセクシュアリティに対し激しい非難がなされたが、リーミングによれば、ボールドウィンは彼らの批判によって受けた打撃から立ち直るのに非常に時間がかかったという（二九二）。その後彼の作風は明らかに変化し、それまでのような自らの人生における苦悩や喜びを雄弁に語るといったものではなく、反対に巧みに表現できずにもがき苦しむ作家の姿を浮かび上がらせている。知性と弁論にたけ、鋭い洞察力を持つボールドウィンにとって、アフリカン・アメリカンであることとホモセクシュアルであることは、自らの拠り所としてかけがえのない否定できないものであると同時に、彼に過酷な人生を強いたものでもあっただろう。作家である自己への愛と、社会的に受け入れられない存在であることへの嫌悪の間で、彼が葛藤をよぎなくされたことは想像に難くない。その意味で『頭上に』に登場する社会的成功者の語り手とホモセクシュアルの弟アーサーはどちらも作者ボールドウィンの分身であり、アーサーに対する語り手の愛と嫌悪は、ボールドウィンの自らに対する二律背反の感情そのものだと考えられる。アーサーのセクシュアリティを語り手が直接語ることができないことは、彼の語りが一人の作家の内なる対立する感情を表象しているからである。そしてそこからは、人種とセクシュアリティにからめとられたアイデンティティに対する疑問、いいかえれば社会的価値観に翻弄されるアイデンティティというものに対する懐疑もまた浮かび上がってくる。

さらに、強迫性荷責を表象する語りからは、人々の間のきずなの新たな姿を見てとることができる。血のつながった兄弟よりも強いきずなの存在である。アーサーとクランチのゴスペルを歌う情景を語り手が一人称の語りで伝えることができず、またアーサーの晩年について恋人であるピアニストのジミーに語りの役割がゆだねられる（五七四）ことからわかるように、アーサーの人生を語ることができるのは、生物学上の兄ではない。強い信頼と愛に基づいたきずなで結ばれたジミーである。血のつながりのある兄弟よりも、今や音楽を通して結びついている血のつながらない二人の間により強い精神的な結びつきが見いだせることを『頭上に』は提示している。

このことは実は「サニー」におけるバンド演奏の場面においても同様であるといえよう。バンドリーダーでベーシストのクリオールとともに、サニーがピアノを演奏する場面は次のように描かれている。

クリオールが命令したかのように、サニーが弾き始めた。するとと、何かが起こり始めた。クリオールは手綱をゆるめた。(中略)サニーはまさにその指先に、たった今全く新しいピアノを発見したような表情をした。信じられないという顔つきだ。(中略)クリオールはもうサニーを海のような深みに連れて行こうとはしない。ただ無事を祈っているばかりだ。そして彼はゆっくり後ろへ下がり、サニーが自分で語りだす強い期待が空気に満ちていった。(一三九―四〇)

クリオールを信頼し、あたかも彼に引き寄せられるようにサニーの演奏が始まる。彼らは言葉ではなく、演奏で語りあいながら新しい音楽を生み出していく。クリオールはあたかも兄のようにサニーを導き、サニーは何のためらいもなく彼にしたがい美しい音色を生みだす。明らかにここには、クリオールとサニーの信頼と愛情に基づく精神的なきずなが描かれている。「サニー」も『頭上に』も、直接的には血のつながった兄と弟の物語として描かれているのだが、実は両作品で音楽が演奏される場面では、強いきずなとは音楽を通して結ばれている男性二人の間に存在することが提示されていることが理解される。

『頭上』において示されるこうした新たなきずなの在り方が示すのは、作家ボールドウィンが自らに対する愛と嫌悪の間の葛藤を超えて到達した、音楽によって強く結ばれる関係の重要性である。ここでの男性同士のきずなには、女性の存在に対する視点が欠如しており、明らかにホモソーシャルな側面が見いだせる。男性に比べて女性を描くことの少なかったボールドウィンのこうした点は、今後さらに検討を加える必要があるだろう。しかしその一方で、アフリカ系アメリカン文化から生まれながらも、ブルースやジャズ、ゴスペルはもはやアフリカ系の人々だけのものではなくなっている現在、これらの音楽のグローバルに広がるパワーを通して結ばれる強いきずなの提示は、本質主義的なアイデンティティに対する大きな疑問をわれわれ読者に投げかけてくる。『頭上に』における強迫性荷責を表象する語りの結末での「行く手には何もない、自分たち以外には何もない」(五八四)という言葉は、世界のいたるところで不寛容さや保守化の傾向が強まりつつある現在、アイデンティティの在り方や他者との共存の可能性を「自分たち」自身で問うようにと要請しているのではないだろうか。

注

1 「サニー」における「弟の番人」については、拙論「隠された曖昧性——ジェイムズ・ボールドウィンの「サニーのブルース」における「鳥」の多義性」を参照されたい。

引用文献

Baldwin, James. *Just Above My Head*. 1979. New York: Random House, 2000.

——. "Sonny's Blues." *Going to Meet the Man*. 1965. New York: Vintage, 1995. 101–41.

Campbell, James. *Talking at the Gates: A Life of James Baldwin*. London: Faber, 1981.

Francis, Conseula. *The Critical Reception of James Baldwin, 1963–2010*. Rochester, NY: Comden House, 2014.

Leeming, David. *James Baldwin: A Biography*. New York: Holt, 1994.

McBride, Dwight A. ed. *James Baldwin Now*. New York: New York UP, 1999.

Pinckney, Darryl. "Blues for Mr. Baldwin." *NYREV* 6 Dec. 1979: 32–33. Rpt. in *Critical Essays on James Baldwin*. Eds. Fred L. Standley and Nancy Burt. Boston: G. K. Hall, 1985. 161–66.

Scott, Lynn Orilla. *James Baldwin's Later Fiction: Witness to the Journey*. East Lancing: Michigan State UP, 2002.

Traylor, Eleanor. "I Hear Music in the Air: James Baldwin's *Just Above My Head*." *First World* 2.3 (1979): 40–43. Rpt. in Standley and Burt. 217–13.

共同訳聖書実行委員会『聖書新共同訳——旧約聖書続編つき』日本聖書協会（一九九五）。

清水菜穂「隠された曖昧性——ジェイムズ・ボールドウィンの「サニーのブルース」における「鳥」の多義性」『バード・イメージ——鳥のアメリカ文学』（松本昇他編）金星堂（二〇一〇）。一七七―九一頁。

フロイド、ジグムンド「トーテムとタブー」『改訂版フロイド選集・6 文化論』（吉田正巳訳）日本教文社（一九七〇）。一三五―三九八頁。

第二章

多民族文化研究のアプローチ

1 罪と罰のはざまで
――ハイチと沖縄に共有される「赦し」の哲学

山本　伸

はじめに

まずは想像力を働かせて考えてみてほしい。

あなたは両親からこのなく愛され、何不自由ない生活を送っている。が、ある日突然に両親の秘密を知ることになる。父は母の兄を拷問して殺した犯人であり、母はそんな父を愛し、そしてあなたが生まれた。そんな父と、母と、そして何より自分自身に対して、あなたはいったいどう対峙するだろうか。

ハイチ系アメリカ人作家のエドウィージ・ダンティカの短編集『デュー・ブレーカー』（五月書房新社、二〇一八年）のテーマはこれである。いわゆる最悪のシナリオ、自分だけはそうではない、そうはならないと誰もが信じて疑わない不幸の極致を、ダンティカは真正面から取り上げる。裏返せば、かつてのハイチはそのような現実を日常のなかで突きつけられた人びとが数多くいたということだ。

そんなハイチの歴史的背景からすれば、これを「不幸であったからこその幸せ」などといった弁証法へと導くためのひとつの事象として扱うのはあまりに軽率過ぎるだろう。しかしながら、その歴史を過去の負の遺産として無機的に処理したり、遠い記憶の彼方に押しやったりするという選択肢を設けなかったことは、今年度のノーベル賞の登竜門とまで言われるノイシュタット国際文学賞を受賞したダンティカの、現在最も注目されるゆえんであると筆者は確信する。記憶による負の遺産の生産的転化は、カリブ文学やアメリカ文学という特定の枠組みを超越した次元での普遍性を色濃く帯びているし、本書が翻訳されている日本はじめ、英語圏の数多くの読者の心の波動をとらえて離さない理由ともなっているはずだからだ。

本稿では、この度めでたく国士舘大学をご退職された松本昇先生とのゾラ・ニール・ハーストンの *Tell My Horse* 試訳にまつわる古き良き思い出を噛みしめつつ、ハーストンが焦点を当てたハイチという地域に出自を持つ作家エドウィージ・ダンティカの『デュー・ブレーカー』について、沖縄では知らぬ人のいない特撮ヒーロー「琉神マブヤー」に含まれた沖縄独自の哲学的思想と照らして論じていくことにしたい。

なお、琉神マブヤーについての沖縄文化論的考察について の詳細は、拙著『琉神マブヤーでーじ読本』(三月社、二〇一五年)をご参照いただければ幸いである。読本をお読みいただいたのち、映像をご覧いただければ、本来はウチナーンチュにしか通じないはずの笑いのセンスを共有できること請け合いである。

デュー・ブレーカーとは何者か

デュー(dew)は露、しかも朝露である。それを蹴散らしながらやってくる人間、それがデュー・ブレーカー(dew breaker)。この朝露というところに不気味な響きが隠されている。寝込みを襲う、という含意である。では、襲われるのは誰か。いわゆる、反体制分子だ。つまり、かの悪名高きデュバリエ政権に仕えた秘密警察の話である。とはいっても、そう大昔の話ではない。作者のダンティカがニューヨークの親元に移住した十三歳を数年過ぎてやっと終わった政権であったのだから、ついこの前までといっても過言ではない。

ここで、デュバリエの独裁政治誕生までの経緯についてざっと見ておくことにする。

一九四二年にコロンブスがイスパニョーラ島に到達し、この島には先住民のアラワク人が住んでいたが、スペインの侵攻によって壊滅的に人数を減らした。植民地化に伴う奴隷化と、スペイン人が意図せず持ち込んだ疫病のせいである。

その後、スペインは西アフリカの黒人奴隷を使って島の東側中心に植民地経営を果たし、西側はフランスが一六五九年以降徐々に占領、一六九七年のライスワイク条約で正式にフランス領となる。これが後のハイチとなるわけだ。

続くトゥーサン・ルーヴェルチュールやジャン゠ジャック・デサリーヌ、アンリ・クリストフらのフランス政府への反乱により、一八〇四年に独立を宣言、ハイチ革命が成功し、世界初の黒人国家であるハイチ共和国が誕生する。このハイチの独立劇がアメリカ合衆国はもとより、南アメリカやその他の植民地の黒人に与えた影響が計り知れないことは周知のとおりである。

が、しかし、独立という響きとは裏腹に、その後のハイチは混乱に次ぐ混乱を来たし、国際的にも独立を承認する国家は出て来ず、それに伴いフランスからの独立の承認を得る代償として賠償金を支払わねばならなくなり、ハイチの経済は困窮を極めた。

一八七〇年代末になって、国家分裂や反乱は続いたものの、ハイチは徐々に近代化への道を歩み始め、砂糖貿易などで経済も発展し始める。二十世紀に入って、アメリカは債務返済を口実にハイチに侵攻、アメリカによる占領は一九三四年まで続いた。

アメリカ占領以降は、複数のムラート、つまり白人と黒人の混血の大統領が共和制のもとで交代し、クーデターも度重なったものの、一九五七年九月に行われた総選挙をきっかけに、ポピュリストの医師フランソワ・デュヴァリエが大統領に就任、長年福祉や保健関係でハイチ社会に貢献していたこともあって、当初は黒人進歩派とみなされ、「パパ・ドク」と親しまれた。

ところが、翌年になってデュバリエの態度は急変する。突如として独裁者と化し、国家財政の私物化、ブードゥー教による自らの神格化、戒厳令による言論弾圧などのあらゆる非業を繰り返し、それをより効率化するための手段として「トントン・マクート」を発足させた。こうして、朝露を蹴散らしてやって来ては反体制分子の寝込みを襲い、連行しては拷問や殺害を行う秘密警察、デュー・ブレーカーが誕生したのである。

一九七一年にデュバリエが死去し、当時まだ十九歳であった息子のジャン＝クロード・デュバリエが大統領に就任したが、軍事クーデターで追われる一九八六年までの長きにわたって、このデュー・ブレーカーは暗躍し続けることになる。

縦横ふたつの融合

まずは、ダンティカがデュー・ブレーカーに焦点を置く理由をあげておきたい。

それは人間個人のなかに必ず同居する善と悪の融合した本質と大きく関係する。融合と聞いてすぐに連想するのが言語テクストの歴史性に立脚した独自のアプローチで知られるドイツの哲学者ハンス・ゲオルク・ガダマー（一九〇〇～二〇〇二）の「地平の融合（Horizontverschmelzung）」である。ガダマーは言う。

理解はそれ自身、主観性の行為としてよりは、過去と現在がたえず互いに他に橋渡しされている伝承の出来事への参入として考えるべきである。（『真理と方法2』、四五七）

先の善悪の融合を「横」の融合とした場合、ダンティカはまさにガダマーの言う「縦」の融合、つまり、理解というものは伝統や教養という形で過去の地平を受け継ぐことで行われるものだとするガダマーの理屈に合致した形で、ハイチの忌まわしき過去である負の遺産を「理解」しようとしているのだと言える。同一人間のなかに常に同居する善と悪を歴史的なたて糸を交えて縦横にクロスさせることで、デュー・ブレーカーという存在をハイチという特別な場所でデュバリエという特殊な独裁者によって生み出された偶発的かつ局所的で一時的な産物として無機的に葬り去るのではなく、むしろ積極的に現在に掘り起し、「いま、ここ」にいるわれわれの前に引きずり出すことで有機化させようとしているのだ。

有機化される罪　無機化される罰

『デュー・ブレーカー』には二つの立場の人間たちが現れる。ひとつはデュー・ブレーカーを他者化する立場、もうひとつは自己化する立場である。

前者は「張り子の老婦人」のベアトリスであり、「夜話者（ナイトトーカー）」のダニーとその叔母のエスティナであり、また「葬式歌手（フューネラルシンガー）」のレジア、マリセルの夫、そしてフリーダの父である。

ベアトリスは踊りに誘われたのを断ったという理由で逮捕され、拷問で血が噴き出るまで足の裏を殴られた挙句に、灼熱の太陽に熱せられたアスファルトの道を家まで、しかも裸足で歩かされた経験を持つ。

ダニーは六歳のとき、両親を撃ち殺され、家に火を放たれた。たまたま遊びに来ていた叔母のエスティナもまたその火事で盲目になった。

レジアは脅された叔母の代わりに兵士にレイプされた過去を持ち、画家だったマリセルの夫は大統領を不適切に描いたとして展覧会の帰りに撃ち殺された。フリーダの父はある日突然連行され、歯をすべて抜かれるという激しい拷問の末、戻った翌日には自ら海へ出たまま帰らぬ人となった。

彼らにとってデュー・ブレーカーはあくまで絶対的他者であり、恐怖と憎悪の対象以外の何ものでもない。したがって、デュー・ブレーカーの罪は記憶のなかで無機化されたまま、罰だけが有機化の一途をたどる。つまり、デュー・ブレーカーがよりもがき苦しむような厳罰に処されることだけをいつまでも願いつづけるのである。

しかし、その一方で、「死者の書」、「奇跡の書」、そして「デュー・ブレーカー」のカーとアンは後者である。なぜなら、アンはそんなデュー・ブレーカーを夫として愛し、カーはその娘だからだ。前者の彼らとは逆に、ふたりのなかでは元デュー・ブレーカーである父の罪は有機化され、罰は無機化されていく。なぜ夫はそんな犯罪に加担したのか、父に躊躇や後悔はなかったのか。そんな葛藤のなかで元デュー・ブレーカーの夫や父親の内面にすり寄ればすり寄るほど、罪はその周辺的要素を肉付けしてはどんどん有機化されていく。そして、それと反比例するように罰への思い入れは希薄化し、無機化されていくのである。

自己化への葛藤

とはいえ、彼女らふたりの立場は、単に身内であるがゆえに父である元デュー・ブレーカーを無条件に自己化できるほど単純なものではない。

まずはアンである。この作品に登場する人物のなかで、アンほど数奇な運命に苛まれている人間は他にいないだろう。その詳細は短編集の最後の一篇である「デュー・ブレーカー」で語られる。

アンはミサの途中でデュー・ブレーカーに連行された牧師の兄を助けようと真夜中の道を収容所へと駆けている最中、時はすでに遅く、ふとしたことで反射的に牧師を撃ち殺した直後に収容所を飛び出したデュー・ブレーカーと鉢合わせし、あろうことか、牧師の反撃で深い傷を負ったデュー・ブレーカーを手当てし看病までしたのだった。むろん、互いの身の上や状況など知る由もなく、である。

しかし、どうしてまたそのような数奇な出会いと恋愛が重なり合ったというのか。

以下は、おそらくダンティカの罪と罰に関わる思いが強く反映されていると思われる興味深い語りである。

その後のことは、女にとって自分の娘にも誰にも説明するのは不可能だろう。幼いときに海で失った弟が海の底で長く過ごしている間に海水と海藻を吸って大きくなった姿を男と重ね合わせたわけではない。あるいは、他の亡霊の骨と魂を吸って大きくなった墓場からの生き返りだと思ったわけでもない。前の晩に逮捕されて連行された神父である義理の兄を見つけるのを手伝ってくれると思っていたからでもなく、きれいだという自惚れを断ち切るために自らの顔に紙やすりをかけて水ぶくれにしたロゼ・ド・リマや、床を舌で磨いたという聖ヴェロニカ、または首を切り落とされた後にその首を教会の祭壇まで持って行ったという聖サロンガのように、奇跡を起こす殉教者ぶろうとしたからでもない。ましてや、誰か他人の弟がたまたま墓場から這い出てきたのに出くわしたからというのでもない。たぶん、そのどれでもなく、またすべてでもあったのだ。加えて、もう何年も尾を引いている弟への深い悲しみと終わりのないいつぐないの気持ちもあったにちがいない。

（『デュー・ブレーカー』、二四八）

ここでも触れられているように、アンの周りを取り巻く死のなかで牧師の兄の死以前から強い影響を与えていたのが弟の死である。彼女のなかにある「何年も尾を引いている弟への深い悲しみと終わりのないいつぐないの気持ち」（二四八）とはいったい何なのか。

その答えは「奇跡の書」のなかで明かされている。アンには変わった癖があった。それは墓地を通り過ぎるときは必ず息を止めるというものだ。幼いころ、三歳の弟を連れてグラン・ゴアーブの浜辺に海水浴に行ったときに不注意から弟を死なせてしまったのが原因である。遺体は上がらず、以来ずっと弟は自分の墓を探してこの世をさまよい歩いているとアンは信じている。だから墓地を通るときは、海の底にゆっくりと沈んでいく弟の姿を想像しては息を止めるのである。事故以来、アンは海に近づくことはおろか、テレビに映る波の映像にすら心臓をあおられる。

一見、弟の死はアンの内面におけるデュー・ブレーカーの自己化と何の関係も無いかのように見える。しかし、母親の奇妙な癖に対する娘カーの態度に示されているように、両者は「ハイチ時代に起きたこと」（八二）として封印されているという点で共通している。娘の前でハイチの過去を封印することは、家族がニューヨークの現在を生きるうえでは必要なことであり、アン自身もまた、その内面における元デュー・ブレーカーである夫の罪の有機化、つまりデュー・ブレーカーという他者の自己化は、娘への封印と並行して、激しい葛藤を伴う必然の過程であったといえるだろう。

このアンのデュー・ブレーカー自己化の心理的葛藤を示す部分が同じく「奇跡の書」のなかにある。以下は、クリスマスイブの夜にブルックリンの教会に家族でミサに出かけたときの、参列者のなかに元デュー・ブレーカーの指名手配犯を見つけたと興奮する娘の言葉に動揺したアンの独白である。

娘がコンスタンだと言い張る男がすわる席の近くで、確かめようと足を止める。

コンスタンだったらどうしよう？　どうすればいい？　顔に唾を吐きかける？　それとも抱きしめる？　夫と結婚したことで、罪と同情のはざまの紙一重の心情は経験している。でも、コンスタンに罪の意識があるかどうか、どうやったらわかるというのか？　自由の身をひけらかすためにミサに参加しているとしたら？　犠牲者をあざけりに来たのだとすると？　罪の意識などみじんもなかったら？　まして や、自分を無実だと思い込んでいたら？　どこにでも好き勝手に行ける無実の身だと思っていたらどうだろう？　そもそも、自分にやつの罪を裁く権利があるのか？　敬虔なカソリックの信者であり、夫のような人間の妻となった自分には、娘が享受しているような自由の権利などないのかもしれない。（九〇―九一）

自身を敬虔なカソリック信者だとし、元デュー・ブレーカーである夫を愛し、家庭を築いていることに後ろめたさを感じつつも、かつて罪を犯した人間が現在「罪の意識」を持っているかいないかによって、その罪は有機化されたり無機化されたりする、そして、その人間自身もまた自己化されたり他者化されたりもするのだというアンの強い思いを、この独白は示している。そして、同時にそれは夫に対するアンの「赦し」への心理的葛藤でもあるのだ。

沖縄的「赦し」の哲学

自らの兄を拷問のうえに殺した男を夫として愛し、その男との間にできた娘との幸せな暮らしを享受するアン。彼女のデュー・ブレーカーへの「赦し」の哲学を探るうえで、まるで関係のなさそうな沖縄のポップカルチャーが実は一目置くに値するというのは意外な事実であろう。「はじめに」で触れた『琉神マブヤー』シリーズがそれである。

二〇〇八年より琉球放送で放映されているヒーローアクションシリーズで、現在までに主だったテレビ放映作品は八つ、なかでも第一弾の『琉神マブヤー』と『琉神マブヤー一九七二レジェンド』は、単なるアクションヒーロードラマの域を超越し、いわば戯曲の域にまで達していると言っても過言ではないほどの秀逸さを持ち合わせている。

一作目を担当した脚本家の山田優樹は、『琉神マブヤーデージ読本――ヒーローソフィカル沖縄文化論』のなかで、『琉神マブヤー』とは「許し（赦し）と和解の物語」だと述べている。

『1』の終わりで、マブヤーとオニヒトデ――ビルが闘って、最後の最後にマブヤーが闘うのをやめて、方言でね、

「あんしわじらんけ」って言うんですよ。あんしわじらんけ、そんなに怒んなよ、と。一話から積み上げていって、最終話でやっとそのセリフにたどり着くことができた。そこは自分ではうまくいったなって思ってます。（一〇七）

そもそもこのシリーズの基盤は、人間と海や山の生物に代表されるマジムンの対立である。戦争や進歩発展という人間の身勝手による自然破壊への報復として、人間が最も大切している文化を奪うというシナリオだ。したがって、人間の側に立つマブヤーには悪である人間の味方をするというジレンマが最初から付きまとう。そんなこともあってか、マブヤーの武器は「げんこ」と「やいと」だけで、けっしてマジムンを殺したり過度に傷つけたりはしない。

むろん、伏線として沖縄の社会文化的価値観である「ぬちどぅ宝（＝命こそ宝）」や「いちゃりばちょーでー（＝出会えば兄弟）」などがあることは言うまでもない。加えて筆者が同書のなかで指摘している「ニライカナイ（＝あの世、天国）」の象徴性は、マブヤーのマジムンに対する態度や、山田のいう「許し（赦し）と和解」という本質を補ううえでより高い説得性をもっているものである。なぜなら、ニライカナイには次のような性質があると考えられているからだ。

ニライカナイが神の在所であり、そこからさまざまな豊穣がもたらされるという観念、理想郷としての観念だけでなく、ときには悪しきもの、災いをもたらすものの住むところという伝承もあり、その両義的な意味は琉球列島の来訪神信仰の解釈に重要な鍵となる。（『沖縄民俗辞典』、三九八）

重要なのは、ニライカナイが「善と悪が同居する両義的空間」であるということである。そして、もしそれが理想郷であるならば、当然その理想はこの世のあり方にも適応されるはずだ。つまり、ニライカナイの思想を現実社会におきかえた場合、沖縄は社会をあらかじめ善と悪が混ざり合うものとして受け入れているのである。

だからこそ、マブヤーがマジムンを殺さないように、悪を絶対視することなく、むしろ自らのなかにも必ず存在するものとして自己化できるのだ。同時にマジムンへの罰は無機化され、げんこややいとの「おしおき」程度にとどめ置かれるわけである。

地平の融合とチャンプラリズム

ここで再びガダマーを引き合いに出したい。

ダンティカが過去の地平を現在に受け継ぐために、つまりデュー・ブレーカーに象徴されるハイチの負の遺産を「理解」するためにあえて必要としたもの、それこそが善と悪の横の融合だったのではないか。このガダマー的指向性からしても、「赦し」はその過程を取りなす必要不可欠な要素であったにちがいない。

沖縄のニライカナイの思想や『琉神マブヤー』のおしおきに示される哲学同様、『琉神マブヤー　一九七二　レジェンド』において焦点を当てられる「チャンプラリズム」もまた、ガダマーの地平の融合と類似した本質を持っているといえる。『一九七二レジェンド』は、その名の通り、沖縄がアメリカ統治下から日本復帰するまでの数日を描いたものだが、沖縄が取った「戦略」はアメリカへの抵抗でもなければ、大和への反発でもなく、すべてを受け入れてチャンプルーする（混ぜこぜにする）というものだった。

「そうか……持ち込まれたものを受け入れる。アメリカーの良いものも、ウチナーの良いものも、大和の良いものも全部受け入れてチャンプルーして新しい時代が生まれるんだ！」（『琉神マブヤーでーじ読本』、一九三）

作品のなかでこのセリフを語った朝基を演じた沖縄出身の俳優、與座和志はインタビューのなかで、「朝基の役をやったことで、ご自身のうちで何か変わったことはありましたか」という質問に対して、感銘を受けるほど興味深い答えを述べている。

考え方が少し変わった気がします。昔は僕、すごく正義感が強すぎたんです、周りから煙たがられるぐらいに。そして自分を煙たがる人たちに相当反感を持っていたんですけど、そうした自分にも少し不信感を抱き始めた頃に『マブヤー』をやることになって。で、『マブヤー』をやってみて、正論を武器にしたら悪なんだな、見方を変えたら正義にも悪にもなってしまう、その中間に立ってるような者が本物のヒーローで、もしかしたら偽善に見えるかもしれないけど、本当に必要なのはそういう行動かもしれない、って思うようになりました。マジムンという存在自体も、単純な善／悪では割り切れないものですし。越来のギルー（盗みを働いてはそれを貧しい人びとに分配する義賊／本注は筆者）の話なんかにも、特にそういう思いを持ちますね。もしかすると、そのあたりが、本土のヒーローものにはない、沖縄のヒーローものの最大の特徴なのかもしれません。

（二〇〇）

まとめ

過酷な歴史のもとで壮絶な人生を人びとに押し付けてきたハイチにかろうじて残された「赦し」の余地を、家族の愛情や絆、そして何より当事者の「罪の意識」によってこじ開けようとするダンティカの試みは、人種も文化も言葉も違う沖縄が生み出した善と悪を別つことをしないという伝統的思想に照らしても、その方向性に誤りがないことはまちがいない。

しかしながら、南アフリカがアパルトヘイト終焉後に過去の負の遺産の清算にと一九九四年に立ち上げた「真実和解委員会」が一九九八年に作業未完のまま閉会されたことからもわかるように、加害者が罪を認め反省し、被害者がそれを赦すという所作は心身ともにそうたやすいことでないこともまた事実である。

しかし、それでもなお、ダンティカはあくまでその可能性と意義に焦点を当て、過去の罪への本人の反省のみならず周囲の「赦し」無くして未来はないということを、罰の非生産性と人間の善悪の両義性に照らして真正面から問おうとしている。

そして、その答えは読者であるわれわれ一人ひとりにゆだねられている。

最後にもう一度、想像力を働かせて考えてみてほしい。

あなたは両親からこのなく愛され、何不自由ない生活を送っている。が、ある日突然に両親の秘密を知ることになる。父は母の兄を拷問して殺した犯人であり、母はそんな父を愛し、そしてあなたが生まれた。そんな父と、母と、そして何より自分自身に対して、あなたはいったいどう対峙するだろうか。

引用文献

轡田収、巻田悦郎訳『真理と方法〈2〉（叢書・ウニベルシタス）』、法政大学出版局、二〇〇八年。
山本伸訳『デュー・ブレーカー』、五月書房新社、二〇一八年。
山本伸『琉神マブヤーでーじ読本――ヒーローソフィカル沖縄文化論』、三月社、二〇一五年。
『沖縄民俗辞典』、吉川弘文館、二〇〇八年。

2 二〇一五年シカゴ市長選挙における人種とエスニシティの考察
――白人・アフリカ系・ラティーノ有権者の候補者選択

丸山　悦子

はじめに

サンドラ・シスネロスの『マンゴー通り、ときどきさよなら』はシカゴの労働者階級や中南米系移民、貧困世帯が集住するマンゴー通りを舞台に、そこで暮らすメキシコ系の少女エスペランサの語りによって、劣悪な住宅環境や見通しの立たない生活のなかでもたくましく生きる住民の様子が生き生きとユーモラスに描かれる。ある章の一場面で、エスペランサはアリシアというメキシコのグアダハラ出身の少女からこう言われる。

あなたは他のどこでもなく、ここマンゴー通り四〇〇六番地に住むのよ。（シスネロス　一〇六）

エスペランサはマンゴー通りの貧相な自宅を嫌っていて、大人になって早く出て行きたいと願っている。そんな彼女にアリシアはこう続ける。

好きでも嫌いでも、あなたはマンゴー通りなのよ。いつかあなたも戻ってくるわ。（シスネロス　一〇七）

しかしエスペランサは貧困が常態化し、知的刺激や地域改善の意欲もないマンゴー通りで一生を過ごすつもりはない。アリシアの言葉に思わず、「私は戻らない。誰かがここをよくしないかぎり」とエスペランサは心でつぶやくのである。そして同時に、「誰がそれをしてくれるというの？　市長？」と自分に問いかける。そのあと、彼女は市長がマンゴー通りを視察にくるだろうかと考えると、こっけいで声をあげて笑うのである。

このシスネロスの記述には、シカゴで隔離形成された貧困層と移民労働者階級の居住区の存在が示されている。市長にも顧みられないほど、行政から見放されたシカゴ貧困区の様子がうかがえる。

二〇一五年のシカゴ市長選挙は同市における政党政治の歴史的展開に鑑みるとき、住民のエスニック構成と政治の相互影響を考察するにおいて、大変興味深い選挙戦となった。二月に実施された投票では五十%以上の得票を獲得する候補はおらず、シカゴ史上初の決選投票が行われることになったのである。最大の有力候補は現職市長であるユダヤ系アメリカ人のラム・エマニュエルである。彼に対抗して出馬し決選投票へと持ち込んだのは、メキシコ系アメリカ人のヘスース・ガルシアであった。ガルシアは幼少期にメキシコから移民した人物で、シカゴ初の「ラティーノ市長」[1]が誕生する意義を有権者に訴え、精力的に選挙運動を展開した。現職のエマニュエルはオバマ前大統領の側近としてホワイトハウスで活躍した実力派政治家である。シカゴに堅固な支持基盤をもっていたが、二期目に挑んだ今回の市長選では苦戦を強いられることとなった。

　本市長選はユダヤ系現職市長とラティーノ対立候補というエスニシティに特化した分析も可能であるが、選挙を通じて浮かびあがった有権者の政治動向は、単純な人種政治の反映ではないと考える。近年みうけられるシカゴの選挙政治は、人種に根差した投票行動や利益誘導型の政治構図では説明できない。トーマス・グターボックがシカゴ住民の政治活動について指摘したように、市民の投票行動を決定するのは政治家がもたらすと見込まれる利益ではなく有権者自身の社会階層や学歴なのである (Guterbock)。

　本稿では二〇一五年のシカゴ市長選挙を事例に取りあげ、決選投票の結果を通して明らかになった市民の投票行動を分析する。選挙戦で争点となったシカゴ市の行政上の課題を有権者がどのように認識し、候補者を選択したかを概観する。市長の座を争った二人の候補者の支持母体やシカゴ市の人種・エスニック構成に焦点をあて、選挙戦に与えた影響を考察する。また、シカゴが歴史的に構築してきたマシーンと呼ばれる政治システムや、選挙における労働組合の役割にも着目しながら考察する。

一．シカゴ市エスニック構成

市長選に名乗りをあげたガルシアは、シカゴがあるイリノイ州クック郡で要職を務める人物である。シカゴ市議会議員とイリノイ州上院議員を歴任した同地域でもっとも知名度のあるラティーノ政治家の一人である (Bosman [a])。シカゴではラティーノ住民の数がこの三十年で倍化しており、同市のエスニック構成の変化に拍車をかけている。シカゴは全米の大都市のなかでも、ロサンゼルスやニューヨーク等に次ぎ、五番目にラティーノ住民が多い都市なのである (Motel and

Patten, 18)。このことから二〇一五年市長選挙はメキシコ系のガルシアが優位に戦いを進めることも予想された。しかし、迎えた四月の決選投票の結果は、エマニュエルが五六・二%、ガルシアは四三・八%の得票率であった(Kennedy, 2)。二人の得票率は拮抗したものの、かろうじて現職市長のエマニュエルが二選を果たした。

二〇一一年にシカゴ市長に初当選を果たしたエマニュエルは、以前はイリノイ州議員、連邦下院議員を歴任し、政策通で知られた政治家であった。オバマ政権が発足するとシカゴ時代からオバマと旧知の間柄であったことから、エマニュエルは同政権の大統領首席補佐官に任命される。文字通り大統領の右腕として、政権を支える剛腕政治家として活躍した(武末)。しかしエマニュエルは、国政で輝かしい経歴を積み上げながらも、生まれ故郷のシカゴで首長に就任するという政治的野心を以前から口にしていた(Davey and Fitzsimmons)。二〇一一年に市長戦に出馬するにあたり、彼はワシントンの要職を辞任することになるが、オバマ大統領はエマニュエルの出馬を全面的に支持した。こうしてエマニュエルは地元シカゴで立候補するのに、現職大統領の友人であり側近の政治家という強固な後ろ楯をもって選挙戦を戦うこととなった。結果として、アフリカ系有権者から四〇%以上の得票を獲得し、圧倒的な知名度でエマニュエルは当選を果たした(Alter)。

二〇一〇年合衆国国勢調査のデータによると、シカゴ市住民の主な人種グループ内訳は以下の通りである(表1)。同市ではアフリカ系アメリカ人が非白人マイノリティ集団として歴史的に存在感を示してきた。シカゴでは白人が最大の人種集団となってきたものの、アフリカ系アメリカ人も白人と同等の人口比率を占めてきた。しかし、近年は同市のエスニック構成がこれまでにない変化を遂げている。ラティーノ人口(二九・七%)がわずかながらアフリカ系(二九・三%)を上回り、ラティーノは現在シカゴで第二のエスニック集団となっている(U.S. Census Bureau, 2016)。

シカゴのラティーノ住民で注目すべき特徴は、出自国の多様性である。もっとも人口が多いラティーノ下位集団はメキシコ系で、上述のガルシアもシカゴで育っている。メキシコ系人口は同市のラティーノのうち七六%に相当する。だが、他のラティーノ下位集団も少なからぬ数が市内に居住しており、メキシコ系とプエルトリコ系以外のグループは、ラティーノ集団内の人口比率において極端な偏りがない(表2)。このようなラティーノ集団内の出自国構成は、メキシコ系アメリカ人のガルシア候補が選挙戦を展開するのに追い風とな

表1. シカゴ市人口　人種・ラティーノ別内訳（2016年）

U.S. Census Bureau American FactFinder, 2016 American Community Survey 1-Year Estimates より筆者作成。①〜⑥はラティーノを含まない。
ラティーノは人種の申告でないため、白人、黒人、先住民、アジア系の人も含まれる。

市人口	数	パーセンテージ
人種内訳	270万4965人	100%
① 白人	88万2354人	32.6%
② アフリカ系アメリカ人	79万3852人	29.3%
③ アメリカ先住民とアラスカ先住民	3027人	0.1%
④ アジア系	17万440人	6%
⑤ その他の人種	4255人	0.1%
⑥ 二つ以上の人種	4万6978人	1.7%
⑦ ラティーノ（人種は問わない）	80万3476人	29.7%

表2. シカゴ市ラティーノ人口・出自国別内訳（2016年）

U.S. Census Bureau American FactFinder, 2016 American Community Survey 1-Year Estimates より筆者作成。

ラティーノ人口	80万3476人	100%
① メキシコ系	61万2139人	76%
② プエルトリコ系	9万6804人	12%
③ エクアドル系	1万7998人	2.2%
④ グアテマラ系	1万6258人	2%
⑤ キューバ系	1万565人	1.3%
⑥ コロンビア系	8473人	1%
⑦ サルバドル系	5892人	0.7%
⑧ ホンジュラス系	5524人	0.6%

ったのだろうか。

米国のさまざまな選挙において、ラティーノの投票行動を分析した研究は数多い。[2] 移民や高出生率のためラティーノ人口の増加率が顕著になると、新たな潜在的有権者としてラティーノ住民の政治志向が注目されたり、彼(女)らの居住地や所得、教育水準が候補者選択にどう影響するのか調査されたりした。これらの先行研究は中南米に出自をもつ人びとを、一括りに「ラティーノ」というエスニック集団として扱っていて、出自国の違いに関係なく、「ラティーノ」という集団アイデンティティを人びとが抱くことを自明のこととしている。近年このようなラティーノ政治行動学の視座に対し、疑問を投げかける研究が散見されている。ひとつにはラティーノ有権者は投票に際して、候補者をエスニシティで選ばなくなっているという議論である。また別の批判的論説として、汎ラティーノアイデンティティ(Latinidad)は幻想であり、中南米に出自をもつ人を包括的な帰属意識で代表することはできないというものがある(Barreto 3; Wisniewski)。このことから、シカゴがもつラティーノ住民の多様性を考慮すると、有権者が中南米の出自をもつということだけで、その人が特定の候補を支持するという想定は現実的ではないといえる。

二 選挙結果分析

では、人種やエスニシティが有権者の投票行動を自動的に決定しないとすれば、シカゴ市長選挙ではどのような要素が有権者の候補者選択に影響を与えたのだろうか。次に、二〇一五年市長選の本選挙(二月)および再選挙(四月)の結果を分析したシカゴNPO団体による統計データ、シカゴのローカル紙が提供した資料等をもとに以下の四点を考察する。

①候補者の支持団体と献金額
②投票者の人種・エスニシティ
③投票者の所得
④投票に際し有権者が重視した政策

シカゴとマシーン政治の伝統

市長選候補者の支持団体を分析するにあたり、まずシカゴ市政を特徴づけてきたマシーン政治の歴史について概観したい。シカゴはかつてマシーン政治の舞台として知られてきた。マシーンとは公職に候補を当選させる地域政治組織のことで、移民が多いシカゴのような大都市で発達した仕組みである。マシーンは生活支援を必要とする移民やアフリカ系住民をターゲットとし、日常的な相談に乗るだけでなく、職業斡旋や福祉などの公的援助の提供とひきかえに投票を促し、特定候補を当選させる機能を果たした（斉藤・金関・亀井・岡田 四八九、小林和夫 六三）。例を挙げると、強固なエスニック上の連帯を築き上げたアイルランド系市民がマシーンを媒介として、シカゴ政治に甚大な影響力を発揮した歴史は有名である。二十世紀初頭のシカゴにはアイルランド系ギャング集団や、重工業の労働者として移り住んだ貧しい東欧・南欧系の移民が多くいた。例えばかつてサウスシカゴは鉄鋼業が支配する街であった。そこで働くポーランド人やセルビア人、クロアチア人移民労働者が堅固なエスニック・コミュニティを築き、街には労働者が住む安アパートが並んでいた。彼らはマシーンの格好の対象として取り込まれ、投票の見返りに生活支援など市政から庇護を受けたのである。特定の移民集団が就職を斡旋されたり、仕事を割り振られるという措置は、シカゴでよく見受けられた政治的慣習であった（Grimshaw 一八、Reid Jr., and Kurth 四二七―四二八、小林 六七―六八）。

一九〇〇年代に入ると、移民だけでなく南部からシカゴへ移住してきたアフリカ系アメリカ人がマシーンに取り込まれた。南部ではアフリカアメリカ人の政治参加は容易ではなく、タブー視する風潮すらあった。政治参画の経験がないまま北部にやってきたアフリカ系アメリカ人は、シカゴで残存するアフリカ系への暴力や、厳しい居住地の人種的制約などに直面した。マシーンは富や社会資源をもたない彼らに、政治参加という「甘言」をもって、市職員に採用するなどの政治的利益を提供し、その代わりにマシーンが支持する政治家に投票を促した（Grimshaw 四―六、紀平 一〇二）。このようなシカゴ・マシーンが強靭な力をもつようになったのは、一九三一年の市長選挙がきっかけであったという。当時の共和党現職市長を破って当選したのは、民主党から立候補したアントン・J・サーマックである。以降、シカゴでは民主党が圧倒的な影響力で市政を運営し、一九七〇年代には共和党議員が一人も選出されないなど、一党支配の状況が長期にわたり続くことになる（紀平 九九―一〇〇）。

近年の研究ではウィリアム・グリムショウ（一九九二）や上述のグターボック（一九八〇）のように、従来のマシーン政治の定説に疑問を投げかける論述が現れるようになった。グリムショウはアフリカ系アメリカ人有権者が投票と引きかえに経済的な見返りを得るという、単純なマシーン政治の力学はもはや機能していないと論じる（グリムショウ 九九四）。では、本稿で扱う二〇一五年のシカゴ市長選挙ではどうであったか。結論からいえば、エマニュエルの当選に際し、シカゴ・マシーンが上述の古典的な機能を発揮したとはいい難い。マシーンで重要な構成員となってきたアフリカ系アメリカ人は一九七〇年代に中産階級化が進み、優れた教育機会やよい住宅環境を求めてシカゴ郊外に移動していったからである（紀平　一〇六）。市政に絶対的な権限をもつボス政治家や、投票区で高い集票力を引き出すリーダー的存在である投票区幹事（precinct captain）はもはや存在しないといわれる（Alter）。連邦政府による監査制度が発達したため、マシーンに協力する市民に利益供与をすることができなくなったことも一因である（"Democracy in America"）。伝統的なマシーンはシカゴで強力な集票機能をはたさなくなっている。

三　市長候補の献金者リスト——支持団体の背景

では、マシーン組織が弱体化したといわれるなか、二〇一五年はどんな組織や団体が市長選挙に影響を及ぼしたのか。その考察のため、四月に実施された決選投票に際し、二候補者が集めた政治献金のリストを具体的に参照し、その金額や寄付団体の特徴を比較する。

エマニュエルはガルシア陣営から「一％のための市長」[3]と揶揄されたように、概して富裕層の間で支持率が高い（Davey [al]）。二〇一五年市長選挙の献金者リストの詳細（表3）をみると、献金額第一位の企業（一五二万ドル）を筆頭に、一〇〇万ドル以上の大口献金を行った企業・団体は三つにのぼる。ワシントンDCで身につけた政治手法と人脈を生かし、国際的ヘッジファンドの重役やハリウッドの実力者から高額の献金を集めている。さらに、シカゴで事業を展開し市から優遇措置を受ける投資企業や、同市の空港や水道などの公共事業を担う業界団体の支持も集め、献金額は上積みされた（Alter; "Rahm Emanuel's Donors"）。上位三者だけで政治献金は四一五万ドル以上にも達している。結局、本市長選でエマニュエルが獲得した献金総額は二〇一五年三月までに三〇〇〇万ドル（約三六億三〇〇〇万円、二〇一五年三月一五日のレート）となった。このように、エマニュエルは豊かな資金力を誇る投資・金融企業から献金を受けており、これらの法人はシカゴでの業務展開にあたり市から業務上の優遇措置を受けているのである。

続いて、ガルシアを支持した団体の献金リスト（表4）を概観する。まず、一見して両者の献金額の違いが顕著である。ガルシアが上述の時期（二〇一五年三月）までに獲得した献金額は五二〇万ドルにすぎない。エマニュエルが獲得した献金額と比べると、その総額の一七％となっており、彼の献金額

表3. 2015年市長選挙　エマニュエル候補への献金者一覧（上位五者）

Chicago Tribune, "Rahm Emanuel's Donors" (March 30, 2015) より筆者作成

献金額の順位	献金者名	献金者の概要	金額
1	Grosvenor Capital Management	シカゴに拠点を置く国際投資会社。	152万ドル
2	Citadel	国際投資会社。CEOのGriffin氏はヘッジファンドマネージャーの2014年世界報酬ランキングで第1位に。	138万ドル
3	Madison Dearborn Partners	未公開株式投資会社。	125万ドル
4	Plumbers and Pipefitters Unions	配管業や上下水道業務の労働者組合	92万ドル
5	Groupon	共同購入型クーポンサイトの運営	46万ドル

表4. 2015年市長選挙　ガルシア候補への献金者一覧（上位五者）

（出典：同上）

献金額の順位	献金者名	献金者の概要	金額
1	American Federation of Teachers/ COPE	アメリカ教員連盟およびニューヨーク教員連合の寄付組織	110万ドル
2	SEIU Healthcare Illinois in PAC	医療や保育・在宅看護サービス産業に従事する労働者組合	81万ドル
3	SEIU Illinois Council PAC	サービス産業労働者組合	66.9万ドル
4	Chicago Teachers Union	シカゴ公立学校区の教員組合	22万ドル
5	ATU Cope Voluntary Account	バス運転手などの労働組合	2万ドル

表5. 2015年2月のシカゴ市長選　本選挙の得票率

	エマニュエル	ガルシア	ウィルソン	フィオレッティ	ウォールズ
得票率	45.6%	33.5%	10.6%	7.4%	2.7%

は見劣りする感は否めない。支援団体の種類に注目すると、ガルシアは広範な労働組合組織から献金を受けていることがわかる。具体的にはシカゴ市の教員労働組合をはじめ、全米に組織展開しているアメリカ教員連盟から多額の献金を集めている。教育業界だけでなく、寄付者リストには医療や看護、保育分野に携わる職員の労働組合や、レストラン従業員などのサービス産業労働者が目立つ。それに加えてバス運転手の労働組合も献金額上位者に名を連ねている（"Jesus 'Chuy' Garcia's Donors"）。サービス産業は中南米系労働者が多く従事しているため（"Employed persons by detailed industry"）、メキシコ人移民であったガルシアに組合員が親近感をもち、支持を固めやすいという側面があると考えられる。

しかしながら、ガルシアが全面的に労働組合の組織的支持を獲得し、エマニュエルが資本家や国際企業の支援に頼っているとは限らない。実はエマニュエルもさまざまな労働組合の支持をとりつけている。建設業労働者をはじめ、塗装工、配管業労働者、消防士、病院職員など、七十もの労働組合が市長選でエマニュエル支持を表明している（Davey [b]; Ortiz）。ここにシカゴ特有の労働組合事情―公務員（市職員）が構成員となっている労働組合と一般労働組合、そして市行政との関係が反映されている。上記の表3ではエマニュエルに献金した労働組合は一つだけ（Plumbers and Pipefitters Unions）であり、大口献金者には見えない。しかし、エマニュエルとガルシアを支持したそれぞれの労働組合の種別をみると、エマニュエルの支持労組はシカゴ市のインフラ整備に関与する労働者からなっている。市の公共事業によって職を得て、生計を立てているといえる人びとといえる。また上述の消防士や病院職員などは、市職員として勤務する公務員であるため、労働組合に所属していても、首長である現職市長を支持するのは自然なことといえる。

ガルシアの重要な支持基盤であるサービス産業労働者組合（Service Employees International Union, SEIU）だが、組織は一枚岩ではない。当初ＳＥＩＵは二〇一五年二月の市長選挙にあたり、組合としてどの候補も公認せず、自主投票としていた。しかし、二月の選挙で結果過半数を得られた候補がいなかったことから、二カ月後にシカゴ市長選初の決選投票が行われることになると、ＳＥＩＵの市長選への対応に足並みの乱れが生じた。最初の選挙ではエマニュエルとガルシア以外にも、実業家や地域政治活動家である二人のアフリカ系アメリカ人と、白人ヨーロッパ系の市議会議員という五人の人物が出馬し、選挙戦の行方は混迷した。そのため白人とアフリカ系の票が分散し、どの候補も特定の有権者層から圧倒的な票田を得ることができなかったからである (Kennedy 2)。その後、二回目の投票（決選投票）の実施が決まるとSEIUは支部毎に異なる対応を見せた。候補者が五人からエマニュエルとガルシアの二人に絞られると、イリノイ州SEIU本部は決選投票ではガルシアを支持すると表明した。下部組織である SEIU Healthcare Illinois や SEIU Illinois Council も本部の方針に従った。SEIU Healthcare 代表はガルシアを「シカゴの労働者とその家族の問題により明確に取り組む候補」であると支持の理由を説明している (Ortiz)。両組織は多額の献金（表４）を納めるとともに、ガルシアの選挙運動にボランティアを派遣するなどした (Schmidt)。

しかしSEIUの一支部である Local 七三は、ガルシアの政策を「社会主義的」だと主張し、SEIU本部の方針と一線を画した。Local 七三はエマニュエルを公認したのである。SEIUのなかでも大きな影響力をもっているのが Local 七三である。同支部に所属する組合員のうち、一万四千人がシカゴ市職員である (Schmidt; Ortiz)。支部代表役員のマット・ブランドンは、SEIU Healthcare がガルシア陣営に多額の献金をしたことに強く反発し、SEIU本部へ不服申し立てを行っている。ブラントンはエマニュエルが「シカゴの労働者にとってかつてない最高の市長である」(Schmidt) と考えているのである。関連労組によるガルシアへの資金支援を批判したブランドンだが、実は市長選挙の前年に Local 七三はエマニュエル市長に二万五千ドルの政治献金を行っていた。その後まもなく、ブランドンはシカゴ市の最低賃金見直しの諮問委員会メンバーに指名されている (Joravsky)。Local 七三が SEIU Healthcare と一線を画し、ガルシア支援を強く拒んだ理由は、ブランドンが築いた現職市長との密接なつながりを見ると明らかである。

四．候補者の得票分析――投票者と得票率の変化

次に四月七日に実施された再選挙の詳細を分析する。開票の結果、エマニュエルの得票数は三二万九七〇一票で、ガルシアは二五万七一〇一票であった。ガルシアは七万二六〇〇票差でエマニュエルに迫ったものの、及ばなかった (Kennedy 2)。以下、二人の得票率は二月の本選挙と比べ、どのように変化したかを検証する。二月の選挙ではエマニュエルとガルシア以外に三人の候補者がいたため、再選挙の得票率の変化と単純な比較はできない。しかし、エマニュエルとガルシアが得た得票率の差は二度目の選挙でもほぼ同じであった (Ibid.)。そのため二回の選挙とも、事実上は二人の決選であ

ったと考えて、二月の本選挙と四月の再選挙の数値を比較していく。

市内の選挙区を多数派である人種グループ（ラティーノも含む）で分類したデータを参照し、最初に二月の本選挙で各候補が得た得票率を概観する。まずアフリカ系有権者についてである。表5が示すように、二月の選挙ではウィルソンとウォールズという二人のアフリカ系アメリカ人候補が出馬したため、シカゴ市政に影響力をもつアフリカ系有権者の投票動向が注目された。ICPRが算出した上述のデータによると、二月にアフリカ系が多数派の選挙区でもっとも多くの得票を得たのは、二人のアフリカ系候補ではなく、エマニュエル（四二・三％）だった。第二位はアフリカ系のウィルソン（二三・四％）だったものの、ガルシア（二三・三％）との得票率差はわずか〇・一％で、両者はほぼ同率三位であった（Kennedy 7）。このようにアフリカ系選挙区で、白人ユダヤ系のエマニュエルとメキシコ系のガルシアが高い得票率を示したことは、アフリカ系住民が多数の地域でも有権者は市長候補を人種で選ばなかったということがうかがえる。

次に、同じく二月にラティーノが多数派の選挙区において、各候補が獲得した得票分布を見ていく。ここで最大の得票率（五六％）を得たのはガルシアであった。第二位はエマニュエルで三四・四％、フィオレッティ（白人候補）が五・五％、ウィルソン（アフリカ系）が三・一％であった。このように、ラティーノ選挙区ではメキシコ系のガルシアが第一位であったものの、わずかに過半数を上回る得票率にとどまった。一方で、現職市長のエマニュエルがラティーノ居住区でも根強く支持され、三分の一以上の有権者が彼に投票したことがわかる（Kennedy 7）。

続いて白人多数派の選挙区についてである。ここでの得票率分布は、ラティーノ選挙区のそれと比較すると興味深い特徴が見うけられる。得票率で首位となったのはエマニュエル（五三・六％）であるが、第二位はガルシアで三一・八％の票を獲得した。この数値に注目すると、二人がラティーノ多数派選挙区で獲得した得票率とほぼ逆転している。つまりエスニシティの観点からすれば、白人選挙区では同じ白人のエマニュエルが、ラティーノ多数派区ではラティーノ（メキシコ系）のガルシアが首位となったが、二人の得票率はそれぞれ約五四〜五六％と同等であった。さらに次点の際の得票率を見ると、ガルシアは白人選挙区で約三二％、エマニュエルはラティーノ選挙区で三四％を獲得している（Kennedy 7）。やはり二つの数値はほぼ等しい。この逆転した得票率の近似性については、偶発的だという見方もでき、その要因を即断することはできない。白人多数派の選挙区といっても、ラティーノや他の人種グループの有権者がどの位の割合で住んでいるのかなど、選挙区のより詳細な人口統計データを吟味する必要がある。

五．再選挙（四月）の結果分析

では上記の得票率が四月の再選挙でどのように変化したかを概観する。まず選挙総体に関わる大きな変化として、投票率の上昇がある。本選挙では有権者の間で市長選への関心は高くなく、二月の投票率は三四％にとどまった。しかし、有力と思われたエマニュエルが過半数の票を得られず、ガルシアとの決選投票が決まると、有権者の選挙動向に変化が表れた。以下に投票率の上昇が二人の候補に与えた得票率の変化を、投票者の所得データを考慮に入れて分析する。

決選投票では四一％の有権者が投票した。二月の本選挙より約一一万人もの増加である。候補者別の得票数は、エマニュエルが三二万九七〇一票（五六・二％）で、ガルシアは二五万七一〇一票（四三・八％）であった。前回よりエマニュエルは一一万一〇〇〇票余り、ガルシアは九万六〇〇〇票を上乗せしたのである (Kennedy 6)。しかしガルシアはエマニュエルとの得票率差を埋められず、七万二六〇〇票及ばなかった。次に、二人がどの人種グループが優勢な選挙区で支持されたか、またどの所得層が二人に投票したかに注目して考察する。

まずアフリカ系アメリカ人の投票行動である。エマニュエルは二月より得票率を一五％増やし、アフリカ系投票者の五七％から支持を得た。ガルシアも前回より大幅に得票率を伸ばしており、四二．五％のアフリカ系から票を獲得した。両者の得票率差は顕著に縮まっている。前回はアフリカ系候補者に投票したアフリカ系住民が、決選投票ではガルシアを選ぶ人が多かったと推測する。次に、ラティーノ有権者に対してはガルシアが得票率を六八％にまで押し上げ、二月より一〇・七％伸ばす結果となった。エマニュエルの得票は三二％にとどまり、前回とほぼ同じ得票率だった。では白人有権者の票はどう流れただろうか。ここではエマニュエルが二月より一三％近く得票率を伸ばし、六六％から支持を得た (Bosman [b])。対するガルシアは三四％で、前回とほぼ同じ得票率であった。ガルシアは二月から白人有権者の新たな支持を開拓することはできなかった。

最後に今回の市長選における有権者の所得と投票先についてである。先に言及したようにエマニュエルは世界的資本家や富裕層を支持基盤にもち、ガルシアは労働者階級の声を代弁する候補者という認識が一般的に浸透している。しかし興味深いことに、投票した人の世帯所得をみると、必ずしも富裕層がエマニュエルを圧倒的に支持し、低所得層がガルシアに投票したとはいえないことがわかる。実際にどのような所得層が二人に投票したのだろうか。シカゴ市の有権者はその世帯所得でほぼ二分されているといわれる。約半数の有権者は世帯年収六万ドル以上で暮らしており、残り半数は六万ドル以下で生活しているという (Kennedy 4)。このことから、仮に六万ドルがシカゴの平均的な世帯所得だと想定し、投票者の所得と投票先を示したデータを考察していく。

市長選の再選挙で票を投じた有権者を世帯所得別に四つにわけた統計がある。①三万ドル以下、②三万ドル～四万九九九九ドル、③五万ドル～九万九九九九ドル、④十万ドル以上のグループである (Bosman [b])。まず①の所得層は、シカゴの平均的所得を大きく下回っており、自力での生活に困難をきたす世帯といえる。ちなみに、シカゴのアフリカ系住民の中央所得は約二万九九〇〇ドルで①の層にあてはまる (U.S. Census Bureau, 2011–2015)。このグループで過半数をこえる得票率（五九％）を得たのは、意外にも富裕層に支持されると思われたエマニュエルであった。ガルシアは四一％の得票にとどまっている (Bosman [b])。エマニュエルが貧困世帯に支持された理由については後に考察する。

次に②のグループである。シカゴで最貧困層ではないものの、最低水準の生活を維持するのに苦労する勤労世帯といえる。この所得集団の上層には、中央所得値が四万三二〇〇ドルのラティーノ住民が多くいるとみられる (U.S. Census Bureau, 2015)。②の人びとが支持したのは、僅差でエマニュエル（五一％）であった。同様に、平均的なシカゴ世帯所得から富裕層にいたる③のグループも五六％がエマニュエルに投票した。この結果から、ガルシアはこの二つの中央所得層、つまり彼が支持基盤とする労働者世帯やラティーノが多いと思われる②と③のグループにおいても、過半数の支持をえることはできなかったということになる。では、シカゴでもっとも裕福な④のグループは誰を支持したのか。ここでは六二％の人がエマニュエルを支持した。ガルシアの得票率は三八％で、四つの所得層のなかでもっとも低い支持率にとどまった (Ibid.)。

最後に、以上の統計データを踏まえて投票者の所得と候補者選択の理由を考察したい。投票者の人種・ラティーノ別出自に注目したデータを参照したが、本市長選では候補者が同じ人種や文化的出自の有権者から圧倒的な得票を集めるという、単純な結果にはならなかった。ガルシアは移民で労働者階級に育った経歴をもつことから、既得権益層を体現するようなエマニュエルに対し、革新的政治勢力と自身を位置づけて選挙戦を展開した (Pearson et al.)。そのなかでガルシアはラティーノとアフリカ系住民の政治的連帯を訴えた。それはラティーノ有権者の票だけではエマニュエルに勝つことはできないという、戦略的思惑があったと推察する。両グループはともにシカゴ社会で公平な利益を追求するべきだと主張するガルシアは、アフリカ系アメリカ人の著名な指導者であるジェシー・ジャクソンや、アフリカ系初のシカゴ市長を務めたハロルド・ワシントンから推薦をとりつけて選挙を戦った (Bosman [a]; Jaffe)。

結果としてガルシアが掲げたラティーノ・アフリカ系有権者の連帯は、シカゴ初のラティーノ市長を生みだすことはなかった。その背景には本市長選におけるシカゴ有権者の現実的な候補者選択があったと推測する。選挙で重視した市政の課題を参照すると、シカゴ市が抱える三億三千万ドルもの赤字の立て直しを最重要とする有権者がいちばん多かった。それを反映し、財政問題を重視する人の七割がエマニュエルに投票している。二番目に公立学校の改善と統廃合問題を重視する有権者が多く、六三%がガルシアに投票した。続いてはほぼ同じ割合で、犯罪・治安問題を重視する有権者が多かった。この六三%がエマニュエルに票を投じている。最後に市の経済と雇用を重視する人は、五五%がエマニュエルに投票した (Bosman [b])。これらの数値が示唆するのは、危機的な失業率に直面するアフリカ系住民や、教員のストライキが頻発する公立学校、また深刻化する銃犯罪に憂慮するシカゴの有権者が市長選挙でみせた投票行動である。次期市長には速やかな課題解決力を求めたことがうかがえる。その点において現職市長のエマニュエルは、剛腕とも評される行政手腕をもつことで知られる。彼の政治的実行力と経験値が有権者には望ましい候補と映ったのだろう。

おわりに

本論文では二〇一五年のシカゴ市長選挙を取り上げた。投票に赴いた有権者の人種・エスニシティ、所得データを参照するとともに、候補者の人種とエスニシティ、また支持団体の特徴も概観しながら選挙戦の結果を考察した。そのなかでまず明らかになったのは、本市長選挙において、シカゴ有権者は必ずしも人種に依拠した候補者選択をしていないということである。その証左として、アフリカ系アメリカ人の候補者がアフリカ系が多数の選挙区において首位を得られず、白人ユダヤ系のエマニュエルが一位となった事実がある。二点目に明らかになったのは、各候補者の支持層とその所得の関係である。幅広い労働組合組織から支持を集めたガルシアだったが、労働者世帯が多いと思われる中央所得層でエマニュエルを越える支持を得ることはできなかった。エマニュエルは富裕層に手堅い支持を集めただけでなく、以外にも最貧困層の間でガルシアを大きく引き離す支持率を集めた。この結果が示唆するのは、ガルシアは貧困世帯層で得票を伸ばすことができなかったということである。その要因として、ガルシアを支持する労働者やラティーノ住民は世帯所得ではアフリカ系アメリカ人を上回ることが挙げられる。そのため貧困世帯に多いアフリカ系アメリカ人有権者の間で、ガルシアは票を伸ばすことができなかったと思われる。加えてガルシアが当選に必要な得票を得られなかった理由として、中央所得層を含む有権者の強い関心をひく政治課題を提示できなかったのだろう。ガルシアの大きな後ろ楯となった支持組織の一つは、公立学校の統廃合に揺れる教員組合であった。しかし、学校の統廃合問題が市長選の最大の争点とはならなかった。一般の有権者にとって市財政の健全化や雇用の確保、悪化する治安と犯罪への対処が喫緊の課題と映ったからである。実際に、公立学校問題以外をもっとも重要と考えた有権者が、エマニュエルに過半数をこえる得票をもたらした。

本市長選挙で明らかになったのは、シカゴが内包してきた複雑かつ興味深い政治の様相である。一人の候補者が圧倒的に有利な戦いを展開することはなく、さらに各候補の得票率は同市の人種構成をそのまま反映したものともならなかった。有権者は現実的な政治課題を吟味し、それぞれの実利に沿う候補者選びを行ったといえる。しかし、エスニシティに依拠した有権者の獲得が選挙において重要性を失ったというわけではない。シカゴでラティーノ住民が人口比率を伸ばす限り、白人やアフリカ系の政治家はラティーノ有権者の影響力を強く意識せざるを得ないだろう。本市長選では候補者の人種やエスニシティに注目が集まりつつも、有権者にはそれは一つのファクターに過ぎず、候補者の選択は有権者の人種やエスニシティの他に、所得や職業、就労形態などが複合的に作用して決定されたと考える。

註

1 「ラティーノ」は中南米諸国出身者、また米国生まれであっても同地域に文化的出自をもつ人びとを総称する用語である。人種的には白人、アフリカ系、先住民、アジア系の人も含まれる。米国の政府統計や新聞、ニュース報道では「ヒスパニック」または「ヒスパニック／ラティーノ」という表現が使われることが多い。本稿ではラティーノもヒスパニックも同じ人口集団を指すと想定し、便宜上「ラティーノ」のみを用いる。

2 先行研究の一例として以下を挙げる。Ambrecht and Pachon, The Ethnic Political Mobilization in a Mexican American Community: An Exploratory Study of East Los Angeles, 1965–1972. *Western Political Quarterly* 27 (1974): 500–519; Cain and Roderick Kiewiet, Ethnicity and Electoral Choice: Mexican American Voting Behavior in the California 30th Congressional District. *Social Science Quarterly* 65 (1984): 315–27; de la Garza, Menchaca, and DeSipio eds., *Barrio Ballots: Latino Politics in the 1990 Elections* (1994).

3 アメリカ人の所得総額で上位一％に満たない最富裕層が、全米の富の三割から四割を独占しているといわれることから。

参考文献

Alter, Jonathan. "Meet the New Boss." *The Atlantic*, April 2012, www.theatlantic.com/magazine/archive/2012/04/meet-the-new-boss/308899/. Accessed 21 Aug. 2018.

Ambrecht, Biliana and Harry Pachon. "The Ethnic Political Mobilization in a Mexican American Community: An Exploratory Study of East Los Angeles, 1965–1972." *Western Political Quarterly* 27, 1974, pp. 500–519.

Barreto, Matto A. *Ethnic Cues: The Role of Shared Ethnicity in Latino Political Participation*. University of Michigan Press, 2012.

Bosman, Julie [a]. "Candidate for Chicago Mayor Struggles to Unite Latinos and Blacks." *New York Times*, 3 April 2015, nytimes.com/2015/04/04/us/candidate-for-chicago-mayor-struggles-to-unite-latinos-and-blacks.html. Accessed 6 June 2018.

Bosman, Julie [b]. "Rahm Emanuel Wins Runoff Election to Secure 2nd Term as Chicago Mayor." *New York Times*, 7 April 2015, nytimes.com/2015/04/08/us/rahm-emanuel-retains-seat-as-chicagos-mayor.html. Accessed 26 June 2018.

Cain, Bruce E. and D. Roderick Kiewiet. "Ethnicity and Electoral Choice: Mexican American Voting Behavior in the California 30th Congressional District." *Social Science Quarterly* 65, 1984, pp. 315–27.

Davey, Monica [a]. "Rahm Emanuel, Under Siege in Chicago, Shows Contrite Side." *New York Times*, 27 Dec. 2015, search.proquest.com/. Accessed 10 July 2018.

Davey, Monica [b]. "In Chicago's Reshaped Politics, Unions Are Divided Over Mayoral Race." *New York Times*, 5 April 2015, www.nytimes.com/2015/04/06/us/in-chicagos-reshaped-politics-unions-are-divided-over-mayoral-race.html. Accessed 28 Aug. 2018.

Davey, Monica, and Emma Graves Fitzsimmons. "Emanuel Triumphs in Chicago Mayoral Race." *New York Times*, 22 Feb. 2011, us/chicago-mayor- election.html?mtrref=www.google.com&gwh=F8554D3F05DEF08BF90D446C60891 9E1&gwt=pay. Accessed 17 Aug. 2018.

de la Garza, Rodolfo O., Martha Menchaca, and Louis DeSipio eds. *Barrio Ballots: Latino Politics in the 1990 Elections*. Westview,

1994.

"Democracy in America: Rahm Emanuel wins." *The Economist*, 23 Feb. 2011, www.economist.com/democracy-in-america/2011/02/23/rahm-emanuel-wins. Accessed 17 Aug. 2018.

"Employed persons by detailed industry, sex, race, and Hispanic or Latino ethnicity." Labor Force Statistics from the Current Population Survey. U. S. Department of Labor, 2018, www.bls.gov/cps/cpsaat18.htm. accessed 29 Aug. 2018.

Grimshaw, William J. *Bitter Fruit: Black Politics and the Chicago Machine, 1931–1991*. University of Chicago Press, 1992.

Guterbock, Thomas M. *Machine Politics in Transition*. University of Chicago Press, 1980.

Jaffe, Alexandra. "Rahm Emanuel wins second term as Chicago mayor." *CNN*, 8 April 2015, edition.cnn. com/2015/04/07/politics/chicago-mayoral-runoff-results-rahm-emanuel-chuy-garcia/index.html. Accessed 1 Aug. 2018.

"Jesus 'Chuy' Garcia's Donors." *Chicago Tribune*, 30 March 2015, apps.chicagotribune.com/news/local/politics/chuy-garcia-contributions-2015/#. Accessed 30 Aug. 2018.

Joravsky, Ben. "SEIU Local 73 Gives Mayor Rahm $25,000." *Reader*, 4 June 2014, www.chicagoreader. com/Bleader/archives/2014/06/04/seiu-local-73–gives-mayor-rahm-25000. Accessed 27 Aug. 2018.

Kennedy, Scott. "Chicago Mayoral Election Results: A Tale of Two Cities." The Illinois Campaign for Political Research (ICPR), 7 Apr. 2015, www.ilcampaign.org/wp-content/uploads/2015/04/2015–Chicago-Mayoral-Runoff-Election-Analysis-ICPR_Kennedy.pdf. Accessed 28 Aug. 2018.

紀平英作、「シカゴにおける黒人市長の誕生と彼の死によせて——一九八〇年代アメリカ大都市政治の一軌跡」、『京都大學文學部研究紀要』二九、九五—一四六、一九九〇。

小林和夫、「マシーン政治終息期におけるシカゴの産業コミュニティと民族的変遷——セカンド・シカゴのモノグラフを事例として」、『ソシオロジカ』三九、六三—八六、二〇一五年。

Motel, Seth, and Eileen Patten. "Characteristics of the 60 Largest Metropolitan Areas by Hispanic Population." Pew Hispanic Center, 19 Sept. 2012, www.pewhispanic.org/2012/09/19/characteristics-of-the-60-largest-metropolitan-areas-by-hispanic-population/. Accessed 14 Feb, 2017.

Ortiz, Fiona. "Union backing elusive as Garcia seeks to unseat Chicago Mayor Emanuel." *Reuters*, 5 March 2015, www.reuters.com/article/us-usa-chicago-politics-idUSKBN0M02L220150304. Accessed 28 Aug. 2018.

Pearson, Rick, et al. "African-American vote could be key to Chicago mayoral election." *TCA Regional News*, 21 Mar. 2015, search.proquest.com/. Accessed 7 Aug. 2018.

"Rahm Emanuel's Donors." *Chicago Tribune*, 30 March 2015, apps.chicagotribune.com/ news/local/politics/rahm-emanuel-contributions-2015/. Accessed 30 Aug. 2018.

Reid, Joseph D. Jr., and Michael M. Kurth. "The Rise and Fall of Urban Political Patronage Machines." In *Strategic Factors in Nineteenth Century American Economic History: A Volume to Honor*

Robert W. Fogel, edited by Claudia Goldin and Hugh Rockoff, University of Chicago Press, 1992, pp. 427–445, www.nber.org/chapters/c6971. Accessed 30 Aug. 2018.

斎藤真・金関寿夫・亀井俊介・岡田泰男監修.『アメリカを知る辞典』.平凡社.一九八六年.

Schmidt, George N. “SEIU backs Chuy Garcia while scab herding Local 73 president and vice president red bait their own state union while continuing their suck up to Rahm Emanuel.” *Substance News*, 15 Mar. 2015, www.substancenews.net/articles.php?page=5503. Accessed 28 Aug. 2018.

シスネロス、サンドラ.『マンゴー通り、ときどきさよなら』くぼたのぞみ訳.晶文社.一九九六年.

武末幸繁.米国次期大統領首席補佐官 ラム・エマニュエル—オバマ次期米大統領の「分身」と呼ばれる男.President Online.二〇〇八年一二月二九日号.president.jp/articles/-/1605 二〇一八年八月一二日閲覧.

U. S. Census Bureau. 2011–2015 American Community Survey 5-Year Estimates. “Median Household Income in the Past 12 Months (Black or African American Alone Householder).” factfinder.census. gov/faces/tableservices/jsf/pages/productview.xhtml?pid=ACS_15_5YR_B19013B&prodType=table. Accessed 31 Aug. 2018.

U.S. Census Bureau. 2015 American Community Survey 1-year Estimates. “Median Household Income in the Past 12 Months (Hispanic or Latino Householder).” factfinder.census.gov/faces/tableservices/jsf/pages/productview.xhtml?pid=ACS_15_5YR_B19013B&prodType=table. Accessed 31 Aug. 2018.

U.S. Census Bureau. 2016 American Community Survey 1-Year Estimates. “Hispanic or Latino Origin by Race Universe: Total population.” Accessed 30 Aug. 2018.

Wisniewski, Mary. “Chicago mayor race showcases growing Hispanic power.” *Reuters*, 19 Feb. 2011. www.reuters.com/article/us-chicago-hispanics/chicago-mayor-race-showcases-growing-hispanic-power-idUSTRE71H54K20110218. Accessed 29 Aug. 2018.

3 連邦作家計画『米国各州案内』についての試論
――故郷（ホーム）を出現させるガイドブック

峯　真依子

一　『チャーリーとアメリカの旅』より

一九六〇年九月、ジョン・スタインベックは、キャンピング・カーを運転し、ニューヨークを出発した。まずニューイングランド地方を北上すると、つぎに西に向かい、西部を横切りロッキー山脈を越え、故郷の北カリフォルニアに入った。さらに南下して、南部を回り、一二月にニューヨークへと帰宅した。この旅のエッセイ『チャーリーとアメリカの旅』で、彼が訪れたのは三八州、全行程は一万六千キロ以上にも及んだ。お供のチャーリーという「フェチュチュ」と鼻をならすのが妙に魅力的な小型犬は、ときに飼い主との阿吽の呼吸でよそ様の敷地に「うっかりと」入ってしまい、スタインベックとその土地の人々を「お近づきにさせる」高度な芸をもつ。『チャーリーとアメリカの旅』またそれと同時期に発表された『アメリカとアメリカ人』も同様、これらのエッセイはスタインベックが晩年になって執拗に追い求めたアメリカとは何か、アメリカ人とは誰かという、文明評論的なテーマによって貫かれている（大前　一）。

旅が中盤にさしかかった折、スタインベックの次のような記述がある。

> ロシナンテ号［キャンピング・カーのニックネーム］に余裕があったら、WPAの出版した『米国各州案内』四十八冊全巻を積み込みたいところだった……全巻そろえると、アメリカ合衆国の紹介書として、これほど総合的なものはなく、以後これに迫るような案内書は、ひとつとして出ていない……もし全集を持ってきていたら、たとえばミネソタ州デトロイトレークスで停まったとき、その個所を探し、どうしてこんな地名がつけられたのか、だれがつけたのか、なぜつけたのかを知ることができるというわけだ。私はデトロイトレークスの付近で夜遅く泊まり、もちろんチャーリーも泊まったが、以上の理由から、この土地についてはチャーリーと同様に知らないのである。
>
> （スタインベック『チャーリー』一三四）

ここに登場する『米国各州案内』は、実は四八州のガイドの他にアラスカ、プエルトリコもあり、さらにはワシントンDCをはじめとする主要都市、地方のガイドブック、子供向けの本などもある。[1] WPAのうち連邦作家計画のナショナル・ディレクター、ヘンリー・オルズバーグの「アメリカ史上初めて、作家たちが作家として政府のために働きます」（マンジォン 九七）という掛け声とともに、一九三七年から四一年までの間に出版された国内旅行のガイドブック・シリーズだった。

一九三〇年代のWPAはブルーカラーの公共事業でよく知られるが、ホワイトカラー、とくに失業中の芸術家にも仕事を与えた通称フェデラル・ワンと呼ばれる芸術・文化政策も行った。そのうち連邦演劇計画から流れた多くの才能がその後のハリウッドに隆盛をもたらし、また連邦芸術計画は戦後のニューヨークの世界の美術センターとしての役割を確固たるものにし、さらには連邦演劇計画および連邦音楽計画の存在なくしてその後のアメリカのミュージカルの発展は考えにくいとさえもいわれるほど後世に残した遺産は大きい（出口 二四）。さて、こうしてみるとフェデラル・ワンで絵描きは絵を描き、役者は演じ、音楽家は音楽を奏でるというごく当たり前の仕事をしたが、連邦作家計画の場合、作家にガイドブックを書かせるというういささか意表をつくプロジェクトだったように思える。

本稿で考察したい点は、そこにある。第一になぜ政府に雇われた有名・無名の作家たちは、ガイドブックを書くに至ったのか。第二に、ベネディクト・アンダーソンの「国民は想像されたものである」（アンダーソン 二四）という言葉を借りるなら、第一次世界大戦後、国際的にアメリカが自国のアイデンティティを確立しようとした時代、ガイドブックは読者であるアメリカ人にどのような「アメリカ国民」としての自己イメージを与えようとしたのか。第三に、ガイドブックは、旅行者（読者）にアメリカの何をその魅力として見せようとしたのか。

アメリカとは何か？　その答えを探していたスタインベックがエッセイで、不意に連邦作家計画のガイドブックに言及したのは、必然だった。このガイドブックのシリーズは、連邦作家計画がまさにアメリカとは何かを探し求め、四年間で平均四、二〇〇人の書き手を動員して書き上げた旅行案内という、ある意味でアメリカについての重要で大がかりな先行研究だったからである。ガイドブックが自分と同じ問いを共有していることを、彼が見抜いていたことは、慧眼であった。だがひとまずここでは、連邦作家計画のガイドブックについて論を進めたい。

二　ベデカーのガイドブックとの決別

連邦作家計画のガイドシリーズとそれ以前のガイドブックとの比較を通じて、連邦作家計画ガイドブックが登場した背景についての確認から始めたい。それまでアメリカを紹介した唯一のガイドブックは、一八九三年に出版されたベデカーのガイドブックだった（ボールド　二六）。もともとドイツの小さな出版社から出発し、今でいうところのロンリー・プラネット的な存在としてヨーロッパ諸国、大都市そしてアメリカのガイドブックを発表した。ベデカーといえば当時の旅行ガイドブックの代名詞でもあり、十九、二〇世紀初頭のヨーロッパとアメリカの市場を席捲していた（グリスワルド　六二）。ゆえに、連邦作家計画は当初よりこのベデカーを参考にし（マンジオン　六五）、四一年、完成を伝える新聞記事には「ベデカーよりもよいガイドブック」という見出しが出た（ボールド　九）。

さて、ベデカーの「アメリカ」は、ニューヨーク、ナイアガラ滝、イエローストーン、ヨセミテ渓谷、アラスカなどへのモデルツアー百以上を紹介する。このガイドブックの出発地がアントワープ、ブレーメン、アムステルダム、グラスゴーであることからも明白なように普通の人びとが比較的簡単に列車や蒸気船で旅行ができるようになった時代、イギリスやヨーロッパの人々に向けて紹介された。一八九九年の版のベデカーは旅行者に、次のような注意を促している。

> 平均的な英国人は、町の通りの泥、田舎道の未整備具合……埃、蝿、夏場の蚊、そして床に痰を吐くこと（多くの場所で行われている）、こういったことに物理的な不快さを覚えるだろう。しかしアメリカ人自身がこれらの欠点に気づいており、それらを取り除くべく最善を尽くしている。銃の携帯は多くの州で禁止されていて、今、全体としてアメリカ旅行は、文明化されたヨーロッパの多くの場所と同様に安全で、ヨーロッパと同様ここでも必要ない。（ベデカー　八四七）

ベデカーの「文明化されたヨーロッパ」から見るアメリカは、隣のカナダの通貨は使えないにもかかわらず、イングランド銀行の紙幣ならばホテルと大都市でならば手数料無しでそのまま使えるなど、旧植民地の面影を残している国として描かれている。そもそもこの本のタイトルが『アメリカ――メキシコへも足を伸ばして』とあるように、〈北アメリカ大陸〉という大雑把なカテゴリーの中で、国としての文節化さえもが不十分である。ベデカーのこのアメリカの巻は更新されながら影響力を持ち続けたが、ニューディールの三〇年代までには、本の中身と齟齬をきたす変化が起きていた。

すなわちT型フォードの爆発的な普及であり、「一九二〇年代に急速に自動車の新しい風景が出現」した（マイニグ 一六九）ことである。というのも、ベデカーのガイドブックは基本的に列車で旅をするように作られており、都市に重きがおかれ、列車の線路や駅自体が少ない州は重視されず、州境も無視されていた（グリスワルド 七一）。主に中産階級以上の人びとが自動車で好きなところを見に行ける自由を手に入れたとき、時刻表や線路に縛られるベデカーは徐々に古風な旅のスタイルと化していく。事実、アメリカの自動車の旅のガイドブックとして一九〇一年に『自動車のブルーブック』がシカゴで登場し、遅れて一九三六年には『黒人マイカー旅行者のグリーンブック』が誕生している。[2]

だが、ベデカーに替わる新しい自動車時代のガイドブックが商業ベースで出版され、自動車旅行の分野が混み合っていた時代（グリスワルド 八七）、あえて税金で連邦作家計画ガイドブックを製作する必要はどこにあったのだろうか。その手がかりとして取りあげたいのは、WPAの前身FERAの責任者ヘンリー・S・カーティスの言葉である。連邦作家計画の影も形もまだなかった一九三四年八月一日、カーティスは国家プロジェクトして「自動車の時代のベデカーガイド」を作ることを提案しながら、次のように述べている。

> おそらくアメリカの人びとは、残りの世界中を集めた以上に自動車で旅行しているが、社会的、産業的、歴史的な側面で見る価値のあるものをわれわれに示してくれる案内はない。FERAにとって、このような旅行ガイドを出版するのは、この時代、各州そして国のためによいプロジェクトのように思える。アメリカをアメリカ人自身に知らしめることは、愛国心の基礎をつくることである。[3] 費用はそれだけで正当化されるだろう。（マクドナルド 六五八）

このときのカーティスの言葉から、連邦作家計画のガイドブックはその萌芽期において、「愛国心」の形成という大義名分が掲げられていたことがわかる。ガイドブックと「愛国心」といわれても少々イメージが湧きにくいかもしれないが、当時のアメリカ人の旅行先といえばヨーロッパであり、もちろんアメリカからヨーロッパに行く者は定番のベデカーのガイドブックを携えていた。そのときベデカーの各国各都市のガイドブックはある意味で、アメリカ人旅行者の記憶の中のヨーロッパという「精神的な故郷」について書かれた本でもあったともいえる。一方で、連邦作家計画ガイドブックが目指したのは、当時まだ比較的ヨーロッパ寄りだったアメリカ人の帰属感を一八〇度方向転換させることで、アメリカをアメリカ人にとっての「真の故郷」にすることだった。

言うなれば、ガイドブックで育てようとした「愛国心」とは、ヨーロッパから精神的に独立することを前提とし、その上でアメリカに対して抱く帰属感の確立だと、ここではひとまず考えることができる。アメリカ人が、アメリカに帰属感を覚えるようなガイドブック。だからこそ、連邦作家計画のガイドブックは、自動車旅行以上の情報が満載なのである。各州の連邦作家計画ガイドブックの詳細な歴史、地方文学、産業、建築、アート、文化、風習、伝承、地元のトリビア的逸話さらに写真は、自分が知っているのに見過ごしてきた場所、忘れた光景、自分たちの町と行ったことのない町に対する興味を掻き立てる。「ヨーロッパと同じくらい、故郷には(at home) 見て発見することがたくさんあることをアメリカ人に示した」のである（ハーシュ　四九）。

ベデカーを持ってヨーロッパという「精神的な故郷（ホーム）」に詣でるのではない。連邦作家計画ガイドブックを持って、アメリカ人がアメリカ各地に繰り出し、あたかも探検家のようにアメリカの中に「真の故郷（ホーム）」を見出していく。そんな旅へと駆り立てものをつくる。すなわち、政府に雇われた有名・無名の作家たちがガイドブックの執筆を通じて担った仕事とは、タイプライターでアメリカ人の心に内なる故郷（ホーム）を出現させることだったのである。

もっとも、連邦作家計画のガイドブックには、一九〇六年から始動し一九二九年の株価暴落後も影響力を保ち続けた、「まずアメリカを見よう」(See America First) という国内旅行の奨励キャンペーンが大きく影響していることは否めない。小笠原亜衣によれば、このキャンペーンはヨーロッパ巡礼に重点を置いてきた一九世紀までのアメリカの旅行文化を商業的・イデオロギー的に矯正するものとして始まり、国内旅行をアメリカ市民の儀式的行為までに高めたという。また、国家アイデンティティの形成期であったこの時代、それまで自国民にあまり知られていなかった西部に焦点を当て、結果的には西部の神話と国家のアイデンティティ形成に寄与した愛国的キャンペーンだった（一八〇―八一）。

「まずアメリカを見よう」キャンペーンが、アメリカ人（とくに東部）に西部を紹介した。つづいて連邦作家計画ガイドブックが、アメリカ人にアメリカ全州と地方都市を紹介した。これらを通じて旅の目的地が国内に旋回したとき、彼らは二重の意味でベデカーと決別することになる。すなわちヨーロッパへの「帰郷」に一瞬疑問を持つようになることで、ヨーロッパ（ベデカー）から精神的に切り離されていく。また、これまでベデカーで「紹介される」側だったアメリカが、連邦作家計画によって自己紹介しなおす過程を経て、アメリカについての自分語り、つまり自分たちのアメリカン・ナラティヴを手に入れていく。そのとき連邦作家計画のガイドブックは、自国のアイデンティティにとって旧世界からの独立宣言の役割をも果たした（ハーシュ　四七）といえるだろう。

三　空から眺める全景と、底辺の人びとへの眼差し

ガイドブック出版の方針が決まると連邦作家計画は、プレスリリースや新聞上で「あなたのコミュニティにある比類無き風土、そしてバックグラウンドを作り上げるこの取り組みに参加しませんか?」と呼びかけた（ハーシュ　四七）。サンフランシスコの連邦作家計画に参加していた一人の書き手は、ガイドブックの回想としてそれは「おそらく初めて大掛かりなスケールで国家によって認識された国家的防衛の基礎」だったと述べており、また当時のジャーナルは「アメリカ人は、自分のコミュニティ、州、国家に自信を持つことを思い出すべきだ……ヒムラーは恐れるに足りぬ。FWPのような機関が愛国的感情の現実的な基礎を与えてくれる限り」とも伝えた（ボールド　一四）。

前掲のようにガイドシリーズの原案の中に愛国心の発動が組み込まれていたことにも通底しているが、ガイドブックにはどこかきな臭いナショナリズムがつきまとう。ただ、宮本によればニューディール政権下に形成されたナショナリズムの形態とは、同時代のドイツ、イタリア、ソ連、日本で追求されたような極度に管理された「全体主義」社会とは異なっていた。多様性を抑圧するのではなく、むしろ包摂することにより国家の全体性を維持しようとするものだった。ニューディールのナショナリズムにおいては、国家の管理のもとに地域の多様性、そして地域内の多様性をガイドブックに記述するという試みが、その記述の主体としての国家の統一性を保証することにつながっていく（宮本　三〇〇）。またナショナリズム的な管理のもとでの肯定される多様性はアメリカの民主主義の根幹として、ファシズムに対抗する要でもあった。

そのようなアメリカの多様性、いわば「秩序のある多様性」（ボールド　一二）を尊ぶ連邦作家計画の特徴は、ガイド

ブックの書き手の視点に如述に表れている。エッセイは三部構成となっており第三部のモデルツアーでは、進行方向に向かって右手に何がある、といった具合に自動車で走るごとく水平前方に視点が移動するが、最初の二部を占めるエッセイでは本来、自動車旅行のガイドブックであるにも関わらず、しばしば上空から見下ろす目線で描かれる。次の引用は、州のガイドの中で最初に出版されたアイダホ州のガイドのエッセイである。

アイダホは、広く半乾地性だが、おそらく他の州よりも多く水が流れている……地形の様相においてこの州はあまりに多様で、実に、誰もこれまである一つの包括的な常套句で要約しようとしなかった……上から見ると、これらのなだらか丘とそれほど険しくない山脈には……大きな昆虫のように見える収穫物を運ぶトラクターでいっぱいである。そして八、九月のハイウェイには、穀物を運ぶトラックが列を為して進む。スネーク・リバーの二つの支流は山麓の谷から流れ出て、その水を水門へ注ぎ込み、そして運河へと流れる。はるか上から見降ろすとその全光景は、谷のキラキラした銀の線、丘の上の金色の土地から成っている。

（アイダホ　七五―七九）

自然の豊かさ、多様さを自己賛美する調子が続くが、「上から見ると」もしくは「はるか上から見降ろすと」というようにガイドブックの記述の主体は上から全体を見下ろしながら、その土地の輪郭を形作っている山々、平原、湖、川を賛美する。そして真の統一がなされる保証を、まさに自然の多様性の中に見出す（マクドナルド　六四八）。総じてガイドブックは、「パノラマ」という言葉をよく好み（ハーシュ　四七）、事実「パノラミック」という言葉をよく使った（ボールド　九）。

タイトル自体が『ニューヨーク・パノラマ』というものもあり、そこに行き交うタクシー、様々な高層建築、様々な人種で構成される人びとの活力とエネルギーに満ち溢れているかについて、都市の全景を描き出そうとする。つまり上から見下ろす視点が内在化されているのであり、この「上から見下ろす視点」にこそ、アメリカを多様なままに、だが強力に一つにまとめあげようとする、連邦作家計画の中央集権的な性質がよく表れていると考えられるのである。

一方で連邦作家計画は同時に、実に真逆の視点も持ち合わせていた。社会の底辺で生きる人びとを上から見おろすのではなく敬意をもって見上げる視点によって、日々のハードワークをこなし地道に働く普通の人びとに光を当て、この国の本当のヒーローは一体誰なのか？再定義した。大恐慌により、恐慌前には大手をふるって歩いていた豊かな中産階級のアメリカ人が次々と職を失う中、彼らに付随する価値観や生き方は説得力をもはや持ち得なくなった。逆にこれまで注目されたことのなかった階級である製鉄業者、煉瓦職人、小作人、工場労働者などの底辺にいるごく普通の人びとの人生が焦点化され、「国家的性格のファブリック」のなかに鮮やかに織りこまれるようになる（マンジオン　五〇）。

恐慌が、多くのものを変えた。失業により失った対面、自尊心、そして豊かな生活。日々の生活にさえ窮するようになり、多くのアメリカ人が明るい心を失う中で、それでも変わらないものは恐慌前からも恐慌後も、貧しくも社会の底辺で働き続ける一つの階層のアメリカ人の姿だった。だからこそ、ガイドブックのエッセイは「仕事をする人びとの描写を求め、オレゴン州の材木伐採人、メイン州のロブスター漁師、ペンシルベニア州の鉄鋼労働者、ジョージア州の硝石鉱夫」（ペンコワー　七九）を描いた。彼らは常に厳しい生活を強いられながらも、一生懸命に働いて家族を養い、また自分のコミュニティを支える本当の意味での古き良きアメリカ人だった。[4]

ガイドブックの中の「ごく普通の人びとのハードワークが、アメリカの活力に結びつけられる」（ハーシュ　九二）とき、彼らの姿にかつての開拓者たちの姿を重ねることは容易であっただろうし、大恐慌で失った自分の強さや、アメリカ人としての自己信頼を彼らの姿の中に再び発見したに違いなかった。連邦作家計画はガイドブックの中で、アメリカ国民に自分たちがどのようにしてこの国を創ってきたか、プリミティヴな自己イメージを思い起こさせ、そして同時に与えた。

そのとき、ガイドで描かれた社会の底辺に生きる人びとは、単に森の伐採人や水の運搬人として見られていたのではなく、本当の意味でアメリカの「魂を持つ者たち」としてみなされた。また、彼らの労働は今や単なる労働ではなく、大恐慌で疲弊するアメリカに「新しい魂」(the new spirit of America) を吹き込んでいるも同義だった（マクドナルド　六四九）。しかもその魂は、その時代において一見新しくとも、心に思い起こすべき古いアメリカの魂でもあった。

四　無数のアメリカ人に出会う自動車の旅

最後にあらためて、連邦作家計画が文学作品ではなく5、自動車の旅を推奨するガイドブックを書いたのかについて、その内容の面から確認しておきたい。意外にも、経済のテーマは、ガイドブックではまったく触れられていない。ある歴史家によれば、州ガイドのうち一冊も銀行と金融史を扱っておらず（マンジオン　三五八）、そればかりか、実のところ一九三〇年代の大恐慌のイメージそのものが皆無である。ガイドブックからすっぽりと抜け落ちた大不況の中にあるアメリカの姿は、実は、自動車旅行というシリーズの用途そのものに明確に映り込んでいるのかもしれない。

「大多数のアメリカ人にとって、大恐慌期の数年は待っている時期であり、ことがよくなるまではただ、時間の経過を刻みつけていくだけの時間だった」（マンジオン　三七三）のであり、すなわち、自動車こそが希望を託された乗り物だったのではないか。自分の力ではまるで制御できない大不況の嵐の中、理不尽な運命に無力なままに流されるのではなく、むしろ自分でハンドルを握り、速度を上げて進む。ひいてはたゆまず前に進み、ハイウェイを走り続けていれば、いつしかこの大恐慌を突破する、そんな楽観的な脱出劇を出口に見据えていたように思える。[6]

事実、ガイドブックはそのレトリックとして起源と成長を強調し、とくに州や町の歴史についてのエッセイは進歩に対する歓喜の歌と化していた（ハーシュ　六七）。たとえば、ミネソタ州のガイドブックでは、芝土の家や半地下の粗末な住居が、製材所が増えて「こぎれいな骨組みの家」に置き換わり（ミネソタ　五七）、丸太小屋の学校が赤煉瓦の校舎に置き換わり（オハイオ　二一）といった具合に、今ここにある場所がじつは先人たちの努力によって大きく変わったことが読者に可視化されるような成長物語で溢れている。たとえば、前掲のアイダホのガイドブックは次のような文から始まる。

> 三世紀に渡る冒険的な探究の後、アメリカ大陸は探検がなされ、人が住みつき、そして最後のフロンティアが消滅した……極めて幸せなことに、実際のところフロンティアは、聖職者や悪党に征服されたのではなかった。西部にやってきた数千人の男たち女たちは、すべてのフロンティアがなくなったこの時代の人びとのようだった……道を切り開き、砦を築き、鉱山と森を切り開いた男たち女たちには、活力とバイタリティがあり、それらこそが不可欠な美徳だった……アイダホは非常にまだ若い州である。その社会的発達は未来に大きくかかっているので、芸術、教育、歴史に名を残した人物で自慢できるものはまだ殆どない。
>
> （アイダホ　一七―三七）

先ほど少し触れたように、ここでも先人たちを顧みることで、三〇年代の人びとの潜在的な力を呼び起こそうとし、かつての人びとが道を切り開けたように若いアイダホはまだ成長する余白が十分にあるという希望を読者に与える。そのとき、この成長物語は、今からアメリカが新たに努力し、創造しようとする何かでは決してない。むしろ三〇年代のアメリカ人が、今あるもの、これまで見落としてきた名も無きアメリカ人の努力を発見することで、彼らにできたことは自分たちにもやれる、明日こそは良い日になる、という未来への期待感に満ちている。

また、連邦作家計画は自動車の旅を通じて、「自分たちとは異なる人びとのコミュニティや、外国人にみえるかもしれない人びと、違って見えるかもしれない人びと」について執筆させ、仲間のアメリカ人が属すコミュニティの感覚を発展させることを奨励した（ハーシュ　一〇二）。事実、ガイドブックでは、その土地のランドマークのほかにも、どこでどんな人がどんな生活をしているのか、もしくは過去にどんな人が何をしていたのかが読者に向けて伝えられた。

たとえば過去の逸話の掲載は一般的なガイドブックに多くみられる特長だが、連邦作家計画のガイドブックの場合、これといって観光の目玉にはなりそうにない幽霊話、眉唾物の埋蔵金伝説、殺人ネタなど、いわゆるゴシップの類いが実に多い。たとえば、ある場所の紹介として放火癖のある酔っぱらいが、有志による消防団を出動させ続け、逮捕されてからは自分が収監されている刑務所を焼き払った事件があったという記述がなされ（マンジオン　三五三）、またデラウェアのパッティ・キャノンという旅籠屋の女主人が流血行為を繰返し、被害者は黒人、白人、男性、女性と様々で、一八二九年につかまった後、刑務所の裏庭に埋められて、そこは今では駐車場になっている、といった説明がなされる（マンジオン　三六二）。

このような地元の困った人びとの紹介は読者をひきつけるが、それと同時に勤勉な労働者の描写にも事欠かない。ノースカロライナのダーハムの紹介では、タバコ産業で成功したビジネスの天才デューク家の紹介とともに、工場で数千もの人びとが日々骨を折って働いたことが触れられる（ノースカロライナ　一六九）。もちろん、有名人の描写もあるが、総じていえば有名人のごく普通の行為についての話であり、デイヴィー・クロケットもロッカフェラーも意図的に自分たちと同じ人びとだと意識されるよう、ごく日常的なことしか書かれていない（ここで結婚証明書を返却した、ここでゴルフをした等、簡潔な記述がなされる）。

よって、このガイドブックは、ごく普通のアメリカ人こそが、その土地を訪れるべき魅力ある存在として取りあげられていると思われる。その土地で誠実に努力した人も、エキセントリックな人も、事業で失敗した人も、犯罪者も、殺された人も、幽霊になったとされている人も、多種多彩な人々がガイドブックに掲載されている。そこにはガイドブックらしからぬ人間の温かみがあり、濃密なコミュニティの感覚を読者に想起させる。連邦作家計画が勧めた自動車で出かけていって見るべきもの、出会うべきものは、無数のアメリカ人、いわばまだ見ぬ自分の隣人であり、かつそこにあるコミュニティではなかったか。

　無名の、そして無数のアメリカ人こそがアメリカという国を構成している。ガイドブックを携えた自動車の旅を通じて、もしくは実際に行かずともガイドブックを読めば、自分の知らない人々と出会い、自らもそのコミュニティに参加する感覚を覚える。とするならば、連邦作家計画が作った作品は、大恐慌を文字どおり全員で力を合わせて乗り越えようとする、つまり見知らぬアメリカの隣人やコミュニティとの出会いを通じて、困難な時代を生きる人びとを新たな時代に案内しようとするガイドブックだったのかもしれない。

註

1 国の報告書によれば、一九四二年の四月までに二百七十六冊、七百一冊のパンフレット、三百四十冊のリーフレットなどの発行物を成果としている（マンジオン　三五二）。作家も州単位で失業中の職業作家を見つけるのに苦労した結果、とくに地方ではスペル、文法が怪しい「作家」もおり、書き手としてのレベルは千差万別だった。また、すでに名を馳せた作家たちはアメリカ作家協会から金銭的サポートを受けていた為、対象外だった（スクラロフ　八七）。

2 グリーンブックは、ハーレムの郵便局員によって出版され、旅の途中、アフリカン・アメリカンがどこでトイレ、飲食、給油や宿泊できるかといった、旅を安全に続けるために切実な情報が掲載された。自動車を運転するアフリカン・アメリカンの中産階級が増える中、待ち望まれたガイドブックだった。近年このガイドブックの名をタイトルにした映画が公開されたことでも記憶に新しい。

"Guardian" https://www.theguardian.com/books/2017/dec/19/travel-guides-to-segregated-us-for-black-americans-reissued［二〇一八年九月三〇日参照］

3 以降、文中の傍線は全て引用者によるものである。また、引用を示す括弧内に地名がある場合、全て Federal Writers' Project のガイドブックを示す。

4 ガイドブックと平行して行われたのが、アメリカの様々な集団のライフ・ヒストリーの収集だった。そのプロジェクトの一つの成果として出版された、Federal Writers' Project. *These Are Our Lives: As Told by the People and Written by Members of the Federal*

Writers' Project of the Works Progress Administration in North Carolina, Tennessee, and Georgia. Norton Library, 1975. もまた、アメリカのヒーローの再定義を行った連邦作家計画の性格を表すものとして捉えることができるだろう。

5　ガイドブックと文学の関係について、ガイドブックができる以前はアメリカの文学カノンは白人、男性、北東部が中心でその伝統を重んじていたが、それ以降はその傾向は少なくなり、ガイドブック（連邦作家計画）は、アメリカ文学におけるひとつの転換点だったというグリスワルドによる指摘がある（一二）。たとえば地方文学や女性作家、カウボーイ詩人が複数のガイドブックで紹介された。アフリカン・アメリカン文学と連邦作家計画の関係については、拙著『奴隷の文学誌』第二、三章を参照されたい。

6　とりわけハイウェイの旅が特集されたOregon Writers Program. *Oregon, End of the Trail.* Binfords & Mort, 1940; Federal Writers' Project. *The Ocean Highway.* Modern Age Books, 1938; Federal Writers' Project. *U. S. One, Maine to Florida.* Modern Age Books, 1938. の三冊にその特徴を顕著に見出すことができる。

引用文献

Baedeker, Karl. Ed. *The United States with an Excursion into Mexico: Handbook for Travellers.* Karl Baedeker Publisher, 1899. Kindle.

Bold, Christine. *The WPA Guides: Mapping America.* UP of Mississippi, 1999.

Federal Writers' Projects. *Idaho: A Guide in Word and Picture.* Caxton Printers, 1937.

——. *Minnesota: A State Guide.* Viking Press, 1938.

——. *North Carolina: A Guide to the Old North State.* U of North Carolina P, 1944.

——. *The Ohio Guide.* Somerset Publishers, 1946.

Griswold, Wendy. *American Guides: The Federal Writers' Project and the Casting of American Culture.* U of Chicago P, 2016.

Hirsch, Jerrold. *Portrait of America: A Cultural History of the Federal Writers' Project.* U of North Carolina P, 2003.

Mangione, Jerre. *The Dream and the Deal: The Federal Writer's Project, 1935–1943.* U of Pennsylvania P, 1983.

McDonald, William F. *Federal Relief Administration and the Arts.* Ohio State UP, 1969.

Meinig, D. W. "Symbolic Landscapes: Some Idealizations of American Communities." *The Interpretation of Ordinary Landscapes: Geographical Essays.* Ed. D. W. Meinig. Oxford UP, 1979.

Penkower, Monty Noam. *The Federal Writers' Project: A Study in Government Patronage of the Arts.* U of Illinois P, 1977.

Sklaroff, Lauren Rebecca. *Black Culture and the New Deal: The Quest for Civil Rights in the Roosevelt Era.* U of North Carolina P, 2009.

Steinbeck, John. *Travels with Charley: In Search of America.* Penguin Books, 1986.　ジョン・スタインベック『チャーリーとの旅――アメリカを求めて』大前正臣訳、サイマル出版会、一九八七年。

アンダーソン、ベネディクト『定本　想像の共同体――ナショナリズムの起源と流行』白石隆・白石さや訳、書籍工房早山、二〇一八年。

大前正臣「真のアメリカを求めて――訳者まえがき」スタインベッ

ク、一―五。
小笠原亜衣「幻視する原初のアメリカ――「まずアメリカを見よう」キャンペーンとヘミングウェイの風景」『〈風景〉のアメリカ文化学』野田研一編著、ミネルヴァ書房、二〇一一年、一七七―二〇〇。

出口正之「ニューディール時代の文化政策の現代的意義――社会資本から文化資本充実の政策への転換」「文化経済学」第三巻、四号、二〇〇三年、十九―二五。

峯真依子『奴隷の文学誌――文字と声の相克をたどる』青弓社、二〇一八年。

宮本陽一郎『モダンの黄昏――帝国主義の改体とポストモダニズムの生成』研究社、二〇〇二年。


その他、「多民族研究学会、シンポジウム（二〇一八年七月二八日開催、於大妻女子大学）「連邦作家計画を読み解く――作家と民族の地平から」司会・講師　西垣内磨留美、講師　東雄一郎、長岡真吾、中垣恒太郎」を参考にさせていただいた。

※本稿は、二〇一八年十二月十五日多民族研究学会第三十一回全国大会（於福岡女子大学）での口頭発表「無数のディスコースからなる一つのアメリカ――連邦作家計画ガイドブックについての試論」を加筆・訂正したものである。また本稿は、日本学術振興会科学研究費補助金若手研究Ｂ「一九三〇年代連邦作家計画のガイドブックにおけるアメリカン・ナラティヴの創出」[科研費研究者番号 90808693] による研究成果の一部である。

4 比較文学の可能性
――日米作家の語りの手法に学ぶ

小林　朋子

はじめに

オークランド大学教授ハチエソン・マコーリー・ポズネットによって『比較文学』と題する著作が公刊されたのは、一八八六年のことである。この書物に影響を受けた坪内逍遥が「比照文学」と題して明治二二年（一八八九年）、東京専門学校（早稲田大学の前身）で講義したのが、日本における「比較文学」の序幕と言われている（渡邊　九―一〇）。

十九世紀末にようやく学問として認められるようになった「比較文学」は、文学の国際交流、相互関係を浮き彫りにすることによって、対象とする文学作品の読解を深めることを目的として、その後発展してきた。渡邊はフランスとアメリカの比較文学の研究方法を以下のように紹介している。

比較文学の研究方法は、「比較」と「対比」の二つに大別される。実証を重んじたフランスの比較文学研究は、影響があったと思われる作家や作品を取り上げ、その関係を明らかにすることを主眼とした。他方、アメリカの比較文学は、裏づけを求めすぎるあまり文学研究の本質をないがしろにしているとして、フランスを批判し、たとえ確たる影響の証拠を見いだせないとしても、両者を比べることによってある共通項を発見できる対比研究に主力を置いた。

（二〇）

今日、比較文学研究の現場で採用されるのは、圧倒的にアメリカの研究方法である。「対比」研究に支えられたアメリカ派比較文学は、たとえ時間的、空間的に隔たり、「確たる影響の証拠を見いだせないとしても」、両文学作品の間に人類に共通する普遍的性質があると考える。

本論ではアメリカ派比較文学の方法論にならい、日本の劇作家井上ひさしの『父と暮せば』とアメリカのノーベル賞作家トニ・モリスンの『ビラヴド』を「対比」することで、人類の文化に普遍的に存在する「語りの手法」について考えてみたい。

一.『父と暮せば』と『ビラヴド』に見られる「幻術」という手法

井上ひさしは一九九四年自身の主宰する劇団「こまつ座」のために『父と暮せば』を書き下ろした。この作品は初演以来、幾度も再演され、二〇一五年には通算五百公演を突破し、今後の上演も期待される人気演目となっている。

舞台は原爆投下後三年の時が過ぎた、広島市比治山にある美津江の家である。一九四八年の七月最終の火曜日から金曜日までの四日間を時間軸に、それぞれの一日が一場にあてられ、全一幕四場の構成になっている。登場するのは原爆で亡くなった父竹造とその娘美津江、そして実際には舞台に登場しないが、木下という美津江が思いを寄せる青年がいる。

この戯曲は、一九九八年に新潮社より単行本として刊行され、二〇〇一年に新潮文庫となり、その後も版を重ねている。井上は、そのあとがきで、劇作家は、いかにして今書こうとしている作品に、「演劇的時空間」＝「舞台でしかつくることのできない空間や時間」(『父と暮せば』一〇七)を与えることができるのか述べ、「演劇的時空間の生みの母」(一〇八)である「劇場の機知」について紹介している。原子爆弾によってすべての身寄りを失った美津江は、亡くなった人々に対して、「自分だけが生き残って申し訳がない。ましてや自分がしあわせになったりしては、ますます申しわけがない」(一〇九)と考えている。しかし美津江は、ある日木下青年に会うことでふっと恋に落ちる。この瞬間から美津江は「幸せになってはいけない」と自分をいましめる娘と、「この恋を成就させることで、幸せになりたい」と願う娘とに真っ二つに分裂してしまう(一〇九―一一〇)。そこで「恋の応援団長」として登場するのが原爆で死んだはずの竹造である。井上は竹造を描いたきっかけを説明して以下のように述べる。

> 美津江を「いましめる娘」と「願う娘」にまず分ける。そして対立させてドラマをつくる。しかし一人の女優さんが演じ分けるのは大変ですから、亡くなった者たちの代表として、彼女の父親に「願う娘」を演じてもらおうと思いつきました。べつに言えば、「娘のしあわせを願う父」は美津江のこころの中の幻なのです。ついで云えば、「見えない自分が他人の形となって見える」という幻術も、劇場の機知の代表的なものの一つです。一人二役＋幻術、劇場の機知を二つ重ねたところが、フランスの観客を喜ばせたのだろうと、いまのところは勝手にそう考えています。(一一〇)

この芝居は、モスクワ、香港、フランスなど海外でも上演され高い評価を得ている。広島市比治山に住む一人の若い娘と父親の対話が言葉や文化の壁を越えて、海外の観客の心を揺さぶる背景には、劇作家が駆使する知恵である「劇場の機知」がある。井上は「劇場の機知」とは、「劇場そのものがもともとから備えている機知」、劇作家が「台詞を作り出す土台になる機知」（二〇八）であるとも述べている。「一人二役＋幻術」という「劇場の機知」は、二つ重ねられることで、堅牢な演劇的時空間となって、登場する人物の台詞を底から支えているのだ。

モリスンが、十九世紀アメリカの奴隷制下で自身の娘を殺めた一人の母親の内面を『ビラヴド』（一九八七年）で描き出すために使っているのも、この二つの作劇法であったと考えられる。「スイート・ホーム農園」で、奴隷として働いていた主人公セサは、奴隷主であるガーナー氏の死後、その農園を任された彼の甥スクールティーチャーから逃れるために、子供とともに、オハイオ州シンシナティへ逃亡する。身重のセサは逃亡中、白人の少女の助けを借りて、次女デンバーを出産し、その子と共に、姑の暮らす家に辿り着く。先に到着していた子供たち、姑やコミュニティの人々との約一か月の幸せな日々の後、追手に捕まりそうになったセサは、子供たちが再び奴隷制下での生活に連れ戻されるよりはと、四人の子供を殺そうとして、二歳の長女ビラヴドの命を奪う。この事件の十七年後、若い女性の姿となりビラヴドが現われ、セサを精神的に追い詰めていく。この作品は、セサの再生の物語をメインプロットに、大西洋奴隷貿易に始まるアフリカ系アメリカ人の奴隷制度の歴史を壮大な視野で描いている。

ランダムハウス社の主任編集者だったモリスンは、一九七四年アフリカの起源から奴隷制度の時代を経て現代までのアフリカ系アメリカ人の生活の記録を辿った『ブラック・ブック』の編纂に携わった。そのとき彼女が手にした資料の中に、一八五六年の『アメリカン・バプテスト』紙に掲載された、子供を殺した罪で留置所に置かれたマーガレット・ガーナーと牧師とのインタビュー記事があった。この記事に着想を得て十三年後『ビラヴド』は書かれるわけだが、この事件について、当時の新聞記事、奴隷制廃止論者の資料、伝記的物語に基づき、ポール・ギルロイはその概要を以下のようにまとめている。

マーガレット・ガーナーは（中略）一八五六年一月、ロバートという名前としても知られる彼女の夫サイモン・ガーナー・ジュニア、その両親のサイモンとメアリー、四人の子供、そして九人のほかの奴隷たちと一緒に馬ぞりで脱走した。オハイオへ向かう途中、家族は他の奴隷たちとは離ればなれになり、親戚イライジャ・カイトの家で助けを求めた後、発見されてしまった。家の中で奴隷捕獲人に罠にはめられ、包囲されたマーガレットは、彼女の三歳になる娘を肉切包丁で殺し、ほかの子供たちも殺そうとした。（中略）プランテーションの持ち主だったアルチボルド・K・ゲインズのもとへ奴隷として子供たちを送り返すくらいなら殺した方がましだと考えたのだった。（ギルロイ　六五）

事件の後、マーガレットが「おそらく彼女の最愛の」（コフィン　五六〇）娘の殺人罪で法廷で裁かれることを嘆願したにもかかわらず、結局、マーガレットの主人は彼女をニューオーリンズの奴隷市場に送った（ギルロイ　六五）。この事件は、生き残った家族の帰属と処置をめぐって、オハイオ州法と連邦政府の法（逃亡奴隷法）のいずれを適用するか、法廷で大きな論争となった。ギルロイによると、この事件に関する当時の記事は少なからず残っているが、それらの資料は矛盾も多く、一八六一年の南北戦争勃発を前にした奴隷制度廃止か否かをめぐった利害抗争のために明らかな歪曲も見られるという。モリスンはそれらの資料にあった一編の新聞記事に着想を得て、歴史的資料が描き得なかった十九世紀奴隷制下を生きた一人の女性の内面を、この作品に描こうと試みている。

マーガレットは再び南部の農園に売られ、その後どのような死を迎えたか、はっきりしたことは分かっていないが、子殺し事件以来、生き別れになっていた夫はやがて彼女の死を知り、ルーシー・ストーンへの手紙に「彼女はやっと逃亡を果たしました」と書いたという（ラーナー　六三）。『ビラヴド』においてセサは、事件後、刑期を終え、姑の家で、生き残ったもう一人の娘デンバーと暮らしている。そこへ同じ農園で働いていたポールDが十八年ぶりに訪ねてきて、亡霊を家から追い出すが、亡霊は受肉化し、ビラヴドと名のり、セサとデンバーの前に現れる。モリスンはビラヴドをこの作品に投入したきっかけを以下のように述べている。

私は誰がセサを適切に裁くことができるのか自問し始めました。だって私にはできないでしょうし、彼女を知る誰もが真の意味で、それをすることはできないでしょう。彼女を裁くことができる唯一の人間は彼女が殺した娘しかいないだろうと私は考えました。そしてそこからビラヴドがテクストに登場したというわけです。

（テイラー＝ガスリー　二四八）

セサは、ビラヴドと名のる女性が自分の殺めた娘だと分かると、自宅に閉じこもり、社会との交わりを絶ち、ビラヴドとデンバーと共に「自由な」日々を送る。外界から隔絶した家中で「そこにいる女たちはついに自由になった。なりたいものになり、見えるものなら何でも見て、心にあることを何でも言った」(二三五)のだ。三人が閉じこもった家中は井上の言うところの「演劇的時空間」となり、セサ、ビラヴド、デンバーの内面の核心部分にある声は、それぞれの肉体ある存在に向けて吐露され、その声が作家によって描きとめられる。

ビラヴド
あなたは私の姉さん
あなたは私の娘
あなたは私の顔、あなたは私
私はもう一度あなたを見つけた、あなたは私のところに戻ってきた
あなたは私のビラヴド
あなたは私のもの
あなたは私のもの
あなたは私のもの(二五五—五六)

時間と空間を超越した「演劇的時空間」という舞台で彼女たちは言葉にし得なかった思いを吐露する。その言葉は実に二十ページを超える紙数をさいて描かれていくが、その声は家の周囲からそれらの声を漏れ聞く人には、「聞き取れはしても、理解できない」言葉であり、「話すこともできず、話されたこともない思い」(二三五)として捉えられている。

モリスンは、現実世界ではもう二度と会うことの叶わない死者を、一人の肉体ある人物として作品内にあえて登場させるという「幻術」を使って、セサが抱えるトラウマの記憶を描き出そうとしている。『ビラヴド』執筆当時、グロリア・ネイラーがモリスンに、「この作品で、ビラヴドはどの女性登場人物に対してもその人物の対の片方として現れていますね」と尋ねたのに対して、モリスンは「彼女(ビラヴド)はいわば、鏡なのです」(テイラー＝ガスリー 二〇九)と答えている。つまり、ビラヴドは、セサの思いを映し出す「鏡」という装置としてこの作品に投入されている。それは、井上の言葉を借りれば、「見えない自分が他人の形となって見える」幻術を実現するための装置である。

『父と暮せば』では、美津江は、終始、受肉化した父親の幽霊に言葉を投げかけることで自身の内に秘めた思いを打ち明ける機会を得ることになる。「願う娘」である父竹造は、

美津江の内面を映し出す「鏡」という装置として機能しているのだ。

『ビラヴド』と『父と暮らせば』には「幻術」と、後で詳しく述べるが「一人二役」という構成上の相似がある。そして内容的に見ると大まかに述べて三つの類似点がある。まず、未来を志向するきっかけとして主人公が恋心を抱くこと、そしてその恋心をきっかけに、主人公の前に受肉化した死者が現れること、最後に近代化の歪みがもたらした負の歴史―近代奴隷制と太平洋戦争を背景にして、大きい悲惨と苦しみの中にいる個人の生活が描かれているということである。主人公の前に受肉化して現れる死者は、主人公の「最愛の人」であると同時に、その負の歴史の中で一言も発することなく亡くなった無数の死者たちの代表でもある。

二、表象不可能なものを描き出す

モリスンは「黒人であることの痛み」と題された対談で、近代奴隷制度の時代について、以下のように述べている。

私はあの時代について書くことが猛烈に嫌でした。それから私はそれについて本当に何も知らなかったということを悟ったのです。そして奴隷制度がどんなに長く続いたかということに困惑しました。突然、その時間――三百年間――が私を圧倒し始めました。(中略)これ(奴隷貿易)は私が読んだすべての本のうちで最小限に読まれねばならないことでした。なぜなら、それは登場人物が記憶したくない、私が記憶したくない、黒人が記憶したくない、白人が記憶したがらない何かであるからです。つまりそれは国民的記憶喪失です。(テイラー＝ガスリー　二五六―五七)

「国民的記憶喪失」とモリスンが呼ぶ、奴隷制度にまつわるテクスト／コンテクストの忌避の現状を打開するため、『ビラヴド』は書かれた。この作品の献辞には「六千万有余」という数字が掲げられている。これは三百年に渡る奴隷制度のために亡くなった人々の総数と言われている。そのうち約半数は、「中間航路」と呼ばれるアフリカ・アメリカ間の劣悪な船内状況のため落命した。モリスンは「中間航路」の犠牲者について「誰も彼らの名前を知らないし、彼らについて考えない。そして民間伝承の中で語られることもない」(テイラー＝ガスリー　二四七)と述べているのだが、『ビラヴド』はそのような問題意識を持つ作家が、彼らのことを語ろうとした試みに他ならない。

作品の題名ともなっている「ビラヴド」という言葉には、モリスンがこの作品を捧げた奴隷制度の犠牲となった「六千万有余」の人々が表象されている。ビラヴドはこの作品でセサの内面を映し出す鏡として機能しながら、「殺された娘」と「奴隷制度の無数の犠牲者」二役を演じながら、子殺し事件の背後にある奴隷制度の歴史に読者の目を向けようとしている。

『父と暮せば』では、「願う娘」役の竹造の背後に原爆で亡くなった「無数の死者たち」が存在している。一九四五年十二月までの広島の原爆による死者は、約十四万人と言われている。井上は放送作家時代に原水爆禁止世界大会へ取材に行き、「自分が体験していない原爆問題は、書けないとずうっと思っていました」（『座談会』二一五）と述べている。「これほど悲惨な悲劇を体験しない人間が軽々に書いてはいけない」（二一五）と信じていたと井上は言う。しかし井上は、原爆投下から五十年後『父と暮せば』を書き上げる。

> 手に入るだけの報告、記録、被爆者の手記を徹底的に読んで、想像をこえた被害のすさまじさを、「これは体験しなくても書かなければならない」と考えるようになった。爆心地にいて一瞬のうちに亡くなった大勢の人たち、その人たちが普通の人間として、普通に幸せになる資格があったことを、誰かが言わなければいけないと思ったのですね。
> （『座談会』二一六）

このような執筆動機のもと書かれた『父と暮せば』は、「爆心地のごくありふれた小さな話」（「特別対談」三二）として描かれている。広島の原爆が投下された時、爆心地周辺の地表面の温度は三千から四千度にも達したため、爆心地から一・二キロメートルでは、その日のうちにほぼ五十パーセントが死亡し、それより爆心地に近い地域では八十から百パーセントの人々が死亡したと推定されている（大牟田　四〇―一）。小森陽一は、井上ひさしとの対談で「字を残す」ことの重要性についてふれ、「それこそ、言葉を発することなく亡くなっていった爆心地の人たちの死があり、そして一日しか生き延びれなかった人、二日しか生きられなかった人、でも、わずかでも生き延びた人たちが語り継いでいって、原爆の被害の全貌ということが後に記憶として残」ると述べている（「特別対談」三八）。井上はそれに賛同し、下記のように言う。

> 広島・長崎で言いますと、実は今も爆弾は爆発しつづけてるわけです。一年間に広島ですと三千人の人が毎年、死者

として名簿に載る。長崎では二千人ぐらいですけど、この人たちが、あと二十年後ぐらいでいなくなってしまうわけです。うっかりしていると、「あれはなかったことだ」っていうことにもなりかねない。（中略）いろんなところで、かなり高い記憶の防波堤を築いて、誰もが忘れないようにしないといけないという焦りはあるんです。（三八―九）

井上はイギリスの反核運動のリーダーで歴史学者のエドワード・トムスンの「抗議せよ、そして、生き延びよ」というスローガンにひとつ言葉を足し、「記憶せよ、抗議せよ、そして生き延びよ」（「特別対談」三三）と述べている。モリスンが「国民的記憶喪失」に抗するために作品を描いたように、井上は、広島で起きた出来事を忘却の彼岸に追いやらぬよう「記憶の防波堤」を築くために、『父と暮せば』を書いた。高橋はこの作品が、「娘のこころの内部の対立、葛藤からはじまりながらも、けっして娘一人の内面のドラマで終わ」っていないことを指摘している。竹造は、「美津江のこころの中の幻」であるとともに、「亡くなった者たちの代表」としてあらわれていて、「背後の無数の死者たちとつながっている」（高橋　一四八）というのだ。つまり「願う娘」として美津江の心の内を映す竹造は、無数の死者の代表として生者に思いを伝える役割も担っている。嶋田は『父と暮せば』は単に原爆による父娘の死別が描かれただけの作品ではないと指摘し、「〈歴史〉そのものを覚え直し、語り継ぐことが死者から生者に切実に求められている作品」（嶋田　一七一）でもあると述べている。そして個の記憶と歴史の関係について以下のように言う。

美津江が図書館に勤務している点はことのほか重要である。竹造はさらに美津江に向かって「人間のかなしいかったこと、たのしいかったこと、それを伝えるんがおまいの仕事じゃろうが。」と言っている。竹造が父娘のことばかりではなく、さらに大きく「人間」といった水準にまで範囲を拡大し美津江に「伝える」ことを懇願している点に注目したい。ここでは記憶の集蔵庫ともいえる図書館に重要な意味があるのはもちろんのこと、そこで働く美津江には個の記憶ばかりではなく、常に〈歴史〉を覚え直し、語り継ぐ使命があることが要請されている。（嶋田　一七一）

美津江に要請された使命は、個の記憶とともに、歴史を覚え直し、語り継ぐことである。それは井上がこの戯曲の「前口上」で「世界五十四億の人間の一人として、あの地獄を知っていながら、『知らないふり』することは、なににもまして罪深いことだと考えるから書くのである。おそらく私の一生は、ヒロシマとナガサキを書きおえたときに終わるだろう」と述べていることを想起させる。井上は『父と暮せば』以後、ヒロシマをテーマに『紙屋町さくらホテル』（初演一九九七年十月）と『少年口伝隊一九四五』（初演二〇〇八年二月）を書いているが、これらはどちらも「手に入るだけの報告、記録、被爆者の手記」などの個人の経験が記録された歴史的資料を読み込むことで生み出した言葉で、「ヒロシマ」を語る戯曲となっている。また実現することはなかったが、井上は『父と暮せば』の続編を構想していたことが分っている。それは、美津江の息子の健吉とすでに亡くなった美津江、そして健吉の前に突然現れた韓国人女性との数日間のやり取りで構成された対話劇として考えられていたようだ（『the 座』三）。ここには、日本の近代化において膨張した帝国主義、その結果としての太平洋戦争が日本のみならず、アジア全域にわたって数知れぬ犠牲者を生み出したことを視野に入れながら、「ヒロシマ」の歴史を再び捉え直さなければならないという井上の歴史観が見られる。井上のヒロシマを描いた作品群は個人の記憶を足場にして、歴史を覚え直し、記憶／歴史を語り継ぐ使命を負っている。

一方、モリスンは、ボニー・アンジェロウとの対談のなかで、以下のように述べている。

> 私はそれ（『ビラヴド』）を個人的な経験にしようと試みました。この本は大文字のS (Slavery) で語られるような、奴隷「制度」に関しての本ではありません。それは奴隷と呼ばれたこれらの名前の分らない人々についての本です。
>
> （テイラー＝ガスリー　二五七）

モリスンは、あくまで奴隷と呼ばれた人々の個人的な経験の集積を提示することで、奴隷制度の歴史を描こうとしている。二人の作家は、一人の女性（美津江とセサ）に立脚点を置いて、その主人公の内面を通して歴史を記述しようとしている。『父と暮せば』と『ビラヴド』は、その根本的なスタイルが、個人的な具体性に出発して、それを社会、国家、世界そして歴史にまで繋ごうとするものだ。井上とモリスンは、それぞれの作品において、幻術と一人二役という語りの手法を使い、一人の人間の内面を丁寧に記述することで、歴史のリアリティの一側面を描き出そうとしている。

語を鳥に喩え、その鳥＝言語の「生命力」は「話し手、読み手、書き手の現実に生じたことを、想像された、可能性のある人生を、描き出す能力にある」（二〇）と述べている。モリスンは言語の「生命力」を信じる一人の作家として、歴史的資料が書き残さなかった「想像された、可能性のある人生」を描き出そうとしているのだ。

井上ひさしは長崎で被爆した林京子が、爆心地へ歩いていき、そこで見たことを作品に描きとめようとしていることに触れ、以下のように述べる。

> 林さんは爆心地へ知らずに歩いていってしまう。これは歴史から選ばれた人としか思えない。そしてそのとき見た状況を、死体がどうだったかを描くたびに、実はこの死者たちは命がけで浮かび上がってくる。ある意味では、言葉によって生き返る。全く暗黒の中を林さんの文章が進むにつれて、ぽつんぽつんと「私は死んでいますけれども、一体こういう死に方をしていいのか」と、その死体が起き上がってくる。言葉の力とはそういうものです。
>
> （『座談会』六四）

爆心地にいた人々の人生を描き出す力を、言葉は持っていたのである。

あとがきにかえて——歴史のリアリティを物語ること

一九九三年モリスンはノーベル文学賞を受賞した。その受賞スピーチでモリスンは、「激烈な人種間の争い」で亡くなった六十万人の犠牲者を悼んだ合衆国大統領の言葉に言及し、以下のように述べている。

> 彼のシンプルな言葉は、言葉がもつ生命を保持する特質の中で快活になっています。なぜならそれらの言葉は、激烈な人種間の争いにおける六十万人の死者のリアリティを封じ込めることを拒絶したからです。記念することを拒絶しながら、言葉の「加えたり減じたりする乏しい力」を認識しながら、「最後の言葉」や正確に「要約すること」を軽蔑し、彼の言葉は、悼まれた生命のとらえがたさに対する敬意を示しています。（中略）言語は決して一度限りで生を全うすることはできないし、そうあるべきではないという認識。言語は決して奴隷制度、大量虐殺、戦争を「突き止める」ことはできません。（*Lecture* 二〇—二一）

奴隷制度で亡くなった人々の生と死を「奴隷制度」という言葉に閉じ込めてはいけない。モリスンはこのスピーチで言ると井上は述べる。彼は言葉の「生命力」を信じながら、爆心地の死者の「可能性のある人生」を想像し、彼らが語りたかったであろうことを描き取ろうとする。

竹造　聞いとれや。あんときおまいは泣き泣きこよにいうとったではないか。「むごいのう、ひどいのう、なひてこがあして別れにゃいけんのかいのう」……。覚えとろうな。
美津江　（かすかに頷く）……。
竹造　応えてわしがいうた。「こよな別れが末代まで二度とあっちゃいけん、あんまりむごすぎるけえのう」
美津江　（頷く）……。
竹造　わしの一等おしまいのことばがおまいに聞こえとったんじゃろうか。「わしの分まで生きてちょんだいよォー」
美津江　（強く頷く）……。
竹造　そいじゃけえ、おまいはわしによって生かされとる。

（一〇四）

井上は『父と暮せば』を描く上で意図して親子という単純な形にしたと語っている（「特別対談」三六）。親／死者から子／生者へという単純な類型に支えられた言葉は、シンプルであるがゆえに観客へ届く言葉となる。父娘の対話を聞く観客は、一九四五年八月六日の広島の現実を「ヒロシマ」という言葉に閉じ込めることをやめ、竹造と美津江の物語を足場に爆心地の人々の人生を想像し、歴史のリアリティを垣間見る機会を得ることになる。

井上とモリスンが語りの手法を駆使して描いた一人の女性の内面の「物語」を考える上で鷲田の言葉は示唆的だ。彼は「経験は物語られることによって初めて経験へと転成を遂げる」（野家　八三）という野家啓一の言葉を解説して以下のように述べている。

心の内を赤裸々に吐露する「告白」も、社会の姿を粉飾なしに描写する「写実」も、叙述の形式こそ違え「真実をありのままに描く」ことを素朴に信じている。が、文学も科学も歴史もそれぞれに物語られるもの。「素顔」もまた仮面の一つでない保証はない。過去の経験を厚く濃やかに象り、語り伝える術が昨今、ひどく痩せ細っていないかと哲学者は問う。（鷲田　一）

鷲田のこの言葉は、言語の持つ不安定さや深層構造をめぐる最近の論争とともに、歴史家が自らの研究の認識論的な土台について懸念を持ち始めたポストモダニズム的な状況を踏まえて述べられたものだ。ここでシェリー・ワリアーがライオネル・ゴスマンの言葉を借りて言っていることを思い出してもいいかもしれない。彼女は歴史を生み出すプロセスと向かい合うなら、「歴史の物語には『歴史家がふだん認めてもよいと思っているよりもはるかに多くの、フィクションの物語と共通するものがある』」（ワリアー 一七）と述べている。文学も歴史もそれぞれに物語られるものであるがゆえに、歴史が真実をありのままに描いたものである保証はどこにもない。そのような認識をもとに、『父と暮せば』と『ビラヴド』を読み解くなら、これらの作品は第一級の歴史的資料としても読まれねばならない。井上とモリスンは「過去の経験を厚く濃やかに象」り、人類が経験した言語を絶した悲劇を前に、ひとりの人間の容易には言葉にならない内面を歴史的／文学的に記述することに成功している。二人の作家がその語りの手法で生み出した一人の女性の内面の記録は、私たち読者が「記憶し」、その足場から「抗議し」、「生き延びる」指針となる文学的記録である。

引用文献

Coffin, Levi. *Reminiscences of Levi Coffin, the Reputed President of the Underground Railroad*. Cincinnati: Western Tract Society, 1876, rpt. Amazon Services International,Inc.,https://www.amazon.co.jp/gp/product/B004X238EQ/ref=kinw_myk_ro_title.

Gilroy, Paul. *The Black Atlantic: Modernity and Double Consciousness*. Cambridge: Harvard UP, 1993. ポール・ギルロイ『ブラック・アトランティック――近代性と二重意識――』上野俊哉、毛利嘉孝、鈴木慎一郎訳 月曜社 二〇〇六年。

Lerner, Gerda ed., *Black Women in White America: A Documentary History*. New York: Vintage Books,1972.

Morrison, Toni. *Beloved*. 1987. New York: Vintage Books, 2004.

——. *Lecture and Speech of Acceptance, upon the Award of the Nobel Prize for Literature*. New York: Knopf, 1993.

Taylor-Guthrie, Danille, ed., *Conversations with Toni Morrison*. Jackson, MS: UP of Mississippi, 1994.

井上ひさし『父と暮せば』新潮文庫、二〇〇一年。

井上ひさし「前口上」『the 座』第三一号 こまつ座、一九九五年十月、三頁。

井上ひさし、小森陽一『座談会昭和文学史 五』集英社、二〇〇四年。

井上ひさし、小森陽一「特別対談『父と暮せば』と原爆、イラク戦争、憲法九条を語る」『シネフロント』第三二七号 シネ・フロント社、二〇〇四年七月、二八―三九頁。

大牟田稔他編著『図録広島平和記念資料館：ヒロシマを世界に』広島平和記念資料館、一九九九年。

シェリー・ワリア『サイードと歴史の記述』永井大輔訳、岩波書店、二〇〇四年。

嶋田直哉「記憶の遠近法——井上ひさし『父と暮せば』を観ること——」『日本近代文学』第九四集、二〇一六年、一六七—一八〇頁。

高橋敏夫『井上ひさし希望としての笑い』角川SSC新書、二〇一〇年。

野家啓一『物語の哲学』岩波現代文庫、二〇〇五年。

鷲田清一「折々のことば七八五」『朝日新聞』朝刊、二〇一七年六月一六日、一頁。

渡邊洋『比較文学研究入門』世界思想社、一九九七年。

5 近代への過渡期と多民族研究
——島崎藤村『夜明け前』再読

井村　俊義

はじめに

多民族研究が対象とする作品を鏡として返ってくる問題意識は、私たちを立ち止まらせ考えさせる。私たちが忘却したものは何か、進むべき道はどこにあるのか、と。人は一般に、人生のある時点で内部（なか）から外へと関心を移し、異文化に出会い、異国へと足を運ぶ。旅立つための足場を固める間もなく、やがて外部（そと）に夢中になる。私たち自身や私たちの先達が異文化にこれほどまでに「惑溺」することができたのは、私たちのもって生まれた海の彼方への関心の強さであるとともに、異文化を摂取するある種の「作法」が身についていたからであろう。福澤諭吉は「惑溺」という言葉を「古習の惑溺を一掃して西洋に行はるる文明の精神を取るに在り」（四四）のような固陋な人々への非難の文脈で使用したが、日本人は「古習」に惑溺したのと同じように「西洋」に惑溺したのではないか。その間の空間がすっぽり抜けていると私には思われる。古習ももはやいにしえとなり西洋は急ごしらえの状況のなかで、砂上の楼閣の上の高楼は張りぼてであるのかどうか、それを確かめるための手がかりとして島崎藤村の『夜明け前』（第一部は昭和七年、第二部は昭和十年に刊行された）を通して考えてみたい。

一　伝統と近代が共存する物語

まず「日本文学」や「アメリカ文学」のような国家や地域の名前を冠した文学ではなく、それらとは異なる枠組みの「人種や民族（チカーノ、アフリカン、ネイティヴ・アメリカンなど）」を対象として文学を捉えることで、文学は新しい視点を手に入れたことに着目したい。「新しい」のなかには文学を語る際の「枠組み」への意識の存在があり、それは「人種とは何か」「民族とは何か」という問いを呼び起こした。これもまた、一つのテーマとして追求されるべき重要な問題ではある。ただ、人種や民族を単体で取り出して論ずることにはあまり意味がない。それを論ずる「方法」のなかに人種や民族は何度でも現れ、問題化されるからである。人は客観ではなく主観を生き、事実に動かされるのではなく感情に動かされる存在である。「枠組み」はまた、その性格上「国民国家への抵抗」となる傾向もあった。民族による文学はおもに十九世紀以降の「西洋の衝撃」と呼ばれるものによって生じ、それによって、私たちは強烈に他者を意識し他者を鏡としながら「民族」や「人種」と直面したからである。このような伝統と近代化の衝突と影響は、ベネディクト・アンダーソンが『想像の共同体』で指摘しているように「宗教的共同体」から「国民国家」へと向かう流れとして捉えることもできる。人が信ずるものに対して殉教できた時代から国家のために死ぬことができるようになったという一つのベクトルである。

このような、複数の民族を同じ平面で論じる多民族研究のアプローチは、メタレベルの概念を導き出すことを容易にした。例えばチカーノには、メキシコ由来の「混血性」やアメリカと対峙する際の「国境線」など、チカーノ特有の諸条件があると同時に、大きな歴史の流れのなかで彼らを眺めることを可能にした。公民権運動における「黒人」との共闘をテーマとした研究もその一つである。しかしチカーノは、命をかける対象を宗教的共同体から国民国家へとは安易に方向変換することはなかった。地政学的な側面を動機の一つとしたとはいえ、当然とされる時代の流れに抗して彼ら自身の存在意義を問い直したのである。したがって、一般に自己言及的なチカーノ文学には、失われていくものへの「郷愁」や「哀悼」のような単純な言葉では言い表せない感情が渦巻いている。多民族研究が対象とする他の民族が表現する小説も同様に、それぞれの「民族特有の感情」を明らかにしようとしてきた。歴史の潮流に身を委ねて追随するのではなく立ち止まって再考するのである。普遍性と単独性のバランスの上に多民族研究は成立していることがわかる。

普遍性に偏りすぎるならばそれは限りなく教条的な作品（研究）になっていくに違いない。勝者の視点を借りた歴史叙述とともに導かれる「差別や不平等に苦しむ民族を国家の抑圧から解放するべき」といった単純なスローガンである。また、差別や不平等を見つけ出して非難する、という永遠に続く悪循環の罠である。評論家の唐木順三は、漱石や鷗外の時代と比較して、それ以降の世代が「普遍」に偏りがちなことを指摘している。

明治の末期から大正期にかけて活躍を始めた思想家たちにおいては、幕末また明治初年生まれの前記の人々（漱石、鷗外、内村鑑三、西田幾多郎ら：筆者註）の味わったような葛藤は薄れている。あるいは消失している。むしろ日本的あるいは東洋的なものと西洋的なるものを、等しく己が教養の資としようとする。より多く西洋の文学、思想に傾きながら、それを西洋的な、特殊な文化とは受けとらずに、人類普遍の遺産として継承摂取しようとする。日本人である以上に世界的教養人であろうとする（二四六―七）

一方、単独性に偏りすぎるならば、他の民族には理解不能な細部で作り上げられた身辺雑記のような「小説」になる。「われわれは他の民族とは異なった優秀な民族でありしたがって守るべき確固としたものを有する」という偏狭なナショナリズムに近づく。そのような多民族研究のダブルバインドな方法論を「非西洋」の範疇に属する日本にふたたび引き戻して考察することで、近代以降のあるべき姿を考えるヒントが見えてくるのではないか。そもそも、多民族研究で取りあげるにふさわしい日本の文学は存在するのだろうか。言い換えるならば、伝統が近代化に曝される瞬間に立ち止まって描かれた物語は存在するのか、という問いである。ロマン主義文学を代表する詩人として出発したのちに日本独自の私小説的な自然主義作家として名を馳せた藤村は、晩年に『夜明け前』を書くことによって、漱石や鷗外と同じ問題意識をもちつつも異なる視点からこれまでにない領域を構築した、と私は考えている。

歴史のうねりとそれに抵抗するヴァナキュラーを同居させた『夜明け前』は、普遍性と単独性のバランスを保ちつつ止揚してもう一つ上の高みを目指している。ほぼ同時代の泉鏡花や幸田露伴らは他者との出会いによって江戸からのアイデンティティを逆に強化した面がある。鏡花の『眉かくしの霊』は同じ木曽街道を舞台にした幽霊譚であり『夜明け前』が書き始められるたった五年ほど前に発表された作品である。土着から近代への流れのなかで生じた空間に、藤村が物語という媒体でしか表現できないものに託して挑んだ意図は何か。挑んだというよりも、作家としての生涯の当然の帰結のようにして彼は『夜明け前』を長い時間をかけて書きあげ、完成後、次作の『東方の門』を書き始めて程なくして擱筆を迫られた。ちなみに、藤村が私小説作家から『夜明け前』のような物語作家へと進み出たことは、柄谷行人が「構成力について」で説明しているように、ある意味必然であったとも言える。

「物語」は、小説（ストーリー）でもなければ、小説（フィクション）でもない。物語りを書くことは「構成的意志」とは異質である。物語りはパターンであり、それ以外の何ものでもない。それは、私小説的なものと逆説的に一致している。一方に構造しかないとすれば、他方には構造がない（二一二）

このような在り方に対して、先鋭的な近代人でもあった芥川龍之介は「老獪な偽善者」という言葉で藤村を評していた。芥川を追悼する文で藤村はあえてそれを引用し、本意が伝わっていないと残念がっている。そして「芥川君がその〈人工の翼〉をひろげて何処まで進み行こうとした人であるか、その点で君はそれほど深入りした人とも見えない。何故かなら、人工的なものの愛とは、言うまでもなく自然を厭い、自然を匡正しようとし、あるいは自然を超えようとする心持から来ている」（随筆集・二四八）と静かに反論している。自然を向こう側におきコントロールできると信ずることができた芥川はまごうことなく近代に「惑溺」した人であった。藤村はあくまでもこちら側におり、近代へとそう易々とは踏み出すことはできない性質を有していた。芥川の「ぼんやりした不安」はたしかに近代人の悩みであり、前近代とのはざまで鋭敏な神経は破綻を起こした。藤村は、芥川が懺悔や告白という観点から『新生』を読んでいることに対しても、それを否定し「人間生活の真実がいくらも私たちの言葉で尽くせるものでもなくまた書きあらわせるものでもない」（二五三）と戒めている。言葉への過剰な信頼もまた近代の遺産である。過去の物語を換骨奪胎した小説を数多く残している芥川は「僕は昔のことを小説に書いても、その昔なるものに大して憧憬はもっていない。僕は平安朝に生まれるよりも、江戸時代に生まれるよりも、はるかに今日のこの日本に生まれたことをありがたく思っている」（二四九）と述べ、過去よりも未来の方が優れているとするいわゆる進歩主義的な考え方の持ち主であることがわかる。小説の筋を読者が楽しめるように意匠を凝らし、人生や世の中を自らの力でどうにかできると信じていた芥川が挫折を感じた一方で、藤村は自然や運命の力を見くびらずに「過渡期の空気」にとどまってものを書き続けた。西漸運動においてアメリカ人が「マニフェスト・デスティニー」を信じうるほどには時空間の認識は単純ではなかったのである。そこを取り違えると『夜明け前』はきわめて退屈な物語となる。その退屈さは中世を端折った道程を疎んじる退屈さである。

二　歴史と個人を止揚するもの

藤村が言葉によって構築した「過渡期の空気」（第二部・十四章）は、文芸評論家の保田與重郎が「明治期の精神」と呼んだような「伝統と変革が共存し同一である稀有の瞬間」で充満している空間である。保田は「鉄幹も子規も樗牛も、鷗外も敏も漱石も、何かに欠けていた。ただ透谷の友藤村が、一人きりで西洋に対抗しうる国民文学の完成を努めたのである」（二六五）と評価している。もちろん、保田が言う「国民文学」は西洋の方法を全面的に引き受けた文学ではない。非西洋が直面した普遍性と単独性の間で立ち止まることによって立ちあがる複合的な文学のことである。むしろ、これこそがポストモダンを生きる「国民文学」にふさわしい作品と言える。民族を対象とした文学の多くはそのような空間で書かれた。

民族を意識せずに日々を送った時代は幸せであり、また、国家と個人を同一化できた時代も幸せである。しかし、その過渡期をどのように乗り越えればいいのか。藤村は物語の登場人物の心を描写するときに好んで「内部（なか）」という言い方を好んだが、そこには空間があり逡巡があった。揺れがあり躊躇いがあった。いかにも歴史はそのように進むのであると客観を志向する歴史に個々人の歴史が飲み込まれないようにするために藤村が行った工夫の一つは、舞台を歴史の「敗者」であり「周縁」である地方の山村においたことにある。物語で言及される土地は日本各地に及びながらも視点は一貫して木曽の山中にある馬籠宿から離れることはない。主人公である青山半蔵は、時間と空間のクッションを利用してその時間差と緩衝地帯のなかで思考し煩悶する。地方における緩慢なる時代の変化は登場人物に思考の空間を与えたのである。例えば、明治維新を経て旧来の制度が急速に変化していくさまは次のような地理的な描写のなかで示される。

馬籠にある青山のような旧家の屋台骨が揺るぎかけてきたことは、いつの間にか美濃の落合の方まで知れ渡っていった。その古さから言えば永禄、天正年代からの長い伝統と正しい系図とが残っていて、馬籠旧本陣といえば美濃路にまで聞こえた家に、もはや支えきれないほどの強い嵐の襲ってきたことが、同じ街道筋につながる峠の下へ知られずにいるはずもなかった（第二部・第十四章）

この文章からも明らかなように、中山道の東と西の結節点にあたる馬籠は、岩倉具視、吉田松陰、皇女和宮、井伊直弼、新撰組、皇上（明治天皇）らも通り過ぎた当時の重要なメディア網のなかにおかれていた。地形の点からもそうである。「山の中とは言いながら、広い空は恵那山の麓の方にひらけて、美濃の平野を望むことのできるような位置にもある。何となく西の空気も通ってくるようなところだ」（序の章）。参勤交代が促進した街道の整備が当時の日本の情報網として国民国家を形成する基盤となっていたのである。つまり、中央でもなく一概に周縁とも言えないメディアの通り道に馬籠はあった。そこを中心として、普遍性と単独性を併存させ「上からではなく下から」書かれた『夜明け前』は、歴史（自然）に翻弄される人々が自由意志を信じながらも深淵に流れ込んでゆく現実を垣間見せる。『夜明け前』を「世界の十大小説」の一つにあげた、文芸評論家で翻訳家でもある篠田一士は次のように書いている。

　『夜明け前』の読みどころは生の歴史的記述と半蔵の生涯を物語る部分との切点に点滅しながら、たえず底知れぬ深部をぼくたちに暗示する。それを歴史と呼ぶことはもちろん見当外れではないが、やはり作者にならって、個人的な愛情の支配する領域に対して「もっと大きなもの」と言う方がぼくには理解しやすい（一六九）

篠田は「もっと大きなもの」について「自然の装いをまとった霊的なものの眼差し」（五一一）とも述べている。それは小説もしくは物語という媒体でしか表現することができないものであり、専門的な用語をいくら組み直しても明らかになるものではない。

明治の御一新をまたいで、近代化とは異なる「夢」を抱き「もっと大きなもの」を目指しつつ挫折し狂死した『夜明け前』の主人公青山半蔵は、周知のように藤村の父をモデルとしている。半蔵は過去へと遡って平田国学を信奉し「王政復古」をまさに文字通りに受けとり期待を寄せつつも裏切られ座敷牢に入れられて死んだ。古代から「からごころ」の影響を受け、その後、仏教に汚された民族がようやく「復古」する機会を手に入れたにもかかわらず、新政府は立ち止まることなく西洋化へと突き進む。その状況に半蔵は耐えられなかったのである。

　半蔵などにしてみると、いまの時はちょうど遠い昔に漢土の文物を受け納れはじめたその同じ大切な時にあたる。中世の殻もまだ脱ぎきらないうちに、かつてこの国のものが漢土に傾けたその同じ心で、いままた西洋にのみあこがれるとしたら。かつては漢意を以てし、いまは洋意を以てする。模倣の点にかけては同じことだ。どうしてもこれは一方に西洋を受け納れながら、一方には西洋と戦わねばならぬ。その意味から言っても、平田篤胤歿後の門人としてはこうした世の風潮からも自らの内にあるものを護らねばならなかった。すくなくも、荷田大人以来国学諸先輩の過去に開いた道が外来の学問に圧倒せられて、無用な者となっていこうとは、彼には考えられもしなかった

（第二部・十二章）

「漢土」からの文物に「惑溺」し、いままた「西洋」に「惑溺」しようとしている人々の心の中心には何があるのだろうか。歴史はそういう道を選んだが、個人の思いはそれとは無関係に飲み込まれることがある。しかし「歴史」はそれでよかったのであろうか、と私たちは振り返る。「狂気」とは社会と人々のずれが作りだすのであろう。半蔵は歴史の流れに抗うことで人間の本分は何たるかを示した。私たちはすでに歴史の流れを俯瞰的に知っているから安心して十九世紀半ばの出来事の「普遍性」に身を委ねる。他方で、思い悩む登場人物の後ろに立ちながら物語の醍醐味である感情の没入という「単独性」を追体験する。半蔵はその間におかれて物語のなかの「意志ある人物」というよりも「自然」の一部のように描かれる。藤村の執拗なまでの自然描写と客観的な歴史事実の長大な記述は半蔵を「もっと大きなもの」へと導く仕掛けになっている。自然は歴史であり、歴史は自然であるなかで、人はどう生きればいいのか。多民族研究が取りあげる文学の登場人物たちもまた普遍性と単独性の裂け目のなかで呻吟しつつ「もっと大きなもの」を目指す物語で描かれている。

三　物語（共同体）における死と狂気

『夜明け前』をチカーノ小説の問題意識になぞらえるならば、半蔵および藤村が帰るべき場所であると念頭においている山国の一村落である馬籠は、国民国家を相対化させる「バリオ」（チカーノたちが形成する共同体）であろう。あるいは『百年の孤独』のマコンドであろうか。また、平蔵が心酔した平田国学が具現化されるべき世界は「アストラン」（メキシコより北方にあったとされるアステカ人の原初の土地。想像上の故郷）であり、その御霊は「グアダルーペの聖母」（一五三一年に出現したとされるメキシコ人およびチカーノにとっての聖母）に相当するかもしれない。半蔵が期待を寄せた明治維新（一八六八年）は、一年に及ぶ戊辰戦争という境

域を抜けて新たな方向性を定めた年号としていまでは記憶されている。一方、チカーノはアラモの戦い（一八三六年）や米墨戦争（一八四六―四八）を同様の意味を持つ年号として捉えるだろうか。おそらく、そうではないだろう。メキシコ領であった土地が合衆国に占領された結果、米国南西部に取り残されたメキシコ人はその出来事を安直な近代化への分水嶺とはしなかった。むしろ、精神的故郷たるアストランを前景化することによってその重層性を反近代へのよすがとした。「均質で空虚な空間」を選択することを拒否したのである。彼らは、グアダルーペの聖母を創造し、メキシコの伝統である死者の日を維持し、カルナリスモ（チカーノ間における肉親と同様の強い仲間意識）を守り続け、「ディフラシスモ」(Arteaga 六―七：ナワトル語に影響を受けた、チカーノによるハイブリッドな詩的表現。現実を言語化する際に、二つの単語を組みあわせて一つの概念を提示しようとする技法。ある抽象的な概念に回収されることを拒むチカーノの生き方を体現している）を駆使して自らを表現し続けている。チカーノ文化は、これらのキーワードのなかで育まれ、文学作品は描かれてきた。

近代社会において前近代（ときにポストモダン）をどのように生きるかという普遍的な問題に直面したときに、チカーノの模索したさまざまな方法は他の民族にとって参照するべき一つとなった。チカーノ文学は境域に巻き込まれたときにどのようにしてその場にとどまればいいのかと問い続けながらアイデンティティを不断に構築し続けてきたからである。『夜明け前』の作者も近代化へのはざまで命を落とした人々を歴史と自然のなかに組み込み直し、集団としてのアイデンティティを修正しようとした。チカーノ文学を通すことによって、そのことをよりよく理解することができる。つまり、死者もまた私たちの属する共同体の一員であることを確認できるのである。さらに言えば、死者や過去を現代にいつでも呼び起こすことのできる共同体の存在を思考の対象とすることができるようになる。歴史学者のハリー・ハルトゥーニアンは「明治維新とは、先祖と神によって統べられているような有機体的で自然な村落共同体の伝統を復権させるという約束であった。しかし、こうした夢は〈富〉と〈力〉と、近代的・合理的な政治によって、あっという間に捨て去られていった。小説家島崎藤村は、大作『夜明け前』において、この喪失を追悼した」（一四五）と述べている。深淵に落ちていった多くの死者を「追悼」し、物語に組み入れることによって、藤村はふたたび彼らを私たちの共同体に招き入れて「国体」（福澤）を護持した。護るべき国体について福澤は「共に世態の沿革を経て懐古の情を同ふする者、即是なり」（三七）

と書き、同じ歴史を歩んでいるという感覚を持ち、同じ過去を同じように思い出す感覚を共有することの重要性を指摘している。その道から外れる者は共有する世界からこぼれ落ちる。半蔵の娘であるお粂は結婚を間近にしてなぜ自殺を試みたのか、そして、半蔵はなぜ狂気をまとい死んだのかを考えるヒントがここにある。

精神病理学者で医師の渡辺哲夫は、このように永遠の課題である死と死者と狂気の問題について文学の果たすべき役割の重要性を次のように強調していた。

死の問題は哲学に委託された。死者の問題は宗教に委託された。そして狂気の問題は医学に委託された。不毛な分裂、安易な分担が起こったのである。優れた文学だけが折にふれて死と狂気の問題に正面から取り組んでいるのが実情である（一一）

また「自己の崩壊という事態が、自己と他者という口あたりのいい常套句で表現される生者同士の関係において起こっているのではなく、奇怪とも言うべき死者の力によって惹起されている」（四四）とも指摘している。私たちはいま生きている人間関係のなかでのみ「狂気」、引いては「社会的な混乱」を語りがちであるが、浮遊する「霊魂の融合体」が乏しい現実感のなかでどこへも行くことができずにいることを知らない。それをつかみ取れるのは文学だけである。藤村は長い物語を通して父を哀悼し、死者の一員として迎え入れ、歴史化した。「物語」しか持ち得ない論理や哲学を私はそこに見るのである。

日本文学研究者のマイケル・ボーダッシュは、ベネディクト・アンダーソンの想像の共同体論やミハイル・バフチンの「クロノトポス」などの概念を使って『夜明け前』を構造的に解き明かそうと試みている。例えば以下のようである。「青山半蔵の物語は、近代的な国民国家が求めた新しい時間形態へと移行することができなかった人物の悲劇である。何度も巡ってくる円環的な時間から新たな直線的な歴史を受け入れようとする半蔵の絶望的な試みは、過去と未来に関しての自分自身と国家の存在について、納得のいく理解をもたらすことはなかった。平蔵のやむを得ない幽閉、そして死という悲劇を招いた原因はここにある：筆者訳」（一六四）。近代化による円環的な時間から直線的な時間への変化という指摘はもちろん重要ではある。しかし、このような抽象的な概念と言葉によって相反する出来事と錯綜する心理の回収を行うことこそ、藤村がもっとも嫌ったものではないかとも思う。人をもう一度自然という歴史のなかに組み込んでくれるのは物語と言葉の「魔術」しかない。時代とともに陸続と現れる新しい理論ではけっしてないのである。以下は藤村の言葉である。

海外にはどういう新しい思潮が流れているとか（中略）幾多の研究や解釈があってそれを通して知識を得てきているので、向こうのことは比較的知りやすく、また、知っているようにも思える。しかし、肝要な現代の日本はいまだ十分に解釈されていない。西洋のことにどれほど詳しく通じても、それをもって現代の日本をいかんともしがたいことがある（文明論集・一七八）

西洋のことに詳しいとはいえ、それらの知識は体験をともなわない抽象的な理論の組み合わせに過ぎない。身体が反響する言葉はそこにはない。じつは、普遍性などというものはどこにも存在しない「夢」なのであり、それと同じように個別性もまた「夢」である、と藤村は伝えたかったのではないか。一人一人の存在と一つ一つの出来事が歴史を作る。「古来いかなる芸術家が普遍性などという怪物を狙ったか？　彼らは例外なく個体を狙ったのである。あらゆる世にあらゆる場所に通ずる真実を語ろうと願ったのではない、ただ個々の真実をできるだけ完全に語ろうと願っただけである」（一一六）という小林秀雄の言葉は、この『夜明け前』にこそもっとも当てはまると私は考えている。

おわりに

かつて近代を衝撃をもって受けとめた時代を生きた夏目漱石は「大学の教授を十年間一生懸命にやったら、大抵の者は神経衰弱に罹る」（六四）と嘆息していた。その言葉の真意は、ヨーロッパが苦闘しながらなんとか中世を乗り越えてたどり着いた道のりを私たちは足早に駆け抜け、都合よく切りとった出来合いの近代をもて遊んでいるに過ぎないのではないかということである。丹念にその苦闘の部分を生き直したならば精神の安定を保つことは難しく、よって私たちは結局、困難な過程を見て見ぬふりをしていると言える。漱石自身の言葉をもういちど借りるならば「体力能力ともにわれらよりも旺盛な西洋人が百年の歳月を費やしたものを、いかに先駆の困難を勘定に入れないにしたところで僅かその半ばに足らぬ歳月であからさまに通過し終えるとしたならば吾人はこの驚くべき知識の収穫を誇り得ると同時に、一敗また起つ能わざるの神経衰弱に罹って、気息奄々としていまや路傍に呻吟しつつあるは必然の結果」(六三) ということになる。多民族研究はときに時代と逆行しあるいは一時的に流行する専門用語から身を引き離し、つねに時代や空間を相対化しながら思考する場を与えてくれたという意味において、少なくとも私は「神経衰弱」を免れることができた。「近代」を汲々として取り込もうとはしなかった各民族から多くを学んだ私たちは、自らの足下をふたたび見据えながら来し方を振り返りつつ生き直す必要もあるだろう。

引用・参考文献

Arteaga, Alfred, *Chicano Poetics: Heterotexts and Hybridities*, Cambridge UP, 1997.

Bourdaghs, Michael K, *The Dawn That Never Comes: Shimazaki Toson and Japanese Nationalism*, Columbia UP, 2003.

アンダーソン、ベネディクト『想像の共同体:ナショナリズムの起源と流行』白石隆・白石さや訳、書籍工房早山、二〇〇七年。

ハルトゥーニアン、ハリー『近代による超克:戦間期日本の歴史・文化・共同体』梅森直之訳、岩波書店、二〇〇七年。

石割透編『芥川龍之介随筆集』岩波書店、二〇一四年。

泉鏡花『高野聖・眉かくしの霊』岩波書店、一九三六年。

唐木順三『日本人の心の歴史(下)』筑摩書房、一九九三年。

柄谷行人『日本近代文学の起源』講談社、一九八〇年。

小林秀雄『Xへの手紙・私小説論』新潮社、一九六二年。

篠田一士『伝統と文学』筑摩書房、一九八六年。

島崎藤村『夜明け前(全四冊)』岩波書店、一九六九年。

島崎藤村『藤村文明論集』岩波書店、一九八八年。

島崎藤村『藤村随筆集』岩波書店、一九八九年。

夏目漱石『私の個人主義』講談社、一九七八年。

福澤諭吉『文明論之概略』岩波書店、一九三一年。

保田與重郎『戴冠詩人の御一人者』新学社、二〇〇〇年。

渡辺哲夫『死と狂気:死者の発見』筑摩書房、二〇〇四年。

6 アイザック・バシェヴィス・シンガー『奴隷』
――ユダヤ性を越えて

大﨑　ふみ子

序

アイザック・バシェヴィス・シンガー（一九〇四―九一）はユダヤ教のラビの息子であり、ユダヤ人社会を舞台に小説を書いた。『奴隷』は一九六〇年から六一年にかけてイディッシュ新聞『フォルベルツ』に連載され、その後シンガー自身も協力して英語に翻訳し、英語版が六二年に出版された。シンガーとしては比較的初期の長篇小説である。日本語訳は一九七五年に出版されているが、翻訳者の井上謙治氏は「訳者あとがき」で「シンガーの小説のなかでも、もっとも感動的な作品である」（三一七）と評価した。一九七九年にはクレシュが「これまでのところ彼の最高の小説」（二一四）と記し、ミルバウアは一九八五年に「もしシンガーがこの本しか書かなかったとしても、二十世紀文学にその影響力を残したことだろう」（八七）と述べている。一九九五年にはギボンズが「シンガーのもっとも申し分のない、そしてもっとも美しく書き上げられた長篇」（四一）であると書いた。二〇〇二年にはプラーガーが、『奴隷』のイディッシュ版について論じ、「豊かな多義性に富み、多くの読み方とさまざまに異なるレベルで読むことが可能な作品」（二一三）だとして、この作品の複雑さを指摘している。

プラーガーも言うように、『奴隷』はさまざまな角度から論じることが可能である。男女の愛と性、共同体と個人、信仰と自由意志、掟の遵守と自己防衛、非ユダヤ人社会とのかかわり、偽メシアやシオニズムとの関連、カバラー的背景、神の義と生きるものの苦しみ、救済など、『奴隷』はいくつもの大きな論点を含んでいる。

『奴隷』がシンガーの傑作の一つであることは確かだ。一方で、シンガーの他の長篇小説とは大きく異なる点がいくつか目につく作品でもある。主人公が他の長篇の主人公と異なってどこまでも神に従順であること、非ユダヤ人の果たす役割が非常に大きいこと、主人公が一人の女性に忠実であること、自然が占める重要性、などである。多くのテーマを含む『奴隷』のすべてを論じることはできないが、以下にこの作品が他の長篇とは異なる点を中心に考察し、物語の最終章において主人公ヤコブの生涯が真の意味で完結にいたる軌跡を確認する。

I　ヤコブの信仰

『奴隷』の舞台は十七世紀半ばのポーランドである。このころ、ウクライナ・コサックの首領フメリニツキーが多くのユダヤ共同体を襲い、十万人を超えるユダヤ人を虐殺した。主人公のヤコブは虐殺を免れたものの、平穏に暮らしていたユダヤ人村から連れ去られ、ポーランド人農夫ブジクに奴隷として売り渡されて、すでに四年のあいだ山地で家畜の世話をさせられている。家畜同然の暮らしを強いられながらもヤコブは、「神意が彼に送ってよこした窮乏状態を恨むことなく受け入れた」(六)。彼の妻子はコサックによって殺されたに違いなく、村は徹底的に破壊され、住民はこの上なく残虐なやり方で殺された。貧しいなかでユダヤの伝統を守りながら周囲のポーランド人社会との共存を保ちつつ生きてきた人々が、なぜこのような目に遭わねばならないのか。しかしヤコブの信仰に揺らぎはなく、彼は「人殺しどもが子供たちを生き埋めにしたと思うと神の慈悲を信じるのはむずかしかった。だが神の知恵はいたるところに見て取れた」(一三)と言う。ヤコブのこの従順な姿勢はシンガーの長篇小説の主人公としては異例である。たとえば時代は異なるが『メシュガー』の主人公アーロンは、「だれでも神の知恵は見ることができる——神と呼んでも自然と呼んでもいいが。だがヒトラーが出たあとで、どうやって神の慈悲を信じられようか」(七五)と主張する。アーロンの言葉は先に引用したヤコブのものと似通っているが、アーロンとヤコブでは重点の置き方がまったく逆である。ミルバウアが指摘するとおり、「ときに揺らぐことはあっても」(九八)ヤコブは信仰を手放さない。

一方でヤコブもまたシンガーの他の長篇の主人公たちと同様に、この世に生きるものの苦しみについて悩みぬく。彼もまた「心のなかで創造主を非難し、被造物同士で滅ぼし合わざるをえない責任を問うた」(六二)。しかし他の主人公たちと異なって、ヤコブは神を糾弾するのではなく、やはりどこまでも神に答えを求めようとする。「ユダヤ教は信仰に基づいているのであって、知識に基づいているのではないと彼は十分に承知していたが、それでも可能なかぎり彼は理解することを求めた」(五四)。フメリニツキーの残虐行為を思って、「あなたが全能者であること、そしてあなたがなさることはなんであれ最善であることを私は疑わないが、それでも私は

『あなたはあなたの神を愛さなければならない』という掟に従うことができません。そうです、私には不可能です、父よ、この世では」（一〇八）と神に訴えることもあった。しかしこのときも神の義を疑うのではなく、現世という流浪の状態が早く終わることを望んだのであり、「私はこの世の一部であることをやめたのだ」（一一六）と言う。

彼がブジクの娘ワンダに惹かれながらも彼女を受け入れられなかったのは、ワンダがポーランド人であり、非ユダヤ人との結婚は破門に至る重罪だったからだ。ワンダはヤコブを助け、彼ができるかぎりユダヤの掟にかなった生活を続けられるように計らい、彼女自身ユダヤ人になりたいとさえ言う。だがユダヤの掟は異教徒が信仰以外の理由で改宗することを禁じていたし、一方で当時のポーランドはユダヤ教に改宗したキリスト教徒を死罪と定めており、ワンダがユダヤ人になる道は閉ざされていた。さらに万が一ヤコブの妻が虐殺を免れて生きているならば、ヤコブは姦淫の罪を犯すことにもなる。したがってヤコブはワンダの愛情を「神など存在しない。来世などない」（五四）とささやくサタンの罠と考え、二人がひそかに結ばれたときには愛ゆえの行為だったにもかかわらず、「毎日私はますます深く深淵に沈んでゆく」（四七）と己の罪深さに暗澹たる思いを抱く。「そうだ、私は来世を失った」（七〇）とヤコブは言うが、このときも、「よろしい、だがそれでも私はまだユダヤ人だ」（同頁）と、ユダヤの神から離れる気持ちは微塵もない。ヤコブは「我々はみな奴隷だ」「神の奴隷だ」（九〇）と言う。奴隷はあるじに支配されるが、あるじが神であるならば、聖書の「ヨナ書」を持ち出すまでもなく、人が神の束縛から逃げ出すことは不可能だ。ヤコブはここで、神の絶対的な支配と、彼が何をしようとも神の手のなかで動いているのだという彼の信仰を明らかにしている。

ヤコブはシンガーの他の長篇小説の主人公たちと同様に、罪や悪の存在理由、神の正義、この世における苦しみといった「永遠の問い」を問い続ける。しかし十七世紀に生きた敬虔なユダヤ教徒であるヤコブは、他の長篇の主人公たちと異なって、神の存在を疑って神から離れたり、あるいは苦しみに満ちた世界を創造した神の責任を激しく糾弾することはしない。シンガーはインタヴューで答えて、長篇小説『モスカット一族』では二十世紀の現代ユダヤ人を描いたが、『荘園』を書いたのはそうしたユダヤ人が誕生する発端となった十九世紀に戻る必要があると考えたからだったと述べた（『確かな架け橋』一二一）。現代ユダヤ人を生み出すこととなったユダヤ啓蒙主義は十八世紀後半に始まり、代々伝統を受け継いでききたユダヤ社会の分断をもたらす決定的な出来事となった。『奴隷』でシンガーは啓蒙主義が広がり始めたころの『荘園』をさらにさかのぼり、啓蒙主義以降の主人公たちと同じ問題意識を抱えた一人のユダヤ人が、いまだ啓蒙主義という時代の流れが存在しないなかで、自らの罪と向き合いながら伝統的なユダヤの価値観だけを頼りに「永遠の問い」に全身全霊で立ち向かった姿を描いている。

三部からなる『奴隷』の第一部「ワンダ」は、ユダヤ共同体の身代金によって解放されたヤコブが、共同体の勧める再婚話をいったんは承知するが、罪と知りつつワンダのもとへ戻ってゆくところで終わる。

Ⅱ　非ユダヤ人とユダヤ人

シンガーの長篇小説の中で、『奴隷』以上に非ユダヤ人が大きな役割を果たす作品はない。奴隷となったヤコブの周囲にいるのはポーランド人の牧童ばかりである。彼らは男女ともにほとんど獣同然の生活ぶりだった。冬になって山を下りればそこはポーランドの農民社会であり、彼らは牧童よりましだったが、迷信深さと暴力的な野蛮さを脱していない。しかしそのような牧童や農民たちとの生活だったが、ヤコブはユダヤ共同体に戻って「学びのときに朗唱すると、自分の声に牧童たちの軽快な歌の調子が入らぬようにするのはなかなかむずかしいとわかった。彼はしばしば納屋での生活を思い焦がれた」(一一九)。

共同体が勧める再婚話を断わってヤコブがワンダのもとへ急いだとき、ワンダの村へ戻る道をヤコブに教えてくれたのは、首からロザリオを下げた白髪の非ユダヤ人だった。ヤコブは、「もし十字架をつけていなければ、その老人を預言者エリヤと取り違えたかもしれなかった」(一三四)。

ヤコブとワンダは身元の知られていない川向うへ行き、ピリツのユダヤ共同体でユダヤ人夫婦として暮らす。ワンダはイディッシュの話しぶりからユダヤ人でないとわかってしまうことを恐れて、聾唖者としてサラという名で暮らすことになる。ピリツを治めるポーランド貴族ピリツキは残虐、横暴で、ピリツのユダヤ人に対して生殺与奪の絶対的な権力を振るい、道徳的には堕落の極みにあった。しかし彼は彼なりに苦悩するカトリック教徒としても描かれ、彼が心底求めていたのは「何か天界の目なるものが見おろして注意を払っているというしるし、盲目の偶然以上のものが世界を支配しているというなんらかの証拠」(一七六)だった。ヤコブがユダヤの神に抱いているような絶対的な確信がもてず、もしもユダヤ人が正しいと納得できたならユダヤ人になってもいいとさえ言う。ユダヤ人が持ちえない権力を有し、感情の赴くままに行動して残虐な振る舞いに及ぶ点で、ピリッツキはどこまでも堕落したポーランド貴族である。自らの罪を自覚してはいるが、従うべき神の実在を信じきれないがゆえに自制に至れず、悪循環を繰り返す。しかし神の実在を確信できずに苦しむピリッツキの姿は、シンガーが描く、伝統的なユダヤ教から離れてさまようユダヤ人たちの姿と変わるところがない。ピリッツキはサラが実はポーランド人であることが明らかになると、焼き殺される前に逃げろとヤコブに忠告し、「気の毒に」(二三五)と同情さえする。彼もまた迷える一人の人間であり、ユダヤ人、非ユダヤ人の枠を越えて、確信と方向性を失って苦しむ人物として描かれている。

他方、ユダヤの神を信じるとされているユダヤ人の様子はどうだろうか。奴隷としての身分から贖われて共同体に戻ったヤコブが目にしたのは、律法の細分化が進み、世代が進むにつれて掟や禁止事項ばかりが増えてゆくユダヤ教のありようだった。それに加えて「共同体は全能者に関連する律法や慣習を守ったが、人をどう扱うかを定める規定を破っても罰せられることがなかった」(二一七)。人々は自らがいかに信心深いかを示すために争い、互いに中傷し、非難し、貧しい者たちを見くだしている。ヤコブは「ユダヤ人は試練から何ひとつ学ばなかったのだ。むしろ苦難によって一層堕落してしまった」(二一九)とさえ思う。

事情はピリッツでも同じだった。「タルムードに由来もしない細かな儀式や慣習を厳格に守るまさにその当人たちが、なんらためらうことなく最も神聖な掟や、十戒さえ破るのだった。彼らは神には心を砕きたがるが、人にはそうではないのだ」(二一九)。このせいでフメリニツキーが送られメシアがいまだに来ないのではないか、とヤコブはいく度も考える。サラが難産のすえ死の床にあるとき、ピリッツのユダヤ共同体の有力者たちは、掟を犯していたことが明白なヤコブとサラの息子にはユダヤ人のあかしである割礼も祝福も与えないと決め、サラはのちに経帷子もなしに墓地の外に埋められる。共同体の指導者であるユダヤ人たちは神の法を優先して、サラや生まれたばかりの赤ん坊にポーランド人領主ピリッツキほどの同情心すら持たない。「ヤコブは少なくとも自分の宗教を理解した。その本質は人と同胞との関係である。神に対する人の義務をおこなうのはたやすい」(二四七)。竜騎兵の鎖を振り切って逃げたヤコブに食べ物と寝場所を与えてかくまったのも、非ユダヤ人の渡し守だった。

「生まれの良し悪しなどはない。神の粉ひき場ではもみ殻すら小麦粉となる」（二六一）。ユダヤ人として生まれたかどうかではなく、人としてどうあるかが問題なのだ。非ユダヤ人が重要な役割を担う『奴隷』は、シンガーの作品のなかで、そのことをもっとも顕著に強調した作品となっている。シンガーが英語訳を通して非ユダヤ人の読者にも広く受け入れられたのは、ユダヤ人としての同胞意識を越えた、人としての普遍的な人間観、世界観を模索する姿勢によるところも大きいと思われる。

Ⅲ　自然

自然に関する記述が多いことも『奴隷』の特徴の一つである。フリードマンは「小説のなかで、シンガーが自然界にこれほどの賛辞を惜しみなく与えている作品はほかにない」（五三）と述べ、ソンタグは「自然の美しさ、平静さがより多く強調されている」（三四）と言う。ブヘンは「『奴隷』がシンガーのあらゆる作品と異なるのは、自然がもっぱら悪魔的な表現ではないやり方で描かれている唯一の小説だという点である」（一五四）と指摘し、インタヴュー記事を紹介して、もっと自然描写を多くしたほうがいいと勧める妻にシンガーが、今回はきみに従ったよと答えたという話を紹介した。しかしプラーガーの考えではこの逸話は疑わしく、そもそも自然の場面は付け加えられたものではなく、この小説が自然の場面から生まれたのであって、自然は作品に必須の要素だと主張する。というのもプラーガーは『奴隷』を、「肉体を不安視する宗教的文化によって眠らされた五感の回復についての本」（二一三）として読むからだ。

ヤコブは自然の美しさ、平穏、実り豊かなことを称え、共同体に戻ってからも、奴隷として山で過ごした自然のなかでの生活をたびたび思い出す。残してきたワンダを連れ出しにポーランドの人々の村に向かったときも、懐かしい香りを深く吸い込んで、ユダヤ共同体のむっとする空気は耐えがたかったと思う。ワンダの村に行くために荷馬車に乗ったときには、自分がどれほど田舎を恋しく思っていたかに気づき、いかにもヤコブらしく、あるいはシンガーらしく、自然と、神と、人間について思いをはせる。「これらの生き物たちはみな、自分たちのあるべき姿を心得ていた。創造主に背こうとするものなどいなかった。人間だけが行いが悪かった」（一二五）。

『奴隷』における自然描写で圧巻なのは次の個所だ。ピリツでヤコブは、エジプト人の奴隷であったヨセフが主人の妻を拒んだようにピリツキ夫人の誘惑から逃れたが、そのあとで畦道を歩きながら虫の声に耳を傾ける。彼の足元からは踏みつぶされまいとして、小さな生き物たちが慌てて逃げ出す。

夏の夜が喜びで胸を躍らせていた。四方八方から音楽が聞こえた。暖かい風が穀物や果実、松の木の香りを彼のもとに運んできた。夜そのものがカバラーの書物で、聖なる名前や象徴に満ちていた――神秘に次ぐ神秘だ。空と大地が混ざり合う遠いところで、稲妻が光ったが、雷鳴は轟かなかった。星々はアルファベットの文字のように見え、母音記号や音符のようだ。火花が収穫を終えた畦溝の上でちらちらした。世界は言葉や歌が書き散らされた羊皮紙だった。ときどきヤコブの耳元でつぶやき声がして、まるで何か目に見えない存在が彼にささやいているかに思えた。彼はさまざまな力に取り囲まれ、そのあるものは良き力であり、あるものは悪の力、あるものは冷酷な力、あるものは慈悲深い力なのだが、それぞれにそれ自らの本性と果たすべき務めがあった。（一九六―七）

シンガー自身の説明によればこの個所は、神が美を目的として、ちょうど芸術家のように、傑作を目指して絶えず作品を改良しているという概念を表現したものである（「そうです……」『イディッシュ』所収：一六七）。ヤコブは自らを「カバラー主義者」（一九五）と言っており、シンガーのカバラー的世界観を表わした個所とも言える。私たち読者がここで読み取れるのは、この世界のすべてが一つの大きな有機的なつながりであり、虫のように無防備で卑小な存在から、大空やはるか彼方の星々にいたるまで、自然界で除外されるものはないということ、そして、目に見える自然の世界の背後には目に見えない広大な領域が広がっており、自然の論理を超えた超自然のその領域は目に見える世界を隔てたすぐ向こうに確かに存在しているということである。ヤコブにとって自然とは、この世界と、神の座す超自然の世界を結ぶものである。

Ⅳ ワンダ／サラ

ワンダは作品の中でたびたび自然と結びつけられている。「彼女の体からは太陽の暖かさが発散し、夏のそよ風や、森のかぐわしい香り、野原、花、木の葉の香りがして、ちょうど牛乳から牛の食べた草のにおいがするみたいだった」（七一）。ワンダの村に行くためにヤコブが乗った荷馬車はすばらしい自然の風景のなかを進んでいく。乗り合わせたユダヤ女たちがさかんに共同体の悪口を言い交すなかで、ヤコブは自然のあまりの美しさに目を閉じる。「金色が青と混ざり合い、緑が紫と混ざり合って、この渦になった色のなかから、ワンダの姿が浮かび上がった」(一二五)。

ワンダには同情心やヤコブと対等に話ができる知的好奇心があり、異教徒ではあったがヤコブと同じく「永遠の問い」に対する答えを強く求める気持ちがあった。ワンダの真摯な質問に答えてユダヤの教えを口にしながら、ヤコブは自らの言葉があまりに浅薄に思えることさえあった。難産のすえ男児を生み、瀕死の状態にあるワンダ／サラの傍らでヤコブは、サラと苦楽を共にした年月のあいだに、以前には目に入らなかったユダヤ社会の多くの不正に気づくようになったと思い返す。「律法至上主義と儀式は増えるばかりで、人々の狭量さを減らすことがなかった。指導者たちはまるで暴君のように人々を支配する。憎しみ、妬み、そして争いはやむことがない」(二三九)。そうしたユダヤ人たちに較べれば、「彼女は良い、と彼は思った、ほんとうに聖者だ、ほかの誰よりも千倍も良い」(同頁)。ワンダはかつて、ダビデ王の先祖となる異邦人ルツがユダヤ人の義母ナオミに言った言葉「わたしはあなたの行かれる所へ行き、またあなたの宿られる所に宿ります。あなたの民はわたしの民、あなたの神はわたしの神です」(七一：「ルツ記」第一章十六節)と言い、そのとおりに生きたのだった。サラが亡くなると、その亡骸を前にしてヤコブは考える。「彼女への愛は肉欲で始まった。今、九年が経って、彼は聖者の亡骸を見守っているのだ」(二四四)。

シンガーの長篇小説の主人公たちは、同時に複数の女性とかかわるのが常である。『敵たち』や『ルブリンの魔術師』のように、非ユダヤ人の女性と主人公が深い関係を結ぶ場合も同様だ。『奴隷』のヤコブのように一人の女性に生涯誠実を貫くことはシンガーの長篇小説のなかではまさに例外である。そうしたこと、そしてヤコブにとって自然がこの世界と超自然の世界を結ぶものであることを考え合わせると、ワンダはヤコブにとって、一人の愛する女性であると同時に、一女性を越えた象徴的な存在でもあると言える。非ユダヤ人ではあっても、ワンダ／サラは「ユダヤ人だと名乗ってはいるが、律法に従っていない」(二二七―八)ユダヤ共同体の人々よりも、ヤコブにとってははるかに神につながる存在となる。ヤコブの言う律法とは、第二節ですでに見たように、「人と同胞との関係」であり、共同体の指導者がそれをもって支配する律法至上主義とは別物である。ブヘンは『奴隷』とナサニエル・ホーソーンの『緋文字』との類似性を指摘して、「ヤコブは、『緋文字』のディムズデールのように、共同体の人々の罪深さを自らの秘めた罪によって知る」(一五九)と述べた。しかし両作品の類似でさらに興味深いのは、同じ十七世紀の、新大陸アメリカのピューリタン社会と旧大陸ポーランドのユダヤ社会のあり方が、育った環境も違えば文化的背景も異なる二人の作家によってよく似た描き方をされている点だ。どちらの作家も、神の法を振りかざす人間の独善性、狭量さに批判の目を向け、罪を犯して弱い立場に陥った同胞に対する同情と共感の欠如を浮き彫りにする。

第二部「サラ」は、サラを亡くしたヤコブが、赤ん坊のベニヤミンを連れてヴィスワ川を渡ってゆくところで終わる。川の静けさ、清らかさ、輝きを見てヤコブは考える。「この光輝に較べれば、死さえもただの悪い夢にすぎないように思える。空も、川も、砂丘も死んではいない。すべてのものが生きていて、地球も、太陽も、石の一つ一つも生きている。死ではなく、苦しみがほんとうの謎だ」(二七八)。この世界のありとあらゆるものに神は命を与えたのであり、すべてに命が宿っているとヤコブは感じる。人間が特別の存在というわけではない。ましてやユダヤ人だけが神から命を授かったわけでもない。この世のありとあらゆるものが生き、死が悪い夢にすぎないのであれば、この世での生を終えれば、すべてが永遠の存在である全能者のもとへ帰っていくのだ。これはシンガーのすべての作品の背後にある世界観、宇宙観である。

V　帰還

三部構成の『奴隷』は、第一部「ワンダ」が七章、第二部「サラ」は五章からなり、それに比べて、第三部「帰還」は極端に短く一章のみである。この第三部をフィクスラーは「イディッシュの感傷性というお馴染みの幽霊」(八二)がよみがえったとして、「的外れの結末」と断じている。しかしヤコブの生涯も、神への問いかけも、サラへの思いも、すべてが第三部で語られるピリツへの帰還によって決着にいたる。

第三部ではほぼ二十年を経たのち、ヤコブがサラの遺骨を探してイスラエルに持ち帰ろうとピリツに戻ってきたことが語られる。しかし遺骨は見つからず、ピリツの救貧院で夜を過ごした翌朝、ヤコブは自分が急速に死に近づきつつあると悟る。救貧院の外で彼が目にした光景は、ゴミと汚物のなかに草が生い茂り、野の花が咲き乱れ、群れて飛ぶ蝶と青みがかったハエの一群だった。風は野原の清らかな香りを運んできたかと思うと、風向きが変わって屋外便所のにおいを漂わせる。鳥の羽毛が空中で渦を巻くが、それはまるで屠畜場のようだ。鶏やガチョウが鳴き、鶏のはらわたをついばむカラスもいる。「これが、彼がまもなく立ち去らねばならない世界だった」(三〇五)。奴隷として山にいたときヤコブは、雨上がりのじめじめと湿った大気のなかで牧童が歌うのをよく耳にした。牧童の「遠くから聞こえてくる声は懇願し、求め、生きとし生けるすべてのもの、ユダヤ人、異教徒、動物、家畜の尻を這うハエやブヨに至るまで、あらゆるものが被る不正を嘆いていた」(六三)。ユダヤ人も非ユダヤ人も、かつて彼が「汚物のように避け」(五五)、「野蛮人たち」(五七)と呼んだ牧童も、人ばかりではなく動物も、美しく可憐なものも汚物やそれにたかるハエも、神の創造した世界にはあらゆるものが含まれ、神によって命を与えられ、生き、苦しみをともにしていることを、死を前にしてヤコブは今一度目にする。

サラの遺骨は見つからず、ヤコブ自身はイスラエルではなく流浪の地ピリッツで人々の施しを受けながら葬られることが明白となる。しかしそれにもかかわらずヤコブは、「神のなさるいっさいは良きことのためである」(二八九)とすべてを静かに受け入れる。ヤコブの生涯の終わりは神の忠実な僕であったモーセの、「申命記」に描かれた最後を連想させる。モーセはエジプトで奴隷状態であったユダヤの民を救いだし、四十年のあいだシナイ半島の砂漠をさすらい、必ずしも従順ではなかった人々を約束の地に導いた。けれども彼自身は神から「おまえはこのヨルダンを渡ることはできない」(「申命記」第三十一章二節)と告げられ、約束の地に入ることを許されぬまま苦難に満ちた生涯を閉じる。ヤコブはモーセとは逆に、奴隷として生きた流浪の地へ帰還するが、モーセと同じようにすべてを良しとして受け入れ、「神の奴隷」としての生涯を全うする。

ヤコブの死後にサラの遺骨が見つかり、ピリッツの長老たちはサラの近くにヤコブを葬ることに決める。二人に共通の墓石を立て、そこに「向き合って、嘴を重ねて口づけをしている二羽の鳩」(三一〇)の輪郭を描き、二人の名を囲んで「サムエル記下」第一章二十三節からの引用を刻む。「生にあっては麗しく、かつ喜ばしく、死して分かたれることがなかった」。『奴隷』はこの引用で締めくくられる。ヤコブはついにサラの墓を見出すことができなかったが、物語の最後に流れているのは無念さよりも安らぎと平穏、そして悲しくはあっても満たされた思いである。しかしそれは、苦難を忍んだヤコブがこの世での生を終え、全能者の宇宙で安らかに居場所を与えられたであろう安堵感だけによるものではない。

『緋文字』でホーソーンは、ディムズデールの死後何年も経ってからへスターが亡くなったとき、墓石は一つだったたが、彼女の墓がディムズデールの「あの古く、くぼんだ墓の近くだったけれども、それでいて二つの墓のあいだは隔たっており、まるで眠れる二人の者たちの遺骨には混ざり合う権利がないかのようだった」（二六四）と記した。『緋文字』の結末は、人の生き方と罪の関係をどこまでも追及したホーソーンにいかにも似つかわしい終わり方である。一方シンガーにとっては、罪と罪がもたらす結果よりも、命あるものが耐え忍ばねばならない苦しみこそが決して目をそらすことのできない問題だった。絶えず迫害と虐殺にさらされてきたユダヤ民族の一員としての思いもあっただろう。しかしシンガーのまなざしは、人種や民族を超え、さらには生きとし生けるものすべてに及ぶ。ヤコブに「死ではなく、苦しみがほんとうの謎だ」と言わせたように、シンガーの目はこの世に生きるものたちの苦しみとその意味にそそがれる。この世での命を与えられた者たちがなぜ苦しまなければならないのかという、命を授けた者への永遠の問いかけがシンガーのすべての作品の根底にある。ヤコブを罪人と位置づけサラを排除した共同体の人々が、彼らの死後ではあっても狭量さを捨て、二人を受け入れたことによって、初めてヤコブとサラのこの世での苦しみが、わずかとはいえ贖われる。「人と同胞との関係」こそもっとも重視すべきであるならば、他者の苦しみに寄り添うことからすべてが始まる。作品全体に行きわたる、苦しむものたちに寄せる同情と共感が最後に結実することによって、『奴隷』は読む者に安らぎと慰め、感動を与えるみごとな作品となっている。

引用文献

Singer, Isaac Bashevis:

——. *The Slave*, Farrar, Straus and Giroux, 1962.

——. *Meshugah*, Farrar, Straus and Giroux, 1994.

——. "Yes. . . ," *Yiddish*, vol. 6, Landis, Joseph C. ed., Queens College Press, 1985.

——『奴隷』井上謙治訳、河出書房新社、一九七五。

Buchen, Irving H.: *Isaac Bashevis Singer and the Eternal Past*, New York University Press, 1968.

Fixler, Michael: "The Redeemers: Themes in the Fiction of Isaac Bashevis Singer," *Critical Views of Isaac Bashevis Singer*, Malin, Irving ed., New York University Press, 1969.

Friedman, Lawrence S.: *Understanding Isaac Bashevis Singer*, University of South Carolina Press, 1988.

Gibbons, Frances Vargas: *Transgression and Self-Punishment in Isaac Bashevis Singer's Searches*, Peter Lang, 1995.

Hawthorne, Nathaniel: *The Scarlet Letter*, Ohio State University Press, 1962.

Kresh, Paul: *Isaac Bashevis Singer, The Magician of West 86th Street*, The Dial Press, 1979.

Milbauer, Asher Z.: *Transcending Exile*, Florida International

University Press, 1985.
Prager, Leonard: "Nature and the Language of Nature in Yitskhok Bashevis-Zinger's *Der knekht*," *Isaac Bashevis Singer: His Work and His World*, Denman, Hugh ed., Brill, 2002.
Rosenblatt, Paul and Koppel, Gene: *A Certain Bridge, Isaac Bashevis Singer on Literature and Life*, The University of Arizona, 1971.
Sontag, Susan: "Demons and Dreams," *Critical Essays on Isaac Bashevis Singer*, Farrell, Grace ed., G. K. Hall & Co., 1996.
The Bible: Authorized King James Version, Oxford Crown Edition.
『聖書』：日本聖書協会、口語訳、一九七五。（「サムエル記下」の引用のみ筆者の訳を用いた）

7 二十一世紀のユダヤ系アメリカ人とイスラエル
――『ヒア・アイ・アム』におけるユダヤ系アイデンティティの再体制化

河内　裕二

一　ミッドライフ・クライシス小説

ジョナサン・サフラン・フォア（一九七七―　）の長編第三作『ヒア・アイ・アム』（二〇一六）は、十六年間連れ添った夫婦の結婚生活が破綻し、離婚を決意するまでのおよそ一ヶ月間を描いた作品である。舞台はワシントンDCに住むユダヤ系アメリカ人家族で、主な登場人物は、主人公の作家ジェイコブ・ブロック、建築家の妻ジュリア、三人の息子サム、マックス、ベンジー、両親のアーヴとデボラ、祖父のアイザック、さらにサムのバル・ミツヴァーに参加するために渡米したイスラエル人の従兄弟のタミールと息子バラクである。祖父のアイザックはホロコースト生存者で、七人兄弟の中で彼とベニーの二人だけが生き残り、戦後アイザックはアメリカに、ベニーはイスラエルに移住した設定である。

A・O・スコットが『アトランティック』誌（二〇一六年九月号）で述べるように、本作を一言で言えば「X世代のミッドライフ・クライシス小説」となるだろう。四十二歳の主人公は、HBOのテレビ番組の作家として経済的には豊かな生活を送っているが、家庭にも仕事にも精神的な充実感を持つことができなくなっている。とくに夫婦関係は、子供が生まれて愛情がパートナーから徐々に子供に移っていき、さらにジェイコブのEDでセックスレスとなり、いつの間にかスキンシップはもとより、優しい言葉をかけることもなくなり、形だけのものとなっている。その状況で、ジェイコブの隠し持っていた二台目の携帯電話が妻に発見され、彼が他の女性と卑猥なメールのやりとりを続けている事実が妻の知るところとなり、これが引き金となって結婚生活が破綻する。性的能力の減退によって傷つけられていく男の誇りと自信の回復を求めて、男が自らの男性性を確認するために他の女性に走るのは、ミッドライフ・クライシス小説では「定番」である。しかし本作で注目すべきは、家庭の危機と並行して、中東に大地震が起こり混乱からイスラエルがアラブ諸国と戦争状態になり存亡の機に立たされて、主人公のユダヤ人意識が覚醒される展開になっている点である。心理学も伝えるようにライフサイクルの第三期、とくにレビンソンが「人生半ばの過渡期」と呼んだ四十代前半には、自己や人生の見直しが行なわれ、アイデンティティが再体制化される。フォアはそこに目をつけ、ミッドライフ・クライシスの主人公によるアイデンティティの再体制化の過程にユダヤのアイデンティティを盛り込むことで、二十一世紀のユダヤ系アメリカ人のユダヤ性の問題を取り上げるのである。

ユダヤ系アメリカ文学ではマイケル・シェイボン（一九六三― ）が『ユダヤ警察同盟』（二〇〇七）を「イスラエルが崩壊し、アラスカにユダヤ自治領が誕生する」という驚きの設定にしているが、本作はそれ以来の大胆なイスラエルの設定によって、現代のユダヤ系アメリカ人の抱えるアイデンティティの問題に、これまでになかった斬新な切り口でアプローチしている。また、若い世代にとってイスラエルはどのような存在なのかを考える上でも本作は非常に重要な作品になっている。

本稿では、『ヒア・アイ・アム』で描かれる主人公のアイデンティティ危機に注目し、現代のユダヤ系アメリカ人のアイデンティティについて、ユダヤ系の現状とイスラエルとの関係から考察してみたい。

二　現代のユダヤ系アメリカ人のアイデンティティ
――現状と歴史的背景

『ヒア・アイ・アム』では、家庭の危機とイスラエルの危機という主人公ジェイコブのアイデンティティに大きな影響を与える危機が二つ同時に起きる。とくにイスラエルの危機では、彼の心は大いに乱される。というのは、世界のユダヤ人は「ホーム」を救うために戻って作戦に参加するべきだというイスラエル首相の呼び掛けを聞かされた上で、さらにアメリカ滞在中の従兄弟タミールにも自分と一緒に来て欲しいと説かれるからである。作品のタイトル『ヒア・アイ・アム』は彼の直面する状況を端的に示している。

ユダヤ教で「アケダー」と呼ばれる『創世記』第二二章にある「イサクの燔祭」の物語の中で、アブラハムは「ヒア・アイ・アム」という言葉を三度発する。一度目は神に呼びかけられたとき、二度目は神からモリヤの地に行き息子イサクを捧げ物にするよう命じられ、その地に着いた際にイサクに呼びかけられたとき、三度目はイサクを祭壇に載せて刃物で屠ろうとした際に天からの御使いに呼びかけられたときである。主人公の息子サムはこの箇所について、神がアブラハムの信仰を試したという一般的な解釈だけでなく、アイデンティティのパラドキシカルな状況も表していると述べる。彼の説明では、アブラハムは神に呼びかけられたときに「どうしたのですか」とか「何ですか」と答えずに「はい、わたしはここにいます」（ヒア・アイ・アム）と答えるが、これは彼が無条件に神のために存在していることを示している。ところがイサクに「わたしのお父さん」と呼びかけられたときにも全く同じ答えをしているので、同じ理由で彼は無条件にイサクのために存在していることも示す。するとアブラハムはユダヤの父であるのと同時にイサクの父でもあることになるが、ここで彼は前者としてイサクを殺すことを後者としてイサクを守ることを求められるという、一度に全く逆の立場に置かれる存在になる。アブラハムのように、主人公のジェイコブも二つの出来事で、家庭とイスラエルというスケールこそ違うが、自身にとっての「ホーム」において「父」としてどちらを選ぶのかを迫られるのである。結論を言えば、彼はどちらの「ホーム」にも行くことにならず、最終的に離婚してひとり新しい家に移り、新たな生活を始めようとするところで作品は終わる。

たしかに「アケダー」的状況は小説としてはドラマチックで面白い。しかし、はたして現代のユダヤ系アメリカ人が、ジェイコブのように選択を迫られて葛藤するのだろうかという疑問がわく。そもそも現在アメリカにおいてユダヤ系であることやイスラエルはどのくらい重要になるのだろうか。二〇一三年にピュー・リサーチ・センターがユダヤ系アメリカ人を対象に行った調査では「ユダヤ系であることがあなたの人生でどれくらい重要ですか」との質問に「とても」四六%、「やや」三四%、「それほど」・「まったくない」二〇%という回答結果が出ている。また「ユダヤ系であるのに不可欠なことは何ですか」という質問には「ホロコーストを忘れないようにすること」七三%、「倫理的・道徳的に立派な生活を送ること」六九%、「公正・平等に尽力すること」五六%、「知的好奇心が高いこと」四九%、「イスラエルへの関心」四三%、「よいユーモアのセンスを持っていること」四二%、「ユダヤコミュニティへの参加」二八%、「ユダヤ律法を守ること」一九%、「伝統的なユダヤ料理を食べること」一四%という回答である。さらにイスラエルに対する愛着心については「とても強い」三〇%、「やや」三九%、「それほどない」二二%、「全くない」九%という調査結果が出ている。これらの結果からは、世俗化が進んだ現在にあっても、ユダヤ系であることが重要だと考えている者は多く、さらにイスラエルに対して関心や親近感を持つ者もそれほど少ないわけではないことがわかる。

歴史を見ると、時代によってユダヤ系アメリカ人とイスラエルの関係は大きく変化してきた。建国後まもなくは、一部の政治的なシオニストを除けば、イスラエルはユダヤ系アメリカ人の関心をそれほど集めなかった。アメリカでは、十九世紀末から二十世紀初頭にかけてユダヤ系移民が大量に押し寄せたが、反ユダヤ感情は一九二〇代ごろから現れて四〇年代にかけて強まり、第二次大戦中がピークとなる。ユダヤ系アメリカ人にとっては、国内での社会的地位の向上が最優先であり、ユダヤ系団体もアメリカへの「忠誠」を疑われかねないイスラエルとの関係に対しては慎重な姿勢を取った。一九六一年のアイヒマン裁判でもイスラエルは注目されたが、何と言ってもその状況を一転させたのが一九六七年に起こった第三次中東戦争だった。エジプト、シリア、ヨルダンのアラブ諸国とのまさに国の存続のかかった戦争にわずか六日で勝利すると、世界中のユダヤ人がイスラエルの勝利に熱狂した。それ以来イスラエルの英雄的で力強いイメージがユダヤ人の間で広がったが、「強い」イスラエルは、それまで押しつけられてきた弱いユダヤ人のイメージを払拭するものとして歓迎された。また『新しいユダヤ人――ユダヤ・ディアスポラの終焉』（二〇〇五）の中でキャリン・アヴィヴとデイヴィッド・シュナーも指摘するが、ユダヤ系をまとめてきた例えば東欧の宗教的コミュニティーのようなものが消えてゆく中で、新たにイスラエルが、ユダヤの誇りや所有や帰属の感情を誘発する非常に効果的な連帯のシンボルとして、ユダヤの集団的アイデンティティ形成に使われていく（一二）。第三次中東戦争後は、アメリカの中東政策もソ連がアラブ諸国との関係を強めたことを受けてイスラエル支持に大きく舵を切る。このような背景もあり、ユダヤ系アメリカ人のイスラエルに対する親近感は急速に高まる。しかしイスラエルが、第三次中東戦争により占領下に置いたガザ地区やヨルダン川西岸地区にユダヤ人の入植を進め、一九八二年のレバノン侵攻や一九八七年に始まるパレスチナ人によるインティファーダなどでイスラエルの抑圧的な行動が目立つようになると、ユダヤ系の中からもイスラエルに対して批判の声が上がるようになる。先のピュー・リサーチ・センターの調査結果が表すように、現在では七〇年代ほどの高い関心や親近感はなくなっている。

作品は設定として一九六七年に起こった第三次中東戦争のような状況を敢えて作り出し、現在ならどうなるのかを示しているといえるが、作品内ではイスラエルの首相が国外のユダヤ系百万人の作戦参加を求めたのに対して、ユダヤ系アメリカ人でイスラエルに行ったのは三万五千人以下でその四分の三は四十五歳以上だったとされ、現在とくに若い世代にはイスラエルがアイデンティティの中心にならないことが示されている（五四一）。それでも主人公が最終的には考え直すとはいえ、一度はイスラエル行きを決断するのは、ミッドライフ・クライシスにより男性性とユダヤ性の両方を強く求めているからで、逆にそのような設定にすることで、主人公の行動の「正当性」や作品の説得力を維持しながら、イスラエルを要素として取り込んでいるとも言える。

初めこそ主人公には、イスラエルが強さの象徴として、またユダヤの集団的アイデンティティを与える存在として魅力的に見えるのだが、消滅せずに以前と同じように存続し、終戦後に落ち着きを取り戻したイスラエルを改めて見たとき、彼は自分が本当に求めるものはそこにはないことを実感する。冷静になった彼は次のように述べる。「今でもテルアヴィヴは活気に満ちていて文化的だと思ったし、エルサレムはこの上なく神聖だと思った。（中略）しかし何かが変わっていた。（中略）辛うじて避けられた破壊の後もイスラエルとイスラエル人は依然そこにいたが、もはや『彼の』イスラエルとイスラエル人ではなかった」（五四一）。

主人公ジェイコブや彼より若い世代の多くのユダヤ系アメリカ人は、イスラエルに何らかの関心や繋がりを持つことはできても、作品の終盤で少しだけ示されているが、時に非人道的にも見えるその政治的・軍事的に強硬な姿勢にはどうしても反発や嫌悪を感じてしまって、イスラエルに対して心からの親近感や連帯感を持つことができない。彼らとイスラエルとの間には、どうしても埋められない溝のようなものが存在する。半年しか年齢の違わないジェイコブとタミールの関係にもその溝は見られる。生活環境も置かれている立場も違うふたりは、話していても、子供の頃の思い出話は盛り上がるが、現在のことのついてはどこかかみ合わない。作品では、タミールがイスラエルに戻った後、ふたりは数年間は短いメールの交換をしていたが、結局タミールはジェイコブの長男のバル・ミツヴァーを最後に、その後は、次男のバル・ミツヴァーの時にも、三男の時にも、また彼の離婚した妻が再婚する時にも、彼の両親が亡くなって葬儀を行う時にもやって来なかったと書かれている。最終的にジェイコブはこの危機で妻とだけではなく、タミールとも別れたと言えるかもしれない。

三　集団的アイデンティティとしてのイスラエル

一九六七年の第三次中東戦争の勝利により、ユダヤ系アメリカ人にとってイスラエルがユダヤの集団的アイデンティティとして重要視されたことは既に述べたが、この時代を生きてきた世代とその後に生まれたジェイコブのような世代とのイスラエルに対する反応の違いが作品には描かれている。主人公の父アーヴとジェイコブとの次のような興味深い会話がある。「イスラエルはユダヤ人のホームランドだろ」とアーヴが尋ねると、ジェイコブは「イスラエルはユダヤ人の『国家』だ」と答える。「もちろんイスラエルはユダヤ人のホームランドだよ」とアーヴが言うと、今度は「ホームランドがどういう意味かによる」とジェイコブは答え、さらに「もし先祖のホームランドということであれば」、「家族の出身地であるガリツィアだ」と言う。「自分がガリツィア人だと感じるのか」と尋ねられ、「自分はアメリカ人だ」とジェイコブは答え、アーヴは「自分はユダヤ人だ」と答える（二三二）。この会話には世代の違いが分りやすく表されている。ホロコースト第二世代のアーヴは年齢的にイスラエルの勝利に熱狂した世代で、彼は集団的アイデンティティとしてのイスラエルにまだ帰属することができるが、第三世代になると、もはやそこからは切り離されて親の世代のような帰属意識は持てなくなる。作品では、アーヴは驚くほどステレオタイプな人物になっているが、それもジェイコブの世代との違いを際立たせ、彼らにはアーヴのような生き方はできないことを明確に示すためであろう。

アーヴはイスラエルを強く支持するユダヤ活動家で、現在は扇動的なブログを書いている。昔はジョンソン政権にも関わっていたと書かれていることからリベラルだったと思われるが、現在はかなり右寄りで保守的になっていて、イスラエルに対する揺るぎない支持姿勢から判断して、ネオコン的な人物である。彼が反ユダヤ主義の存在に執着しているのは、イスラエル・ロビーの特徴であるとともに、自身のホロコースト二世としての立場が影響していると考えられる。彼は「もし歴史がわれわれに何かを教えたとしたら、それは強いことが正しいことよりも重要だということだ」と述べ、選ばなくてはならないとすれば「生きていて、正しくなくて、悪い方を自分はむしろ選ぶ」とさえ述べる（二〇四）。ホロコースト第二世代の作家エヴァ・ホフマンは『記憶を和解のために』（二〇一一）の中で、一つの見方として「イスラエルの政治的姿勢が、自暴自棄、保護的、攻撃的、あるいは戦闘的だとして、それを或る種の代償行為のあらわれ、すなわちホロコーストでユダヤ人たちが犠牲となったことへの大きな反作用として見る」見方が存在することを指摘する（二五八）。アーヴは活動家として、力を信奉するような保守的なイスラエル言説を支えている人物であり、息子のジェイコブは父の姿勢には全く共感できない。彼らはイスラエルとなると親子の間にも大きな溝ができる。

ホフマンは「すべてのユダヤ人にとって、少なくとも世界を意識していればどうしても関わらねばならないそのようなものの一つが、イスラエルだ。もちろん、イスラエルは他のどの国にもまして、ホロコーストを『継承』した国家でもある」と述べる（二五八）。ジェイコブは十四歳で初めてイスラエルを訪れたときに、ヨム・ハショア（ホロコースト記念日）で、十時にサイレンが鳴り、歩いている人はその場に、車に乗っている人は降りて全員が二分間立ち止まる光景を見て驚く。その時にイスラエルとホロコーストの結びつきの強さを実感する。彼はホロコーストに対してアメリカでユダヤ人がそれを決して忘れないという反応をするのは、そうしないと忘れる可能性があるからで、それに対してイスラエルでサイレンを二分間鳴らすのは、そうしないとサイレンが鳴り止まないからだと思う。既述のように、ピュー・リサーチ・センターの調査の「ユダヤ系であるのに不可欠なことは何ですか」という質問で、最も多い回答は「ホロコーストを忘れないようにすること」である。ホロコーストの記憶はユダヤ系アメリカ人にとって最も重要なものである。当然アメリカでもホロコーストの記憶の「継承」は行われている。例えば、作品では言及されないが、主人公一家の暮らすワシントンDCには、ホロコースト記念博物館がある。しかし『ホロコースト全史』（一九九一）の著者で博物館の設立に中心的な役割を果たしたマイケル・ベレンバウムが「ホロコーストのアメリカ化」と呼んだように、ホロコースト記念博物館は、多民族国家アメリカの博物館としてあらゆる人種や民族に訴えかけることが目的となっており、そこにあるのは「アメリカ化されたホロコースト」である。一九九〇年代以降、とくにホロコースト記念博物館の開館とスピルバーグの『シンドラーのリスト』（一九九三）の公開以降、アメリカではホロコーストへの関心が高まり、「アメリカ化されたホロコースト」の表象が社会に広がった。現在では「ホロコースト」は、もはやアメリカの「歴史」や「文化」の一部になっている。いくつかの州ではすでに公立学校でのホロコースト教育が義務化されている。しかしこのユダヤの集団的アイデンティティが希薄化された「ホロコースト」を、とくにジェイコブのような生存者の子孫がアイデンティティの拠り所とするのは難しいだろう。

　ミッドライフ・クライシスのジェイコブは、突然イスラエルの危機を救う作戦への参加を呼び掛けられ、ユダヤの「ホームランド」でユダヤ人として歴史と運命を共有することで、ユダヤの集団的アイデンティティを揺るぎないものにしようとイスラエル行きを決断する。しかしイスラエル行きを決めた後に、祖父アイザックの葬儀や息子サムのバル・ミツヴァーなどのユダヤの儀式を家族で執り行うと、彼は自分がイスラエルよりこの場所に帰属していると感じられ、アメリカに残るのである。アヴィヴとシュナーは『新しいユダヤ人――ユダヤ・ディアスポラの終焉』で、イスラエル＝ディアスポラという二分化構図のディアスポラではない「新しいユダヤ人」が現在は増えていると主張している。「新しいユダヤ人」とはそれぞれの場所に根を張ってそこを自らのユダヤの「ホーム」とする「ディアスポラ」していないユダヤ人である。作品では、アーヴがディアスポラのユダヤ人で、ジェイコブが「新しいユダヤ人」だと言える。

　竹沢泰子は「エスニック集団の構成員は、彼らが絶えず影響を受ける諸種の外的要因に反応する。特に集団構成員の地位が危機にさらされたと感じるとき、彼らは過去や伝統を再解釈し、再構築することによって現在に関係する意味を見出し、集団アイデンティティを強めようとする」と述べる（二七）。作品の戦争でも、ディアスポラのユダヤ人であれば、まさにその通りだろう。しかし、父アーヴとの会話で、ホームランドの話がガリツィアに向かっても、決してイスラエルには向かわないような「新しいユダヤ人」のジェイコブは、イスラエルでは「構成員」にはなれないだろう。作品の最初のページに祖父アイザックについての次のような文章がある。この寓話風の文章が彼らのホームランドがどこなのかを示しているのかもしれない。「ドイツ人の園芸家たちはアイザックのファミリー・ツリーをはるかガリツィアの土地までさかのぼって切り落とした。しかし彼は運と直観でもって、天の助けなしに、そのルーツをワシントンDCの歩道に移植し、木が大枝に再生するのを見て生きてきた」（三）。

四　イスラエルをめぐる新たな動き

『ヒア・アイ・アム』で、イスラエルは主人公ジェイコブのミッドライフ・クライシスに関わる重要な要素の一つであるとはいえ、作品はイスラエルを中心テーマにしたものではない。イスラエルについては、主人公の子供の頃に訪れたわずかな記憶を除けば、テレビやラジオ、さらに従兄弟家族の話やメールで間接的に伝えられるだけで、そこにはパレスチナ問題のような実際にイスラエルで起こっている問題は一切含まれていない。主人公一家はワシントンDCとその近郊から出ることはなく、主人公もうんざりしている家庭の細々した事柄を中心に、夫婦が離婚するまでの一ヶ月間の家族模様が描かれる。それでも作品でイスラエルに注目してしまうのは、ユダヤ系アメリカ文学は長い間イスラエルを扱うことを避けてきたからである。アメリカでイスラエルを批判すれば、反ユダヤ主義者や自己嫌悪のユダヤ人として、ユダヤ系から逆に大きな批判を浴びることになる。出版界はとくにユダヤ系の影響力が大きいので、作家はジャーナリズムでもない小説でイスラエルについてリスクを冒して書くことも、だからと言ってリスクを冒さないような面白くないものを書くことも望まなかったのである。

ユダヤ系アメリカ文学でイスラエルを扱った先駆的作品と言えるのは、フィリップ・ロス（一九三三―二〇一八）の『カウンターライフ』（一九八六）だろう。『ポートノイの不満』（一九六九）も作品の最後に主人公が旅行でイスラエルに立ち寄るが、中心的とは言えない。『カウンターライフ』の第二章はイスラエルが舞台になっている。第二章では、主人公の弟がイスラエル旅行で突然ユダヤ人意識に目覚め、妻と三人の子供をアメリカに残してイスラエルに移住し、ヨルダン川西岸の入植地でヘブライ語を学びながら活動家と行動をともにする。ここにはイスラエルに対する批判的な視点も含まれる。ロスはその後『オペレーション・シャイロック』（一九九三）でもイスラエルを扱っている。デビュー当初から、同じユダヤ系に自己嫌悪のユダヤ人と非難されても、それをものともせずに作品を書き続けたロスだからこそなせる技だと言えるが、ここに来て、フォアを始めユダヤ系アメリカ人作家が次々と作品でイスラエルを取り上げ始めている。

二〇一七年にはイスラエルを扱った次の三長編が発表された。ネイサン・イングランダー（一九七〇―　）『地球の中心で夕食を』、ジョシュア・コーエン（一九八〇―　）『ムーヴィング・キングス』、ニコール・クラウス（一九七四―　）『フォレスト・ダーク』。とくに『フォレスト・ダーク』では、イスラエルのテルアヴィヴを旅する二人のニューヨーク在住のユダヤ系アメリカ人の話が並行して描かれるが、一人は六十八歳の男性、もう一人は作者と同じニコールという名前の三十九歳の女性作家で、彼女は結婚生活がうまくいっていないが、テルアヴィヴを訪れ、それで吹っ切れたかのようにニューヨークに戻って夫と離婚する。作者のクラウスは、フォアの元妻で、彼らは二〇〇四年に結婚し、二〇〇五年に第一子、三年後に第二子が誕生しているが、結婚十年目の二〇一四年に離婚している。二〇一六年にフォアが『ヒア・アイ・アム』を、翌年にクラウスもイスラエルを扱う本作を出版し、両作品の内容が離婚となると、作品以外のことを想像してしまうだろう。『ワシントン・ポスト』の書評はタイトルにクラウスの「文学的復讐」という言葉を使った。

このように近年、イスラエルと関わる作品が急増しているが、その理由を考えてみると、まずアメリカのユダヤ社会が変わったからだろう。それを象徴する出来事として、オバマ政権時代の二〇一五年七月に成立したイランとの核合意がよく指摘される。アメリカのイスラエル・ロビー団体AIPAC(米国イスラエル公共問題委員会)が、イスラエルの安全を脅かすとして合意に反対するように働きかけたにも関わらず、最終的に合意が成立する。驚くべきことにユダヤ系の議員も多くが賛成した。メディアはこの最強とも言われるイスラエル・ロビーの敗北を大きく報じた。ちなみにトランプ政権は核合意離脱を表明している。この出来事は、とくに中東政策ではイスラエル支持で一枚岩の結束を誇ると言われたユダヤ社会がもはやそうではなくなり、イスラエルに反対を表明するようになったことを示す。これには二〇〇八年に結成されたイスラエル・ロビー団体のJストリートの影響もあるだろう。Jストリートはプロ・イスラエル、プロ・ピースをスローガンとして、イスラエル支持団体でありながら、イスラエル政府の占領・入植政策や行き過ぎた軍事行動を批判していて、近年支持を増やし、活動を拡大している。いずれにせよイスラエル批判はタブーではなくなったといえよう。

さらにイスラエルが変わったこともあるだろう。イスラエルは政治に対しては批判が強まっているが、経済に関しては評価が高い。中東のシリコンバレーとも呼ばれ、ハイテク産業を中心に経済が好調で、ここ何年も毎年三%を超える経済成長率を続けている。IMFの発表では、一人あたり名目GDPは二十五位の日本を抜いて二十二位である。『ヒア・アイ・アム』に登場するタミールもハイテクビジネスで成功し、八つも寝室のある家に住んでいる。彼は世界一美味しいイタリアンレストランはテルアヴィヴにあると言っているが、実際の旅行ガイドブックに人口あたりの寿司屋の店舗数は世界第三位と記載されているのを見たりすると、世界中の美味しいレストランが集まっていても不思議ではない。また、ユダヤ教では認められないはずだが、なぜかテルアヴィヴでは毎年、性的少数者(LGBT)の権利や尊厳を訴える世界最大規模のパレードが行なわれている。報道によれば、二〇一八年は国内外から約二〇万人が参加した。このような新しい文化も次々と発信されている。二〇一七年の『アメリカ・ユダヤ年鑑』によると、世界の大都市圏のユダヤ人口の一位はテルアヴィヴの約三四七万人で、二位のニューヨークの約二二六万人の一・五倍である。ユダヤ都市としてニューヨークの重要性は変わらないが、テルアヴィヴもそれに劣らないくらい重要であろう。ユダヤ人に関しても、アシュケナジムがほとんどを占めるアメリカに比べ、イスラエルはアシュケナジムに加え、セファルディム、ミズラヒム、ベタ・イスラエルなど多様である。イスラエルの持つこの多様性は魅力だろう。

『ヒア・アイ・アム』で示されるように、若い世代のユダヤ系アメリカ人が、かつてのようにイスラエルを集団的アイデンティティとして受け入れることは難しいだろう。しかしユダヤ系アメリカ人にイスラエルは必要である。それはイスラエルを自らのユダヤ性にするためではなく、イスラエルによって自らのユダヤ性を映し出すためである。ジェイコブはイスラエルという鏡に必死に入ろうとしたが、最後に鏡は入るものではなく自分を映すものだと気づく。フォアを始めとするユダヤ系作家たちにとっても、ようやくイスラエルという鏡が自らを映し出せるものになった。彼らがかつて手にできなかったその鏡を手にした今、ユダヤ系アメリカ文学の新たな可能性が広がる。

引用・参考文献

Aviv, Caryn and Shneer, David. *New Jew: the end of the Jewish diaspora*. New York: New York Univ. Press, 2005.

Chabon, Michael. *The Yiddish Policemen's Union*. New York: HarperCollins, 2007.

Cohen, Joshua. *Moving Kings*. New York: Random House, 2017.

Englander, Nathan. *Dinner at the Center of the Earth*. New York: Knopf, 2017.

Foer, Jonathan Safran. *Here I AM*. New York: Farrar, Straus and Giroux, 2016.

Krauss, Nicole. *Forest Dark*. New York: HarperCollins, 2017.

Roth, Philip. *Portnoy's Complaint*. Middlesex: Penguin Books, 1969.

——. *The Counterlife*. New York: Farrar, Straus and Giroux, 1986.

——. *Operation Shylock*. New York: Vintage Books, 1994.

Scott, A. O. "Invented Disaster and the American Jewish Experience." *The Atlantic* (September 15, 2016)

竹沢泰子『日系アメリカ人のエスニシティ——強制収容と補償運動による変遷』東京大学出版会、一九九四年。

ホフマン、エヴァ『記憶を和解のために』早川敦子訳、みすず書房、二〇一一年。

レビンソン、ダニエル『ライフサイクルの心理学〈上〉』、『ライフサイクルの心理学〈下〉』南博訳、講談社学術文庫、一九九二年。

8 バーナード・マラマッド『アシスタント』の「苦悩」を再考する

君塚淳一

はじめに

ユダヤ系アメリカ人作家バーナード・マラマッド（一九一四―八六）の代表作に『フィクサー』（一九六六）と共に挙げられるのが、この『アシスタント』（一九五七）である。マラマッドは、ユダヤ・エスニシティとは無関係の「野球」を扱った長編デヴュー作『ナチュラル』（一九五二）に続く長編二作目において、また短編「魔法の樽」（一九五六）などに続き、長編でもようやくここでユダヤ系作家として民族性を扱った作品を世に出したことになる。この『アシスタント』と言えば、店主モリスのユダヤ性に根源が遡れる「苦悩」(suffering)が、後のマラマッド文学の主題ともなり、その原点ともなるこの作品の分析は、ほとんどがモリスと助手フランクそれぞれの「苦悩」の解釈が中心にされてきた。それは出版直後からレスリー・A・フィールドとジョイス・W・フィールド編のマラマッド論などや、シドニー・リッチマン（リッチマン　一七〇―七五）やアレン・ガットマン（ガットマン　一五四―五六）などの錚々たる批評家が「苦悩」や、その根源となる「二律背反」「贖罪」「良心の呵責」そして「モラル」の問題を指摘してきた。

それはもう一方の、ロシアで実際に起きたユダヤ人メンデル・バイリスの冤罪事件を題材にしたピューリッツァ賞受賞作『フィクサー』も、周知のように獄中での拷問に耐え、精神的にも肉体的にも「苦悩」するバイリスの分身の主人公ヤーコフ・ボクに湧き起こるユダヤ民族への意識高揚の激しい描写が、確かにマラマッドのユダヤ系アメリカ人作家としての代表作に相応しい。これはピラー・アロンソが『バーナード・マラマッド生誕百年』（二〇一六）所収の「マラマッド小説における苦悩のディスコース再考」で、マラマッド文学を総じて「ユダヤ性と人生、愛と人間性を苦悩と結び付けるユダヤの歴史を辿る道程を描写している」（アランソ　一二五）という解説に凝縮されていると言ってよい。

だがマラマッドの娘ジョナ・マラマッド・スミスによる父親の回想録『私の父は本』（二〇〇六）やフィリップ・デイビ

スによる伝記『バーナード・マラマッド作家の人生』(二〇〇七)も出版された現在、作家マラマッドの諸作品を伝記的視点から改めて読み直す必要がある。それは例えばジョナにより『フィクサー』執筆時にはバイリスの苦悩を疑似体験して落ち込み、映画化の脚本には民族主義が表われ過ぎてないか懸念する父マラマッドの様子(ジョナ 二〇二)、『ナチュラル』出版時には書評に一喜一憂する様子(ジョナ 一一九)が回顧されるなど作家の心情が明らかにされたからだ。また二〇〇四年に、ジョナがかつてマラマッドの編集担当者で九十歳に近いジロウに会い、『アシスタント』がハーコート社から当初は出版拒否され(デイビスはヴァイキングプレスからも断られたことに触れている(デイビス 一一四))、ジロウが作品の価値を認めファウラ・ストラウス社に持ち込み、陽の目を見たことにも触れられている(ジョナ 一一二)(デイビス 一一四)ことなどには驚かされる。このような伝記による情報は、既にマラマッドに関する資料『トーキング・ホース』(一九九六)にまとめられ作品理解が進んでいたものの、ジョナとデイビスの著書は更に作品分析に間接直接的に影響することは間違いない。

そして現代、ユダヤ系アメリカ人というアイデンティティそしてユダヤ教の問題は、多様化し複雑化する時代ゆえに、ユダヤ系アメリカ人作家には、益々、重要なテーマとなった。この点からして、これまでモリスは批評家筋では、「苦悩」と同様に、「トーラを守るが豚肉は食らう」マラマッドの描くアメリカのユダヤ人のスタイル(『アシスタント』一二四)として繰り返し論じられてきた。モリスの葬儀ではラビが「彼はシナゴーグに顔も出さず異教徒に豚肉を売るが、彼をユダヤ人と認めた(『アシスタント』二二九)ゆえに、そのユダヤ系アメリカ文学史の中で、モリスの存在は現代の同化ユダヤ人の先駆と言えるからだ。この機に伝記的情報と合わせて、再びこのモリス、また主要登場人物が「苦悩」をとおしていかに解釈できうるのかを再考し、この『アシスタント』を改めて読み直すことは重要であることは言うまでもない。

一　ブルックリンのユダヤ人
——モリスと実父マックスの苦悩による創造

マラマッドが描くモリスの「苦悩」はどこから生まれるのか。『アシスタント』の冒頭は以下のように始まる。ほんの小銭を稼ぐために、食料雑貨商を営むモリスは、早朝から老ポーランド女性のために店を開けロールパンを売り、ハムとパンを買いに来る若い職人ニックを待ち、ドイツ人肉屋からレバーソーセージを仕入れる。菓子屋レオとの会話は「どこもかしこも不景気」だということ。だが中でもモリスの店は別格で、まさに牢獄と化し経済的「苦悩」の連続として描かれる。貸家に住むイタリア系婦人がうちの店で買わない、近所の主婦たちは買い物してくれたが合計でもようやく一ドルになるだけと夫婦で愚痴を言い合う。モリス六十歳、妻アイダ五十一歳。数年前に慣れ親しんだユダヤ人街からこの場所に越して店を出した。不満だらけの妻は店を売るべきと話を進めるがモリスは抵抗する。作品には修業時代の短編「停戦協定」(一九四〇)、「スリング・レイン」(一九四二)、「食料雑貨店」(一九四三)、またその後の「最初の七年間」(一九五五)「生活の代償」(一九六二)の食料雑貨店主や靴屋の主人などのエピソードが組み込まれて描かれるが(マラマッド自身は特に「最初の七年」と「生活の代償」が中心と語っているが(デイビス 一一四—一一五))、その原型がマラマッドの父マックスであることもマラマッド研究者には周知のことだ。

まず、『アシスタント』が一九五七年という戦後豊かな「黄金のアメリカ五〇年代」に、貧困に喘ぎ、蟻地獄に落ちたかのように店から抜け出せぬ「大恐慌小説 (Great Depression novels)」として敢えて世に出された点を考えると、出版社から出版を拒否されたことも想像に難くない。ユダヤ系アメリカ文学の潮流の中では、この点、現代ユダヤ系作家で批評家のジョナサン・ローゼンが二〇〇三年版『アシスタント』の序文の冒頭で指摘している「暗澹とした移民の苦悩、ホロコースト作品の登場後に、ソール・ベローが『オーギー・マーチの冒険』でユダヤ系小説とアメリカの豊かさを同意語にした後、マラマッドが苦悩の長い影で太陽を覆い隠す世界を登場させた」(『アシスタント』Ⅶ)が、適切にこの作品を言い表しているだろう。ではなぜ大恐慌を思わせる時代にまたユダヤ系と多民族の集団が住む社会にあえて作品は設定されているのか。

フィリップ・デイビスが、伝記でマラマッドの「ファミリー・ヒストリー」(一九七六)を引用して解説しているように、父親マックスは、移民後、ニューヨーク・ブルックリン界隈(ウイリアムズバーグ、ボロパークやフラットブッシュなど)に住居や店を構えては移ることを繰り返し、ドイツ系やアイルランド系、またイタリア系など異教徒が多い地区も経験し、一九二四年頃に持った最後の店も、ブルックリンで、グレイズエンドに落ち着くことになる(デイビス 一二一—一二三)。現代でも、ブルックリンのユダヤ人街と言えば、ウイリアムズバーグ、ボロパーク、そして特にキングストン・アヴェニューなどが挙げられるが、過去、マラマッドの子ども時代、父親マックスが店を経営していた時期の実際のブルックリンはどうだったのか。当時のユダヤ人の歴史を紐解くならば、イラナ・アラバモヴィチとショーン・ギャルヴィン編『ブルックリンのユダヤ人』(二〇〇二)に詳しい。マラマッドが十代前半であった頃のこの地域は、「一九二七年までにブルックリン人口の三五%はユダヤ人になった。それは歴史上、最も驚くべき社会現象のひとつであった。具体的な数で示せば、一九〇五年に十万人だったユダヤ人人口は一九三〇年には八十万人にまで膨れ上がる。ブルックリン区の三分の一がユダヤ人になり、それはニューヨークのすべてのユダヤ人人口の四七%がブルックリンに住んでいた」(アラバモヴィチ・ギャルヴィン　六)とある。既にこのようにブルックリンにはユダヤ移民の大コミュニティが形成されていたことを考えると、作中で、モリスの店周辺に住むユダヤ人仲間や娘のヘレンの恋愛相手として登場させている男性たちにユダヤ系がいるのも納得がいく。

批評家筋で指摘されているように、モリスの話すユダヤ移民英語に加え(デイビスも伝記で詳しく触れている(デイビス　一一七))、冒頭から何度も繰り返して触れられるモリスが読むユダヤ新聞『フォワード』紙も、当時は活字のほとんどがイディシュ語で書かれており英語部分はわずか。J・C・リッチによる冊子『独特な新聞と出版社フォワードの歴史・ジューイッシュ・デイリー・フォワード』(一九六七)には「イディッシュ語が対話では共通語であった上、東欧ユダヤ移民は字が読み書きできず新聞を見たこともなく、イディッシュ語も英語も、無から学ぶ必要があった」と書かれている(リッチ　一二)。ジャナによればは祖父母のマックスもバーサも読むのは『フォワード』紙に限られていたと回想している(スミス　八七)が、『フォワード』紙自体を読むことに加え、日常の英語も、異国の地アメリカでの苦労は想像を超えるものだ。また作中でアイダが慣れ親しんだユダヤ人コミュニティから離れてしまったのを悔やむよう描かれているのも、この点を考慮すると理解できる。だが同時にどの民族コミュニティも同様だが、相互扶助の同胞意識が固ければ、その逆に移民前の母語や文化に囲まれた環境が英語習得をはじめ一連の同化を遅らせる。それがアメリカ移民後も苦しめることになる。

それはマラマッドの父マックスから息子マラマッドへの一通しか残されていない手紙を、娘ジャナが前出『私の父は本』で、文法や語彙の間違いだらけの英文を引用して以下のように書くが、リッチの解説を以て、ようやくモリスとマックスについても理解が深まる。

それは、日付はないが父がオレゴンに移る一年か二年前のものだ。マックスはアメリカに四十年以上も住んでいて夜学にも通った経験があったが、彼の書く英語は貧弱なものだった。祖父の不器用な手で苦労して書いた字と間違いだらけの文章は、想像を超えた孤独と同様、驚くべきものだった。祖父は父のことを、自分たちを残して出て行くことで腹を立てていた。恐らく家を持とうと考えていたんだろう。たぶんいらいらの素は、父が祖父マックスの生命保険の頭金を、貸してほしいと頼んだからだからかもしれない。（スミス　九四）

作中で、更にモリスを「苦しめるもの」の中に、近隣に開店するスーパーマーケット（食料品チェーン店）の出現が、店の経営を圧迫するエピソードとしてある。ランドルフ・マッカスランド著『スーパーマーケット五十年の発展』（一九八〇）によればスーパーマーケットがアメリカに登場したのは一九二〇年代末から一九三〇年代はじめ、「スーパーマーケットは生死に関わるアメリカの窮地を救うため突如として現れた」と説明され、しかしながら「一九三七年から四一年にかけては国内の小規模の商店は閉めてスーパーマーケットとして開店した」（マッカスランド　一五―四一）とある。そして「一九五〇年代にはスーパーマーケットは、食品販売の三五％を請け負っていた。戦争への介入を考えると、偉業だが、それが一九六〇年までには家庭消費用のアメリカの食品の七〇％を売っていた（マッカスランド　一五―五九）と続ける。

どれほどマラマッドの父マックスの店への影響があったかは別にして、スーパーマーケットの出現は、『アシスタント』が「大恐慌小説」（小説の設定は一九四七年から四八年だが）として、またモリスの「苦悩」と不運の元凶のモチーフとして、彼が縛り付けられている店の存在を効果的に印象づけることになる。デイビスは、「マラマッドがこの牢獄のような「店」から教育を受けて逃げ出したいと願っていたが、小説ではその店を描くのだ」（デイビス　一一五）と疑問視して書くが、それは若き頃の作家自身の「苦悩」が存在した場に、ユダヤ移民の抱える苦悩、店の経営不振による貧しさの問題がモリスの苦悩として設定され、更に次章で述べる「異教徒」との関係を問題に「苦悩」を重ねて徹底して描くことができるからである。

二 異教徒イタリア系アメリカ人フランクの誕生
――キリスト教のイメージと苦悩の刷り込み

前述のアロンソが「モリスは確かに作品の主人公として中心に置かれてはいるが、彼と家族を助けるフランクこそが、本当の主人公である」(アロンソ 一三九)と述べているのは理解できることだが、再考する必要はある。『アシスタント』刊行当時、マラマッドはフランクをイタリア系アメリカ人として作品に登場させたことについて、インタヴューを受けて、以下のように説明している。

『アシスタント』でフランク・アルパインをイタリア人にしたのは、よく計算してのことだ。イタリア人とユダヤ人は何が重要かと考える性格的な意識感覚においてよく似ているところがある。それは、歴史や伝統へのとてつもなく深い気持ちの中で、人生の豊かさを大切に考えることにみられるものだ(ラッシャ 五)。

マラマッドが述べた両民族の歴史や伝統への彼の共感は、イタリア系であり且つ異教徒の女性アンと彼が結婚したことからなのは容易に想像できる。その点でフランクの重要な性格付けとなる「イタリア」と「キリスト教」は作品内でいかに解釈できるのか。ジャナの『私の父は本』にも母方のイタリア系の家系については詳しく説明されている(一〇四―一〇七)が、「魔法の樽」で一九五六年に『パーティザン・レヴュー』誌から奨学金を受けたマラマッドが、妻の親の祖国という縁で、約一年間、ローマに家族と滞在し、イタリアを舞台にした「湖上の貴婦人」(一九五八)や一連のイタリアを舞台にした短編を収めた『フィデルマンの絵』(一九六九)などが発表されたことはよく知られている。

だがデヴュー作『ナチュラル』(一九五二)においても、キリスト教のエピソードについては作品に既に使用されている。本作は主人公ロイ・ホッブスがルーキーとして、スカウトに連れられデヴュー寸前に、事件に巻き込まれ、その後、姿をくらました後に、遅咲きの新人として登場する話だ。批評家筋で指摘されているように、野球史に残る数々のエピソードを「アメリカ神話」として作品に散りばめ、既に『アシスタント』に先駆けて、ロイの「苦悩」が描き出されている。中でも興味深いのは、作品のクライマックスで、ロイが打って三塁走者フロレンスが生還すれば勝利がもたらされる場面で、マラマッドは、キリスト教の「旅の守護聖人」聖クリストファーに言及する(『ナチュラル』二一五)。周知のように聖クリストファーとは、キリストを肩に載せて川を渡った聖人であり、また作品全体には聖杯伝説のイメージを重ねる味付けもされていることも、多くの批評家から指摘されているとおりでもある。

これに対して『アシスタント』研究では、フランク・アルパインが、キリスト教の聖人である聖フランシス（フランシスコ）と作品中で重ねられ、その人生や「苦悩」に共通性を見出され論じられてきた。そもそもフランクの「苦悩」の根源は、モリスの店への強盗の片棒を担いだ事件への贖罪意識から助手を始め、結局は金に困り小銭をくすね、ヘレンへの欲望も抑えられないフランクの行動にあるが、彼は、ユダヤ人の苦悩を理解すると、モリスの死後は、割礼を受けて股間に痛みを覚え肉体的「苦悩」も感じることになるという点にある。これで読者はヘレンとフランクの間には未だ問題はあるものの、この助手はいずれ娘を娶り、元主人に代わり主人となることが想像されるものと解釈されてきた。批評家のシエルドン・J・ハーシノウは論文「放蕩息子の帰還『アシスタント』論」で、「フランクはユダヤ人を理解できず困惑する。それは彼を理解できず困惑するアイダと同じである。だがほとんど自分の意志に反して彼はモリスのように考え、行動し始める。最初の出会いから互いが似ていることは否定していても、二人の深い関係は始まっている」（ハーシノウ　三三）と評している。確かにモリスとフランクの関係にはユダヤ世界における父子そして師弟関係が読み取れる。だが、その一方で、「苦悩」の理解という点ではローゼンの論に注目したい。彼は、既述の『アシスタント』の序文で、モリスの「苦悩」に新たな興味深い解釈を加えている。

> フランクは「わしはあんたのために苦しんでいる」という「苦悩」の意味をユダヤ性と誤解している。小説自体が同じ誤解をして書かれているのかを検証する価値もある。（中略）モリスは「重要なのはトーラだ。ユダヤ人は律法を信じねばならない」と言うが、彼はコーシャ食もユダヤの休日も守らない。モリスのトーラの解釈はパウロに相当する。「あんたのために苦しんでいる」というのは普遍的で特殊な意味ではなく、ユダヤ教でも長らく語られてきたもの。『アシスタント』は実はキリスト教との対話や闘争を意味しているのではないか。逆説的だが作品の半分はホロコースト後のキリスト教への復讐行為、半分はまたその降伏のように思える。モリスは、「つたない英語を話し、反ユダヤ主義のロシアの中で生まれ、貧しいアメリカのアウトサイダー」であり、またインサイダーでもあるとして

生み出された。つまりマラマッドはモリスを、「私はあなたのために苦しんでいる」というキリストにしているのだ。（『アシスタント』x）

ローゼンのモリスの解釈は、『アシスタント』とその原型となる短編「最初の七年間」の設定を重ねて考えると興味深い。作品はポーランド移民のユダヤ系アメリカ人で靴屋を営むフェルドが、ホロコースト生存者でアメリカへの避難民である同郷のソウベルを雇う。娘ミリアムは彼と本の貸し借りを通してこれまで密かに愛を育み、それを知った父は、娘が不幸になると嘆き、彼を「老いた醜い男」と罵る。だが物欲もなく老いても見えたソウベルが実は若く、ホロコーストによる「苦悩」が彼の容貌と内面を作り上げたことに気づき、これまでの五年と合わせてあと二年待つよう告げるのである。フェルドは将来性ある大学生マックスをミリアムに紹介するが、彼女はマックスを「物質主義者」と嫌って交際を断る。『アシスタント』と同様、いずれ「助手ソウベルが、フェルドから店を継承して父子関係が成立すること」を読者に想像させて作品は終わる。同時に作品は、『聖書』のラバンとヤコブのエピソードを基に、繁盛していない店の主人である父とその娘、助手として店を手伝うアウトサイダー（宗教民族的には同胞だが）の彼との間には障害（父親は娘に自分以上の裕福な暮らしを望むゆえ許せない）があるものの、娘と助手の恋愛、「苦悩」の理解、父子関係の成立などの設定は『アシスタント』と共通点が見られる。

ここにローゼンの論を合わせれば、「最初の七年間」はその「苦悩理解」のモチーフにホロコーストを用いていることが注目すべき点となる。『アシスタント』でこの「最初の七年間」におけるホロコーストという苦悩を伏線にして、フランクとモリスの「苦悩」が描き出されているとすれば、キリスト教徒フランクの「苦悩」の理解の後に「ユダヤ人となる行為」は、キリスト教徒がユダヤ人の「苦悩」を、ユダヤ人になり体験するという試みとなる。更にローゼンは「マラマッドの文学のユダヤ人はキリスト教徒だ」（『アシスタント』X—XI）とまで指摘しているが、この点は、作品に同化ユダヤ人が多く登場させられ、それを以て、彼らが「苦悩」を体験するよう設定されているよう解釈できる。『アシスタント』では、作品終盤のモリスの葬儀の際にマラマッドは、モリスのために掘られた墓穴にフランクを落とすが、それを「死して再生」と考えれば、ローゼンのマラマッド作品の聖パウロを含めたキリスト教的解釈のイメージも成り立つものだ。また「ユダヤ家庭にひとりキリスト教徒として滞在するフランク」の設定は、妻アンの「イタリア系カトリックの中でユダヤ教徒ひとり存在するマラマッド」の経験がそこに反映されていることも明らかだろう。

デイビスの伝記は、マックスが社会主義者且つ無神論者で、マラマッドの希望するバーミツヴァバも、結局は十分準備して納得いくよう行われなかったにもかかわらず、「その父マックスが、息子がユダヤ人女性でなくアン・デ・キアラというイタリア系でカトリックの異教徒と結婚を決めた時に死者への祈り(Shivea)をあげたことをマラマッドが知ったこと」に言及し、二人は一九四五年に結婚、孫二人が生まれ(一九四七年と五二年)ると、ようやく許してくれた(デイビス八―一一)と書く。マラマッドがこのように、父との和解、ユダヤ教とキリスト教の問題を取り込んで書くのも、作者に関わるこのような自伝的な「苦悩」が様々な形で作品に反映されていると言える。

三 マラマッドとヘレンそしてミリアムと「苦悩」

『アシスタント』において作家マラマッド自身の影響が大きく反映されているのは、実はモリスの娘ヘレンではないのか。それはモリスが父マックスを原型にし、男女の設定の違いはあるが、父親が商う店に縛り付けられ、そこから抜け出す手段として、高等教育を身に着ける可能性が示唆されているからだ。『アシスタント』のヘレン、そして実はその原型「最初の七年間」のミリアムにもそれはあてはまる。ミリアムは十九歳で大学教育を受ける歳になり、父親フェルドが進学を進めると「大学もどうせ本を読むだけ」それならソウベルから本を借り自立したいと進学を断る(「最初の七年間」四)。フェルドは進学させられる余裕があるのに断る娘に落胆するがそこには逆に、そこにマラマッドの思いが込められる。既述した伝記で示される「教育が貧困や牢獄のような店から抜け出せる」と、願って止まなかったマラマッド自身のかつての思いがミリアムに向けられているからだ。それはジヨナが大学生の一九七〇年、父親マラマッドから受け取った「教育を受けていればお金が稼げて何の心配もないからしっかり学ぶんだぞ」という手紙(ジョナ 二〇〇)もそれを裏付けるものだ。

一方、『アシスタント』では、ヘレンの給料のほとんどが家業の支払いに回され、父母を助けるために大学へ行けなかったと彼女はフランクに告白し、モリスの死後は、ヘレンが大学教育を受けられるようにフランクは手を貸したいと思い、モリスへの恩返しと、店を切り盛りし家賃と店舗使用料を多く支払うよう描かれる。そしてマラマッドが、ヘレンとフランクの間に、一時は、教養や大学進学への共通の向上心により理解し合うよう書くのもそれが理由である。このような作品におけるミリアムやヘレンに表される教育に関する設定だが、デイビスにより伝記で書かれる当時の様子は、マラマッドがブックリンでの周囲の教養のない人物たちの中で、いかに大恐慌の時代に、この父親の店、地域そして単調でどん底の環境から脱出することを望んでいたかを考えると、そのまま当てはまる（デイビス　一一七―一一八）。ゆえに「モリスは確かに作品の主人公として中心に置かれてはいるが、彼と家族を助けるフランクこそが、本当の主人公である」（アロンソ　一三九）というアロンソの指摘は正しくない。

そしてモリスとフランクの関係においては互いの「苦悩」を理解し合うが、イタリア系でキリスト教のフランクを否定するのは、モリスの妻アイダに役が与えられる。アイダの設定は、主に異教徒であるフランクを最初から疫病神であるかのごとく排除しようとする立場で、その点「最初の七年間」のフェルドの妻の存在が薄いのは、ソウベルが同胞ゆえに肯定されるからで、一方、フェルドの「苦悩」は娘ミリアムを貧しい靴屋から脱出させることにあったが、それが叶えられなくなりそうだからだ。『アシスタント』がこのようにイタリア系の「異教徒」フランクをめぐり、アンとの結婚が影響して「苦悩」を描き出すストーリーとして成立しているとすれば、マラマッドと父マックスの確執が作品のモリスとフランクを生み出したと考えられる。

その確執となる父親マックスが息子へ「死の祈り」をあげたエピソードは、その後、短編「魔法の樽」の最後の場面で、また長編『神の恩寵』（一九八二）の最後で形を変えられ使用される。周知のように前者はラビになった後、宗教区で結婚しておいた方が信者獲得に都合が良いという、世俗的な発想で結婚仲介人ザルツマンに相手を紹介してもらう学生リオ・フィンクルが主人公だ。希望する相手を紹介されぬまま、諦めていたところ、仲介業者が置いていった写真の中に一目惚れする女性を見つける。だがそれは間違いで入ったもの、「地獄の火で焼かれるべきラビには相応しくない女性だから」と断固拒否されるが、実はそれは彼の娘ステラ。二人が待ち合わせるのを遠くで眺めて父は二人のために「死者への祈り」をあげる。ロバート・ソロタロフは『バーナード・マラマッド短編作品研究』（一九八九）で、この場面を「リオ・フィンクルは、ザルズマンと彼の娘の目に普遍的な苦悩を読み取り、救いの手を差し伸べる決意をする」（ソロタロフ　三七）と解釈しているがどうだろうか。自分と妻との結婚に対しての父マックスの「死者への祈り」を、リオとステラの結婚に重ねてマラマッドが描いているとすれば、ザルツマンは二人の結婚を祝福しているのか、更に「父親ザルズマンの救済」まではかなり解釈に疑問が残る。一方『神の恩寵』の方は、人間最後の生存者となったカルヴィン・コーンが、最後、人類の血を残すためにサルのメスと交わり、猿たちやゴリラ、ヒヒたちに処刑されるところで彼のために死者への祈りをあげられる。異教徒や異人種、またそぐわぬ相手との婚姻に対する決別としての「死者への祈り」そしてその後の再生がマラマッドによるこの「祈り」の意味であるならどうだろう。父マックスの「死者への祈り」は『アシスタント』においてフランクの墓穴への落下（死）として用いられているとすれば、ヘレンとフランクという異教徒間の結婚への否定もその後の割礼を以て再生（許可）と解釈できる。つまり、この『アシスタント』において、マラマッドの父親への複雑な思いがフランクに込められ、それが結果、モリスを形成することになり、同時にその「苦悩」をめぐりユダヤ人とキリスト教徒の歴史まで普遍的に広がるよう描かれたと読み取れるのだ。

おわりに

娘のジョナは、晩年の父マラマッドと母アンとの不仲を以下のように異教徒間の問題とし、またアンが、父が少年時代に食べていたユダヤ料理などは全く作る気などなかったとも指摘している。

母は「お前は父親に似ている」とよく言い、それで私はイラついた。父と母のユダヤ教とカトリックの亀裂については私にはどうしたらよいかわからなかった。（ジョナ　一四七—一四八）

そしてマラマッドは娘にはユダヤ人と結婚してほしいと告げる（ジョナ　二一二）など、年齢を重ねるにつれてユダヤ民族意識が高揚していったことは各伝記でも指摘されている。だが、幼い頃のマラマッドが、当時から同胞も多いブルックリンで、移民二世ゆえ宗教意識が薄かったかと言うとそうではない。ジョナやデイビスが一部紹介する自伝的作品である「ロスト・バーミツヴァ」では、ユダヤ系の友人たちと共にヘブライ学校で学びたいという意志も、また正式なバーミツヴァも希望したが、叶わなかった後悔の念が記されている

（ジョナ　五九）。『ニューライフ』同様に自伝的な『ドゥービン氏の様々な人生』（一九七九）で登場する伝記作家ドゥービンの愛人となるファニーのモデルとなった、アーリンは妻アンとは異なりユダヤ系であった。伝記執筆と「老い」そして家庭の問題、不明の息子、そして愛人の間で「苦悩」するドゥービン。また旧約聖書のノアの洪水を元に書くファンタジーで人類のひとりの生き残りとしての重責に「苦悩」する『神の恩寵』（一九八二）のコーン。実在の先住民ジョセフ酋長の伝記を元にした部族を守るため苦悩する未完の絶筆『ピープル族』（一九八九）のユダヤ先住民酋長ジョズイップと、「苦悩」というテーマは続く。だが作者の内面での「苦悩」の意味は、民族意識と共にイタリア系やキリスト教というアンとの関係やそれが引き起こした父マックスとの確執、そこから生み出された原典となる『アシスタント』の時期とは普遍化され変容したと言えるだろう。

引用文献

Aarons, Victoria and Canales, Gustavo Sanchez. eds. *A Centennial Tribute Bernard Malamud*. Detroit: Wayne State UP, 2016.

Abramovitch, Ilana and Galvin, Sean eds. *Jews of Brooklyn*, New York: Brandies UP, 2002.

Davis, Philip. *Bernard Malamud: A Writer's Life*. New York: Oxford U.P., 2007.

Hershinow, Sheldon J. *Bernard Malamud*. New York: Frederick Ungar publisher, 1980.

Lasher, Lawrence ed., *Conversations with Bernard Malamud*. Jackson: Up of Mississippi, 1991.

Malamud, Bernard. *The Assistant*. New York: Farrar, Straus and Giroux. 2003.

——. *The Natural*. New York: Penguin Books, 1981.

——. *The Magic Barrel*. New York: Farrar, Straus and Giroux. 1955.

McAusland, Randolph. Washington D.C.: Food Marketing Institute, 1980.

Rich, J. C. *An Achivement of Dedicated Idealists: The Jewish Daily Forward*. New York: Forward Association, Incorporated. 1967.

Smith, Jonna Malamud, My Father Is a Book. New York: Houghton Mifflin Company, 2006.

第三章

交錯するジェンダー

1 ネラ・ラーセンの伝記

鵜殿　えりか

はじめに

ネラ・ラーセン（一八九一〜一九六四）はハーレム・ルネサンス期を代表するアフリカ系アメリカ女性作家である。代表するといってもその活動期間は短く、出版された作品は長編小説二編と短編小説三編と数少ない。そのような寡作な作家ではあるが、あえてこの時代を「代表する作家」と呼びたいと思う。その理由は、一つには、初めて多くの黒人作家・詩人が世に出るようになった一九二〇年代ではあるが、彼らが本を書き出版することには多くの困難が伴った。先ほど「寡作」と言ったが、当時の黒人作家で、比較的大きい出版社から二作以上の著書を出版することのできた人は数えるほどしかいない。ましてや黒人女性作家という立場から見れば、ラーセンは当時スター作家とも見なされていたであろう。

作家は、多作の巨匠型作家と寡作の早熟型作家に分けることができよう。ラーセンは後者であり、例えば、エドガー・アラン・ポーもそうである。もちろんラーセンとポーを単純に比較することは乱暴すぎるだろうが、両者の文学上の類似性は確かにある。ポーもラーセンも当時の男性知識人中心の主流文学サークルへの仲間入りをしかけるが、結局は排除された。ポーもラーセンも、親族からの教育支援、経済支援がなく、生活の糧のために働く必要があり、執筆のための時間は限られた。一方は主流文学サークルから嫌われ排除された南部出身者、一方は「お高くとまった」[1]「ムラート」[2]の黒人女性として、当時も今も明確に所属する場所を持たない。しかし、それ故にかどうか、両者の生み出した文学テクストには時空を超えて読者を捉えて放さない魅力がある。ラーセンの小説は、説得力のある論理的展開、技法の完成度からみて、当時のアフリカ系アメリカ文学の頂点を成していたことはまちがいない。それにもかかわらず、ラーセン文学を決して評価しないという姿勢は今日にまで続いているのである。

ラーセンは文学的地位を獲得するために懸命の闘いをした。[3]そのために必要な社会的身分を確立するために、まず看護師になり、司書となった。ジョージ・ハッチンソンによれば、当時の黒人女性のための最高の職業は、教員、司書、看護師であった。三つの中でも特に看護師の地位は低かった。[4]ラーセンは正規の大学教育も十分な文学修養も受けられなかったが、一九一九年に結婚した夫エルマー・S・アイムズは将来を嘱望された物理学者であり、夫の名声を借りて黒人文化人サークルへの参入を果たした。そして、当時の黒人女性作家としては破格の成功をおさめた。しかし、一九三〇年、短編小説「聖域（サンクチュアリ）」にまつわる剽窃事件による悪評のためにわたり執筆活動を断たれた。一方、ポーは、アメリカでは長きにわたり不道徳的な作家と見なされていた。生前のポーが原稿の管理を委ねたルーファス・ウィルモット・グリズウォルドが、ポーの死後、精神崩壊者としてのポー像を世に広めたことが原因と言われている。

悪質な伝記作者以前に、ラーセンの伝記を書こうとする者は長らくいなかった。ラーセンには「パッシングした悲劇のムラート」というイメージがつきまとい、テイディアス・M・デイヴィスによれば、一九五〇年代までのラーセン評価は概ねそのイメージの延長線上にあった。しかし、時を隔ててラーセン文学に再び光が当てられることになる。ネイサン・アーヴィン・ハギンズの『ハーレム・ルネサンス』（一九七二）はラーセン文学再評価の先駆けとなった。一九八〇年代になると、クローディア・テイト、メアリ・ヘレン・ワシントン、チェリル・ウォール、ヘイゼル・V・カービィらが競うようにラーセン文学についての論考を発表し、一九八六年にはデボラ・E・マクダウェル編集のラーセン長編小説集が出版された。マクダウェルはその本の序文においてラーセン文学の大胆な読み直しと再評価を行い、それに続いてラーセン文学について多くの論考が発表されるようになる。こうした流れの中、ラーセンの経歴については謎のままであったが、一九九〇年代になってとうとう彼女の伝記が書かれることになる。しかし、これらの伝記はむしろ作家の姿を歪めることに貢献することになるのである。このことについて述べるのが本論の趣旨である。

三つの伝記

主たるラーセンの伝記は三点ある。最初の伝記であるチャールズ・R・ラーソン[5]著『見えない暗闇――ジーン・トゥーマーとネラ・ラーセン』（一九九三）と、そのすぐ後に出版されたデイヴィス著『ハーレム・ルレサンスの作家ネラ・ラーセン――暴かれたある女性の一生』（一九九四）、それから一〇年以上後に書かれたハッチンソンの『ネラ・ラーセンを探して――カラー・ラインの伝記』（二〇〇六）である。当初ラーセンの資料は残されたものが少なく、研究者たちはその手がかりの少なさに驚き、彼女の軌跡を熱心に追い求めた。しかし、求める資料を見出せず、結果としてラーセンの経歴――特に初期の経歴――にいくつものミッシングリンクが生まれた。ラーソンとデイヴィスはその経歴の間隙を想像力で埋めようとした。今言った「想像力」とは婉曲語法である。ラーソンとデイヴィスの「想像力」とは誤解の別名であり、偏見であり、悪意とも見紛うものであった。

クノップ社が所蔵する作家紹介を軸に、ラーセン自身が述べている経歴を箇条書きにしてみると、概ね以下のようである。

・デンマーク移民の白人の母とデンマーク領西インド諸島生まれの黒人の父の間に生まれたが、ラーセンが二歳の時父は死んだ
・その後まもなく、母はデンマーク移民の白人男性と結婚し、義妹を産んだ
・子どもの時、母とデンマークに行った
・正式な教育は八歳時から。主としてドイツもしくは北欧系移民の子女のための私立小学校に通う
・短期間フィスク大学に通う
・三年間デンマークに滞在した。母方の親戚方に同居し、二年間コペンハーゲン大学の講義を聴講した
・帰国し、看護学を学ぶ
・ニューヨークで看護師として働き、タスキーギー学園では看護師長および教員を務める
・ニューヨークに帰り、図書館学を学び、司書として働く
・著名な黒人物理学者エルマー・S・アイムズと結婚した

この作家紹介には年代がまったく書かれておらず、隔靴掻痒の感がある。この曖昧さにも起因して、ラーセンの経歴は彼女の死後多くの憶測を呼ぶこととなった。先回りして言えば、後のハッチンソンの研究により、前掲の略歴はほぼ正確なものと判明する。ラーセンは自分の経歴についてかなり正直に述べているのである。しかし、ラーソンとデイヴィスはこの経歴を作者によるフィクションと考えた。言い換えれば、彼らは自分たちの研究対象が言うことをまったく信用しなかった。作家の「嘘」が状況を生き抜くための手段であったと考えたにしても、彼らの不信は徹底していた。本稿ではラーセンの初期の経歴に絞って検証してみたい。

ラーソンによる伝記

一九九二年、最初のラーセン全小説集『遠いものの予感――ネラ・ラーセン小説集』が出版された時、作家マリタ・ゴールデンが「前書き」、ラーソンが「序文」を書き、巻末には「ネラ・ラーセン年譜」が付けられた。この小説集を編んだ翌年、ラーソンは、ジーン・トゥーマーとラーセンの伝記・作品論である『見えない黒さ』を出版した。この著作が初めてのラーセンの伝記本と言っていいだろう。その序文では、白人男性であるラーソンは、学生であった一九五〇年代アメリカの大学の授業では黒人作家はまったく扱われなかったが、六〇年代になると徐々に変化したことを記録している。彼はナイジェリアに二年間滞在した結果、アフリカ人と文化に関心を持つようになる。つまり、彼のアフリカ系アメリカ文学への関心は内側からではなく外側から来た。彼の本の題名が示すとおり、アフリカ系アメリカ人は、近年になるまでまさに「見えない」状態に置かれていた。

ラーソンは、彼がラーセンとトゥーマーを並列において論じている理由は、二人が文学史から完全に忘れ去られてきたという共通点によるものだ、としている。しかし、後半生を白人として生きたトゥーマーと、生涯黒人として生きたラーセンを同列に扱うことは、「忘れ去られてきた」こと以上に両者に共通点を見出しているからであろう。ラーセンの肌の色はパッシングできるほど薄くないことは当時からはっきりしていた。しかし、ラーセンにはパッシングして白人になったという、根拠のない悪意に満ちた噂がずっとつきまとった。何故だろうか。彼女の母と義父がデンマーク出身の白人であり、白人の生活環境で育ったこと、カール・ヴァン・ヴェクテンら白人著名人と積極的に交流したこと、出版する小説が毎回注目を集め、名誉あるグッゲンハイム奨学金を黒人女性として初めて獲得するなど、当時の黒人女性としては異例の抜擢を受けていたことなどが、彼女に対する反感を引き起こしたことは容易に推察することができる。

『遠いものの予感』の巻末にある「ネラ・ラーセン年譜」には、ラーセンが一八九一年四月一三日に生まれたことは記されているものの、生地には「ニューヨーク（?）」と疑問符がついている。つまり一九九二年時点では作家の生地がはっきりしていなかった。奇妙なことに、この「年譜」には、先述のラーセン自身による自己紹介文がほとんど反映されていない。誕生の記述の後はすぐ、一九一二年に看護学を学び始めたことが記され、その間の経歴は記されていない。その後も、「看護師」としての経歴は詳しく紹介されているが、デンマークに滞在したこと、コペンハーゲン大学で学んだこと、ニューヨークで図書館学を学んだこと――ラーセンは正式に図書館学を修めた最初の黒人女性であった――などは記されていない。この本の改訂版が二〇〇一年『ネラ・ラーセン全小説集』として出版された時、年譜にいくつかの修正がなされた。例えば、デンマーク行きの記述が付加されはしたが、「一九〇八―〇九年　デンマークへの二度目の旅行」と書かれ、「三年間滞在した」という作家自身の説明を否定するものとなっている。この本は、ラーセンの全集であるにもかかわらず、作家としての貴重な経験を矮小化し、一方で彼女の看護師としての経歴のみを強調しようとしている。

前述のラーソンによる伝記『見えない黒さ』へと話を戻そう。ラーソンは最初からラーセンの経歴が「謎めいている」ことを強調し、それを「暗黒の地下のトンネル」に喩えて言う――「これほど近年に合衆国に居住した一人の人間が、その存在についてこれほどまでにほとんど情報を残さないということが可能であろうか」(一八四)と。そして、ラーソンは、よく似た例として詩人エミリー・ディキンソンを挙げるが、ディキンソンについては今日かなりの詳細が明らかになっており、もはや「謎めいて」はいない。「謎」とは単に調べが足りないことの言い訳に過ぎない。しかし、ラーソンは続ける――「何かが起きたのだ。彼女の子ども時代何か恐ろしいことが起きたのだ。大人になってもそのできごとを隠さなければならないような痛ましい何かが。それ以外にどんな理由で、大人になって自分の子ども時代のできごとを書き換え始めたりするだろうか」(一八四)。このように、ラーソンはラーセンの初期の経歴をことさらに謎めいたものにし、その理由を、伝記的事実の少なさによるだけでなく、作家自身が故意にその事実を歪めたことに帰している。

ラーセンの出生年は一八九一年であるが、作家が一八八三年とずっと偽っていたことを、ラーソンは彼女の不正直さの証拠と捉える。彼女は名前も何度か変更している。ラーソンは、ラーセンの生地はニューヨークではないかと考えるが、その理由は、ラーセン夫妻の友人ミルドレッド・フィリップスが彼に直接そう語ったからというのである。しかし、ラーソンの本の一年後、デイヴィスはラーセンの出生証明書（クック郡証明書No. 16546）を確認し、ネリー・ウォーカー（ラーセンの誕生名）は、一八九一年四月一三日、メアリ・ハンソン・ウォーカーとピーター・ウォーカーの第一子としてシカゴに生まれたことを明らかにしている。また、ラーソンは、ラーセンが本当の父を知らず、「ロマン化するために父の物語を捏造した」とし、実は、父ピーターは西インド諸島出身ではなくアフリカ系アメリカ人だったのではないかと推察する。ラーソンはまた、父は正式に母と結婚してはいなかったとも言うが、いずれも間違いであることが判明している。ラーソンは他の箇所でもフィリップスの言葉を引用し、全面的に信用しているようである。例えば、次のように書いている――「ミルドレッド・フィリップスによると、ネラの母親は堅物の気難しい女性で、一方義父のピーターは明らかにネラに対して真性の愛情を注いでいたとのことである。［中略］ネラを家族から切り離すという決定――ネラの子ども時代の悲劇――は、義父でなくネラの母親によるものである」（一九一）。生きた証言者の声の優越性は慎重に再検討されなければならないだろう。

　ラーソンがネリーが母親に捨てられたと考える根拠は、一九一〇年の国勢調査の記述においてメアリの子どもは一人のみとされていることにある。また、その根拠は、小説『流砂』（一九二八）からも来ている。ラーソンは、主人公ヘルガが二度遺棄されたと感じる場面があるが、一度目は彼女の生みの父親によってであり、二度目は彼女の母親によってであったことを挙げ、それは実際のラーセンの心情を反映しているとしている。確かに『流砂』におけるヘルガの経歴はラーセンの経歴に重なる部分が多くあるものの、作品世界と作家自身を混同してはならない。それは批評家が決して陥るべきでない誤謬である。ラーソンは一部では作家の言葉を取り上げながら、他の部分では作家の言葉を信用せず否定している。つまり、自分が組み立てる筋書きに都合のよい箇所だけを引用するという、批評家がもっとも避けるべき誤謬を犯してもいる。

　しかし、それだけでなく、ラーソンは自らが物語を創作し始める。ラーソンは、デンマークからニューヨークへ移住した母メアリが、黒人男性ピーター・ウォーカーと出会った状況を想像してみせる。その荒唐無稽さを見るために、少し長くなるが引用してみよう。

> メアリは妊娠に気づく。当初、交際相手が黒人であるという事実はほとんど頭になかった。彼がほのめかしたように、中絶するべきかとも考えた。しかし、彼女は子を産み、結果を受け入れることにした。雇用主には男の素性を隠していたが、妊娠して初めて人種の問題が彼女の悩みとなった。［中略］女の子が生まれ、ネラと名付けた。父親ほどではなかったが、子の肌の色は黒かった。すぐに皆は状況を理解した。男は姿を消していた。自分ももうここにはいられないとわかった。

シカゴには北欧系移民が数多くいると聞き、メアリは赤子とともにシカゴへと移住した。［中略］すでに長く合衆国に居住していたので、黒人種の人々の地位の低さをよく知るようになっていた。黒人男性と付き合うなんて、どれだけ自分は馬鹿だったのだろうと気づいた。

ネラが六ヶ月くらいになったある日、メアリはデンマーク系の人々の催しに参加し、そこでピーター・ラーセンと出会う。［中略］ピーターはプロポーズしたが、子どもがいるメアリは窮地に陥った。［中略］子どものことよりまず自分のことを考えないのは馬鹿げたことではなかろうか。シカゴで新しい生活を始める前に何故娘を捨ててしまわなかったのだろう。メアリは娘に対する自分の気持が完全に変わるだろうか。里子斡旋所に娘を頼むのには遅すぎるだろうか。ってしまったのに気づいたが、どうしていいかわからなかった。何故黒人の子どもを産むなんてことができたのだろう。自らの致命的過ちを思いだださせる黒人のすべてが、メアリにとって軽蔑の対象となり始めた。（一九二―九三）

このように書くことによってラーソンはメアリを人種差別者へと貶めている。彼の空想の根拠となるのが、前述の隣人からの伝聞や、国勢調査の記録である。一家の欄にはピーター、メアリ、アナ（ネラの妹）の名があるだけで、ネラについての記述はない。このことから、ラーソンは、「ネラはもはや彼らと同居していないだけでなく、彼らの人生からも排除された」（一八八）と考えた。

こうして、ラーソンは、ラーセンのほとんどの経歴は虚偽であると結論づけるに至る。例えば、二度にわたりデンマークに行き、二度目の渡欧時は三年間滞在したという、作家自身が語る経歴を疑問視する。ラーソンは、「彼女のデンマーク滞在は完全な捏造であるとの結論に達した。それは彼女の少女期の悲劇を華やかに装飾するものなのだ」（一八九）と言う。コペンハーゲン大学事務局から「ネラ・ラーセンという人物が学生として登録されたり、入学試験に合格したことを示す如何なる記録もない」との回答を得たこと、そして、「コペンハーゲンの他の記録も、ネラが主張している一九一〇年から一九一二年の間彼女が滞在したことを示すものはない」ことを根拠としている。また、ラーソンは、ラーセンのパスポートの記録を調べ、前述の期間に彼女の渡欧を示す記録がないことを確かめると同時に、彼女が一九三〇年にグッゲンハイム奨学金に応募した際、応募用紙に過去にパスポートを申請したことはないと記述していることを挙げている。したがって、作家は「想像以外で一度もデンマークに行ったことはない」と、ラーソンは結論づける。彼は、ラーセンが彼女の小説に母との確執を描き、自分を捨てた母への怒りや恨みを投射していること、デンマークに代表される白人世界への憧れと義父であるピーターへの感謝があり、それらが作中のヘルガのデンマーク滞在や親切な叔父ピーターに投影されている、と主張している。

デイヴィスによる伝記

次に、ラーソンの伝記の翌年に出版されたデイヴィス著『ハーレム・ルネサンスの作家ネラ・ラーセン』を見てみよう。デイヴィスはラーセンの生涯が謎に包まれた理由を二つ挙げている。すなわち、一つには彼女のことを証言する親族がいないこと、加えて、彼女が一九三〇年代以降故意に文学関係者と連絡を断ったことにあると言い、人生と経歴の謎の責任は作家自身にあるとしている。そして、「ラーセンがクノップ社宛てに書いたことのほとんどは厳密な意味で真実でなく、すべては彼女が自らの人生に与えた意味の正確なる反映である」(xviii) と、デイヴィスは述べている。また、デイヴィスは、自分の本は、「ネラ・ラーセンの人生と経歴から謎と誤解のオーラを取り除く試み」であるとしている。そして、「ネラ・ラーセンとは創造された名前であり、公的かつ私的な偽名であるというだけでなく、みずから創作したペルソナである。それは、青年期から老年期に至るまでずっと、短い期間であっても自らの大胆な自己創造の意味を達成した一人の女性によって意志され、永遠化されたペルソナである」(xix) と言う。このようにデイヴィスは自らの意図するところを明確に宣言している。すなわち、ネラ・ラーセンという作家、彼女が書いた作品のすべてが、ラーセン自身によって作られた創作物だということを明らかにすることが、デイヴィスの伝記の目的なのである。

デイヴィスにとっていつの時点でそのことが明らかになったのだろうか。デイヴィスの伝記は、ラーソンの伝記においてて十分でなかった資料を踏まえ、空想物語ではなく、研究書としてしっかりとした内容になることを目指しているようにみえる。しかし、それが到達した結論はラーソンの伝記によく似ている。すなわち、ラーセンが自らの痛ましい前半生を隠すために経歴を偽り、「ネラ・ラーセン」という作家と作品世界を巧妙に創造した、という観点は共通しているのである。

デイヴィスは、前述の作家の自己紹介文を取り上げ、一九二〇年代それを書いている作家のネラ・ラーセンと一八九〇年代シカゴに育ったネリー・ウォーカーとの明らかな距離を指摘する。デイヴィスは、その自己紹介文が事実を挙げてはいるものの具体性がなく、名前、場所、日付がほとんど書かれていないことを指摘する。ラーセンが、名前、場所、日付についてことさらに嘘を言ったり、韜晦したりする様をデイヴィスは何度も指摘する。作家は何故そうする必要があったのだろうか。例えば、デイヴィスはラーセンの小学校の記録に着目する。シカゴのコールマン小学校に入学した時、ラーセンの名は「ネリー・ウォーカー」ではなく、「ネリー・ラーソン」となっており、父の名は「ピーター・ラーソン」と書かれている。しかし、母の名を書く欄には「×」がつけられている。このことから、デイヴィスは、深刻な断絶が母と娘の間にあったと推測し、同時に娘と父との間に明らかな親和性を見てとる。この点はチャールズ・ラーソンの見方と一致している。ラーソンは、『流砂』におけるヘルガを保護するやさしい叔父ピーターに、ピーター・ラーソンを重ね合わせていた。しかし、次に述べるように、デイヴィスの見方にはもう一ひねりがある。

ラーセンが頻繁に名前を変えたことも、デイヴィスにとってラーセンの虚偽性の根拠になっている。[6] デイヴィスは、作家が自らの出自について何かを隠そうとしているのではないかと考える。先回りして言えば、デイヴィスは、ラーセンの父ピーター・ウォーカーと義父ピーター・ラーセンとの関係について考察し、この二人は同一人物であるという結論に達する。デイヴィスの調査によれば、このピーター・ウォーカーとピーター・ラーセンとは同い齢であり、一九一〇年国勢調査の時、ピーター・ラーセンとメアリは結婚して十九年と記述しているのに、結婚年は一八九四年となっており計算が合わない。メアリが産んだのは子ども一人だけと記述されているのは先述のとおりである。また、ピーター・ラーセンとメアリは「デンマーク生まれ」の「白人」と記録されている。これらのことから、オランダ領ヴァージン諸島出身のピーター・ウォーカーはより良い人生を得るために白人へとパッシングし、夫妻は、肌の色が濃くパッシングすることのできない第一子のネリーを施設に入れたのであろうと、デイヴィスは推測する。というのも、ネリーは一九〇一年、九歳半の時初めて小学校に入学しているので、入学年が通常より遅い。デイヴィスの調査によれば、入学前の期間、「身を誤った女性たちのための保護更生施設」という施設にネリー・ラーソンという女の子の入所記録があり、これがラーセンであろうと推察している。

つまり、デイヴィスによれば、ラーセンが二歳の時死んだとされている黒人である父ピーター・ウォーカーは、死んだのではなく、デンマーク生まれの白人ピーター・ラーソンへと変身したのである。デイヴィスは、一八九〇〜一九〇〇年代当時のシカゴには様々な人種・民族が寄り集まっていたため、「外国人である肌の色の薄い黒人が、より良い仕事や社会的地位を求めてカラーラインを超えるということは、起こりえないことではない」(四八)としている。ネラの父はパッシングし、彼女を除く家族とともに低中産階彼の地位を手に入れ、一方彼らの地位を脅かすネラを完全なる黒人となるよう他の場所へと追いやったのであるから、作家の生い立ちは想像以上に複雑でトラウマに満ちたものだ、とデイヴィスは言う。

　デイヴィスの伝記はラーソンとは較べものにならないほど多くの客観的な資料に依拠している。しかし、ミッシングリンクを想像で補っている点はラーソンの伝記と変わりがない。例えば、以下のような箇所を例として挙げておこう。

> 父は娘から身を離し、彼の人生と親密にすることから娘を切り離した。シカゴの家とナッシュビルのフィスク大学の間の空間的距離は、父との距離であると同時に母との距離でもあった。父は娘に気楽でいられる世界、自らの居場所と仲間を見つけられる世界に行くようにと言ったかもしれない。そして同時に、父はネラに独立した存在になるように言ったであろう。父、母、妹が機能する世界、ネラを取り込みながら同時に彼らの居場所と地位を維持することのできない世界から独立するようにと、父はネラに言ったであろう。(五〇)

このような記述は客観的資料に基づいてはいない。

また、デイヴィスによれば、一九〇七年、ラーセンはテネシー州ナッシュヴィルにあるフィスク大学付属師範学校に入学しているが、一九〇八年春、一学期間のみで退学している。[7] 彼女は卒業することができず、教員免許を取得することができなかった。その後、一九一二年秋、リンカーン病院附属看護師訓練校に入学している。その間の一九〇八年秋〜一二年秋(約四年間)、作家が何をしていたのかは謎とされてきた。前述のとおり、ラーセン自身はその間三年間デンマークに滞在していたと言っている時期である。一九〇八年三月、母メアリは師範学校を訪れ、数日滞在しているが、その目的はわかっていない。しかし、その訪問の後すぐラーセンは学校を退学している。当時のラーセンの成績は良く、何ら問題はなかった。このことから、デイヴィスは、この時ネリーはメアリからもうこれ以上彼女の学業を支えることができないことを告げられたのではないかとし、メアリは「ネリーに、シカゴのラーソン家には戻って来ず、自活するようにと告げた」(六六)と推測する。しかし、こうしたことの根拠は示されておらず、デイヴィスの想像でしかない。

さらに、デイヴィスは空想的記述を続ける。

ラーセンは、フィスクを去った後すぐ結婚し、とある南部の小さな町で少なくとも一年間を過ごしたのかもしれない。当時フィスク大学は結婚もしくは婚約している女子学生の入学を許可せず、深い男女の付き合いやデートを許さなかった。したがって、ラーセンは男子学生と関係を持ち、早まった結婚をしてしまった可能性もある。後に離婚することになるのだが。

伝記的情報を想像的なテクストへと読み込むことは危険なことではあるけれども、ラーセンの短編小説と長編小説の中に、何箇所にもわたって繰り返し現れるある想念があることを認めるのは、興味深いことである。それは婚姻関係とそれ以外の男女関係についての想念であり、ラーセンの失われた年月の謎を解くカギがそこにあることを暗示している。(六七―六八)

この引用が示すように、デイヴィスは、ラーセンの経歴の空白を彼女の小説との類推から埋めようとしている。デイヴィス自身もわかってはいたのだが、それは非常に危険なことであり、結果的に大きな間違いへと彼女の論述全体を導いてしまうことになった。わずかな角度のズレであっても、大きな誤差へと乖離してしまう。加えて、デイヴィスは、ラーセンが長期間デンマーク滞在をしたと言っていることも、ありえないことだとして否定している。パスポートの出入国記録が存在せず、また、その後のラーセンにデンマークに関する詳しい知識がまったくないことを理由として挙げている。しかし、これらのことは、ハッチンソンによってことごとく反証されることになる。

ハッチンソンによる伝記

もっとも新しい伝記は二〇〇六年のハッチンソン著『ネラ・ラーセンを探して』である。この本以前に、ハッチンソンは、ラーソンとデイヴィスの伝記にいかに事実誤認が多いかを指摘する論文「ネラ・ラーセンと人種のベール」(一九九七)を書き、二つの伝記の問題点を簡潔にまとめている。ハッチンソンの指摘はいずれも十分な資料的根拠に依拠したものである。この著書と論文から、ハッチンソンの主張の主な点をまとめてみよう。

第一に、ハッチンソンは、黒人であるピーター・ウォーカーとデンマーク系白人であるピーター・ラーセンとは別人であり、前者が後者へと姓を変えたというデイヴィスの主張の誤りを指摘している。作家自身が語っている通り、母はピーター・ラーセンと再婚したのである。また、デイヴィスは幼いネラが一時期保護施設に入っていたと言っていたが、ハッチンソンの調査により、それは同姓同名の別人物であり、作家ではないことが証明された。

第二に、デイヴィスは、ラーセンの男女交際と母からの経済支援の中止を、彼女のフィスク師範学校退学の理由に挙げていた。しかし、ハッチンソンによれば、フィスク大学の規則が「華美で高価なドレスや装飾品」を禁じており、教授会での投票により翌年度からの退学が決まった女子学生十一名のリストの中に、ネリー・ラーセンの名前があった（『探して』六二）。ラーセンは厳しい大学の規則に従わず、退学させられたのである。『流砂』の中に、そのような黒人女性に地味な服装を強要する馬鹿げた規則に対して、ヘルガが怒りをあらわにする場面がある。ヘルガは、黒人女性は濃紺、黒、灰、茶などのくすんだ色ではなく、彼女たちの肌の色に似合う黄、緑、赤、オレンジなどの色を身につけるべきだと考えていた（『流砂』二〇―二一）。

最後に、ハッチンソンは、はっきりとラーセンはデンマークに三年間居住したと述べている。当時、スカンジナヴィアに行くのにアメリカ人にパスポートは必要なかったのである。港湾の出入国記録を調べたハッチンソンは、ラーセンは幼い頃一度、青年期に二度デンマークに行ったと断言している。フィスクを退学したラーセンは、出入国記録によれば、一九〇九年一月北欧からアメリカに一人でいったん帰国し、一九一二年春に再びコペンハーゲンからニューヨークに帰国している。その間何をしていたのかを正確に示す資料はないが、コペンハーゲンの母親の親戚の元に滞在したと考えられるとしている。ラーセンは、母やデンマークの親戚たちとたいへん親しい関係にあり、むしろ、父、義父、義妹との間にこそ大きな距離があった、とも言う。

また、ハッチンソンは、ラーセンには非常に深いデンマーク社会や文化についての知識があることを指摘している。事実、一九二〇年、ラーセンは、W・E・B・デュボイスらが創刊した黒人の子どものための月間誌『ブラウニーズ・ブック』に、デンマークの子ども文化についてのエッセイを二度寄稿している。[8] ハッチンソンは、ラーソンとデイヴィスは、ラーセンとデンマークとの関係を故意に消そうとしている、と厳しく批判する。彼らは、ラーセンはデンマークには住んだことがなく、住んでいたと嘘をついていると主張していたが、ハッチンソンの調査によりそのことは完全に論駁された。ハッチンソンは、「二つの伝記はいずれも［中略］黒白混血の主体を不可視で、不可触で、不正なものとするアメリカの人種イデオロギーを容認することに終始している」（「人種のベール」三三〇）と痛烈に批判している。

本稿では、ラーソン、デイヴィス、ハッチンソンによるネラ・ラーセンの伝記を比較対照しつつ、作家の伝記の成り立ちと変遷について考察した。伝記がいかに作家のイメージ形成に影響を与えるか、それと同時に、伝記がいかに作家の既存のイメージから影響を受けるかについて、その一端ではあるが考察した。ラーセンの初期の経歴は、その事実証拠の少なさからというよりもむしろ、誤解および捏造により事実に反する経歴が作り上げられていった。そしてそうした誤解・捏造が正されたのはごく最近のことであり、実にラーセンが活躍した時代から七十年以上が経過していた。その間に形成された作家のイメージを突き崩すことは容易ではない。もちろん、すべての責任を伝記作者に帰すものではない。誤ったイメージが構築された原因と過程にまつわる複雑な事情を解きほぐしていくためには、今後の詳細な研究に委ねられなければなるまい。本稿では特にハッチンソンの伝記について詳述することができなかったが、少なくとも彼による伝記が事実／資料に依拠し、それまでの伝記の誤りを修正しえたことが、ネラ・ラーセンとその文学の正しい理解に大きく貢献したことはまちがいない。

注

1 デイヴィス、ハッチンソンによれば、ラーセンは周囲の人々からそう見られていたと言う。デイヴィス 七頁、ハッチンソン 二四五頁、二五一頁。

2 クノップ社作家自己紹介文に、ラーセン自身が「ネラ・ラーセンはムラート（混血）である」と書いている。

3 デイヴィスは、ラーセンには、「富、中産階級の安楽、著名人として生活、男性権力、白人、芸術コミュニティとつながる権力を手に入れたいという強い願望」（六）が明らかであると言う。

4 ハッチンソン『ネラ・ラーセンを探して』七六、九二頁。

5 Larson も Lasen も発音は同じ [la:(r)sən] であるが、論述上紛らわしいので、Larson を「ラーソン」、Larsen を「ラーセン」と記述することとする。

6 ラーセンの名前は概ね以下のように変遷している。Nellie Walker,

Nellie Larson, Nellye Larson, Nellie Marie Larsen, Nellie Walker Larsen, Nella Marian (or Marion) Larsen, Nella Larsen Imes. ハッチンソンは、ラーセンは咎め立てするほど名前を変えてはいないと考える。

7 ハッチンソンは、ラーセンは一九〇八年六月にフィスク師範学校を去ったので、在籍期間は一年間であるとしている。

8 エッセイ「三つのスカンジナビアのゲーム」と「デンマークの遊び」は、ラーセンの初めて出版物という意味でも重要である。

引用文献

Davis, Thadious M. *Nella Larsen, Novelist of the Harlem Renaissance: A Woman's Life Unveiled*. Louisiana State UP, 1994.

Huggins, Nathan Irvin. *Harlem Renaissance*. Oxford UP, 2003.

Hutchinson, George. "Nella Larsen and the Veil of Race." *American Literary History*, vol. 9, issue 2, 1 July 1997, pp. 329–49.

——. *In Search of Nella Larsen: A Biography of the Color Line*. Belknap P of Harvard UP, 2006.

Kaplan, Carla, edtor. *A Noton Critican Edition: Nella Larsen, Passing*. Norton, 2007.

Larsen, Nella. *Quicksand*. Penguin, 2002.

Larson, Charles R., edtor. *The Complete Fiction of Nella Larsen*. Anchor Books, 2001.

——, ed. *An Intimation of Things Distant: The Collected Fiction of Nella Larsen*. Anchor Books, 1992.

——. *Invisible Darkness: Jean Toomer and Nella Larsen*. U of Iowa P, 1993.

McDowell, Deborah E., edtor. *Quicksand and Passing*. Rutgers UP, 1994.

McLendon, Jacquelyn Y., ed. *Approaches to Teaching the Novels of Nella Larsen*. MLA, 2016.

2 レベッカ・コックス・ジャクソンの自伝に示された十九世紀黒人女性の力の獲得について

山田　恵

はじめに

十九世紀初めのアメリカ合衆国で起こった大きなキリスト教信仰のリバイバルとして知られる第二次大覚醒の時期には、多くのアフリカ系アメリカ人（以下黒人と記す）がキリスト教に転向したことが知られている。当時はまだ奴隷制度が合法的に存在していた時代であったが、一七九三年にベセル・アフリカン・メソジスト・エピスコパル教会、一八一六年にアフリカン・メソジスト・エピスコパル教会（以下AME教会と記す）の二つの黒人教会が誕生し、黒人コミュニティの基盤となる足掛かりが形成されていった時代でもあった。[1] 一八一九年にAME教会を創設したリチャード・アレンはこの時代の黒人教会の指導者としてよく知られているが、本稿では、この時代に伝道を行った黒人女性の中から、フィラデルフィアにシェーカー派初の黒人女性による伝道会を設立したレベッカ・コックス・ジャクソンを取り上げる。ジャクソンの兄はフィラデルフィアのAME教会において力を持っていた人物であったが、ジャクソン自身はこの教会に属した記録はなく、白人信者が圧倒的主流であったシェーカー派の黒人女性による伝道会を設立している。ジャクソンは、例えばAME教会の後ろ盾のもとで伝道活動を行ったジャリナ・リーのように黒人教会の後ろ盾を得て活動していた同時代の黒人女性とは異なる形で伝道を行った点において特殊であった。

ジャクソンは一八三〇年から一八六四年まで自伝を記しており、一九八一年にジーン・ヒュームズの編集によって『力の贈り物――黒人神秘家、シェーカー女性長老、レベッカ・ジャクソンの著作』（以下『力の贈り物』と記す）というタイトルで出版されている。この自伝については、黒人文学批評家のヘンリー・ルイス・ゲイツ・ジュニアが、『シグニファイング・モンキー――もの騙る猿／アメリカン文学批評理論』においてトーキング・ブックという文彩（読み書き能力がない黒人男性奴隷が白人が本を読んでいる様子を見て本が読み手である白人に話しかけていると表現してきた十八世紀末から十九世紀初めにかけての黒人奴隷体験記に特有の文学表現）の改変として注目し、特に黒人文学批評家の注目を集めるようになった。[2] しかし、本稿では、ゲイツが指摘したような黒人特有の修辞表現に注目するのではなく、十九世紀のアメリカ社会という歴史的社会的状況の下で黒人教会とは一線を画して伝道活動を行った黒人女性の自伝としての重要さに着目する。

ジャクソンの自伝の特徴としての神秘体験と力の獲得

ジャクソンの自伝の特徴は、出来事の記録というより、彼女自身が経験した宗教的な体験、具体的には、覚醒時に目にしたビジョンや耳にした声、夢での体験や解釈に、その主眼が置かれている点にある。また、そのような体験を通して、彼女がさまざまな力を獲得していったことが強調されている点も興味深い。こういった宗教的な神秘体験に主眼がある自伝を理解するうえでは、アメリカ黒人にとって宗教がどのような意味を持っていたのかについて目を向ける必要があるだろう。

宗教学者のアンソニー・ピンは、アメリカ黒人にとっての宗教を、複雑な主体性を構築し、形成するための戦いとしてとらえ、それが奴隷制度とその後の人種差別的な境遇における内的な主体的な生活と外的な社会生活との間の緊張関係の中での主体性の構築の戦いに端を発していたと説明する。[3] また、ハワード・サーマンは、奴隷制度下のアメリカ社会における黒人は、その主体性を構築する上で二重の苦境をはらんでいたことを指摘している。[4] 第一に、ヘゲモニーの権力の暴力によって圧倒されていた個人やコミュニティが、外から強制される束縛の中で自己定義する主体としての力を実際に行使できるのか、第二に、自己定義へと向かう創造の戦いが、黒人の人間性の価値を完全には認めない社会的文脈内で具体的な行動に変形される方法があるのかという点である。こういった人種的状況に加え、女性であったジャクソンの自伝について考える際には、当然のことながらジェンダー的な視点も加える必要がある。

ジョイ・ボスティックは、ジャクソンが生きた十九世紀という時代には、黒人女性を沈黙させ、支配するために、強姦、リンチ、殴打、経済的搾取を含む、暴力、脅迫、搾取が横行し、奴隷だけでなく、自由黒人までをも、身体的、心理的、文化的、経済的、そして精神的に隷属の状況に置くための試みがなされていたことを指摘している (xix)。そのため、黒人女性の宗教的な探求が、基本的には「場所と空間」を求める探索であり、黒人でありかつ女性であるという人種とジェンダーをものともせずに、解放のアイデンティティを構築する仕事を含むものであったことを次のように説明する。

黒人女性の精神的な旅は探求を含むことは避けられない。結局、この探求は、家を求める探求である。それは、人種、ジェンダーの、悪魔化され、脱人間化された外見の内にある神聖なアンデンティティの探求であり、人間のコミュニティと組織内にある完全な包含において、自由に、完全に創造し、生きるための自治空間の探求であり、周縁化と分裂に逆らうために構築される統合のプロセスとしての権力の強化と意味づけの探求である。(xix)[5]

本稿ではこういったポスティックの視点を用いいつつ、ジャクソンの自伝の記述を細かく読み込むことで、彼女がどのような周縁化と分裂に逆らおうとしていたのか、そしてどのような統合のプロセスをたどり、解放のアイデンティティを構築していったのかを明らかにしたい。

神秘体験による目覚め

ジャクソンは、一七九五年にペンシルバニア州フィラデルフィアで生まれ、一八七一年にニューヨーク州のウォーターヴリートで亡くなっている。アメリカ合衆国における奴隷貿易は一八〇八年に法的に禁止されたものの、奴隷制度自体は一八六八年の憲法修正第十三条の制定まで続いていた。ジャクソン自身は自由黒人であったが、彼女が生きた時代のほとんどは奴隷制度が存続していた時代であった。ジャクソンの実の父親は早くに亡くなり、十三歳の時に母親も他界したため、彼女は十八歳年上の長兄ジョセフのもとで育てられている。ジョセフはフィラデルフィアAME教会の中心的人物で、一八二〇年代から三〇年代にかけて多くの礼拝を行っていた。お針子として働きながら兄の家族と共に生活していたジャクソンは、後にサミュエルという男性と結婚する。

ジャクソンの自伝は一八三〇年、彼女がサミュエルと結婚した後、三十五歳の時に、神秘体験と精神的な目覚めを経験する場面から始まっている。当時、ジャクソンは、五年もの間、雷鳴と雷光に恐怖を抱き続けていた。雷が鳴ると気分が悪くなるためにベッドにもぐりこむ習慣になっていたが、その日は、恐怖におののいていると「この日、汝の魂は、神に召される」（七一）という声が聞こえたため、子ども時代からのあらゆる罪が頭をよぎり、雷が鳴るたびに、これまで行った罪と共に、神の法廷に送られるに違いないという恐怖にかられる。神の慈悲を得るために、彼女は跪いて祈るが、祈るたびに罪が真っ黒な山のように重なり、空に届くように感じたため、さらに必死で神の助けを求めた。[6] すると、雲が崩れ、天が晴れて、山が消え、神と全人類に対する愛で心が満たされたという。一瞬前までは死の使いとして感じていた雷が、神への祈りによって、平和、喜び、慰めの使いとして感じられるように変わったという体験は、ジャクソンの世界観を変えてしまう。それは彼女が兄に対して「主を見つけた」と告げるような経験であり、この経験の後は罪びとのために心から祈りたいと感じるようになったと自伝に記している。

このような体験をした後のジャクソンは様々なビジョンを見るようになったことが日記に示唆されているが、そのビジョンに従う必要性を強く認識するきっかけとなったと思われるのが「エリザ・スミスの死のビジョン」と題された出来事である。ある夜、ジャクソンが祈り、瞑想をしていると、エリザ・スミスという白人女性が死の床についているビジョンを見る。ジャクソンは彼女を訪問すべきだと考えつつも、白人である彼女の夫が黒人女性であるジャクソンにどういう反応をするかを恐れ、その日の訪問をためらった結果、エリザは帰天してしまう。しかも、エリザは、ジャクソンが祈りに来てくれれば命が助かると信じ、その訪問を願いながら亡くなったという事実を知る。そのため、ジャクソンは強い後悔の念にさいなまれることとなった。しかもこのような体験は一度だけではなく、エマという女性についても同様のことが起こったため、ジャクソンは自らのビジョンと直感に従うことの重要性を認識していく。それが夫の言葉よりも自分を信じる必要性の認識でもあったことも日記には示唆されている。例えば「癒しの贈り物」と題された記録では、ジャクソンは、夫のサミュエルが行きたがっていたAME教会の宗教行事より、ビジョンで見た「三人の病気の人」（八九）に会いに行くことを選び、直感に従ってそれらの男性の家を訪ねて祈ると、実際にその男性たちが癒されるという経験をしたことを記している。

このような神秘体験の記録をどのように解釈すべきなのであろうか。ボスティックは、十九世紀の黒人女性は、白人の子どもの面倒を見る「マミー」と、旧約聖書の列王記に登場する古代イスラエルのアハブ王の妃で、アハブに異教の神であるバアル神の崇拝を強硬に唱道し、男根崇拝、偶像礼拝を行わせた、邪悪で好色な女として知られる「イゼベル」というステレオタイプの型にはまったイメージでとらえられていたことを指摘する。また、この時代には、黒人女性を沈黙させ、支配するために、強姦、リンチ、殴打、経済的搾取を含む、暴力、脅迫、搾取が横行し、奴隷だけでなく、自由黒人までをも、身体的、心理的、文化的、経済的、そして精神的に隷属の状況に置くための試みがなされていたことも指摘している。こういった観点から考えると、当時隷属の状況にあった黒人女性が自らの意志で行動することの重要性を認識した目覚めの体験の記録としての重要性が浮上してくる。

神秘体験による力の獲得

ジャクソンの自伝で注目すべきは、彼女が神秘体験をしたことだけでなく、そのような体験によって教育を授けられたことを強調していることだ。例えば、ジャクソンは、時に、自らが従うべき模範を示してくれる、教育者的な存在のビジョンを見たことを記している。「私の神聖なリーダーである女性」と題された記録には、「断食と祈りと神の意志を知りたいという神への叫び」(九三)の途中に、白昼、突然、自分の前を一人の女性が歩いている姿が見え出したことが記されている。

彼女は明るいトビ色の服を着ていた。ボンネットは顔を覆っていた。両腕は脇に垂れていた。彼女はまっすぐ前に歩いていた。左右を見ることもなかった。「この世のものは何も彼女の注意をひかない様子だった。」彼女は私の十二フィートほど前にいた。そして、心の中で「これが、私があなたに、歩いたり、着たりしてほしいやり方であり、あなたはそのようにすべきときで、いずれこの女性のように見えるようになるでしょうし、実際に彼女のようになるでしょう」という言葉が語られた。そのため私は元気づけられ、私の魂は大いに慰められた。……私はすぐに、彼女が私に真実の道を教え、神聖さの道に入るように導くために神から送られたこと、そして神自身が指定したときに、私は彼女に追いつくだろうということがわかった。(九三)

さらに、ジャクソンは、頭上の声によって導かれたことで命を助けられた夢についても記している。「惨殺の夢」と題された記録では、ジャクソンは、家の中にいるときに男性が踏み込んできて、頭の右側を後ろから前に鼻の上まで切りつけられ、自分の肌が垂れ下がり、さらに左側も同様に切りつけられ、頭から膝までが肌と血によってベールのように覆われてしまうという夢を見たことを記している。それでもなお襲ってくる男性に対し、ジャクソンが「主イエスよ、私のスピリットを受け取ってください」（九五）と祈ると、頭上から、死んだようにじっとしているようにという声が聞こえ、その声に従うことで命を救われたというのだ。

　このように、現実であるか夢であるかにかかわらず、ジャクソンの日記には神秘的な教育者による教育や指導というモチーフが繰り返し登場するが、ジャクソンは自らの読み書き能力さえもがそういった体験によって授けられたと日記の中で説明している。ジャクソンの日記の記述によると、彼女の他の兄弟は男性であったために読み書きを教えてもらっていたというが、彼女自身は女性であったために長兄のジョセフの子どもの世話をしなければならず、家族の中で唯一読み書きを教えてもらえなかったという。結婚した後も、聖書を読みたいという強い願望があったものの、ジョセフの六人の子どもの世話を任せられていた上、夫サミュエルの世話もあり、さらにお針子としての仕事もあったために、読み書きを教えてもらうための時間を確保することすら難しかった。それでも彼女は、どうしても聖書が読みたいと、夜一時間だけでも読み書きを教えてもらえるように兄のジョセフに頼んでいたが、肝心のジョセフは忙しいからという理由でなかなか時間を割いてくれなかった。あるときジャクソンはジョセフに手紙を書いてほしいと頼むが、その際にジョセフが、彼女が伝えた言葉通りに書くのではなく、勝手に言葉を直していることに気づき、伝えた通りに書いてほしいと懇願する。しかしジョセフは、面倒なことを言うと逆にジャクソンを責め、ジャクソンはその時の彼の言葉が「魂を剣で突き刺した」（一七）ようだったと表現している。しかし、そのとき「忠実でいなさい。そうすれば書けるようなるときがくるであろう」という声が聞こえたという。その言葉を信じていると、ある日、急いでドレスを仕上げ、祈っているときに、次のように、再び声が聞こえ、その声に従うことで読み書き能力が授けられた経験が記されている。

「誰が地上の最初の人を教えたのか。」「神のはずです。」「神は不変で、もし神が最初の人に読むことを教えたのだとすれば、神はあなたを教えることができる。」私はドレスを置き、聖書を手に取り、二階に駆け上がり、聖書を開き、胸にそれを押し付けて跪き、もしそれが神の聖なる意志にかなうなら私に読むことを教えてくれるように全能の神に熱心に祈った。そして、言葉を見ては読み始めた。そして私が読んでいることに気づくと、驚いた――すると一語も読めなかった。私は再び目を閉じて祈り、それから目を開けて読み始めた。するとその章をすべて読むことができた。（一〇八）

このような経験をした後のジャクソンは、兄に教えてもらおうとするのではなく、どの箇所でも読めるようになるまで、自ら毎日聖書を手に取り、祈り、読むことを繰り返したという。そのようにして、地上の誰の助けも借りず、自らの祈りによって神に教育を願い、そして、実際に読み書き能力を授けられたことを強調しているのである。

このようにジャクソンは、神秘体験に端を発した直感やビジョン、声による導きによって、兄のジョセフが授けてくれることがなかった読み書き能力のような力まで得ていったことを説明している。ジャクソンの日記に見られるこのような記述は、黒人女性である彼女が必要な力を得るためには黒人男性を頼る必要はなく、信仰による自己信頼の力を築いていくことで得られるということを証した記録として読み取ることができる。

AME教会による弾圧

さて、ジャクソンはどのような形で伝道活動にはいったのであろうか。『アメリカ黒人とキリスト教』によると、十九世紀前半という、まだ奴隷制度が存続していた時代に黒人女性伝道家が出てきた背景には、当時のメソジスト派とバプテスト派の両教派がとった伝道に対する平等主義的な認識があったという。[7] 両派は、伝道にあたり、救済における個人の努力の価値を強調し、人間はその社会的地位に関わらず救済を受ける資格を持つという立場をとっていた。また、個々人の内面における回心体験を重視したため、黒人であっても回心体験を共有できるとし、野営天幕集会では、人種混合の参加者に対し説教をすることをいとわなかったという。このような両教派の平等主義的な姿勢は、黒人女性に対しても伝道の道を開く機会を提供していくこととなった。

ジャクソンが信仰生活に入り、パブリックスピーチを行うようになった背景には、そういった時代的な状況が大いに関係していることは間違いないが、ジャクソンの自伝を注意深く読むと、黒人教会の牧師によって自由な活動を妨げられており、同じコミュニティの黒人男性によって伝道を妨害されていたことがわかる。例えば、先に記した「惨殺の夢」の殺戮者について、ジャクソンは、四年後に、その殺戮者が彼女を迫害したメソジストの牧師であったことを記している。その背景にはジャクソンとAME教会との対立があった。そのことがはっきりとわかるのは「私の最初の集会」と題された記録である。この記録によると、一八三一年にジャクソンはメアリー・ピーターソンと共にピーターソンの家で週に一回、小さな集会を開いていた。彼女たちは、その集会を、聖なる生活に対する誓いを共に行ったことにちなんで契約集会と名付け、共に、静かに祈ったり、聖書を引用したり、歌ったり、語り合ったりしていた。最初のメンバーには、男性はトーマス・ギブスとジャクソンの夫のサミュエル、女性はピーターソンとジャクソン自身の他に二人が加わっていた。この聖なる生活の誓いを行っていたグループの大半はメソジスト教会に属していたが、ジャクソンは教会のメンバーではなかった上、教会に加わることを拒んだため、メソジストの牧師から、「教会を切り刻んでいる」(一〇三)という批判を受ける結果となったという。特に、この集会が、「女性が集会を主催し、クラスを導き、男性を指導している」(一〇三)ということがメソジストの牧師には許せなかったらしい。しかし、ジャクソンが教会に加わらなかった理由は、教会が主の教えに従っているとは思えないという理由だったことが説明されている。

私は教会に加わらなかったが、彼らやそのメンバーを傷つけたかったわけではなかったし、その人たちを取り上げようとしたかったわけでもなかった。何しろ、私が彼らを取り上げる場所は神のところ以外はなかったのだから。私はただ、彼らが神聖でなければならないし、神聖であるためには、毎日完全な服従状態で生きなければならないということを信じさせたかっただけだった。なぜなら私の目には教会は主のものではないように見えたし、その人たちも主に認められるような方法で奉仕しているようには見えなかったからだ。そのため、私は、魂の善のために彼らの中で働いたのだ。(一〇三)

この引用から明らかなように、ジャクソンは「神聖さを信仰の基準としていた。それは「毎日完全な服従状態で生きること」であり、ジャクソンの目に映ったAME教会の牧師の実態は、彼女の基準からはかけ離れたものであった。このように、教会に対して批判的な見方をするジャクソンに対して、AME教会は弾圧という手段に出る。ジャクソンがクラス集会を先導し、男性を指導していることを聞きつけたA

ＭＥ教会の主教がピーターソンの家にやってきたことで、集会は地下室で行うしかなくなってしまう。それでも、ジャクソンの先導する集会はいっそう人気が高まり、地下室も廊下も人があふれるほどであったと自伝では説明されている。

ＡＭＥ教会との決別

ＡＭＥ教会からの弾圧を受けたジャクソンは、自ら伝道の手段を探し、以前にも増して積極的に他の場所に出かけるようになっていった。一八三三年十一月にはフィラデルフィアにいる女性の招きでこの女性の家を訪問し、集会を開き始める。そこで、その地区にいた唯一の黒人家族の家を訪問し、今度はその家族の願いで集会を開き始めたが、ほとんどが白人の会衆で、その後も六日間連続で集会を開いたという。興味深いことに、その数か月後に、ジャクソンは神に会うという体験をしたことを記している。一八三四年二月五日に濡れながらぬかるみの中を四マイル歩いたためにひどく具合が悪くなった後で、主イエスに自分のスピリットを受け取ってもらえるように祈ったとき、ジャクソンは、白い大理石のような姿をした聖なる存在の訪問を受ける。同年、自分の家で集会を開いたあと、十字架をつけた子どものイメージを再び目撃し、ジャクソンは三年間後を追っていた天のリーダーの女性がジャクソンの中に入り、天のような感覚を感じる体験をした。さらに一八三五年の年末に、救い主を右に携えた全能の神である父を目撃する。これらの体験についてジャクソンは「スピリットの目」（一三六）で見たと表現しているが、神を見た経験は特別だったことを次のように表現している。

> これらは本当に私にとってすべて新しいことだった。なぜならどんな死すべきものも地上の体にあるうちに神に会えるとは知らなかったからだ。しかし、それは神の栄光の後の日に、こういった偉大で隠された神秘的なことを私に見せるという神の偉大な慈悲の中で神を喜ばせることだった。私は、子ども時代に救い主が十字架にかけられているのを最初に見た。それから、次に、女性のリーダー、スピリットが、自己否定の道と、そこでどのように歩くべきかを見せた。それから、私は神の声を聞いた。それから、私は神の栄光を見た――これはこの書物ではまだ言及していない。それから私は、その目とスタッフの力によって、二つの家を通り透明の海の上に私を導く、スピリット、聖なる存在を見た。そしてそれから、父と子、人の子を。
> （一三六）

ジャクソンは教会に属さずに集会を続けていたために、メソジスト派の三人の牧師、ウィリアム・ヘンリー、アイザック・ロウアーズ、ジェレミア・ミラーを始め、他のメンバーから間違った教義を教えているとして数年間嫌がらせを受け、フィラデルフィアでは集会が持てなくなっていく。さらに、一八三五年には、メソジスト派の牧師が教会役員に、教会だけでなくどんな家でもジャクソンに話をさせないように伝え、話をさせた場合は教会から追放するという通達が出され、話をさせまいとする牧師に追い立てられるという経験もしている。このような迫害の中でも、ジャクソンは公演場所に四か月とどまり、六九の説教を行い、多くの友人が立ち上がった。そして、「神と共にあれば不可能なことは何もない」(一五四)という結論に至る。このようなプロセスを経てAME教会との亀裂は決定的なものとなったが、同じころ夫との亀裂も決定的となる。ジャクソンは一八三六年一月三十一日には夫のサミュエルと別れる決意を固めているが、後の自伝の記述からサミュエルはジャクソンに暴力をふるい、命を奪おうと試みたこともあったことがほのめかされている。

ジャクソンの日記を読むと、当時の黒人教会も家庭も男性が支配していたということがはっきりとわかる。女性であったジャクソンが自由に活動するためには、抑圧的な男性の支配から逃れられる場所を探すほかなかったのであった。

黒人のためのシェーカー派のコミュニティの設立へ

ジャクソンの自伝には一八三六年から一八四〇年までの記録がなく、一八四〇年にニューヨークを訪れ、ニューアーク、ブルックリン、ニューヘイヴン、ミドルタウン、コネチカット、ハートフォードなどで説教を行ったという記述から自伝が再開されている。その後一八四二年にシェーカーのコミュニティを訪問した時にジャクソンにとっての大きな転機が訪れる。ジャクソンは以前からシェーカーの人たちが「本当に神に属する人たち」だという声を聞いていたが、ある夜の集会で、彼らが神を崇拝しているときに、頭上の天井の中心に、金色の翼のついた母なる神の頭を目撃する。その頭が「これらはすべて私のもの」(一六八)と伝えたというが、その時ジャクソンは、その部屋に十六体の天使がいることも認識できたと記している。このようにシェーカーのコミュニティでの神秘体験をしたジャクソンは、ニューヨーク州オルバニー群ウィーターヴリエットの白人のシェーカーコミュニティに身を寄せて生活を始めた。しかし、一八四三年の三月十二日に黒人の夢を見て目覚めたときから、自分と同じ黒人のコミュニティの創造の必要性を強烈に意識するようになり、一八五〇年に神から具体的な召喚があったことを記している。

二月十七日に、私は、私の民に関連して神が私に与えた神の言葉を確認する励ましの言葉を受け取ったが、その仕事は神が私にするように召喚したものである。そして、その時がきたら、神の助けによって、私がそれを行うことを妨げることができる人は誰もいない。(二一八)

このとき、ジャクソンは、白人中心のシェーカー派のコミュニティに身をおきながら、この引用で「私の民」と表現されている自分の同胞である黒人のために仕事をするという神からの召喚を受け取ったが、白人中心のコミュニティでは黒人のための活動に対する理解が難しかったためにかなりの困難を伴うものであったことが日記から推測できる。例えばジャクソンは「一八四八年にウォーターヴリエットに着いた後、私は信仰を持つものたちの集いにおいて、参加者たちが世界のためではなく自分たちのために祈るのを見た」と記しているし、また「もしシェーカーたちが地上で唯一の神の民で、その民が、ほとんど一時的な自分たちの心配で忙しいように思えるなら、どうやって世界が救われるだろうと疑問に思った」と記していることから、白人中心のシェーカー派のコミュニティにおいて、黒人のための活動を行いたいと考えても限界があると感じていたことがうかがえる。結局、ジャクソンは、一八五一年七月五日にウォーターヴリエットを後にし、故郷のフィラデルフィアに戻ることを選択する。この選択については、一八五二年に「私の民のためにさらにすべき仕事があったことが知らされていた」(二三八)と記しているように、黒人のためになすべきことがあるという使命感を感じていたためであったことが示唆されている。そして、ジャクソンはフィラデルフィアで、アメリカで初の黒人信徒が中心のシェーカー派のコミュニティを形成することになったが、それは、黒人女性であった彼女が、自らの自由と信仰と黒人のためのコミュニティを追い求めた結果、最終的にたどり着いた「家」であった。

解放のための力の獲得とその記録としての自伝

本稿でたどってきたように、ジャクソンの自伝には、彼女が自らの神秘体験をその力の源として、さまざまな抑圧や支配から逃れるための行動へと駆り立てられていったことが記されていた。具体的には、彼女はまず家の中で大きな支配を握っていた兄に頼ることをやめ、信仰の力で読み書き能力を獲得し、次に夫より自らの信念に従うことを選び、男性が支配していたAME教会や家庭からの圧力に対抗し、白人の信者中心のシェーカーコミュニティの限界に気づき、黒人の信者を中心としたコミュニティを自ら形成するに至っている。彼女の自伝はこういった精神的自立のプロセスを記した記録として読むことができる。それゆえ、ジャクソンの自伝は、まさにボスティックの指摘するような、解放のアイデンティティを構築する仕事を記した記録だと言えるだろう。そして、そしてそのようなアイデンティティ構築を可能にした力の源は、神を第一とする信仰の力であったことが明らかとなった。

ジャクソンのように南北戦争前の時代に生きた黒人女性にとって、信仰による体験はことさら重要であったことを指摘せざるをえない。なぜなら、当時のアメリカ社会において、黒人でありかつ女性であるという二重のマイノリティであった黒人女性がアクセスできた力は、神の力以外に何もなかったと言っても過言ではないからである。自由黒人として生まれたジャクソンですら、読み書き能力を得るための教育すら受けることができなかったことが彼女の自伝には記されていた。また、当時の黒人男性にとっては精神的社会的な支柱であった黒人教会ですら、黒人女性を従属的地位に置こうとしていたことも彼女の自伝にはっきりと示されていた。そのような状況の中で、ジャクソンが力の源であることに気づき、唯一心から信頼することができたのは神だけであり、彼女の行動の指針となりえたのは、信仰の導きによる夢やビジョン、声などによる啓示と体験だけであったことが、彼女の自伝には明確に示されていた。

ジャクソンの自伝は、十九世紀に生きた黒人女性の信仰に基づくビジョンと興奮の体験という個人的な信仰体験が、いかに彼女たちを取り巻く環境に変化をもたらし、状況を変えるための力の源になりえたのかの記録となっていることを最後に強調したい。信仰に基づく個人的体験は、個人としての変化をもたらすだけでなく、新しいコミュニティを形成するほどの力にもなりうるということを彼女の自伝は証していると言えるだろう。神の力は、肌の色や性別による制限を受けることはなく、信仰によって誰でもアクセスできる力であるだけでなく、個人という限界や枠組みを超えて、新しいコミュニティを形成し、社会を動かす力ともなりうることにジャクソン自身は気づいていたし、実際にそれを自らの人生を通して示したと言える。それゆえジャクソンの自伝は、十九世紀に生きた黒人女性が築いた信仰の基盤が二十世紀の公民権運動へとつながる精神的基礎を形成していったことを示す記録としても読むことが可能なのである。

註

1　最初の黒人教会としては、一七七七年にジョージア州サヴァナで発足したアフリカン・バプテスト教会があった。初期の黒人教会については『アメリカ・キリスト教史』七四頁を参照。

2　トーキング・ブックについては『シグニファイング・モンキー――もの騙る猿／アフロ・アメリカン文学批評理論』第四章トーキング・ブックという文彩（一八八―二五四）を参照。

3　アメリカ黒人にとっての宗教の意味についてはAnthony B. Pinn, *What Is African American Religion?* (Minneapolis: Fortress Press, 2011) で詳しく論じられている。

4　Howard Thurman, *Mysticism and the Experience of Love* (Wallingford, PA: Pendle Hill, 1861) 四頁を参照。

5　この論文における邦訳は全て執筆者による。

6　以下、特に断りのない括弧内数字は、Rebecca Cox Jackson, *Gifts of Power* からの引用頁を表す。

7　この段落で説明している状況については『アメリカ黒人とキリスト教』五三頁をもとにまとめた。

引用文献

Bostic, Joy R. *African American Female Mysticism: Nineteenth-Century Religious Activism*. New York, NY: Palgrave Macmillan. 2013.

Gates, Jr. Henry Louis. *The Signifying Monkey: A Theory of Afro-American Literary Criticism*. Oxford UP. 1888.（ヘンリー・ルイス・ゲイツ・ジュニア『シグニファイング・モンキー――もの騙る猿／アフロ・アメリカン文学批評理論』松本昇、清水菜穂監訳、南雲堂フェニックス、二〇〇九年。）

Jackson, Rebecca. *Gifts of Power: The Writings of Rebecca Jackson, Black Visionary, Shaker Eldress*. U of Massachusetts P. 1881.

黒崎真『アメリカ黒人とキリスト教――葛藤の歴史とスピリチュアリティの諸相』神田外語大学出版局。二〇一五年。

森本あんり『アメリカ・キリスト教史――理念によって建てられた国の軌跡』新教出版社。二〇〇六年。

Pinn, Anthony B. *What Is African American Religion?* Minneapolis: Fortress Press, 2011.

Thurman, Howard. *Mysticism and the Experience of Love*. Wallingford, PA: Pendle Hill, 1861.

3 倉橋由美子の〝クィア〟な「黒人」
――ジェンダーと人種表象を巡って

西田　桐子

はじめに

倉橋由美子は、政治や宗教などの「大きな物語」に、小説を書くことで闘いを挑み続けた革命的な作家である。倉橋の革命というのは、さまざまな貌をもつが、柱の一つとして挙げられるのは、ジェンダーシステムへの反旗であり、その闘いは、黒人表象と深く関わっていた。

一九三五年に高知で生まれた倉橋は、明治大学の仏文科に在学中となる一九六〇年に、「パルタイ」(ドイツ語で党の意)という、学生運動に対する痛烈な風刺小説で鮮烈なデビューを果たした。現実ではない「反世界」を作り上げることを信条としていたことで知られる倉橋の作風は、しばしば抽象的や観念的と表現され、一時は同世代の大江健三郎とも並び称される文壇の寵児であった。

倉橋についての研究は、二〇〇五年の死去以降、倉橋文学の再評価の機運とともに、二〇一〇年代に入り急速な進展を見せている。その多くが女性学的な視点からなされており、本稿も、一面ではその系譜に連なるものであるため、重要な先行論に関しては適宜言及する。人種表象に着目した研究は、著者による修士論文「倉橋由美子の「黒人」――記号としての「黒人」からポスト・モダニズムのその先へ」(二〇〇八)以外には、マイク・モラスキーが『戦後日本のジャズ文化――映画・文学・アングラ』(二〇〇五)で、ジャズとの関わりにおいて言及しているに留まる。

本稿では、倉橋による、「密告」(一九六〇)と「醜魔たち」(一九六五)という二つの小説と「わたしの「第三の性」」(一九六〇)というエッセイを中心に、検討する。倉橋の女性性を巡る省察と闘いは、ジュネとボーヴォワールという二人のフランス人からの影響を受けて、黒人と同性愛とを結びつけ、日本文学史上稀に見る〝クィア〟な黒人表象を生み出すこととなる。

一　剽窃／アダプテーション――ジュネ受容を中心に

デビュー後間もなく発表された「密告」は、倉橋によって初めて同性愛と黒人との結びつきが描かれた作品である。「密告」は、倉橋自身も「ジュネ的イメージを沢山使ってある」と認めているように[1]、自身が窃盗や男性相手の売春といった犯罪の常習者であったことで知られるフランスの作家ジャン・ジュネの影響が、明らかに見られる。とりわけ「密告」には、ジュネの代表作『花のノートルダム』（一九四四）の影響が色濃い。

「密告」は、背徳と罪悪を主題とする短編小説である。主人公は、十四歳の美しく聡明な少年で、「ぼく」という一人称で作中に記され、その他の主要人物としては、P、Q、S、Lがいる。PとQは、「ぼく」と同級生の男子生徒で、二人は同性愛関係であると同時に、強盗を繰り返す犯罪者でもある。Sは、「ぼく」が同性愛的な慕情を感じている上級生で、Lは同級生の美しく優秀な女子生徒である。

戦時中を彷彿とさせる学校に通う「ぼく」は、人目を忍んでLをサディスティックに痛めつけているが、ある日、その現場にPとQが現れ、Lが二人に強姦されたことが仄めかされる。時を同じくして、「ぼく」はSに、PとQを見張り報告するように言われる。「ぼく」は、PとQが同性愛関係にあり恐喝や強盗を繰り返していることを、Sに「密告」し、PとQは学校から姿を消す。「ぼく」のLへの加虐行為はエスカレートし、遂にLを岩窟に監禁するに至る。数日の監禁ののち、Lは、「いいつけてやったわ」という言葉を残して断崖から飛び降りる。後日、「ぼく」はLの自殺について全てを告白するものの、許され、忘れるよう言われた直後、「いくさ」に負けたことが示され、終戦を思わせる描写で幕を閉じる。これらの出来事が、象徴的かつ超現実的な筆致で描写されていく。

梗概が示すように、Lを除く全ての登場人物が、背徳的な行為に手を染めており、これこそジュネの影響の証左でもある。ジュネは『泥棒日記』で、「最も美しい、また最も不幸な犯罪者たちとの自分の同一化」（二七六）[2]を求め、そのために、自分を卑しめ堕す「盗み、物乞い、裏切り、背信」（二九四）などの罪悪を犯すことを選んだ、と述べている。小説のタイトルともなっている「密告」という背信行為こそ、「ぼく」の犯罪者たちとの合一を可能にするのである。このように、倉橋は主題すら泥棒ジュネから盗んできているといえよう。

主題のみならず、人物設定も相似している。『花のノートルダム』の「女衒」のミニョンと「おかま」のディヴィーヌのカップルと対応するのが、PとQである。また、『花のノートルダム』には、殺人犯クレマン・ヴィラージと、ディヴィーヌの情夫となるセック・ゴルギという二人の「黒人」が登場するが、「密告」の「黒人」の設定は、殺人犯かつQの情夫であり、つまり、ちょうどジュネの二人の「黒人」が合体しているといえる。このように、「密告」の「黒人」には、その設定から、既にジュネの影響を窺うことができるのである。「密告」の黒人表象をみていこう。「黒人」は、次のように登場する。

> ココア色の顔とカリフラワーのようなちぢれ髪をもつ黒人が、そのはちきれそうな臀をつきだしてとまり木で飲んでいた。黒人の汗で光る首筋は栗毛の馬のようだったし、原始時代の巨大な石造貨幣をおもわせる上下の唇のあいだからは、酒の蒸気とつよい口臭のまじった歌が吐きだされている。すばらしいわ、とQはうっとりしたようにいった。ねえ、すごいじゃない。あのニグロのあれ、どんなに大きいかしら。（二〇一）

一見して、動物の比喩が用いられる外見の描写や、臭い、または性器の大きさなど、黒人に対するステレオタイプを指摘できよう。一方で、この描写が差別的意図に基づいた描写かというと微妙である。

堂々とした「黒人」のエキゾチックで力強い魅力こそ、引用部の表現が意図したところであろう。例えば、肌と髪の、「ココア色」と「カリフラワーのような」という表現だが、これらに差別意識は見出しづらい。むしろ、カタカナ表記の外国由来の食品の組み合わせからは、異国的で洒落た雰囲気すら感じられる。加えて、「原始時代の巨大な石造貨幣をおもわせる上下の唇」という表現は、「黒人」の肉体の力強さや、雄大で時代を超越した風格を印象づける。こうした表現で描かれた「黒人」にQは、「すばらしいわ」と、魅了されるのである。

この堂々とした「黒人」の姿は、ジュネが『花のノートルダム』で「晴れやかな黒人」（三四二）と書いた活発で精力的なゴルギという「黒人」に類似しており、黒人に対するある種の憧憬の念すら読み取れるだろう。

ジュネの影響を、より明らかに指摘できる表現も見られる。「黒人」の体に関する部分を、両作品を対比させて引用する。

> あの黒人の堂々とした胸と腹の果には大平原の草のように

> 匂う体毛が茂っているだろう。（倉橋「密告」二〇二）

> 堂々と仰向けになって眠っている黒人の、大草原の草いきれを思わせる強い匂いのする陰部
> （ジュネ『花のノートルダム』三五六）

剽窃すれすれの明らかな類似をみせている。「黒人」の体が、「堂々と」や「大草原」（「大平原の草」）といった共通した表現を用いて描写され、さらに、「黒人」の「匂い」が草のイメージと結びつくというところまで共通している。

一連の表現から連想されるのは、自然を身に宿し堂々たる生命力に溢れる黒人の姿であるが、この表現が差別であるかどうかを判断することは、容易くない。「草」という表現一つをとっても、ただの草ではなく、「大平原」や「大草原」といった雄大な自然の風景との結びつきで用いられており、これら二つの語自体は、黒人を表象する際の典型ではない。一方で、周知のことだが、自然と文明とに二分した際に、黒人を自然の側に置くというのは、西洋的ステレオタイプの一つである。

さらに、この倉橋の表現が剽窃かどうかという問題に足を踏み入れると、事態は混沌としてくるため、黒人表象に関わる幾つかの重要な問いを提起するに留める。倉橋が人種差別主義者なのか、もしくは無自覚な引用者なのか。それとも、ある作品世界を構築するために、ジュネ的イメージの、もしくは西洋のステレオタイプの、岩田和男他編『アダプテーションとは何か』で述べられているような、「創造的な翻訳＝解釈」（八）としてのアダプテーションを行ったとみなすべきなのだろうか。そもそもこれは人種表象なのか、という疑いすら生じてこよう。

「密告」の「黒人」が、ジュネから受け継いだ最も顕著な特徴は、同性愛との結びつきである。Qと別れたPは「ぼく」と、「殺人犯の黒人」について次のような会話を交わす。

> いつか酒場でみたニグロ……とぼくがいうと、ああ、ニグロ、とPがいつた。QはPに捨てられてからその殺人犯の黒人と恋におち、例のホテルで同棲しているとのことだ。Pはいたましい顔をして、自分がすべての點であの黒人の偉大さにはおよばないという屈辱をガムのように噛みつづけているのだ。Qと黒人とは、たがいにそのからだを、とりわけもっともデリケートな恥の赤さで輝く美しい大小の枝を愛撫しあつているだろう。あらあらしい侵入の儀式がQを悶絶させているだろう。（二〇二）

Qと「黒人」の同性愛関係について、性行為の内容にまで踏み込んで述べられているが、重要なのは、Pが「すべての點であの黒人の偉大さにはおよばない」と述べていることである。「殺人犯の黒人」というのは、QがPから乗り換えるほど、「偉大」で「最も美しい、最も不幸な犯罪者」として、ある種の憧れとともに、理想化された存在として描かれているといえよう。

このように、「密告」の黒人表象は、ジュネの書いた「黒人」の影響を強く受けており、表現の細部にいたるまでその影響が及んでいることが指摘できる。その特徴というのは、憧憬の対象であることと、同性愛との結びつきである。

二　《他者》であること、《他者》となること
――ボーヴォワール受容を中心に

「偉大」な黒人が、同性愛行為に耽る犯罪者として描かれるのはなぜであろうか。そこには、表現の踏襲といったレベルとは異なる次元においてなされた、ジュネの受容を窺うことができる。

「密告」発表とほぼ同時期に、倉橋は「わたしの「第三の性」」という、女性性を巡る哲学的省察を発表している。このエッセイは、《他者》の位置に閉じ込められた女がいかに生きるかについて、存在論的に考察するものである。

倉橋と女性性に関しては、近年研究が進展しており、本稿の方向性と重なるものとして、片野智子によるジュディス・バトラーのジェンダー理論を踏まえて作品分析を行った論考がある。片野は、倉橋の戦略として〈女の仮面〉を被ることによって「性の境界線を攪乱」(六二)している点を挙げ、さらに、「身体をもとに主体を攪乱し、更には権力に対する新たな抵抗のあり方を導出した」(六二)と、倉橋がバトラーを越える可能性を示唆する。片野の論に大筋で異論はないが、本稿では黒人表象に着目することで、倉橋の女性性の探究が、人種や性を巡るマイノリティへも開かれていき、一九九〇年代のクィア理論にすら近接することを示す。

黒人と同性愛について検討する前に、倉橋の論の前提をなす、女という存在について述べた部分を、「わたしの「第三の性」」の冒頭の段落から引用する。

女は負の世界に、いわば世界のなかの反世界にとじこめられているのだから。つまり世界は男のものだ。そこで女は、男にたいして(傍点ママ)女という性をもつものとしてしか考えられない。女は、ボーヴォワールが指摘してい

るように、《他者》という範疇に属する。男の世界からのまなざしと加工によって石膏のようにかためられ形づくられた他者、男によってこうであるときめられた客体としての性、それが女である。（二六六）

女とは、男によって見られ、存在を規定される客体であり、「反世界」にとじこめられた《他者》である、と倉橋は述べている。

こうした発想の契機として、引用中にも名前があるようにボーヴォワールの影響が挙げられる。「わたしの「第三の性」」というタイトルがボーヴォワールの『第二の性』をもじったものであることは、指摘するまでもないだろう。

倉橋のボーヴォワール受容については、劉苗苗による博士論文が詳しい。劉は、「倉橋の女性論思想の成立に決定的な影響を及ぼした」（五）ボーヴォワールの『第二の性』に着目し、倉橋の「わたしの「第三の性」」と比較することで、社会的構築物としての性という認識、結婚と母性への否定的な態度、フェミニズム運動における男性との関係、などの共通点を明らかにしている。

こうしたボーヴォワールの思想をもとに、深まりをみせる女についての存在論的探究は、黒人と同性愛と犯罪者といった存在を、女と結ぶ。「わたしの「第三の性」」において倉橋は、次のように述べている。

たとえば男色のような性的関係は、《雄—雌》という生物学的条件をはなれて、性の存在論的構造だけをグロテスクな純粋さでしめしている。男娼とはみずから他者に変身させた男、それゆえ世界のまなざしを受け、悪をひきうけた男だ。作家ジャン・ジュネが受け身の男色家でありかつ泥棒であったことは偶然ではない。男娼、犯罪人、アメリカの黒人やインドの不可触賤民などの存在は、女の性と類似の存在論的構造を示すものだ。（二六七）

女の性と「類似の存在論的構造」を示す例として、「男娼」、「犯罪人」、「アメリカの黒人」が挙げられている。これらが存在論的に類似する理由こそ、他者性という共通項である。まず、倉橋は、生物学的条件をはなれた性的関係の在りようとして「男色」を挙げる。こうした生物学的な性に囚われず、男ではあるが、同性を相手に売春するという「悪」をなすことで《他者》となった存在として、「男娼」を挙げるのである。「犯罪人」もまた、悪をなすことで《他者》となった存在である。さらに、「アメリカの黒人」はアメリカ社会から、「インドの不可触賤民」はインド社会から、《他者》とされた存在だと倉橋は述べているのである。

このようなジェンダー、人種、性的志向等におけるマイノリティが、他者性という問題を共有することによって重なるという認識は、クィア理論が、立ち上げられた当初、さまざまに異なるセクシュアルマイノリティの「共通の基盤」[3]を探り、連帯を呼びかけることを目的の一つとしていたこととも重なる。また、ジュネが後年、ブラック・パンサー党を支援したことも、倉橋がジュネの本質のある部分を直観していたことを裏付けるだろう。

要するに、女、黒人、同性愛者、犯罪者、ジュネというのは、「反世界」にとじこめられた《他者》という同じカテゴリーに在る、と倉橋は認識しているのである。ジュネは、中でも特権的な存在で、自ら《他者》となって悪を引き受けただけではなく、作家であった。つまり、黒人と同様に、女という他者性を、生まれながらに引き受けなくてはならなかった（と認識している）作家倉橋にとって、ジュネは一種のロールモデルであったといえる。

ボーヴォワールの思想とジュネという作家の在りようは、倉橋の女性性を巡る哲学的省察に大きな影響を与えた。その結果、「密告」に、ジュネ同様、「男色家」であり「犯罪人」である「黒人」が登場したのである。

三　「にせの女」としての「黒人」
——「醜魔たち」の〝クィア〟な黒人表象

倉橋の女性性を巡る省察は、日本文学史上他に類をみない、〝クィア〟な黒人表象を生み出す。短編小説「醜魔たち」の黒人表象について検討しよう。

「密告」から五年後の作品となる「醜魔たち」は、愛と結婚を巡る物語である。「密告」の「ぼく」が成長したかのような主人公「ぼく」は、従妹のMと「世にも幸福そうな、模範的な夫婦」（三八）になった契機を回想する。十七歳の夏、一人で海辺の別荘に滞在している「ぼく」のもとをMが訪れ、嵐とともに事件が起こる。

梗概も兼ねて、この物語の文学的要約ともいえる部分を引用する。

> ぼくはまるで貝のなかにとじこめられた醜魔だった。そしてぼくの醜さはたぶんぼくの絶望好みのためだったのだろう。いうまでもないがそれはあの貝の外にある堅固な世界と日常生活の進行に対する嫌悪から生まれたものだった。

だがそのぼくを《愛》という釣針で釣りだして現実世界にしっかりとつなぎとめることに成功した少女がある。そのときからぼくの真の絶望がつづいている。（二七）

「醜魔たち」に描かれるのは、《愛》を巡る「ぼく」とMとの闘争であり、結婚という敗北を喫するのは「ぼく」である。貝のように自分の世界に閉じこもっていた「ぼく」は、結婚によって現実世界につなぎとめられる。外の堅固な世界の「使者」としてやってきたMの戦略は、「台本」に従い自分を演じてみせるというパフォーマンスであり、それが力をもつ理由は、社会的な《愛》の概念という後ろ盾の存在であった。「ぼく」は、Mから逃れようとするも、決定的な事件が起こる。「ぼく」による「黒人」の殺害である。

一度目の嵐の翌朝、「黒人の（もしくは黒人との混血の）少年」（三六）が、浜に打ち上げられる。「感化院」から脱走してきたらしい少年は、「Mはぬれたシャツを拾いあげて胸のポケットに縫いこまれたイニシアルをぼくにしめした。それはQと読めた。クイーンシイトカナントカイウンダロウ、とぼくはいった」（二九三―二九四）と述べられたのち、Qと呼ばれるようになる。

Qの身体については、次のように描写される。

これ（Q：著者註）はぼくにとって人間の形をした魚にすぎなかった。外側は黒、光をすいこみむくらやみの皮膚、だが——ぼくの眼は鋭利な解剖刀のように胴を縦にたち割った——なかは桃色、火のような果肉。Mは折れた櫂を黒んぼの腹の下にさしいれるとてこ（傍点ママ）の要領でひっくりかえした。ぼくらは小さい叫び声をあげた。薔薇色の肉のナイフが空をさしてふるえていたのだ……（三六）

「密告」の堂々とした力強い「黒人」とは全く異なる「黒人」が描かれる。「ぼくの眼」に見られる客体としての「黒人」は、「人間の形をした魚」と表現され、「密告」における「栗毛の馬」のような精悍な獣のイメージが消える。陸に上げられた無力な「魚」の体表は、冷たく滑らかであるだろう。さらに「黒人」の性器は、「密告」ではその大きさが強調されていたのに対し、「醜魔たち」では、震える「薔薇色の肉のナイフ」という可憐とすらいえる描写がなされる。全体として、「黒人」から男性性が薄れているさまが読み取れる。

着目すべきは、黒い皮膚とその内側との色彩の対比である。「醜魔たち」では、この色の対比が、「黒人」を女と結びつける。次の引用は、Qと関係をもった後に「ぼく」がQの身体について述べた部分である。

それは毛のない獣で、卑猥なほどのびちぢみするゴム人形で、薄い粘土かチョコレートの皮膚に包まれた明るい肉だった。つまり黒んぼのQは、女たちが（もちろんMをふくめて）白い皮膚で包んでいるあの不気味なくらやみを外側にもっているのだ。そして外面をおおうこの薄くひきのばされた闇にはもはやぼくを呪縛するどんな力もありえない。だからぼくは相手のくらやみに吸いこまれるという危険をおかすことなしに、相手をみることができた。《愛》におびやかされることなしに。（三七―八）

「黒人」と女は、色の対比において正反対の構造をもつと述べられる。Qの闇が肌にあるのに対し、女は「不気味なくらやみ」を内側にもつだけではなく、「黒人」の外側の闇よりも内側にあることによって凝集し力をもっていることが暗示される。「黒人」と女との接近が色彩表現によって、表現されているといえよう。

このように女と接近した「黒人」は、「にせの女」である「黒人」という、日本文学史上稀にみる、〝クィア〟な黒人表象を生み出す。浜辺での遭遇以後、別荘に住み着いたQと「ぼく」の同性愛行為については、次のように述べられる。

こうしてQはぼくのところへやってきた、薔薇色のナイフをぼくにむけて。ただしそれはぼくを刺すための兇器ではなく、ぼくにつかまれ、みられ、愛撫されて柔らかく融けてしまうための肉の剣であり、ぼくがこの黒い丸木舟をあやつるための操縦桿であることをぼくはまもなく知った。それを知ったときはQがにせの女であることを知ったときだったが、ぼくは浴室でQを洗ってやっていた。（三七）

Qが性行為において受け身であることが示される。受動性は、しばしば性器の形状を理由に、女性に振り当てられるが、Qはその意味において、女の役割を果たす「にせの女」なのである。ここにおいて、女性化された黒人男性で、「にせの女」である「黒人」という表象が出現したのである。

「女」と「黒人」との接近は、「にせの女」として重なり合うことで最高潮に達するが、このクィアな「黒人」は、異性愛者でマッチョな黒人男性が主流を占める日本文学における黒人表象の中では、非常に珍しいものである。少ない例外として、村上龍の『限りなく透明に近いブルー』（一九七六）を挙げることができるが、この小説で描かれる日本人男性と黒人男性の同性愛行為において、女性化されていたのは日本人のリュウの方であった。

「密告」のそれは、もはや実存する人間としての黒人を描こうとしたという意味での、黒人表象とは言い難いであろう。作家の文学的想像力によって創造された「黒人」であり、Qというアルファベットで示されることが象徴しているように、「黒人」は倉橋独自の記号として機能しているとすらいえる。

Qの表象というのは、奇妙という意味で「クィア」であり、Qの性的志向によっても「クィア」であるということができるが、それに留まらない。Qが作中で果たしている役割こそ、クィア理論がもつ可能性を体現しているのである。

「ぼく」の「にせの女」となったQは、この後「ぼく」の手によって殺される。Qを発見する直前、「ぼく」はMと、Mにとっては初めてと思われる性行為をし、その後、「ぼく」はQとも性行為をする。Qとの数日間の蜜月の後、二度目の嵐がやってくる。その晩に「ぼくにはいま、それが突発した事件でなく、みごとなお芝居だったようにおもえてくる」(三七)事件が起こる。嵐を理由にMも別荘に泊まることになり、「ぼく」が夜中にMの部屋に入ると、Mの上に「濃密な、ほとんど不定形のくらやみ」(三八)がのしかかっていた。Mの眼に命じられた「ぼく」は、Qに向かって重い燭台を打ち下ろす。それにより、「Mはぼくから Qを除去することに成功し」(三八)、「ぼく」はMのシナリオ通りにMに所有され、二人は夫婦となるのである。

Qの殺害は、Mによってなされたともいえる。その理由こそ、Qのクィア性による。Qとの関係は、《愛》におびやかされない関係とされ、Mとの結婚という、異性愛を前提とする社会システムが強いるシナリオからの、「ぼく」の逃走を可能とする。それは異性愛を前提とする世界との闘争でもある。その世界に「ぼく」をつなぎとめるのに邪魔な存在がQであり、Qこそ、異性愛のシステムを揺さぶり撹乱しうる、〝クィア〟な存在だったのである。

Mのやってきた世界においては、愛と性と結婚というのは、全てが一続きに結びついたものでなくてはならず、そこからの逸脱は許されない。とすれば、「《愛》のない愛撫」(三八)であり「純然たる認識の儀式」(三八)と表現されるQとの性行為というのは、そうした愛と性と結婚とはひとまとまりであるべきという要請、いわゆるジェンダーシステムに、亀裂をいれる行為であり反逆なのである。それこそ、Qが、Mによって「除去」されてしまった理由である。

このように、「醜魔たち」という小説は、異性愛を前提とするジェンダーシステムへの抵抗と反逆(とその失敗)の物語であり、そこにおいて「黒人」は、ジェンダーシステムを攪乱するクィア性を帯びた「にせの女」として登場する。

おわりに

倉橋という作家は、一九六〇年代初頭の日本でジェンダーシステムを、揺さぶり転覆しようと夢想した革命家であり、そのあまりに早い時期になされた孤独な闘いは、女を《他者》という位置に閉じこめようとする「世界」に対する反逆であった。書くことによってなされた倉橋の闘いにおいて、「黒人」は、その変革の可能性として表象され、それによって「にせの女」である「黒人」という、〝クィア〟な黒人表象が出現することとなる。

最後に、人種表象という観点から、倉橋の「黒人」はいかに捉えられるのか、という問いを投げかけ、本稿を終えたい。ステレオタイプか、それとも想像力の創造物か。差別的な偏見が表出されているのか、そうではないのか。人種表象研究につきまとう難しさであるが、とりわけ、本稿で取り上げた、倉橋の「にせの女」としての「黒人」は、その難しさを浮き彫りにする。倉橋によって、いわば実存を超越して(それこそ表象の可能性でもあるが)、表象された〝クィア〟な「黒人」は、偏見と想像力のはざまに生じる表象という「反世界」に、読者を誘いこむのである。

注

1 『倉橋由美子全作品』(第一巻)所収の「作品ノート」参照。倉橋の小説からの引用は全て『倉橋由美子全作品』からとし、「密告」は第一巻、「醜魔たち」は第六巻に所収。

2 ジュネの引用は『ジャン・ジュネ全集』(全四巻)からとし、『泥棒日記』は第一巻、『花のノートルダム』は第二巻に所収。

3 クィアの命名者であるテレサ・ド・ローレティスによる論考「クィア・セオリー」を参照されたい。

引用文献

岩田和男、武田美保子、武田悠一編『アダプテーションとは何か――文学／映画批評の理論と実践』世織書房、二〇一七年

片野智子「〈女の仮面〉を被るとき――倉橋由美子『暗い旅』と初期短編」『日本近代文学』第九七集、四九―六四頁、二〇一七年

倉橋由美子『倉橋由美子全作品』(全八巻)、新潮社、一九七五―六年

倉橋由美子「わたしの「第三の性」」『中央公論』一九六〇年八月号

ジャン・ジュネ『ジャン・ジュネ全集』(全四巻)新潮社、一九六八―七〇年

劉苗苗「倉橋由美子文学における女性像および女性論についての研究」博士論文、二〇一六年

引き裂かれた自己
——アグネス・スメドレーの『大地の娘』について

齋藤　博次

アグネス・スメドレーの『大地の娘』（一九二九年）は、語り手であり物語の主人公であるマリー・ロジャーズが過去三〇年の生活を振り返って書き記すという物語形式を採っている。小説の冒頭の部分でマリーは、自分がこれから語ることになる回想記は「絶望と不幸の中で書かれた人生の物語」（七）であり、三〇年の間、「わたしは苦痛の井戸水を飲み続けてきた」（七）と語る。読者に向かって、苦痛、絶望、孤独に満ちた物語になることを予告するのである。だが、そのいっぽうでマリーは、今の自分が「盲目的な信念や限りないエネルギーや無知に代わって、過去の体験から得た知識を持っている」（八）と語り、自己の成長ぶりを読者に伝える。そして、過去の絶望を乗り越えて社会的正義の実現のために生きていく決意を語る。

もし死ねたのなら、それは美しいことであったろう。しかし、わたしは美しさのために死ぬことがない人間である。わたしは、別の大義のために死ぬ人間、貧困に打ちひしがれ、富と権力の犠牲になった人々、偉大なる大義のために戦う類の人間である。私たちの中には、愛の苦痛や幻滅に絶望して死ぬ者もいるが、ほとんどの者にとって「地震は新しい泉を湧き上がらせるだけである。」（八）

しかしながら、この物語を最後まで読み終えた読者にとって、マリーが冒頭で語ったことをすんなりと受け入れることは難しい。たしかに『大地の娘』には、マリーが体験した苦難——悲惨な貧困生活、女性であるがゆえに被った抑圧と差別、破綻に終わった二度の結婚、激しい気性ゆえに生じる周囲との軋轢と孤独など——が次々と語られている。しかし、そうした体験からマリーはいかなる「知識」を得たのだろうか。マリーの体験は、未来の人生を切り開いてくれるような「知識」を与えてくれたのだろうか。そんな疑問が浮かんでくる。

さらに言えば、なるほどマリーは、社会主義運動への関与、インドの独立運動への参加、社会の不正の告発などを行ってきた。しかしマリーは物語の後半で、インド独立運動の同士であるファン・ディアスから性的暴行を受けた時、自殺を試みている。さらに、二度目の結婚相手であるアナンド・マンヴェカルとの関係が危機に瀕した時には、発狂寸前まで追い詰められている。こうした事実を考慮すれば、マリーが再び「偉大なる大義」の闘争に身を投じることになるかは疑わしい。「地震は新しい泉を湧き上がらせるだけである」という言葉は、楽観的な希望のように響く。

『大地の娘』が一九八七年にフェミニスト・プレスから再刊されたとき、「後書き」を書いたナンシー・ホフマンは、『大地の娘』をひびが入った陶器に喩えて次のように書いていた。

> 実際、忘れがたいイメージを使いながら、名状しがたい幾つかのひびが、見事に色づけられた陶器の表面を走り、かつては完璧だったその形状を傷つけている。ヘミングウェイやギャザーの小説は陶器である。スメドレーの芸術はひびである。（ホフマン　四〇九―一〇）

『大地の娘』というテクストの特徴を「ひび」に喩えたホフマンの指摘は示唆的である。実際、『大地の娘』が読者に与える印象は、調和がとれた絵模様というより、合い入れない要素が組み合わされたテクストであるように見える。マリー自身、これから書くことになる回想記は、母が作ってくれた「クレージー・キルト」、すなわちばらばらの布片を縫い合わせたキルトだと説明している（八）。『大地の娘』が「クレージー・キルト」のように見えるのは、この小説が、労働者の貧困、階級問題、社会主義の運動、反帝国主義といった政治的課題から、家族、結婚、ジェンダー、セクシュアリティを巡る問題に至る多彩なテーマを扱っているためであろう。だが、それとは異なる理由も介在しているように思われる。マリーという女性の中には様々な恐怖と欲望が混在しているが、マリーはそれらをうまく制御することができない。そしてこのことが、マリーの精神に幾つかの裂け目を生んでいるように見えるのである。なぜ『大地の娘』は、「クレージー・キルト」になってしまうのか。そして、マリーはなぜ最後になって、文字通り「狂気」の危機に見舞われることになるのか。マリーの精神と身体に刻み込まれた恐怖と欲望に焦点を当て、その葛藤のメカニズムについて考察することが本稿の目的である。

1. 原風景としての貧困の恐怖

マリーを特徴づけているのは、激しい感情の起伏である。怒り、恐怖、絶望、欲望、憧れといった感情がマリーの心に横溢し、その言動を突き動かす。そうした感情の中で、とりわけ幼少の頃のマリーの心の中心を占めていたのが、貧困生活の惨めな思いと、それに起因する貧困への恐怖だった。この感情は、マリーが成長するにつれて、経済的な自立を果たす――つまり自らの生活は自らの労働で支える――という行動原理に繋がり、さらにそれは、貧困を生み出す社会制度への批判意識を生み出していくのだが、ことはそれだけには留まらない。幼少期の貧困生活は、無責任で生活力のない父と、その父の犠牲者となる母のイメージと重なり合うことで、家族そのものへの嫌悪感をマリーの中に植え込む。そしてさらに、家族への嫌悪は、結婚や妊娠に対する激しい敵意にまで繋がっていくのである。

マリーの父親のチャーリーは家庭のことを顧みない男で、一攫千金の夢を追って家を出ては、挫折して家に帰るという生活を繰り返す。妻との関係においては、横暴で支配的であった。いっぽう、母親のエレンは、生活の困窮と夫の横暴に晒される生活に甘んじていた。支配関係という観点から見れば、母が父の犠牲者であったことは明らかである。しかし、この点に関して注意すべきことは、マリーの批判が、少なくとも幼少の頃においては、貧困と不幸の真の原因であるはずの父には向けられていないことである。マリーにとって、幼少期の貧困の記憶は、犠牲者である母の惨めな姿と、母から加えられる暴力の記憶と強く結びついている。貧困の恐怖が母への嫌悪、さらには結婚そのものへの嫌悪と重なり合っていること。これが、貧困と結婚に関するマリーの原風景であり、それはたとえば、次のような記憶として語られている。

父と母が喧嘩していた。わたしの心に恐怖を植え付けるような喧嘩だった。父は罵り、母は泣いていた。それは、わたしの子ども時代を暗くした多くの恐ろしい喧嘩の始まりだった。（三四）

マリーが結婚制度に否定的なのは、結婚の本質とは男性に対する女性の隷属であると考えているからである。結婚が女性の精神的・経済的自立をいかに奪うか、夫と妻との間にいかなる主従関係をもたらすかについては、近所に住んでいたグレーディスという女性の結婚生活のエピソードを通して読者に伝えられる。結婚後数週間もしないうちに、グレーディスと夫とは喧嘩を始める。グレーディスは結婚前と同じように外で働きたいと夫に訴えるのだが、夫の方は、家の経済を支えるのは男の役目だと言い張る。二人が喧嘩をした時に交わされた次の言葉は、「いまだに、まるで胸に残酷に刺さった刀のようにわたしの心に刻み込まれている」（七三）とマリーは書いている。

「おれがお前に買ってやった服を返せ。」夫はある日、妻に向かって怒鳴った。

「後生だから、お前さん。わたしはあなたを愛しているじゃありませんか。」彼女は涙ながらに懇願した。もはや彼女は、たとえ望んだとしても仕事に戻ることなどできはしなかった。（七三）

こうしたことを考慮すれば、思春期以降のマリーが、男性に依存しないで自活する道を模索することになるのは自然のなりゆきだったと言えるだろう。一六歳で炭鉱の町で教師をすることを皮切りにして、マリーは速記者の仕事、雑誌の購読の勧誘の仕事などを次々に行う。それと同時に、教育の機会を得て新しい能力や知識を得ようともする。しかし、かりにマリーが望んだことが下層階級からの脱出だけだったならば、それは成功の夢を実現することで事足りたはずである。だが実際は、貧困から脱出しようとするマリーの欲求は、マリーを幾つかの困難に陥れる。

その一つが、自分一人が階級的に上昇することへの罪悪感である。母親が病気で死んだあと、マリーは、母親の生活の二の舞を演じることを恐れて家を出るのだが、その際、弟のジョージとダンは父親に任せるという選択をする。マリーは家を出た後、苦労をしながら師範学校を出て、その後カリフォルニア大学で学び始める。しかし、そのような生活をする中で、ジョージから、馬を盗んだ罪で牢獄に入っていることを知らせる手紙が届く。その手紙に対してマリーは、弟の忍耐の弱さと犯罪を諫める内容の手紙を送る。しかし、そのいっぽうでマリーは、自分がジョージやダンを見捨てたまま何もしてこなかったことに罪悪感を覚える。そして、この罪の意識は、数週間後に届いたダンからの手紙で、刑務所から出たジョージが日雇い労働者として溝を掘る仕事をしている最中に溝の壁が壊れ落ちて生き埋めになったことを知るに至って、一層激しくなる。

ジョージはわたしの手紙を受け取っていたが、手紙を書いたわたしのことを決して許しはしなかった。わたしは、ジヨージが監獄にいたときにあんな手紙を書いたことを恥ずかしく思うべきたった。わたしは何も知らなかったし、ジヨージのように働く必要もなかった。素敵な街に住んで勉強もできれば、楽に暮らせることができたのだ。ジョージにはそれができなかった。（二四五）

　ここに見られる罪悪感は、マリーの心を引き裂く。というのも、もし彼女が家族を捨てなかったならば、それは、自分が嫌っていた母の生活を繰り返すことを意味するからである。マリーは、自分の選択を肯定することもできないし、否定することもできない。マリーは、ダンからの手紙を読んだ夜に、ジョージの死と葬儀の模様をありありと思いながら語る。「わたしは思い出したくなかった。むしろ、記憶が死んでしまうことを望んだ」（二四六）。想起しながら忘却を望むという二律背反的な心の動きの中にマリーの葛藤が表れている。

　幼年期の貧困の記憶がマリーにもたらすもう一つの困難は、男性性と女性性を巡って交錯する両義的な感情である。アンドリュー・C・ヤーキーズが指摘しているように、大人になったマリーは、男性性を「強さ、責任、権力」と結びつけ、女性性を「弱さと従属」と結びつけるようになる（七九）。だが注意すべきことは、マリーの場合、男性中心主義の社会には反発するいっぽうで、個人生活のレベルでは、女の「弱さと従属」を嫌悪しているために「男らしい」生き方の追求に向かうことである。涙を流したり愚痴を言ったりすることを「女々しい」と否定するマリーは、強さと責任と力を備えた人間になることを希求するようになる。

　だが、「男らしい」生き方を求める欲求は、マリーが大人になって「愛」に憧れるようになるにつれて、新たな葛藤を引き起こす。「愛や優しさや女の義務は女性や弱者一般に属する」（一四二）という言葉に表されているように、マリーにとって愛や優しさというものは「弱さ」と同義語だった。ところが、一九歳になってナットと知り合い、恋愛感情を持つようになると、愛や優しさを求める欲求と、愛や優しさに対して持ち続けてきた反発との間で煩悶が生じる。マリーは、ナットと結婚した後でさえ、「愛は女の敵であり、特にまぎれもなくわたしの敵である」（一九九）と考えるが、自分の心の中にあるナットへの愛情を押し殺すことはできない。その結果、「愛に対する要求と欲求と、生まれた時から私の中にすり込まれた愛とセックスに対する歪んだ考えとの間の戦争」（二〇二）に苦しめられるようになるのである。

2. 性への恐怖と欲望

既に述べたように、マリーが結婚に否定的なのは、結婚とは男性に対する女性の隷属であり、結婚して子供を産むことはその隷属をさらに決定的にすると考えるからである。「性は愛の一部ではなかった。性は暴力、結婚、売春を意味し、結婚は子ども、泣いたりねだったりする女、文句を言う男を意味した。それは不幸を意味し、わたしが恐れ、忌み、避けようとしてきたすべてのことを意味した」(一八八)。

マリーが男女関係の中で特に性関係を忌み嫌うのは、主に三つの理由からである。第一に、性交渉がそのまま妊娠に繋がる時代にあっては、性とは出産と子育てを意味し、それは自分が嫌っていた母のような女——「泣いたりねだったりする女」——になることを意味した。第二の理由は、家父長的社会において、性体験の持つ意味が男性と女性で異なっていることに対する反感である。「結婚前に男が女性と性的関係を持っても誰もそれを悪いことだとは思わない」のに、女性の場合は、「堕落した女」「荒廃した女」と見なされて非難されることをマリーは受け入れることができない(一八九)。処女性を価値あるものとする社会通念に対してマリーは、「わたしは、そのような規範によって男性が女性を判断することに常に恥辱を感じていた」(一八八)と語っている。第三の理由は、男性が女性を性的対象とみなすことへの反発である。『大地の娘』の前半部分には、マリーの窮状につけこんで性的関係を求めてくる男のエピソードが幾つも語られている。

性的な関係に対するマリーの嫌悪と恐怖は、ナットとの結婚生活において露わになる。ナットは上品で知識も豊富だった。因襲的な結婚観を持っておらず、家事は妻の仕事であると考えていなかったし、マリーが結婚後も教育を受け続けることにも寛大だった。「非常に紳士で優しく、男が女性を対等な存在として扱わないことがありえるなどと夢にも思わず、良いことだけしか知らないような人間」(二〇〇)だった。しかし、二人の間には、性に対する考え方において決定的な違いがあった。「性を伴わない結婚は可能である」(一九三)と考えるマリーは、結婚後も性関係を拒み続ける。いっぽう、ナットは、マリーがなぜそれほど強く性生活を拒むのかが理解できず、苦しむことになる。最終的に二人は性関係を持つようになるのだが、その結果としてマリーは妊娠する。妊娠を告げられたときマリーは、「そこから這い出そうとしてもがいてきた地獄、ぶつぶつ言いながら泣いている女の地獄に投げ込まれる自分自身の姿」(二〇五)を想像して、激しい恐怖を覚える。そして、すぐに中絶の手術を受けるのである。その後、もう一度マリーは妊娠と中絶を繰り返し、離婚することになる。

だが、性関係を忌避することは、性的欲求がないことを意味してはいない。むしろ、大人になったマリーには強い性的欲求が現れてくる。そして、その欲求を無意識のうちに抑圧していることが、マリーの中に混乱を生むのである。大人になったマリーは、性的な関係に対する恐れと性的な関係に対する欲望の間で引き裂かれ始める。

このことがはっきりするのは、インド独立運動のメンバーであるファン・ディアスに「強姦」される場面である。ディアスが突然抱きしめたとき、マリーは「言い知れぬ恐怖」(二九三)に襲われて拒もうとするのだが、最終的にディアスの強要に屈してしまう。翌日マリーはディアスを難詰するとともに、自分の行動を恥じる。しかし、この出来事を通してマリーは、性への嫌悪ゆえに抑圧してきた自らの性的欲求に気づくことを余儀なくされるのである。

性的関係を強要されたという意味では、ディアスが加害者であり、マリーは被害者である。しかし、ディアスは、マリーの反抗は「まやかし」であり、抵抗できたはずなのに敢えてしなかったのは、マリー自身が無意識のうちに自分との性関係を望んでいたのだと主張する。この主張はマリーを混乱させる。というのも、マリーはディアスの性的暴力を許すことができないと考えるいっぽうで、「それまで何度となくわたしを苦しめてきた欲望があったために、わたしには罪がある」(二九六)と意識するからである。そしてさらに、現在の語り手の視点からこの出来事を振り返って、次のように言葉を繋げる。

> 今、わたしとあの夜との間に横たわる距離を隔てて見てみると、わたしの無意識または意識的な同意がなければあのようなことは起こらなかったはずだと思う(中略)。あの頃は何年もの間、欲望がわたしの心を焼き焦がしていた。わたしはそれを抑圧し嫌悪していたのだった。(二九六)

性的な欲求に対する罪悪感がもたらす性的抑圧と、性的抑圧をおこなっている自己へのいら立ちは、マリーを解決がつかないジレンマに陥れる。マリーにおいては、社会正義の運動——たとえば階級闘争やインド独立の運動——に関与することは、自己肯定と自尊心を感じさせてくれる営為であり、理念と行動の間に齟齬が生じることはない。インド独立運動に協力していたために逮捕・拘禁される経験に示されているように、社会運動への関与はマリーを肉体的・精神的に追い詰めることはあるが、自己不審や自己嫌悪をもたらすことはなかった。
しかし、性をめぐる身体性の問題となると事情は異なってくる。インドの独立運動に精力的に関わるいっぽうで、マリーは「私生活と、社会に向かって開かれた生活」という「二重生活」（三六〇）を続け、それに対して罪悪感を覚える。そして、性への衝動と性への嫌悪に引き裂かれたマリーは、精神の安定と安息を失っていく。

わたしは気違いじみた生活をしていた。禁欲生活から性生活へ、それからまた禁欲生活へ。未来は無意味な連続になるだろう。わたしは疲れ、心の抗争にうんざりしていた。禁欲生活は休息を与えてくれなかった。性も休息を与えてくれなかった（中略）。なぜ私の体はこんなに苦しめられなくてはならないのか。なぜ、わたしの心はこんなに重い荷物を負わねばならないのだろうか。（三六七）

既に述べたように、幼少の頃に味わった貧困生活の惨めさは、母親への反発を媒介にして、結婚と性関係への嫌悪感をマリーの心に植え込むことになった。一九歳でナットとカレンと知り合うようになってから、マリーは社会主義の運動に関わり合うようになり、その後さらにインド独立運動の協力者になっていくのだが、そうした活動の出発点となったのが、貧困や搾取を生み出す社会への反感であったことは疑えない。しかしながら、社会的正義の追求だけがマリーの関心事であったならば、『大地の娘』はもっと単純な物語になっていたはずである。マリーの精神と行動を複雑に屈折させているのが、個人生活の領域で結婚や性を巡って生じる、恐怖と欲望と罪悪感のせめぎ合いであったことは注目すべきであろう。

3. 結婚の破綻と狂気

マリーが狂気寸前にまで追い詰められることになるのは、二度目の結婚生活においてである。相手は、アメリカでインド独立運動をしているアナンド・マンヴェカルというインド人だった。マリーはもともと結婚に対して懐疑的であり、なおかつナットとの結婚が破綻するという苦い体験をしていた。そのようなマリーがマンヴェカルと結婚をしたのは、マリーの心を惹きつける二つのこと、つまり社会的正義を実現しようとする情熱と、性的・身体的な魅力をマンヴェカルの中に感じとったからである。インド独立運動について語るマンヴェカルの力強い言葉とそこに見られる知性、それと「女性の自由がなければ世界の進歩はありえない」（三六九）という思想にマリーは惹きつけられる。それは、自分と同じ心ざしを持つ政治活動家に対する一種の同志愛だった。そのいっぽうで、小説のテクストは、初めてマンヴェカルに会った時にマリーの指に触れた男の指のイメージ、「やさしくて、それでいてしっかりとした——長くて強くてやさしい」指（三六九）のイメージに言及している。マリーが財布を落とし、マンヴェカルがそれを拾って「いじくり回した」のを見たとき、マリーは「わたしの中でなにものかがわななく」のを感じる（三七〇）。そして、初めて抱擁されたとき、「何か軽やかな気分が身体の中を流れ」、「自分の魂を防御するために長年にわたって築いてきた城壁」（三七〇）が崩れたとマリーは回想している。

マリーとマンヴェカルの結婚生活は最終的に破綻することになるのだが、その主な原因となるのは、妻を占有したいと望むマンヴェカルと、その欲望に反発するマリーとの間で繰り広げられる争いだった。マンヴェカルは「女性の個人的自由の存在を認める」（三七七）とは言うものの、実際は、マリーが過去においておこなってきた性体験を不愉快に思うだけでなく、面と向かって難詰する。マンヴェカルの言い分は、マリーが過去に別の男性——特にインド人——と性的関係を持ったことが仲間の運動家に知られると、自分が関わっている独立運動の妨げになるというものであった。しかし、マリーには、そうした言い分は自己保身的な言葉としか聞こえない。それに加えてマリーは、マンヴェカルが自分を独占しようとする強い欲求を持っていることを知り、恐怖感を抱くようになる。それだけではない。マリーが過去に男性体験を持ちながらそれを隠していたと勘ぐるマンヴェカルは、マリーがこれからも同じことをするのではないかと疑いを持つようになり、一挙手一挙動を観察し始める。常に疑惑の眼差しで見られているという恐怖が募り、マリーは自分が気が狂うのではないかと怯えるようになっていく。

マリー自身はなぜ自分がそのような精神状態になったのか理解できない。しかし、その当時のマリーが見た夢を手掛かりにすると、狂気の一歩手前まで追い詰められた理由の一端を垣間見ることができる。一連の夢を貫いているのは、死と崩壊と虚無のイメージである。そして、そうしたイメージには、マリーが過去において感じた恐怖の断片が挿入されている。たとえば、死神が出てくる夢では、死神は「死んだ母の顔を持った大女」（四〇〇）であり、同時に「前かがみの肩を持つ」男でもある（四〇〇）。この男の正体がファン・ディアスであることは次の夢の中で示されるが、この夢は、ディアスに「強姦」された時の恐怖とディアスに対する殺意が現れている。同時に、この死神は「生きているときと同じように死んでも男前」(四〇二)だったとも書かれていて、マリーが無意識のうちにディアスに惹かれていたことが示されている。さらにこの死神は、「おれがお前に買ってやった服を返せ」という言葉、つまり、結婚に対する嫌悪感をマリーの中に植え込んだグレーディアスの夫の言葉を口走る。換言すれば、幼少期の貧困、夫に支配される母の姿、男に隷属する女の姿、性に対する憎しみと欲求が、マリーの夢に立ち現われるのである。このことは、マリーを発狂寸前にまで追い詰めたのは、マンヴェカルの独占欲と嫉妬心だけでなく、貧困と性を巡ってマリーの心を苦しめてきた恐怖と欲望の相克であったことを示唆している。

4. クレージー・キルトの魅力

以上見てきたように、マリーには、貧困や結婚や性に対する激しい反感と恐怖がある。こうした負の感情は幼年期以降に植えつけられたものであるが、大人に成長したあとでも、まるでトラウマのようにマリーの心を脅かし続ける。そのいっぽうで、成長するにつれて、こうした感情を反転させた形での欲望や欲求がマリーの心に立ち現われてくる。それは、たとえば、男性に頼らずに経済的に自活することへの要求であり、女性の「弱さ」を否定して「男らしい」生き方を求めようとする欲求であり、「性を伴わない結婚」を求める願望であった。

しかし、マリーにおいて顕著なのは、こうした欲望や欲求が、罪悪感や自己嫌悪を新たに生み出してしまうことである。仕事や教育を媒介にして階級的に上昇しようとする夢は、家族に対する裏切りとしてマリーに罪悪感を与える。性関係を否定して「愛や優しさ」を求めようとする欲求は、結局マリーを妊娠という「地獄」に陥れる。性に対する嫌悪感と性に対する欲求は、禁欲生活と性生活を繰り返す「気違いじみた生活」(三六)へとマリーを追い込む。同志愛で結ばれていたはずの二度目の結婚生活では、マンヴェカルの所有欲によって精神的に追い込まれる。こうして、恐怖と欲望と罪悪感の間で果てしない循環が続くのである。

バーバラ・フォリーは、マリーが小説の結末で「空虚さ」に襲われ、「この家の外へ、この国の外へ」出ていく場面(四〇六)について言及し、『大地の娘』は、自己のアイデンティティを構成したり破壊したりする社会的諸力に関して一貫した政治的言説を展開しているが、最後にいたって、孤立した個人を肯定する物語になる」（フォリー　三一六）と指摘している。最後の場面でマリーが社会的反抗を捨てて「孤立した個人」の生活を選ぶことに、ブルジョア小説的な要素——フォリーの言葉を使えば「教養小説の疎外された多難なヒーロー」像（三一六）——を読み取っているのである。マリーが、個人のアイデンティティの形成に影響を与える階級やジェンダーに対して批判意識を持っていることは確かであるが、マリーを教養小説の悲劇のヒロインと重ね合わせるのは不適切であろう。マリーを精神的に追い詰めることになったのは、自らの意識（或いは無意識）の中に混在する、統御できない恐怖や欲望や罪悪感であった。

様々な裂け目を抱えるマリーの精神と身体は、この小説に「ひび」をもたらす。だが、同時にそれは、読者を惹きつける力にもなる。マリーは、母が昔作ってくれた「クレージー・キルト」は、母が作ってくれた別のキルト——「青色だけのキルト」——よりも魅力的で、「何時間もわたしの眼をくぎ付けにした」（八）と語っている。引き裂かれた〈大地の娘〉は狂気の淵にまで追い込まれるが、引き裂かれた〈大地の娘〉の物語は、「クレージー・キルト」となって、読者を困惑させながら魅了する。

参考文献

Foley, Barbara. *Radical Representations: Politics and Form in U.S. Proletarian Fiction, 1929–1941*. Durham: Duke UP, 1993.

Gardiner, Judith Kegan. "A Wake for Mother: The Maternal Deathbed in Women's Fiction." *Feminist Studies* 4, 2 (June 1978): 146–65.

Hoffman, Nancy. "Afterword." Agnes Smedley, *Daughter of Earth*. New York: Feminist Press, 1987: 407–26.

Rabinowitz, Paula. *Labor & Desire: Women's Revolutionary Fiction in Depression America*. Chapel Hill: U of North Carolina Press, 1991.

Smedley, Agnes. *Daughter of Earth*. New York: Dover Publications, 2011.

Yerkes, Andrew C. "'I was not a character in a novel': Fictionalizing the Self in Agnes Smedley's *Daughter of Earth*." *Twenty-Century Americanism: Identity and Ideology in Depression-Era Leftest Fiction*. New York: Routledge, 2005: 65–84.

ジャニス・R・マッキノン、スティーヴン・R・マッキノン『アグネス・スメドレー　炎の生涯』石垣綾子、坂本ひとみ訳、筑摩書房、一九九三年

5 ビルドゥングスロマンとして捉える『神よ、あの子を守りたまえ』

中野　里美

はじめに

トニ・モリスンの小説十一作目にあたる『神よ、あの子を守りたまえ』（二〇一五　以下、『神よ、』）は、母親との関係が断絶し、いまは恋人とも行き詰っている主人公ブライドの精神的な彷徨を描いている。化粧品会社で責任ある立場を任されている彼女は、幼い頃より、母スウィートネスから愛情を示されたことはおろか、身体に触れられたこともほとんどない。そのためブライドは自分に触れてもらうためには叩かれてもいい、叩くという行為は肌への接触でもあるからと思い詰めるほどだった。なぜスウィートネスは娘を忌み嫌うのか。それはブライドの肌が漆黒ということにある。スウィートネス自身は白人と通るほど肌の色が薄い。夫も肌の色が薄いので妻の不貞が疑われた。『神よ、』はスウィートネスが、娘の肌の色は「私のせいじゃない」（三）と語るところからはじまる。ブライドは肌が黒いというだけで父母から見捨てられてしまったようなものだった。

モリスンは子どもを無垢な存在と見なしている。「子ども。新たな命。邪悪なものや病に影響を受けることがなく、誘拐、殴打、レイプ、人種的偏見、侮辱、損傷、自己嫌悪、遺棄といったものから守られている。瑕疵もなく、すべて善であり、憤怒もない」（一七五）と『神よ、』を締めくくる。ブライドが子を宿したことを知ったスウィートネスは、孫が無事に育つことを遠くで祈る。娘とは向き合おうとしなかったが、本当は守りたい気持ちを持っていたようだが、肌の色のせいで白人たちから傷つけられ命が脅かされるかもしれない危険からブライドを守りきる力と勇気がなかった。『神よ、』には、性的虐待を受け、惨殺される者も描かれているのだ。アフリカ系アメリカ人であること、その肌の色だけで過去には奴隷制度により、男性は去勢され、女性の授乳は自分の子どもにはできず白人の子のためにあり、彼らの肉体がいかに消費され搾取されてきたか（トンプソン　三二、一六七）、その事実が作品に反映されている。

『神よ、』ではブライドのようなかつての子どもが、その本来の自己を否定されたところからいかに自分自身を取り戻すか、その様が身体の変化により明示されている。身体の変化というのが本書では、いったん子どもの体に退化してから大人に戻るものであるため、一種の生き直しを表わしているものと思われる。モリスンは、アフリカ系アメリカ人の物語でありながら『神よ、』をビルドゥングスロマンとして描くことで、人種を越えた普遍性を追究しているのではないだろうか。

一　ビルドゥングスロマンとは

『神よ、』をビルドゥングスロマンとして読むうえで、ビルドゥングスロマンの定義をしておかねばならない。ドイツに源流を持ち、ゲーテにより一七九四―九六年頃に書かれたとされる『ヴィルヘルム・マイスターの修業時代』が、十九世紀ビルドゥングスロマンのモデルとされ、「経験によって自分を高めるために、持てる力を統合して主人公になろうと意識する自己修養を扱った小説を指す」（バックリー　九、一二）との定義がビルドゥングスロマンに対する一定の見解となっている。また、十八、十九世紀でその形式が違うと指摘したうえで、個人的な人生を語るものから、自己形成を経て、ダーウィン的な発達にからむ思索へと変貌している様を解説するものもある（ハートゥング　二一―三）。ミハイル・バフチンは教養小説を分析する際、小説の類型をする中で、「遍歴小説」とでも名づける形や、「試練小説」という「さまざまな受難および誘惑による聖人の試練というイデー」を根底にした「変種」のものも教養小説に含めている。いずれにしても教養小説とは「人間の本質的な形成」を語るものとする（バフチン　六四―八三）。ビルドゥングスロマンとされる作品を生み出した国は、ドイツ、フランス、イギリスに及び、時代も超え、多岐に分化しているため、一般的な定義がしにくい（オルデン　一）という認識があるようだ。

また、日本語に訳した場合の表現の問題もある。日本ではドイツ語からの訳出に苦労したらしい。ビルドゥングスロマンを「教養小説」と訳すことが多いが「自己形成小説」としたほうが原語に近い（杉浦　三）という。「教養小説」という言葉があてられるようになったのは、哲学者ヴィルヘルム・ディルタイの影響が大きく、その理由は彼が「ドイツ教養小説」と呼んだことが含まれる（杉浦　八）からである。先に見たバフチンの場合も、章立てに用いられる訳語は「教養小説」だが、訳文では「試練小説」、「形成小説」（バフチンの意思もしくは訳者の解釈から）という語があてられ、教養小説という言葉の多用を避けている。

『神よ、』では、ブライドとブッカーは過去を乗り越え、新たに生き直す決意をし、成長する。モリスンの作品においてこのような大団円を迎えることは珍しい。ビルドゥングスロマンとしては「ある種のハッピーエンドで物語が締めくくられる」ことが、ディルタイによると「既定路線」になっているようである（杉浦　八）。そのため『神よ、』をビルドゥングスロマンとして位置付けることは可能だ。

本稿ではこうした多岐にわたるビルドゥングスロマンの中で、イギリス型のビルドゥングスロマンを『神よ、』の定型として捉えたい。詳しくは後述するが、まずモリスン自身の修士論文が、「フォークナーとヴァージニア・ウルフの小説における自殺について」（バウワーズ　四八）という英米小説の比較にあり、ウルフと言えばビルドゥングスロマンの作家として研究テーマに取り上げられることも多く、モリスンは当然ビルドゥングスロマンに知悉していたはずである。また自分で読んだ作品のみならず、学生に教員として教えたイギリス小説も多い。さらにイギリス型のビルドゥングスロマンとテーマが一致するからである。そのまえに他のものとの明らかな相違からおさえておきたい。

二　アフリカ系アメリカ人、そして女性にとってのビルドゥングスロマン

アフリカ系アメリカ人作家の作品をビルドゥングスロマンという括りで見ると、例えばリチャード・ライト、ラングストン・ヒューズ、そしてジャメイカ・キンケイドといった作家のものなどが想起される。彼らの作品では、困難な環境でいかに自立するかが重要な課題となる。実はこうした作家以前にもビルドゥングスロマンはアフリカ系アメリカ人たちの間に根づいていたことが明らかになっている。奴隷制廃止後、それまで読み書きを禁じられていたアフリカ系アメリカ人に対する教育が手さぐりで行われ、スペリングの指導から始まった。読み物としてフレデリック・ダグラスを教材にリテラシーの徹底が図られる一方、白人優位の人種間の違いを強調して劣等感を植え付けようとしている。アフリカ系アメリカ人に教育が施されることで、白人たちはその地位や優位性が脅かされるのではないかと危機感を抱いたからである（ウィリアムズ　一二九—三〇、一三二—三三、一七九）。そうした消極的な教育が進められるなか、ダグラスの著作が教材として使われたことにより新たな展開が生じた。それは奴隷たちのナラティヴがビルドゥングスロマンとして役に立てら

れ、さらに黒人文学にまで発展し、成熟していく兆候となった（アイアーマン　四三）という。

さらにアフリカ系アメリカ人女性の間でもビルドゥングスロマンが人気を博していった。それは『メグダ』（一八九一）というケリー・ホーキンスなるアフリカ系アメリカ人女性の作品である。女子大を描いた内容で世代を問わず一八九〇年から一九〇〇年初頭に人気を博したという。宗教的な要素も強く、登場する少女たちは皆、良きキリスト教徒になるために誇りを持ち、適切なマナーを身につけるという内容だ。その読者には白人のみならず、アフリカ系アメリカ人の少女も含まれていた（マーディ　一〇五―六、一一二）。この小説には先述のライトやヒューズの作品のように、差別的な環境で身を立てるという風合いは感じられない。しかしながら、一八九〇年から十年間、アフリカ系アメリカ人女性たちはパンフレットから小説まで発行しており、中にはアメリカ社会に自分たちが統合されることを主張するような内容が含まれていた（マーディ　一四）という。読み書きからはじまる教育により意識改革も行われ、その生き方を問うていくことになる。

こう見ていくと人種的にビルドゥングスロマンには互いに隔たりがあるように思われる。もう一つ違いがあるのは性差によるものである。十九世紀頃に盛んにイギリスで刊行されたビルドゥングスロマンにあてはまる作品の多くは、「相関的な要因に影響を受ける相対的な概念」であり、「その要素には階級、歴史、ジェンダーが含まれる」（エイベル　四）。そのため女性の成長のプロットには、男性のものから修正が必要になってくる（エイベル　一二）という。またキャッスルによれば、イギリスの女性作家のビルドゥングスロマンは、『ジェイン・エア』のような男性のビルドゥングスロマンに沿った形か、内面の変化を描写するものかの二つのパターンに類型化」（キャッスル　二一三）できるという。十九世紀頃の女性たちには立身出世という選択肢はないため、内面を磨くということに特化していたのだろう。『神よ、』のブライドはキャリアを確立させて、既に立身出世という男性型を包含しつつも、内面の見つめ直しが図られていくことになる。その見つめ直しのテーマがイギリスのビルドゥングスロマンと一致する。

三　イギリス型ビルドゥングスロマンと『神よ、』の共通点

本稿で取り上げるビルドゥングスロマンには、国や環境、人種、ジェンダーの違いがあるにもかかわらず、共通するものが三つある。一つは、単なる知識では学べないことがある

ということだ。ライトの『ブラック・ボーイ』では人種問題を通し、差別的な体験を受けたことを考えていかなくてはいけない（ライト　二二五）とし、ヒューズの『笑いなきにあらず』では本から学べることを自分たちは本当に知る必要があるのか（ヒューズ　一八八）迷う。キンケイドの『ルーシー』においてルーシーは自分の人生が手にしている分厚い本で説明のつくものではない（キンケイド　一三二）と経験から感じ取る。本では解決できないことがあるのを知るのは『神よ、』のブッカーも同じである。こうした本の知識だけでは生きていく上で限界があることに気がつくというものは十九世紀イギリスのビルドゥングスロマンの型（川本　八）でもあるようだ。

二つめは、経験から学ぶことの派生で愛情に目覚めることである。[1]『神よ、』では、クイーンが、追いかけて来たブライドを未だ受け入れようとしないブッカーに、自分の夫たちとの生活を振り返り、「生き残っていく」ために、（偽りだとしても）愛が必要だったのだと語る（一五九）。その言葉などからブッカーは拒絶していたブライドと再度向き合うことを決意し、自分の痛みは彼女と共有できると分かりブライドを受け入れる。

なぜ愛がビルドゥングスロマンには必要なのか。特にアフリカ系アメリカ人にとっては人種の壁に阻まれ、社会の中で順調にキャリアを形成していくことが容易ではない。ただ、一般社会において難しくとも、共同体においては成長や発展の余地がある。人間として成長することも可能であり、その中心にあるのは他者や自分を愛することである。川本は「愛が階級・身分・財産を結び目とする人間関係から、資質・思考・情緒（中略）を結び目とする人間関係として捉えられるようになるのは、ビルドゥングスロマンにおいてである。したがって主人公の愛の遍歴は、彼の精神発達の遍歴でもある」（川本　六八）と見る。

『神よ、』のブッカーは双子として生まれたが、一方は早逝している。その代わりとしてブッカーは、長男アダムを自分の良き理解者とし、心の拠りどころとして生きていた。だがこのアダムは「世界で一番素晴らしい人」（一一九）と評判の人物から性的虐待を受け、身体を切り刻まれ、ほとんど原形をとどめない状態で惨殺された。それまで良好だった家族関係もアダムの死から関係が悪化したため、ブッカーは家を出る。そんなブッカーにとって結局世の中のあらゆる問題（特にアフリカ系アメリカ人に関するもの）は、お金で解決できると思いこみ、「マモン（富の邪神）に執着していた」（一一〇）。このことに関してオルデンの次の指摘がある。「『大いなる遺産』が描く世界はお金が本物の価値や教養といったものに取って代わっている」(オルデン　三)。上昇志向に満ちた世界ではお金しか価値がないように見えるが、その実、本当に価値のあるものはお金では買えず、道徳的に妥協するしかない。そこから抜け出すには落ちぶれることが唯一の方法で、道徳的にはストーリーとしては満足のいくものだが、ビルドゥングスロマンに関する問題は未解決のままである(オルデン　三)。それをモリスンはブッカーとブライドとを対峙させることで、知性では優れていても、本当の愛を分かっていなかったことを気づかせ、成長させた。

三つめは内面の変化が身体的変化に現れることだ。[2] ブライドは並外れたスタイルを保ち、完璧な大人の女性然とし、自社製品「ユー・ガール」を売り込んでいる。しかしブッカーが彼女のもとを去ると、ブライドの心身は脆弱な少女のように様変わりする(一四二)。そしてブッカーと共に成長を遂げるとブライドの身体は元通り大人の肉体を得る。

『神よ、』のブライドは八歳の時、母のスウィートネスに認めてもらいたくて、ソフィアに対して不利となる嘘の証言をし、その直後、スウィートネスに買ってもらったピアスが耳にはまらなくなる。そのピアスを再び、耳たぶからピアスの穴が消えた(五〇)のだ。そのピアスを再び、ブライドがソフィアに会いに行き、許しを請うてソフィアからひどく殴られた際、ピアスを近くの歩道に血とともに落とす(七七)。「耳たぶは私が生まれた時と同じくらい純血なものだ」(五二)とブライドは言う。自分の罪を認めたことで耳たぶは赤ん坊の頃の状態に戻ったことを象徴している。つまりこれはブライドが、子どもの状態から心身ともに生き直すことを示唆しているのだ。

そして決定的な変化が見られる。ブライドは、ブッカーから「おまえは俺の求めている女じゃない」(八)と言われて去られ、彼を追いかける道中、トイレに入ると局部の毛がなくなり(八一)、そのうち豊かだった胸も平らになる(九二)。しかしその身体は、お互いに子どもの頃の心の傷を打ち明け、痛みを共有し、理解し合うと、元通りの豊かな胸に戻る(一六五―六六)。

このように『神よ、』では、ブライドの子ども時代の生き直しとそこからの成長が、身体の変化により分かりやすく示されている。エイベルは、『ダロウェイ夫人』の物語はそのロマンティックなプロットのせいでクラリッサの成長の物語が曖昧になってしまっている」(エイベル　一六五)と指摘するが、モリスンは、ブライドの成長を身体的変化と共に提示することに成功している。その成長とはイギリス型のビルドゥングスロマンと同じく他者への愛情を認めることにあり、特にモリスンの場合には身体の変化に如実に表わされているのだ。

四　なぜ身体的変化が生じるのか

身体的変化を成長と見なすのは、肉体の成長と共に内面も変わると見なすからであろう。ビルドゥングスロマンは、子どもから大人への成長が漸次描かれることが多い。啓蒙的な意味合いを持たせる場合、未成熟というのは成長の余地があることになる。しかしながら『神よ、』の場合はレイズン以外、みな大人である。[3] だがブライドは、いまだ子ども時代の傷を抱えている。彼女は変化するその身体を見て、「怯えている小さな黒人少女に変形しているといういびつさを考えずにはいられなかった」(一四二)。この現象は完全な幻覚とも受け取れるが、「幻覚は知覚ではない。しかしそれは現実として通用する」(メルロ゠ポンティ『知覚』五六〇)とメルロ゠ポンティが述べるように、ここではブライドの現象が幻覚かどうかについては問わず、変化と成長に焦点をあてたい。

フェミニズム、キリスト教や文化といった点から身体論を展開するボルドーは、女性の身体について、「体重を減らすかどうか、化粧をするのかといったことの目的は、精神的な教化である」(ボルドー　三〇)との論を展開する。ブライドがユー・ガールという化粧品を販売促進する意味がここにある。身なりを整えることは、ある種、大人の女性としての修養でもあるといえる。

ブライドが初潮を迎えてベッドのシーツを汚してしまった際、スウィートネスは娘の身体の成長を喜ぶどころか、平手打ちして冷水の浴槽に押し込んだ(七九)。母から女性としての身体的な教育を受けられなかったブライドは自ら学ばなくてはならず、さらに女性の美に関するリーダー的な仕事ができるのは、彼女の外面を磨く努力をし、自分を教育した賜物である。そのゴージャスな外見が歩く広告塔にもなっている。

内面的に見ると、ブライドにとってブッカーとは「自分が向き合える人間であり――つまりこれは彼女自身と向き合えることや、自分自身で依って立てるということと同じこと」(九八)だった。父母から愛されることがなく人間関係の築き方を学べなかったブライドにとってブッカーは、初めてと言ってよいほど精神的にも肉体的にも繋がれる相手だと感じた。ところがブッカーは、ブライドが幼少期に、性的虐待をしていた大家の罪を店子としての立場から見て見ぬふりをしたことを聞き、またブライドの偽証という罪を知り、去っていく。ブッカーは、兄アダムを性的虐待の末に惨殺されていたからで、彼もまたブライド同様、子どもの頃の苦しみを解消できていない。ヘーゲルは「絶対的他在において純粋に自己を認識すること（中略）こそ学の根拠であり、土台である。つまり知一般である」（ヘーゲル　四一）と言う。ブライドがブッカーを理解していなかったと認識したことは、ブッカーを通してブライド自身、己を知らなかったこととして跳ね返ってくる。これにより自己を見つめ直すきっかけとなったのだ。そして子ども時代から生き返すかの如く、身体が少女のように変化する。しかしブッカーと対峙し、相手の過去も知ることでお互いの過去を理解し、乗り越えられ、相手を自分のように愛する気持ちの変化が生じてブライドの身体は大人に戻る。

この過程には立役者がいる。子どもを捨てた過去があるクイーンという女性で、ブッカーを説得しブライドを受け入れるよう誘導する。おかげでブライドらは、彼女の「いかに愛することが難しいか」（一五八）という経験則を踏まえながら、お互いに信頼し合うことができ、特にブライドは母の軽蔑と父の放棄から生き延びようとしなくてよくなった（一六二）。クイーンの火事による大やけどの看病をすることで、ブライドたちは、見守られる子どもの庇護される（ブッカーとアダムを結びつけたキルトや、ブライドが事故から回復するまで掛けられていたナヴァホ族の毛布に象徴される）立場から、他者を護る大人に成長できるのだ。メルロ＝ポンティは「知覚は身体にたいする物の作用や、心にたいする身体の作用から結果するものとなる」（メルロ＝ポンティ『行動』一一〇）と記している。ブライドの身体の変化とブッカーを捜索する途中での事故による足の怪我、ブッカーの手首骨折など、これらが二人の知覚に揺さぶりをかけたのだろう。

モリスンは、『ソロモンの歌』で、ミルクマンという主人公をアフリカのフォークロアに倣い、空を飛ばせる。これはアフリカ系アメリカ人に奴隷時代より伝わる話（ハミルトン　二二四―二三三）で、その昔アフリカ人は空を飛べたが、アメリカに連れてこられて飛び方を忘れていたという。これは奴隷たちの逃亡への希求と読みとれる。モリスン自身、この飛ぶという行為について、水泳では水を信頼するのと同じように、飛ぶには空に身をまかせることが肝心と言う。完遂するには自分の身体の調和を信頼し、信念を持って身体をコントロールすることが必要だ（チャールズ　二一）と語る。この空を飛ぶフォークロアの結末について様々な批評があるが、モリスン自身は、「絶対的な勝利だ」（チャールズ　二一）と断じている。その理由を「学ぶこと、それ自体こそ、唯一重要な学びだと（ミルクマンが）分かったから」（チャールズ　二一）

と解説する。やはり同じく別のインタビュアーに対しても、ミルクマンの結末に同じ答えを繰り返し（「飛べるという己を知り、空中に身をまかせ、コントロールというものを知ること」（ブラウン　一一五）、学びには知識だけでなく、身体的な感覚とも合致させなくてはならないことを解説する。つまり、いくら知識を得ていても現実で通用するかは本人が体験しなくては分からないというのだ。「身体は（中略）完全に疑似知覚を生じさせうるものである」、そして「身体が実在世界と知覚とのあいだの必要な仲介者」（メルロ＝ポンティ　一一〇）となる。ブライドは身体が大人から子どもに逆行するが、子どもの時に避けた人を信じるという感覚を取り戻すことができたことで、再び大人へと身体的な成長を遂げたのである。

五　おわりに：アフリカ系アメリカ人として自ら手にしたその身体

モリスンはかつてアメリカの小説についてこう語っている。白人の登場人物たちの資質を高めるために黒人の登場人物が使われている（playing　五二―三）と。批評家のリームズも「白人の登場人物が成長すると黒人の登場人物は姿を消す」（リームズ　三）ことを指摘する。モリスンは時に人種を限定しない作品を創作してきたが、ブライドは肌の色からアフリカ系アメリカ人である。そのブライドが大人としての身体が奪われ、再びその身体を手に入れることとアフリカ系アメリカ人たちの奴隷としての過去は無関係ではない。彼らの身体は白人たちに使われ、蝕まれ、女性の場合には新たな奴隷を量産する道具にされることさえあった。小説という文化においてモリスンの指摘から、白人作家がいかに無意識のうちにアフリカ系アメリカ人を利用しているのかが分かる。

興味深いのはモリスンが『ハックルベリー・フィンの冒険』を取り上げており、大人のとっての問題を子どもの話に改変したと捉えている点である。つまりモリスンはハックの冒険をビルドゥングスロマンとして読み取っているのだ。ジムがハックの成長の一助を担っており、ジムなしでは道徳的な人間へと成熟することはなかったという（Playing　五六）。白人の成熟をアフリカ系アメリカ人が手助けしているアメリカの古典的作品に対して、ブライドとブッカーは自力で成熟し得たと言えるし、モリスンはそうした作品の創作を意図していたはずだ。

スーザン・コーリーはモリスンの『ビラヴィド』に描かれるグロテスクは、奴隷社会の複雑さを反映したものだとしつつ、同時に奴隷制の影響を受けて苦しんだ人々に変化と再生のドアを開いていると解釈する（コーリー　三二）。ブライドの身体の変化も陰毛が全く消えてしまい、豊かな胸が平たくなるというグロテスクさを見せる。それも子どもの頃の罪を再認識させ、再生するチャンスだったという意味かもしれない。

またタナハシ・コーツは自身がブッカーと似て、多数の本を読み、（モリスンの出身大学でもあるハワード）大学にも通い、社会学や経済学を学ぶも、それら理論は役に立たず、アフリカ系アメリカ人たちの身体に多数の暴力がふるわれ続けることを嘆く（コーツ　十）。そして十代の息子を不当な暴力から守るべく社会の仕組みや生き方を伝えながら、世界にアメリカの現状を訴えている。『ビラヴィド』も母親が、子どもを奴隷にされるくらいならば、と我が子を殺める物語であり、『神よ、』でスウィートネスが、ブライドの初潮に怒りを見せたのもいずれその身体が傷つけられ、破壊されることを危惧してのことだったのかもしれない。だからタイトルにあるように、「守りたまえ」と神に祈るしかできないのだ。そうした危機感を抱きつつ、モリスンは、アフリカ系アメリカ人自身が自らの身体と共に内面が成熟する様を描き出すことで、アメリカの文学史を塗りかえようとしている。

注

1　イギリスのビルドゥングスロマンの作品にも同じ主題を持つものがある。ヴァージニア・ウルフ『船出』のレイチェルがヒューイットの求婚を受け入れるまでの遍歴。サマセット・モーム『人間の絆』では、フィリップが画家そして医師と進路を模索し、サリーの愛を獲得する。ディケンズ『大いなる遺産』のピップはジェントルマンになるべく奮闘するが、最終的にジョーやビディたちから愛と誠実さを学ぶ。同じく『デイヴィッド・コパフィールド』で主人公は勉強に仕事に邁進するが、イギリスを離れさらに成長することでアグネスの愛を手に入れる。ロレンス『息子と恋人』では、母の影響の強いポールの母への思慕を描く。この作品は地名に関してモリスンの作品と類似がある。The Bottoms（ロレンス　九）はモリスンの『スーラ』（モリスン *Sula* 三）にも同名の場所として登場する。またモリスンを「黒人の精神を有したロレンス」（シャペル　六二）と呼ぶ批評家もいる。

2　ディケンズの場合、『大いなる遺産』のピップは、その魂が肉体から離れて彷徨う感覚を持ち、人の顔が異常に変形して現れる（ディケンズ *Great* 三〇〇、四一一）。またデイヴィッドは「自分自身をよく理解し、より良き人間になろうと努めると、次第に自分に変化が現れはじめ」る（ディケンズ *David* 八一四）。ロレンスの『息子と恋人』には、イエスが、ある婚礼で水をぶどう酒に変えた話（ヨハネによる福音書第二章）が使われ、「愛に包まれると、人間の霊的な本質は変化し、聖霊に満たされ、その姿形が変わる」（ロレンス　四五）ことが証明される。

3　ブライド (Bride=Black+pride) は黒人としてのプライドを持つこ

とを自己に課しているようであり、ブッカー (Book+er) は、多数の本を読む人間。ソフィア（綴りはSofia=Sophia）は、元教師という英知の世界に従事していた人物で、レイズン (Raisin) という少女は、元ヒッピーの夫婦に養育されている。こうした意図的な名づけ方についてモリスン自身、「名前というのは単なる人へのラベルではなく、ある意味シンボルでもある」（チャールズ　一八）と語っている。

引用・参考文献

Abel, Elizabeth. "Introduction." *The Voyage In: Fictions of Female Development*, edited by Elizabeth Abel, Marianne Hirsch and Elizabeth Langland, UP of New England, 1983, pp. 3–19.

——. "Narrative Structure(s) and Female Development: The Case of Mrs. Dalloway." *The Voyage In: Fictions of Female Development*, edited by Elizabeth Abel, Marianne Hirsch and Elizabeth Langland, UP of New England, 1983, pp.161–185.

Alden, Patricia. *Social Mobility in the English Bildungsroman: Gissing, Hardy, Bennett, and Lawrence*. UMI Research Press, 1986.

Bordo, Susan. *Unbearable Weight: Feminism, Western Culture, and the Body*. University of California Press, 2003.

Bowers, Susan R. "A Context for Understanding Morrison's Work." *Critical Insights: Toni Morrison*, edited by Solomon O. Iyasere and Marla W. Iyasere, Salem Press, 2010, pp. 38–55.

Brown, Cecil. "Interview with Toni Morrison." *Toni Morrison: Conversations*, edited by Carolyn C. Denard, UP of Mississippi, 2008, pp. 107–125.

Buckley, Jerome Hamilton. *Season of Youth: The Bildungsroman from Dickens to Golding*, Harvard UP, 1974.

Castle, Gregory. *Reading the Modernist Bildungsroman*, UP of Florida, 2006.

Charles, Pepsi. "An Interview with Toni Morrison." *Toni Morrison: Conversations*, edited by Carolyn C. Denard, UP of Mississippi, 2008, pp. 17–23.

Coates, Ta-Nehisi. *Between the World and Me*. The Text Publishing Company, 2015.

Corey, Susan. "Toward the Limits of Mystery: The Grotesque in Toni Morrison's *Beloved*." *The Aesthetics of Toni Morrison: Speaking the Unspeakable*, edited by Marc C. Conner, UP of Mississippi, 2000.

Dickens, Charles. *David Copperfield*. Penguin, 2004.

——. *Great Expectations*. Penguin, 2003.

Eyerman, Ron. *Cultural Trauma: Slavery and the Formation of African American Identity*. Cambridge UP, 2001.

Hartung, Heike. *Ageing, Gender and Illness in Anglophone Literature: Narrating Age in the Bildungsroman*. Routledge, 2016.

Hughes, Langston. *Not Without Laughter*. Dover Publications, Inc., 2008.

Kincade, Jamaica. *Lucy*. Farrar Straus Giroux, 1990.

Lawrence, D. H. *Sons and Lovers*. Penguin, 1994.

Morrison, Toni. *God Help the Child*. Vintage, 2015.

——. *Sula*. Vintage, 2004.

——. *Playing in the Dark: Whiteness and the Literary Imagination*. Vintage Books, 1990.

Murdy, Anne-Elizabeth. *Teach the Nation: Public School, Racial Uplift, and Women's Writing in the 1980s*. Routledge, 2003.
Reames, Kelly Lynch. *Women and Race in Contemporary U.S. Writing: From Faulkner to Morrison*. Palgrave Macmillan, 2007.
Schappell, Elissa. "Toni Morrison: The Art of Fiction." *Toni Morrison: Conversations*, edited by Carolyn C. Denard, UP of Mississippi, 2008, pp. 62–90.
Thompson, Carlyle Van. *Eating the Black Body: Miscegenation as Sexual consumption in African American Literature and Culture*. Peter Lang, 2006.
Williams, Heather Andrea. *Self-Taught: African American Education in Slavery Freedom*. The University of North Carolina Press, 2005.
Wright, Richard. *Black Boy: A Record and Youth*. Harper & Row, 1989.
ウルフ、ヴァージニア『船出』上下巻、川西進訳、岩波書店、二〇一七年。
川本静子『イギリス教養小説の系譜「紳士」から「芸術家」へ』研究社、一九七三年。
杉浦清文他『教養小説、海を渡る』音羽書房鶴見書店、二〇一八年。
バフチン、ミハイル『［小説における時間と時空間の諸形式］他——一九三〇年以降の小説ジャンル編』第五巻、伊東一郎他訳、水声社、二〇〇一年。
ハミルトン、ヴァージニア『人間だって空を飛べる——アメリカ黒人民話集』語り・編　福音館書店、二〇〇二年。
ヘーゲル、ゲオルク・ヴィルヘルム・フリードリヒ『精神現象学』上巻、樫山欽四郎訳、平凡社、二〇〇七年。
メルロ＝ポンティ、モーリス『知覚の現象学』中島盛夫訳、法政大学出版局、一九八二年。
——．『行動の構造』下巻、滝浦静雄他訳、みすず書房、二〇一四年。
モーム、サマセット『人間の絆』上中下巻　行方昭夫訳、岩波書店、二〇〇一年。

6 カリブ版『リア王』を書く
――エリザベス・ヌニェス作『楽園においてでさえも』

岩瀬　由佳

　数世紀に及び、西欧列強諸国の植民地支配下にあったカリブ海地域において、とりわけ、旧英領植民地におけるウィリアム・シェイクスピアの存在は、実に特別な意味合いをもつ。そこに複雑な歴史的、政治的文脈が交錯するからだ。「植民地的な状況下におけるシェイクスピアは、アフリカ人やカリブ海地域の人々を支配的な植民地文化に対して、受動的で従属的な関係に位置付ける教育の症候、象徴ともなりえた」（五六〇）というロブ・ニクソン（Rob Nixon）の言葉通り、宗主国の文化的権威の権化であり、宗主国文化の優位性を誇示する絶対的なシンボルであったのだ。

　それゆえに、バルバドス出身の小説家、ジョージ・ラミング（George Lamming）やマルティニーク出身の詩人であり政治家であるエメ・セゼール（Aimé Césaire）らに代表されるように、被植民者の知識人、作家たちは、カノン（canon）とされるシェイクスピア作品をこぞって読み換え、書き換えることにより、宗主国の支配的な既存文化に切り込み、新たに自分たちの言葉で、自分たちのストーリーを語る空間をその内側に奪取し、被植民者独自の文化、価値観の構築を宣言してきたのである。それは、シェイクスピア作品を「境界侵犯的に繰り返し領有する」（ニクソン　五五八）行為であり、被植民者たちによる脱植民化の文学的手法と言ってもよいかもしれない。

　旧英領トリニダード・トバゴ出身のアフリカ系女性移民作家、エリザベス・ヌニェス（Elizabeth Nunez）[1]もシェイクスピア作品を果敢に書き換えたカリブ系作家のひとりである。二〇〇六年に出版された『プロスペローの娘』（*Prospero's Daughter* 2006）は、シェイクスピアの『テンペスト』（*The Tempest* 1611）を、独立運動が高まる一九六〇年代のトリニダードに舞台を移し替えた作品だ。ポストコロニアルの文学理論的解釈によれば、プロスペローは、絶対的な白人支配者として、醜く愚かな怪物キャリバンは、植民地支配下で「劣性表象」を負わされた被植民者として読み解くことができるが、ヌニェスは、その関係性を作品の中で劇的に転倒させている。つまり、プロスペローを家父長的植民地主義者の冷酷な白人男性として破滅させる一方で、キャリバンを聡明な被植民者のムラート (mulatto) 少年というヒーロー像に引き上げることにより、植民地主義の理不尽さと残虐さを暴き、キャリバン自身に植民地の未来を託したのである。これは、『テンペスト』を内側から揺さぶり、「普遍的」だとされた西欧の文化的価値観をも領有する試みである。[2]

ヌニェスは、シェイクスピアの没後四百年目にあたる二〇一六年に、新たな挑戦をしている。シェイクスピアの四大悲劇の一つ、『リア王』(*King Lear* 1605) を大胆に書き換えた作品、『楽園においてでさえも』(*Even in Paradise* 2016) を出版したのだ。『プロスペローの娘』は、原作の枠組みを比較的、厳密に踏襲しながら、作品化しているが、新作に関しては、原作の悲劇的な様相は影を潜め、これまでの彼女の作品と同様に、植民地主義の歴史に深く関わる人種、階級、ジェンダーの問題を内包しつつも、より自由に、そして筆致のびやかに展開する。ただそれのみにはとどまらず、被支配者側から語り直す試みからさらにもう一歩先へ、現代のカリブ海地域が抱える社会的問題、ポストコロニアル文学論、更には文学の持つ力といった観点にまで踏み込んだストーリー構成である。ポストコロニアル文学を取り巻く現状を憂い、今後のカリブ海地域の文学のあり方を模索するようなヌニェスの意図がそこには読み取れるのだ。そこで本稿では、ヌニェスの最新作、カリブ版『リア王』を読み解きながら、彼女が示唆するポストコロニアル文学の行方、そのあり方について論じる。

一　『リア王』へのオマージュと楽園喪失

『楽園においてでさえも』は、現代カリブ海地域の島々、トリニダード・トバゴ、ジャマイカ、バルバドスを舞台に『リア王』を書き換えている。本作の冒頭の謝辞において、死後四百年の時を超えてもなお霊感をもたらす「シェイクスピアのこの上なく優れた詩文、忘れ得ぬ台詞、魅惑的な芝居、人間の本質に対する深い洞察力」(七) に畏敬の念をもって感謝の言葉を捧げ、エピグラフに『リア王』の第一幕、第一場のケント伯爵の台詞、「権力が追従に頭を下げているというのに忠義が口を開くのを忘れると思いか?」(一五〇行)[3] を選んでいることからも、ヌニェス自身のシェイクスピアへの深い敬愛、オマージュが本作に込められているのは確かだ。『プロスペローの娘』にみられる、植民地主義への異議申し立てを声高に叫ぼうとする、ある種の攻撃性、ギラギラとした作家としての野心の類は落ち着きを見せ、本作では、領有するテクストを生み出したシェイクスピアとその作品そのものへの敬意が感じられる。

本作における「楽園」とは、白人クレオールのピーター・ダックスワース (Peter Ducksworth) がバルバドスで手にしたこの世の楽園、「海に面した丘の上の家」(一五〇) を指している。崖下に紺碧の海と太陽の光の中で煌めく雪のような白浜を望み、遥か彼方に水平線と空が溶け合う、圧倒的な絶景を占有する小高い丘の上にあるペーターの瀟洒な豪邸は、まさに「楽園」、「天国」(三五) であり、「彼の城」(一七九) そのものである。ただし、その楽園にも「蛇」[4]が存在するのだ。『リア王』において、父王リアは、権力と領地を娘たちに移譲したのちに、上の娘たちの計略によって、全てを奪われ、狂気の中で囚われの身となるが、トリニダードで何世代にもわたり白人支配者階級にあったピーターも娘たちの企みと彼の悲劇的な死によって、その楽園を追われるのである。その娘たちの企みとは、父が所有する土地・家屋の生前贈与を受けて、その土地に欧米資産家限定の高級リーゾート老人ホームを建設し、父が愛してやまない「海に面した丘の上の家」をミシュランの星が獲得できるような高級レストランに改装出店するというものだ。父は、楽園から追い出され、その老人ホームに住むことを提案される。そこにはビジネスでの成功とツーリズムの名の下に開発され、搾取される現代カリブ海地域とそこから排除され続ける地元民の縮図、現代資本主義によるかたちを変えた植民地支配の構図が浮かび上がる。コリーン (Corinne) が、美しい海岸がすべて欧米資本の高級ホテルに占拠され、地元民は利用することができずにいる現状を地元紙に投稿したように、カリブの島々は「旅行産業の人質」(二一二) になっている現実があるのだ。

父親を楽園から追放する企みを主導するのが、「狡猾だ。キツネのように悪賢い」(一一七) と形容される、ビジネスでの成功を夢見る、野心溢れる長女グリニス (Glynis) である。その姉にただ従うのみの愚鈍な次女のレベッカ (Rebecca) に対して、父のことを心から愛し、姉たちの計画に一人反対するのが、末娘の大学生コリーンだ。それぞれが、『リア王』のゴネリル (Goneril)、リーガン (Regan)、コーディリア (Cordelia) の三姉妹に応じているが、資産家の息子であるという理由でグリニスに利用されることになる、レバノン系トリニダート人の婚約者アルバート (Albert)、レベッカと駆け落ち結婚する映画俳優のように美しい顔立ちのブロンド白人男性ダグラス (Douglas)、アルバートの友人で、末娘コリーンの恋人となるアフリカ系トリニダード人のエミール (Emile) が加わることで、作品の様相はより複雑さを増す。

特に着目すべきなのは、ヌニェスがエミールを本作の語り手として新たに創出しているところだろう。エミールという名が示すように、母方からフランス系白人奴隷所有者の血筋を引き、父親が高名な外科医ジョン・バクスター（John Baxter）という設定だ。以前、父のジョンがピーターの命を救ったことがきっかけで、エミールはピーターとの知己を得ることになる。最終的に彼が末娘のコリーンと結婚することになることから、コーディリアの夫となるフランス王に対応していると考えられるが、『リア王』では冒頭を除いてほとんど登場することのないフランス王が、本作では、時に俯瞰的に物語を語るだけでなく、重要なキーパーソンとして物語を展開する担い手へと変貌を遂げている。

また、『リア王』では、母親（妻）の不在と女嫌いが大きな特徴とされているが、本作においては、ピーターの妻も、エミールの母も既に亡くなっているという設定ではあるものの、ピーターもエミールの父、ジョンも共に妻への深い愛情を失ってはいない。むしろ、亡き妻への愛情の執着がトラブルの起点といってもよいのだ。[5] その点が、原作との大きな違いであると考えられる。

しかし、リア王とピーターの「楽園喪失」のきっかけは同様に、娘たちへの遺産分与に起因している。ピーターは、二人の娘の結婚と婚約を機に、自分が所有する土地と屋敷を娘たちに三分割することを宣言し、『リア王』のかの有名なシーンさながら、衆目の面前で娘たちを競わせるかのように、自分をどれほど愛しているかを語らせる。グリニスとレベッカは、ピーターの虚栄心をくすぐり、「百倍も愛している」、「命そのものよりも深く愛している」（一四六）と語ることにより、彼の自尊心を満たす大げさな媚びへつらいに成功するが、最愛の末娘、コリーンは、愚直にも真実しか語り得ない。「私が夫を得た時、私は彼も愛するでしょう。私は、あなたに私の愛情の全てを与えられないわ。私は、私の愛を夫と分かち合わなければならないでしょうから」（一四九）と父親に語るのだ。父親と夫に公平に半分ずつしか愛情を分かち得ない、という彼女の融通の利かない頑固さは、ピーターの不興を買うことになる。最愛のコリーンに最良の分け前、楽園のような彼の家とその土地を与えようと考えていたピーターにとって、それに相当する愛の言葉の見返りをコリーンにも求めていたが、それを得られないことに苛立ったのだ。そこには、目に見えぬ愛情の安易な数値化、言語化への変換を強要するピーターの愚かさが示唆されるとともに、愛情の深さをその変換された価値コードによって推し量ろうとすることの不毛さが説かれている。酒に酔い潰れ、「私はよろよろ歩く老人ではない」、「私は男盛りなのだ！」（一五二）と叫ぶピーターは、資産という権力を振りかざし、娘たちを支配しようとする家父長制主義者のようであり、老いと退行に怯え、抗おうとする老人の姿を映し出している。

彼の娘に対する家父長的支配欲は、ジャマイカの貧民地区、麻薬や犯罪事件の温床として悪名高いティヴォリ・ガーデンズ（Tivoli Gardens）の子供に読み書きを教えるという家庭教師を引き受けたコリーンが、大々的に写真付きで地元紙に報道されてしまった時に最高潮に達する。それをすぐさま辞めるように諭す彼に対して、「私は、大人よ。一人の女性なの。私は、約束したらそれを守ることを求められているわ」（二三五）というコリーンの冷静な言葉に、「娘とは、父親に従うものだ」（二三五）と大激怒したのである。「お前が私を愛していると誓った時、お前を信じたのが馬鹿だった。でも、私にはもう二人、娘がいる。彼女たちは私を愛してくれる、彼女たちは私に従ってくれる。彼女たちは、忠誠や服従についてお前に教えたはずだが。愛についても。お前の父親の幸福を、父親にとって重要な物事について思いやることについても。お前はもはや私の娘ではない。私は本気だ。それは脅かしではない。私はお前に遺産を相続させない」（二三六）とピーターはコリーンに言い放ったのだ。彼は、グリニスらのうわべだけの優しい言葉や裏打ちのない従順さに隠蔽された企みに気づくこともなく、コリーンの青臭い正論と不器用な物言いに腹を立て、ものごとの本質を見抜くことができない。本来、真なる愛情も服従も人の心に根ざすものであり、目に見えるかたちで具現化し難い。しかしピーターは、娘に対して、「自分への愛情の印として自分に従うことを要求した」（二三七）のであり、娘は「彼女自身のルールによって、彼女自身の人生を生きる必要があった」（二三七）のである。一見すると、この親子間の感情のすれ違いは、子どもを思い通りに支配しようとする親とそれに反発する子どもといった、どこにでもありえる普遍的な親子間闘争のようにも思われるが、自らへの絶対的な服従によって娘の愛の深さを計り、それに応じた資産を与えようとするピーターは、現代資本主義における愛情の数量化への変換とその空虚さを体現しているかのようである。

愛情を目に見えるかたちで数量化しようとする、このピーターの傾向は、年に一度、クリスマスの翌日のボクシング・デーに彼の「楽園」に招待する村人の人数をめぐる親子間の諍いにも関係している。『リア王』の第二幕第四場にもお供の騎士たちの人数に関して娘たちと言い争う場面があるが、村人たちに酒や食事を振る舞い、共に絶景を楽しみ、共に踊り明かすボクシング・デーのパーティーを嫌うグリニスは、

「五十人でも多い方ぐらいだわ」(二五七)と反発する。それに対してレベッカは「二十五人よ」(二五八)と応じ、結局、一組の家族の招待で十分だと結論を出す。その一方でコリーンはひとり、「お父さん、ここはあなたの家なのだから」とつぶやき、「だから、あなたが望むだけ多くの人たちを招待すべきよ」(二六〇)と語る。それを耳にしたピーターが「目を見開き、後悔と驚きが入り混じった表情」(二六〇)を思わず浮かべたのは、自分に従わないことでその愛情を疑ったコリーンが、自分を一番深く慮る発言をしたことに驚き、再び、末娘の愛情を実感できたからだ。ここでも目に見える数値の大小によって娘たちの愛情を推し量ろうとする彼の傲慢さが露呈するが、彼はその喜びのあまり、コリーンの手をとり、パラン[6]のバンド音楽に合わせて狂ったように激しく踊る。それをよしとしないグリニスによって、結局二人は引き離されるが、ピーターは、この熱狂的なダンスと酒の力によって、狂喜にも似た恍惚の状況に陥ることになるのだ。

その直後に彼を襲った悲劇、家のベランダから崖下への転落死という結末は、彼自身の「楽園」の喪失を文字通り意味している。警察の検視結果により、「事故死」という結論に至るが、いち早く父の資産をその手にしようとしたグリニスが意図的に父親を死に誘導したという可能性も残り、その真実は藪の中だ。彼の「楽園」に住まう「蛇」、つまり悪魔は、長女のグリニスだったとも考えられるが、彼自身の中にも邪な心が潜んでいたとも考えられる。つまり、娘たちの愛情を自らへの服従として捉え、自らの家父長的支配欲を満たし、目に見えない愛情の深さを皮相な判断によって推し量り、資産を分割しようとしたことで家族を崩壊に導いたのだ。結果的に、グリニスとアルバートの婚約は破談し、グリニスとダグラスの不義が露見することにより、レベッカの結婚も破綻してしまう。要するに、彼自身が「蛇」だった可能性もあるのだ。ただ、着目すべきは、ピーターも転落死の直前に「自分の娘は全て、彼女たち自身の人生を生きる権利があり、彼女たち自身の決断をする権利がある。しかし、それは、自分のうぬぼれ以上のものであった」(二九七)という悔恨と懺悔の言葉を遺産管財人の弁護士に告げていた点だ。エデンの園で禁断の果実を食べたアダムとイヴが善悪の知識を得たように、愚かで傲慢な老人に思われたピーターもものごとの善悪を知ったが故に、「死」というかたちで彼自身の「楽園」を追われたという解釈もここでは可能であろう。最終的に、彼の「楽園」たる海に面した丘の上の家は、そのまま、コリーンとエミールに引き継がれることになるのだ。

二　文学の力を、その可能性を信じる

父の「楽園」であった家を相続したコリーンは、エミールと結婚し、自分たちだけでは広すぎるその家を「芸術家たちが自分たちの作品を展示したり、作家たちの朗読会ができるようなアートセンター」（三二〇）に改装することを思いつく。二人とも詩人を夢見る、西インド諸島大学英文科出身者であり、二人の縁は、「文学」が取り結んだといっても過言ではない。しかし、その「文学」を取り巻く現状は厳しい。エミール自身、高名な外科医である父親の跡を継ぐ代わりに、大学で文学を専攻したことに大きな引き目を感じている。学部選択の際も「女子とか弱い男だけが文学を勉強するために大学に行くのだ」（三八）と父に言われ、「作り事の世界なんてくだらない。男になれ。現実世界に、この世界に生きろ。科学だよ、息子よ。物理、化学、生物、数学だよ。そういったものが男らしい学科なんだ。文学の学位で何ができると思っているんだ？」（三八）と父に難色を示される。詩人になりたいという夢を隠して、「中等学校で文学を教える教師になりたい」（四〇）と答えるも、その収入の低さを懸念されるのだ。経済的に豊かになることが人生最大の目標であり、幸せへの近道である、とする経済至上主義の風潮の中で、「文学」を学ぶことに対する社会的認識の価値は低く、現実世界において「文学」で生計を立てることの難しさが示唆されている。バルバドス出身のジョージ・ラミングの『私の肌の砦の中で』(*In the Castle of My Skin* 1953) をめぐる、コリーンとエミールの議論の中でもそれは明らかだ。ラミングが「国民の英雄」（一〇二）として、人々の敬愛と誇りを集めているが、「生活のためにアメリカに行かねばならない」（一〇二）現実が指摘されている。つまり、ラミングほどの著名作家であってさえも、生活費を稼ぐために故郷を離れ、アメリカの大学に半年間、教えに行かねばならないのだ。この芸術家、文学者をめぐる厳しい現状、「芸術家は空気と、太陽と、海で生きていくことはできない」（一〇二）し、「私たちは我らの芸術家の価値をこれから理解しなければならない」（一〇二）というコリーンの言葉には、カリブ海地域の文学、ならびに、ポストコロニアルの文学者が直面する現実に対する、ヌニェス自身の憂慮が示唆されていると考えられる。

結局のところ、大学卒業後、エミールも教師の職がすぐには見つからず、父親のコネでジャマイカの新聞社に雇用されることになる。一般から広く募った詩や小説、エッセイの中から優れた作品を選び、月に一度、日曜版の新聞に折り込まれる四ページの「文芸誌」の編集者の職だ。「ジャマイカに

いるたくさんの才能」(一九三)を発掘し、その才能を生かそうとする試みである。その新たな使命に、大学時代に詩の朗読会で親しくなった有能な詩人で、社会運動家でもある、アリシア(Alicia)の助けが加わり、彼の文芸誌は、瞬く間に社会的評価を得るようになる。その背景には、紙媒体だけではなく、フェイスブック、ツイッター、ブログといったソーシャルネットワークの積極的な活用も成功の大きな要因だ。その文芸誌にバルバドスの地元民に排他的なツーリズムの在り方について批判的なエッセイを投稿した縁で、コリーンもエミールとの関係を深め、アリシアたちが主導するジャマイカの貧民地区の子供達に読み書きを教えるボランティア活動にも加わっていくことになるのだ。文学という媒体を通して、人々が繋がり合い、社会的に深く関わっていく様を描きだすことにより、ヌニェスは文学が単なる「絵空事」として非難されるのではなく、社会的広がりへと繋がり得ること、現実世界へも何らかの寄与をもたらし得ることを訴えていると考えられる。

　しかしながら、エミールは出版社で働くジャーナリストの同僚に敵対心を抱かれてしまう。エミールよりもかなり年上の、長年現場で取材を続けてきた叩き上げの同僚は、「ジャーナリストっていうのは、事実に忠実なんだ」、「我々は、個人的な意見は出さないんだよ。我々は、ニュースを報道するときは、主観的ではなくて、客観的じゃなくちゃいけないんだ」(二一四)と「文学」に対して、あからさまに否定的な態度をとるのだ。極め付けは、ピーターを激怒させ、コリーンが勘当される事態を招いた、あの報道記事を書いたのも彼なのだ。コリーンが色鮮やかなアフリカの民族服を纏い、細かく三つ編みにした髪の毛を地肌にぴったりした畝のように装う黒人の髪型で、ジャマイカのティヴォリ・ガーデンズの貧民地区に住むラスタファリアン[7]家族の男の子に読み書きを教えている写真である。その背後には笑顔の両親が映し出されている。支配者層の美しい白人女性が黒人の扮装をして、ラスタファリ思想の黒人一家の家庭教師を務めるという写真記事は、一見したところ、植民地主義の終焉と和解、相互理解といったような、時代の変化を告げる「美談」といえるかもしれない。しかし、客観的に「事実」を写し出しているかに見える写真や記事も、見る者によって様々な解釈が可能である。それは、文学にも同じことであるが、「美談」とされるその写真記事も、エミールが危惧したように、コリーンを「警察のスパイ、情報提供者」(二一九)としてみなし、誘拐して殺害しよう考えるギャングたちの存在もあり得るからである。その危険性を心配したエミールが同僚のジャーナリストに意見したところ、同僚は「我々ジャーナリストは、事実を書くんだ。我々は、人々に事実を伝える責務がある。お前はお伽話、架空の話を出版しているだ」（二一八）と「文学」を単なる「絵空事」で事実を伝えるジャーナリズムに劣るものであると再度、批判するのである。それに対して、「私の出版している話も事実を語っています」（二一八）とエミールは語り、「人間の本質について、人間そのものを語っているのです」（二一八）と反発する。それを同僚は鼻先で笑うが、「文学」は、人間の「創造する」という営みの中で生み出されたものである。確かに「文学」に描かれる世界は、架空の、想像上のものかもしれない。しかし、そこには凝縮された人間そのものの姿、醜くも美しい、愚かでありながらも愛すべき人間の本質が存在するのだ。『リア王』が四百年の時を経てもその輝きを失わず、国境を超えて読み継がれているのは、その中に人間の嫉妬や、所有欲、支配欲、親子愛、傲慢さ、悔恨、憎しみ、悲哀といったような人間の生の営みの中で生み出される人間の本質的感情が見事に描き出されているからだ。読者が登場人物に共感し、反発し、涙するのは、そこに人間の普遍的な真実の姿を読み取るからである。絵空事として「文学」を安易に切り捨てるべきではない、というヌニェスの切なる思いがそこには込められていると考えられる。

「詩のもつ力をすでに確信していた」（一九五）とエミールは語るが、ヌニェスも「文学のもつ力」をいまだ信じている。それを示唆するかのように、エミールは、編集者から教師に転職したのちにも、いつか詩集を出版する日を夢見て、詩を書き続けていくのだ。本作の最終パラグラフにおいて、エミールは、家のベランダに立ち、目もくらむほどの海の碧さを眼下にしながら、「未来が、自分の目の前に驚くほどの可能性を煌めかせている」（三二〇）のを確信する。ヌニェスも「文学」のもつ可能性を今もって信じ続けているのだ。

三　結びにかえて

一九八〇年代を皮切りに一世を風靡した「ポストコロニアル文学」という言葉もすでに言い古されてしまった感がある。ポストコロニアル文学は、今後どう展開して行くのか。あるいは、過去のものとして痕跡を残しつつ、時代に取り残されて行くのだろうか。そういった焦りにも似た時勢の流れの中で、カリブ海地域の文学の今後の行方にヌニェス自身も憂慮しているのは確かであろう。本作でも、文学の力を再認識し、文学者、芸術家が作品を生み出していける環境と経済的サポートの重要性が示唆されるとともに、ラミングのような、宗主国からの独立前後に隆盛を極めた政治的な文学作品から今後いかに転換していくべきか、という問題が提起されている。

前作のシェイクスピア作品を戦略的に書き換えようとした『プロスペローの娘』に比べると、本作は、シェイクスピアの胸を借りたような、作家としての逡巡と文学への愛情が交錯した作品であると思われる。それゆえにどうしても平板で散漫としたストーリー構成に流れた感は否めないが、ヌニェスのカリブ版『リア王』には、現代カリブ海地域における現実社会の一端と、文学者を取り巻く現状が鮮やかに描き出されていることに間違いはないであろう。迷いながらも新しい文学を生み出そうとする彼女の果敢な試みの軌跡でもあるのだ。エミールとコリーンに託された新たな楽園こそが、ヌニェスの信じる文学の行方を育む「創造の楽園」なのである。

注

1　エリザベス・ヌニェスは、一九四四年、旧英領トリニダード・トバゴに生まれたアフリカ系カリビアンである。大学進学を機にアメリカへ留学し、移民作家として、ニューヨーク市立大学教授としてのキャリアを着実に確立してきた。ディロン・ブラウン (Dillon Brown) が「文化的ナショナリズムと国民、亡命、男性らしさ、小説の表現形式への傾注に特徴付けられる」（一〇）と指摘するウィンドラッシュ世代とはまた異なったアプローチ法で、ヌニェスはカリブ系ディアスポラの実像を描き出す。「私は恐らく、すべての自分の作品の中で自伝を書いてきたのです。つまり、恐らく、すべての小説の中で、私はアメリカに移住し、何かを失い、いかにアメリカと故郷との両者から部外者のままでいるのかを描いてきたという意味で」（一）とエイミー・レイズ (Amy Reyes) との対談で述べているように、ヌニェスの作品は、自伝的な要素が非常に強い。しかしながら、その中にあって、『プロスペローの娘』と『楽園においてでさえも』の二作は異色作であり、シェイクスピア作品の書き換えシリーズである。

2　本議論に関しては、岩瀬由佳「キャリバンを書き換える——『プロスペローの娘』におけるエリザベス・ヌニェスの試み」『黒人研究』八二号（二〇一三）において詳細に論じている。

3　本稿の『リア王』の日本語訳は、松岡和子氏の訳『リア王』（筑摩書房　二〇一七）を参照している。

4　本作の表紙にもそれを暗示するかのように、大きな大蛇のイラストが描かれている。

5　出産の際に妻を失ったジョンは、その喪失感の深さゆえに息子との関係性をうまく構築できない。愛する妻を奪った息子の父親になり切ることのできない男の未熟さ、名医としての社会的な誉れの裏で一人息子に愛情を示すことができない父親の心の闇が描かれている。またピーターも「海に面した丘の上の家」（一五〇）に居住することが亡き妻の望みであり、それを実現するためにバルバドスへ移住した経緯がある。両者とも、亡き妻への深い愛情を抱いている。

6 トリニダードの民族音楽で、クリスマスの時期に家々を回って演奏する。
7 一九三〇年代にジャマイカで生まれた宗教的運動と思想。エチオピア皇帝 (Ras Tafari Makonnen) を救世主とし、黒人たちのアフリカ回帰を目標とした。レゲエとともに広く流布した。

参考文献

Brown, J. Dillon and Leah Reade Rosenberg ed. *Beyond Windrush: Rethinking Postuar Anglophone Caribbean Literature*. Jackson: University Press of Mississippi, 2015.

Kingstone, Steve. "Scared and hungry in Jamaica's Tivoli Gardens." *BBC News*. 28 May 2010.

Lamming, George. *In the Castle of My Skin*. Michigan. University of Michigan Press, 1991.

Nixson, Rob. "Caribbean and African Appropriations of *The Tempest*." *Critical Inquiry* 13. [Spring 1987]: 557–78. <http://www.jstor.org/stable/1323513> (accessed 2012).

Nunez, Elizabeth. *Even in Paradise*. New York: Akashic Books, 2016.

——. *Prospero's Daughter*. New York: Ballantine Books, 2006.

Reyes, Amy. "Interview: Elizabeth Nunez, author of '*Not For Everyday Use*.'" *Miami Herald*. 15 June 2018. <http://ww.miamiherald.com/entertainment/article3988956.html> (accessed 2018).

Shakespeare, William. *King Lear* (Oxford School Shakespeare). Roma Gill ed. London: Oxford University Press, 2013.

岩瀬由佳「キャリバンを書き換える――『プロスペローの娘』におけるエリザベス・ヌニェスの試み」『黒人研究』八二号（二〇一三）pp. 66–71.

ウィリアム・シェイクスピア『リア王』松岡和子訳　筑摩書房　二〇一七

第四章

テクストとポリティクス

1 特撮怪獣の咆哮
——日系紙『ギドラ』における政治と創作の弁証法

馬場　聡

はじめに

二〇一八年夏から翌年にかけて、ロサンゼルス界隈の特撮怪獣ファンはにわかに浮足立っていた。九月に全米日系人博物館において「怪獣対ヒーロー——マーク・ナガダの日本のおもちゃ」展（二〇一八年九月一五日—一九年三月二四日）が開催され、翌月には同館にて東宝ゴジラ・シリーズ第一作『ゴジラ』（一九五四）が上映されたからだ。さらにファンを活気づけたのは、アニメーション映画『GODZILLA——星を喰う者』（二〇一八）の公開だった。この作品は東京国際映画祭のクロージング作品に選ばれ、全国で劇場公開された（アメリカではネットフリックスからオン・デマンド配信）。この作品の目玉は何といってもゴジラの仇敵である三つ首の翼竜、キングギドラの登場だ。

遡ること半世紀前、一九六九年にあの翼竜は突如としてLA上空に飛来した。日系アンダーグラウンド・プレス『ギドラ』（一九六九—七四）の創刊である。カリフォルニア大学ロサンゼルス校の日系学生を中心に企画されたこの新聞は、極めてラディカルな政治記事が特徴で、物言わぬモデル・マイノリティとしての日系アメリカ人のイメージを一変させた。しかし、奇妙なことにアクティヴィズムに動機づけられた政治色が強い本紙には、詩やグラフィック・アートなどの創作にかなりの紙面が割かれている。この論考では、一見するとミスマッチかに思える政治性を帯びた記事と若者のクリエイティビティ表出の場である創作コンテンツとを併存させた『ギドラ』の紙面構成を検討し、エスニック系アンダーグラウンド・プレスにおける政治と創作との相克について考えてみたい。

一　アングラ新聞の台頭と『ギドラ』の急襲

主流メディアに対して明確な対抗軸を示すオルタナティヴが誕生したという意味において、六十年代はアメリカのジャーナリズムにとって大きな転換点だった。折からの対抗文化のうねりに歩調を合わせるかのように、アンダーグラウンド・プレス（以下、「アングラ新聞」）と呼ばれる新しい活字メディアが雨後の筍のように登場し、周縁から中心を批評する言論空間を形成し始めたのだ。この手のメディアが「アングラ」であったがゆえに、発行に関する詳細な情報は捉えにくい。六十年代から七十年代にかけて創刊されたアングラ新聞の数はかつて六百紙程度と考えられていたが、最近行われたワシントン大学のジェームズ・N・グレゴリーらの大規模な調査によれば、アメリカ国内において六五年から七五年の間に大小合わせると二千を超える週刊及び月刊紙が発行されていたという。こうした数値の正確さについては検証のしようがないが、これらの新しい活字メディアが相当な数の読者を抱えていたことは間違いない。ジョン・マクミリアンは記事共有ネットワークであるアンダーグラウンド・プレス・シンジゲート（UPS）や通信社リベレーション・ニュース・サービス（LNS）などによって、アングラ新聞が互いに結びついていたことに注目し、これらを「ムーブメントの主たるコミュニケーションの手段」（六）と看破する。なるほど、インターネットやソーシャル・メディアが存在しなかった当時、対抗文化の広がりやアクティヴィズムのネットワーク化はアングラ新聞に支えられていたわけだ。

従来、新聞といえば自動活字鋳植機（ライノタイプ）を用いて印刷するのが常であったが、植字工の雇用や設備投資の費用がかさむため、新聞を発行するにはそれなりの資本が必要とされた。しかし、簡便かつ経済的に印刷物が発行できるオフセット印刷の普及という印刷技術史上の転換点でもあった六十年代においては、こうした印刷設備にアクセスすることが容易な大学のキャンパスを中心に、インディペンデント系の新聞やリトル・マガジンの類が誕生する土台が整っていた。東海岸では若き日のイシュメール・リードらによって創刊された総合文化紙『イースト・ビレッジ・アザー』（一九六五―七二）、そして西海岸ではゲイリー・スナイダー、アレン・ギンズバーグ、ケン・キージー、アラン・ワッツなどの文化人が紙面を賑わせたことで知られるサイケデリック紙『サンフランシスコ・オラクル』（一九六六―六八）等が時代を映すオルタナティヴ・メディアとして存在感を示していた。こうした文化紙が対抗文化の潮流を報じていた頃、他方ではベトナム反戦、フリースピーチ、ブラック・パワーなどを後方支援するラディカルなメディアが登場した。アクティヴィズム系新聞の代表格はもちろん最大の発行部数を誇り、黒人運動をネットワーク化することに大きな役割を果たした『ブラック・パンサー』（一九六七―八〇）をおいて他はない。

こうしたアングラ新聞の興隆期に、当時高まりつつあったイエロー・パワーの気運を受けて、ひとつの日系アングラ新聞が誕生する。カリフォルニア大学ロサンゼルス校の学生であった日系三世のマイク・ムラセ、トレイシー・オキダを中心に創刊された月刊紙『ギドラ』(一九六九―七四)である。ロリ・キド・ロペスによれば、創刊号はLAを中心とする西海岸で八千部ほど発行されたという(五)。

「ギドラ」というネーミングの由来は、はたしてあの東宝特撮怪獣映画ゴジラ・シリーズに登場するキングギドラであった。キングギドラは、東洋の龍をモチーフにした三つ首の翼竜で、破壊活動を行う凶暴な怪獣、あるいは、主役であるゴジラの宿敵という役回りだ。たとえば『三大怪獣地球最大の決戦』(一九六四)の初代キングギドラは、高度に発達した金星の文明を滅ぼしたのち、地球へ飛来して東京を壊滅させる。最終的に、善玉怪獣であるゴジラ、ラドン、モスラとの戦いに敗れ、地球を追われることになる。この映画のプロットから、この怪獣の意味合いを考えれば多様な解釈ができるのだが、少なくとも、東宝の怪獣映画全盛期にアウトサイダーとして表象されていたことは間違いない。ヨシミ・カワシマは、キングギドラは悪役ではあるが「自分の生命を脅かす抑圧的なシステムに抵抗する存在」と述べ、「自分たちを抑圧する社会に対抗する勢力」であるアジア系アクティヴィストとの相似を指摘する。和製ポピュラー・カルチャーの悪役怪獣は、モデル・マイノリティとみなされていたアジア系アメリカ人のステレオタイプを打破し、他のマイノリティ運動に触発されながら展開していたイエロー・パワーを象徴する格好のモデルだったわけだ。

ここで紙面構成に目を転じてみたい。ロペスが「目的においても、内容においても政治闘争を体現している」(五)と述べているように、『ギドラ』最大の特徴はその限りなくラディカルな政治記事にある。マリリン・モンローをはじめとする数々の著名人の検視を行った、ロサンゼルス郡検視官トーマス・ノグチの不条理な罷免とレイシズムとの関係を告発する連作記事に例を見るように、創刊当初は日系コミュニティ周辺のローカルな問題を取りあげることが多かった。やがて号を重ねるにつれて、イエロー・パワー、ベトナム反戦、女性運動、エネルギー問題、安保闘争、というように、より広範な論題に取り組む記事が目立つようになる。政治性を前面に打ち出した記事を主力コンテンツにする一方で、他のアクティヴィズム系アングラ新聞とは比べ物にならないほど、詩、短編小説、戯曲、メモワール、グラフィック・アート、カトゥーンなどの創作コンテンツが存分に盛り込まれていることが本紙のユニークな点だ。

二 投稿詩と言説編成――ロナルド・タナカの「妻が憎い」

詩、短編小説、戯曲等の文学系コンテンツが数多く収録されていたとはいえ、本来的に文芸誌ではなかったこともあり『ギドラ』が文学研究の俎上に載ることは少ない。文学史本を見渡しても、ワーナー・ソラーズとグレイル・マーカス編『ハーヴァード大学版新アメリカ文学史』（二〇〇九）において中国系研究者ホア・スーがアジア系文学黎明期のエスニック・メディアのひとつとして言及しているにとどまる（九五〇）。そもそもこの時期の西海岸には、日系詩人ジャニス・ミリキタニらが創刊し、短命に終わった『アイオン』（一九七〇―七一）のほかには、目ぼしいアジア系文学メディアは見当たらない。であるがゆえになおさら、紙面の少なからぬ割合を創作コンテンツに割く『ギドラ』の「アジア系文学メディア」としての可能性を考えたくなる。結論から言うと、掲載された作品の大半は、（のちにプロにならなかった）アマチュアの書き手によって投稿されていた。アクティヴィストであるアフリカ系女性詩人のオードリー・ロードが、詩は「名もなき者たちに名前を与える手段」であり「われわれの生の骨組み」（八）と評したように、本紙の投稿欄には無名の書き手たちの等身大の声がひしめく。そのなかには、銀幕デビューを果たす前の日系ハリウッド俳優ケイリー・タガワと思われる人物のクレジットを見ることができるから面白い。（七三年五月号）

のちに名が知られるようになる面々としては、LAを代表する日系詩人エイミー・ウエマツ、中国系詩人メイメイ・バーセンバージュらがいるが、ひと際目立つのは、のちに各々がアメリカン・ブック・アワードを受賞することになる三人の日系詩人だ。その三人とはオレゴン州の桂冠詩人として今も高い評価を受けているローソン＝フサオ＝イナダ（一九三八―）、創作のみならず英文学者としてエスニック文学の可能性を問い続けたロナルド・タナカ（一九四四―二〇〇七）、そしてLA界隈で実験的な創作活動を続けるセッシュ・フォスター（一九五七―）である。イナダの場合、作品が掲載された当時、すでに初めての日系アメリカ人詩集『ビフォー・ザ・ウォー』（一九七一）を発表しており、いわば大物ゲストとしての扱いであった。一方、二度にわたって同賞を受賞したフォスターにとっては、七三年一二月号掲載の詩がデビュー作となったが、なにせハイスクール時代の小品である上に投稿も一回限りなので、本紙で育った詩人とは言い難い。その点、本紙スタッフとほぼ同世代であるタナカは、本紙でデビューし、断続的に作品を投稿し続けたという意味で『ギドラ』の詩人と呼ぶにふさわしい。

ロナルド・タナカは四四年にアリゾナ州ポストン戦争強制収容センターで生まれ、LAで育った日系三世だ。カリフォルニア大学バークレー校で英文学を修め、その後、ベトナム戦争を忌避して六七年にカナダに移り、ブリティッシュ・コロンビア大学で教鞭をとる。ポストン、LA、ベイエリア、カナダまでの移動の遍歴は、ロード・ナラティヴ形式の秀作詩「ルーツ」(六九年一二月号)に描かれている。七二年以降、カリフォルニア州立大学サクラメント校で三〇年以上にわたって教壇に立つ。八二年に娘に捧げる詩集『シノ・スイート』でアメリカン・ブック・アワードを受賞するが、その後、度重なる離婚や娘との不和に悩まされ、晩年は精神を病み、二〇〇七年に他界した。『シノ・スイート』をのぞいて、詩人としての目立った活躍はないが、『ギドラ』(六九年九月号)に掲載されたデビュー作「妻が憎い」(三)は、その後さまざまなアンソロジーに収録されることになり、日系アメリカ人詩人の傑作として広く知られている。

僕はのっぺりした黄色い顔の妻が憎い
キュウリのように太く短い脚、そして何よりも
優雅さが欠けている、それに
ジュディス・グラックみたいな聡明さがない

このひときわ強い印象を与える冒頭部から分かるように、「僕」はその身体、佇まい、そして知性のなさを理由に「妻」を嫌悪する。八連からなる詩に散らばるシンボリックな言葉の数々は分かりやすい形で、〈白〉と〈黄〉の対照をなしている。日系人の「僕」は白人女性を愛し、「ウォーホールやギンズバーグ」、「ディラン」に象徴される対抗文化を好む。対して、「妻」は「仏教徒」で、「日本舞踊」や「茶道」のような日本の伝統文化を嗜む。「僕」はそんな妻のことを「ベトナム戦争」のことすら理解していない「旧世界から来た間抜けな水牛」と表現する。妻に対する憎しみは、ミソジニーやエスニシティ嫌悪のみならず「イースト・ロサンゼルスの裕福な銀行家の娘」という所属階級に対する妬みにまで裏打ちされ、モラル・ハラスメントやドメスティック・バイオレンスにまでエスカレートしていることが暗に示される。白人文化への強い同化願望をあらわにする「僕」であるが、その心の内はそう単純ではない。

はじめは愛せるかと思った、だって妻が
本当の自分に戻る方法を教えてくれると思ったから
ＬＡのゲットーをうろついていた日々から
西洋文明や今月号のプレイガールから自由になることを

衝撃的な冒頭部から一転して、この第五連では、「僕」のアイデンティティは大きく揺れ動く。しかし、最終的には同化願望が勝り、冒頭の強烈な詩行が反復されることでこの詩は結ばれる。「僕」が象徴するのは、ポップ・アート、ビート詩、プロテスト・ソング等の対抗文化に感化され、「ベトナム戦争」に代表される政治的な問題に積極的にコミットする「意識の高い」日系三世の青年だ。こうした文化的、政治的にハイブラウな日系青年に潜在する同胞女性に対する憎悪を前景化することで、彼らの引き裂かれたアイデンティティの複雑さが浮き彫りになる。白人に同化したいという願望から、日本人や日本的なものを嫌悪するようになり、やがて、そういう嫌悪感を抱く自分自身を嫌悪するという救いようのない負の連鎖がこの詩のトーンを決定づけている。おそらくこれはタナカ自身や『ギドラ』の制作者らを含むイエロー・パワー界隈の同世代男性への批判なのだろう。彼らを抑圧するシステムを勇ましく追及する記事からは、アイデンティティの不安に苛まれる脆弱な個人の姿は見えない。この詩はオピニオン欄の威勢の良さからはうかがい知れない影の部分をあぶりだす。

「妻が憎い」は詩専門の常設投稿欄「ピープルズ・ページ」に掲載されたものだ。この投稿欄は、投書欄「レター・トゥ・ギドラ」と並んで、読者と編集部、さらには読者間のコミュニケーションを可能にする数少ないコンテンツである。この投稿欄は、読者と紙面をつなぐ公共性が高い言論空間と言えるが、五年に及ぶ発行期間に、特定の投稿詩を発端にして有意なコミュニケーションがなされた例はほとんど見られない。

ところが、タナカの「妻が憎い」の場合は異例な展開をみせた。翌号、つまり、六九年一〇月号には、エイミー・ウエマツの「アメリカにおけるイエロー・パワーの台頭」と題された四ページに及ぶ論説が掲載される。これは事実上の「イエロー・パワー宣言」として、アジア系アメリカ人のアクティヴィズムの理論的典拠とされ、現在でも当該分野の重要な資料として知られている。ここで指摘したいのは、この論説の一部、または全部がタナカの「妻が憎い」に触発されて書かれた可能性があることだ。特に日系の若者の自己嫌悪に言及した「彼らは極端な自己嫌悪から自らの身体的特徴を否定する。……長い脚と大きな目が欲しいのだ。この自己嫌悪は、アジア系男性が高嶺の花の白人女性に執着していることを見れば明らかだ」（八）というくだりが、タナカの詩と響きあう。

当時、ウエマツはタナカ同様に詩の投稿欄の常連だった。彼女が『ハフポスト』（二〇一四年十一月一〇日）に寄せた「あの頃のアジア系アメリカ人詩人たちは不滅だ」というエッセイにおいて、タナカの「妻が憎い」に対する畏敬の念を表現していることも手掛かりになる。ここでウエマツは「一九六九年の『ギドラ』に掲載された『のっぺりした黄色い顔の妻が憎い』という詩の冒頭の一行……」と具体的に発行年にまで言及している。要するに、詩人のタマゴだったウエマツが（たとえ無意識的にだとしても）タナカの詩を契機に、翌号の論説（あるいはその一部）を書いたのではないか、という見立てだ。もちろん、真偽のほどは定かではないが、あの投稿欄を媒介にして、タナカとウエマツとの間にテクスチュアルな交渉が成立しているように思えてならない。

「妻が憎い」の掲載以降、本紙は積極的に女性を取り巻く状況を問題化するようになる。七一年一月にはアジア系女性特集号が発行され、同年六月には文字通りタナカの詩の第一連を丸ごと引用する形でタイトルにした「のっぺりした黄色い顔の妻が憎い……」（モチヅキ　六）という記事が掲載され、アジア系のムーブメントに見られる男女のヒエラルキーが浮き彫りにされる。こうした「妻が憎い」に端を発する多方面での議論の展開をみると、投稿欄「ピープルズ・ページ」が公共性をもった言論空間としてコミュニケーションを促進し、イエロー・パワーの言説編成に貢献していたと言えそうだ。実のところ、こうした議論の広がりは本紙内部にとどまらず、早くも六九年一一月には西海岸最大の発行部数を誇ったアングラ新聞『ロサンゼルス・フリープレス』に「イエロー・パワーが来た！」という一面の見出しとともに、ウエマツの「イエロー・パワー宣言」が転載されている（一〇月三一日―一一月六日号）。この流れをダメ押ししたのは、カリフォルニア大学ロサンゼルス校、アジア系アメリカ人研究センターによる最初の出版物『ルーツ――アジア系アメリカ人読本』（一九七一）だ。この本にはタナカの詩「妻が憎い」、「ルーツ」、そしてウエマツの「イエロー・パワー宣言」が収録され、現在までに累計五万部以上を売り上げ、アジア系エスニック・スタディーズの定番テキストとして読み継がれている。こうして、当時無名だった詩人の一篇の詩が、アクティヴィズムの在り方を問い直し、イエロー・パワーの言説編成のきっかけとなった。

三　怪獣とアイデンティティ――アラン・タケモトの表紙絵

編集部の中心人物、イヴリン・ヨシムラは、映像集『ドローイング・ザ・ライン』に収録されたインタビューにおいて「私たちの思想を広める最も効果的な方法は、やたらと長い記事を書くことではなく、効果的なビジュアル・アートを使うことだと気がつきました」と述べている。リチェッタ・ワトキンス『ブラック・パワー、イエロー・パワー』（二〇一二）やカレン・L・イシヅカ『人々のためにつくせ』（二〇一六）などの近年の研究では、本紙のイラストに見られるゲリラ表象や政治風刺カトゥーンの特異性が指摘されている。こうした先行研究を踏まえて注目したいのは、『ギドラ』のアーティストの中でもひときわ異彩を放つアラン・タケモトによる特撮怪獣をモチーフにした作品だ。

タケモトは七二年四月から七四年四月にかけて表紙絵、署名付きアート・ワーク、記事の挿絵、カトゥーンなど多岐にわたって継続的に作品を寄稿した主力のイラストレーターである。高校生の時に、経済的に恵まれない学生向けのアート・プログラムに参加し、アフリカ系アメリカ人アーティストとして著名なチャールズ・ホワイトやウィリアム・パジョードに師事している（イシヅカ　一四七）。

七二年七月号の目玉である「沖縄――その抑圧の歴史」、「安保闘争」、「ベトナム戦争」といったお堅い政治記事と、若者の内的な葛藤を描いた表紙絵は、違和感を覚えるほど極端な対照をなす（図1）。中央には日系人と思われる人物が配置され、左側にはウエスタンブーツ、星条旗、リボルバー式の拳銃を身に着けたアメリカン・イーグルを思わせる鳥。右側には雪駄を履き、胸には日の丸、そして腰には日本刀を差したゴジラ。中央の人物は左右から腕を引っ張られ板挟みの状態だ。その人物の痩せこけたからだの一部は白骨化し、

図1
Gidra, vol.4, no.6, Jun., 1972.
Courtesy of the Gidra Collection, Densho.

グロテスクな餓鬼さながらの姿をさらす。このマゾヒスティックな身体は、引き裂かれたアイデンティティに苦しむ若者の姿をデフォルメしたものだろう。もちろんこの場合、この人物にとってアメリカン・イーグル、ゴジラの双方は客体であって自己表象にはなりえない。

この時期は『ギドラ』の成熟期と言うにふさわしく、グローバルな視点に立った特集記事が目立つようになる。充実したオピニオン紙としての性格が強くなる一方で、日常を生きる日系の若者の姿が見えにくくなった嫌いがある。本紙の読者層を特定するのは難しいが、この号に掲載されている「販売店一覧」を見るとおおよそのイメージをつかむことができる（一八）。インテリ層が立ち寄るであろう大学や書店を除けば、リトル・トーキョー近隣の食堂、理髪店、酒屋、ボーリング場、アパレル店、食料品店、靴屋などが並ぶ。これを見ると、本紙は概ね日本人街の日常空間において販売されていたことが分かる。つまり、読者は必ずしも政治的にラディカルなハイブラウとは限らない。その点、タケモトのイラストは、難解な政治記事とは対照的に、ポピュラー・カルチャーをモチーフにして日系三世の等身大の姿を映し出しているので、幅広い層の読者に受け入れられやすかったはずだ。

七二年の表紙絵と対照をなすのが、創刊五周年を迎えた七四年四月号（最終号）の表紙絵だ（図2）。構図の中心は、『ギドラ』編集部のオフィス前に身を寄せ合う若者たち。彼／彼女らは、戦車、警察車両、そして無数の兵士や警官と対峙している。若者たちの背後には巨大なゴジラが鎮座し、にらみを利かせている。このゴジラに日の丸も日本刀も見ることはない。この場合、怪獣の姿は日系アメリカ人の自己表象と見るべきだろう。七二年の表紙絵において、客体化されていたゴジラは、およそ二年の時を経て若者たちの自己表象に反転した。ひとりの若き日系人の被虐的な身体の代わりに提示さ

図 2
Gidra, vol. 6, no.4, Apr., 1974.
Courtesy of the Gidra Collection, Densho.

れるのは、アメリカにも日本にも回収されない共闘する日系アメリカ人レジスタントの集合体だ。かくしてゴジラは日本的なものの象徴という位置づけから転じて、イエロー・パワーを闘う日系人の自己表象となった。

特撮怪獣という戦後の日本産ポピュラー・カルチャーと日系アメリカ人とのつながりを示す例は少なくない。詩人デイビッド・ムラは『日本人になること――日系三世のメモワール』（一九九一）の冒頭で子供時代を回想して「私にとって日本は、レベルの低い野球、ゴジラ、そして『スターマン』もどきの奇妙なSF映画だった」（八）となかば皮肉交じりに言及しているし、さらに若いクール・ジャパン世代の詩人カズミ・チンがその名も『ゴジラとコークを』（二〇一七）というデビュー作を出版したことも記憶に新しい。さらに、歴史学者ウィリアム・ツツイの『わが心のゴジラ――怪獣王の五十年史』（二〇〇四）や特撮怪獣アーティストとして知られるマーク・ナガタの作品集『トイ・カルマ――怪獣おもちゃコレクションとマーク・ナガタの作品集』（二〇一八）を見れば、戦後育ちの日系アメリカ人と日本とが特撮怪獣映画を通して分かちがたく結びついていることが分かる。そもそも、五三年には東宝がLAに国際東宝株式会社を設立し、早くも五五年にはシリーズ第一弾『ゴジラ』（一九五四）をリトル・トーキョーの住民向けに上映していたという経緯もある。その後、六〇年には東宝直営館、ラブレア劇場も開場しているので、怪獣映画とLAの日系三世との距離は決して遠いものではなかったはずだ。

話を二つの表紙絵に戻そう。ここで改めて確認しておきたいのは、ゴジラというインパクトのあるモチーフを共有しながらも、二枚の表紙絵の構図の中心はどちらも若者（たち）であることだ。特に七四年のイラストに描かれている若者たちがタケモト自身を含む『ギドラ』の作り手であることは明らかだ。つまり、タケモトの視線は自分たちに向けられており、本来、観察者であり、報じる側であるはずの若きジャーナリストたちが、視られ、描かれるという逆転した状況にある。こうした、自己言及的なまなざしが、『ギドラ』の制作者側に対する論評となっているところが面白い。

おわりに

社会運動における文化の役割について論じるT・V・リードは、運動から生まれた芸術が運動自体のイデオロギーを批評する機能をもつ点に注意を向ける。リードによれば、それらが「視野の狭いイデオロギー的用語に還元できない感情や意味を呼び起こすことによって、まかり通っている思想、価値観、戦略に異議を申し立て、ドグマ化に陥る傾向を回避する」（三〇〇）のだという。確かに、この論考で検討したロナルド・タナカとアラン・タケモトの作品に共通するのは政治的な記事とは異なる角度から、イエロー・パワー周辺の事象を批評している点であった。

　こうした創作コンテンツに導かれるメタ・クリティーク的状況は、本紙においてさまざまな形で表出する。その一例は「記事」、「詩」、そして「ビジュアル・アート」の三つ（場合によっては、そのうちの二つ）をパッケージ化するフォーミュラだ。この場合、それぞれが補完し合うことはもとより、時には他の表現形式に対する批評性をも有する。もうひとつの例は、『ギドラ』編集部のスタッフが（時にペルソナを使って）自身の詩やイラストを投稿するケースである。いわば境界侵犯的に投稿される作品は、自己言及的な批評になりうる。こうした記事と創作とのインタラクションを可能にしているのは、アングラ新聞であるがゆえの制約のないユニークなアーキテクチャだ。三つ首の翼竜キングギドラに由来するタイトルが暗示するように、記事、文芸、グラフィック・アートからなるキメラ状の紙面は、時に主客転倒しながら互いに批評し合い、イエロー・パワーの言説を形成している。

引用文献

Gregory, James N. *Mapping the Underground / Alternative Press 1965–1975*. depts.washington.edu/moves/altnews_map.shtml.

Hsu, Hua. "The First Asian Americans." *A New Literary History of America*, edited by Greil Marcus et al., Harvard UP, 2009, pp. 958–62.

Ishizuka, Karen L. *Serve the People: Making Asian America in the Sixties*. Verso, 2018.

Kawashima, Yoshimi. "GIDRA: The Voice of the Asian American Movement." *Discover Nikkei*, Japanese American National Museum. discovernikkei.org/ja/journal/2012/1/12/gidra/

Lopez, Lori Kido. "The Yellow Press: Asian American Radicalism and Conflict in Gidra." *Journal of Communication Inquiry*. vol. 20, no. 10, 2010, pp. 1–17.

Lorde, Audre. "Poetry is Not a Luxuries." *Chrysalis: A Magazine of Woman's Culture*. vol. 3, 1977, pp. 7–9.

McMillian, John Campbell. *Smoking Typewriters the Sixties Underground Press and the Rise of Alternative Media in America*. Oxford UP, 2011.

Mochizuki, Carol. "I Hate My Wife for Her Flat Yellow Face…" *Gidra*, vol. 3, no. 6, Jun. 1971, p. 6.

Mura, David. *Turning Japanese: Memoirs of a Sansei*. Atlantic Monthly Press, 1991.

Reed, T. V. *The Art of Protest: Culture and Activism from the Civil Rights Movement to the Streets of Seattle*. U of Minnesota P, 2005.

Takemoto, Alan. Cover Art. *Gidra*, vol. 4, no. 7, Jul., 1972.

——. Cover Art. *Gidra*, vol. 6, no. 4, Apr., 1974.

Tanaka, Ron. "I Hate My Wife for Her Flat Yellow Face." *Gidra*, vol. 1, no. 6, Sep., 1969, p. 3.

Uyematsu, Amy. "Old Asian American Poets Never Die." *HuffPost*. 10 Nov., 2014. huffingtonpost.com/amy-uyematsu/asian-american-poets_b_6117022.html.

——. "The Emergence of Yellow Power in America." *Gidra*, vol. 1, no. 7, Oct. 1969, pp. 8–11.

Yoshimura, Evelyn. Interview. *Drawing the Line: Japanese American Art, Design & Activism in Post-War Los Angeles*. Dir. John Esaki. Frank H. Watase Media Arts Center, Japanese American National Museum, 2011.

2 蛇と霧と「ホワイトネス」
――マーク・トウェイン『ハックルベリー・フィンの冒険』における「人種」と階級、そして冷戦アメリカ

吉津　京平

原生自然(ウィルダネス)(荒野)は、人間社会から遠く隔たった地上の場所であるどころか、完全に人間の創造物である。

――ウィリアム・クロノン

序

「白人性(ホワイトネス)」研究は、これまで表象する側であった「白人」作家を対象化することで、普遍的な存在として自明視され不可視化されていた「ホワイトネス」が、歴史的・社会的・文化的・政治的に構築されたものであることを明らかにする。[1] マーク・トウェインの『ハックルベリー・フィンの冒険』(一八八五)においても、トニ・モリスンは、「黒人」逃亡奴隷のジムの存在よりも、トウェインやハック、トムといった「白人」がジムに何を求めているかに注目し、「白人」の自由が「黒人」の隷属状態に依存した寄生的なものであることを暴き出した(五四―七)。つまり、「人種」的観点から「ホワイトネス」を可視化したわけであるが、「人種と階級がいかに相互に浸透し合っているか」(ローディガー　一一)については論究していない。[2] モリスンは小説の「階級や人種に対する批判」に目を向けながらも、ハックを「身分なき子供――外部の、周縁部にいて、彼が羨んだりは決してしない、嫌悪すべき中産階級の社会によってすでに『他者化』されている人間」と捉え、階級問題から彼を救出する。よって、「ブルジョワ的な憧れや、怒りや、無力感で堕落させられていない、この若くて純真だが世渡りの道には長けている無邪気なハック」のイメージ自体を批判的に検証することはない(五四―五　強調引用者)。また、ハックの旅を自由への探求と規定し、彼が道徳的な成長を遂げると捉えている点で、結果的に、彼女が批判した従来の批評を補強してしまっている。

その批評とは、「『ハックルベリー・フィン』を偉大な小説として神格化するに至った、一九五〇年代の再評価のこと」(モリスン　五四)である。共産主義封じ込め政策として、「戦

後五〇年代にはじまるトルーマン・ドクトリンに対応するような、ナショナルで愛国主義ですらある傾向をその内部に孕むニューヨーク知識人のリベラリズムの権威」(大田　一九〇)において、アメリカ文学の制度化・作品の正典(キャノン)化が急速に進んだことがその背景にある。第二次世界大戦中は同盟関係にあったソヴィエトのスターリニズムや共産主義が、アメリカが推し進める自由を脅かす仮想敵国となる冷戦の二極構造と連動して、文学批評において、集団によるあからさまな抗議を描いた社会主義リアリズム文学が排除されるようになった。同時に、『ハック・フィン』のような個人の内面的な葛藤／抗議を描いた小説が極端に持ち上げられた(アラック　一一七)。[3] また、同時期の文学においても、J・D・サリンジャーの『ライ麦畑でつかまえて』(一九五一)や、ラルフ・エリスンの『見えない人間』(一九五二)、ソール・ベローの『オギー・マーチの冒険』(一九五三)など、多くの作家たちが『ハック・フィン』の主人公を念頭において小説を書き上げた。このようにして、「五〇年代にアメリカのリベラリズムの原理として作られた反社会的で個人主義的な英雄は、歴史的に、二〇世紀におけるアメリカの帝国主義(とグローバル化)のロジックの一部として、活用されていくことになる」(三浦　二七)。[4]

また、そのようなハック像の立ち上げに伴って、『ハック・フィン』で描かれた自然の風景には、ノスタルジックで「無垢」なイメージが付与され神話化された。それは、同じく冷戦期にペリー・ミラーが、植民地時代アメリカの「ウイルダネス」を志向するピューリタンの精神を、「ウイルダネス」そのものよりも彼らの「使命(エランド)」(一)を強調することで、神格化したことと足並みを揃えるものである。「ウイルダネス」と「フロンティア」は「未開地を意味する同義語」(村山　二〇一)であるにもかかわらず、あからさまな領土拡大の欲望をさらけ出したフレデリック・ジャクソン・ターナーのフロンティア学説(一八九三)や、その後同時代まで延びる帝国主義との差異を強調するミラーの振る舞いは、冷戦期の『ハック・フィン』批評が、風景描写の中から「無垢」な自然を強調することで政治性を脱色したこととパラレルな関係にある。

ポスト冷戦期を迎えた現代において、ニューヨーク知識人の批評言説批判は、すでにニュー・アメリカニズムの視点から行われている。『ハック・フィン』批評に関しては、里内克巳によれば、ラッセル・ライジングとジョナサン・アラックがその批評の系統に属している(六九)。また、ピーター・シュミットとリチャード・S・ローリーはモリスンの「ホワイトネス」の議論を、彼女が陥った問題を軌道修正する形で引き受けながら、それぞれ『ハック・フィン』やトウェインの諸作について詳細に論じている。しかし、ライジング＝アラックは「ホワイトネス」については論じておらず、シュミット＝ローリーは自然表象について触れることはない。[5]

よって本稿では、まず、ライジング＝アラックの議論を準拠枠として、「文明」対「自然」という対立項や「無垢」なハック像という従来の捉え方に修正を迫る。具体的には、外界の自然とハックの心理との類比関係を見出した佐野守男やジョゼフ・F・クーロームの論を補助線にして、「無垢」な自然観から逸脱する不吉な自然としての蛇と霧の表象に、シュミット＝ローリーの注目したハックの「ホワイトネス」と、それと密接に結びつく階級意識を読み込む。一九五〇年代の「無垢」や「自由」を標榜する国家と重ね合わされたハックの「自由」を探求する「無垢」な「英雄」像をこうして内部から問い直すことで、冷戦期というトランスナショナルな文脈におけるアメリカ帝国と「ホワイトネス」の結託を炙り出す。

一　内なる獣性としての自然

アラックは『ハック・フィン』が「超正典化（ハイパーキャノン）」されていると批判したが、アラックやライジングは共通して、そのような過大評価や評価軸の変更の淵源を、ニューヨーク知識人の代表的批評家ライオネル・トリリングにたどる。[6] トリリングと戦後の新版に序文を寄せたT・S・エリオットについては、作品の結末を肯定して社会的・政治的道徳性に注意を払わない彼らに対してレオ・マークスが批判した、いわゆる結末否定派の一九五三年の議論で有名だ。しかし、興味深いのは、マークスもまた、道徳的・政治的問題を一個人の経験の中に押し込めることによって、エリオット＝トリリングに向けた批判を自ら繰り返す形になっているというのである（ライジング　一五五）。マークス以後も、トリリング的関心を引き継ぐリチャード・チェイス、レスリー・フィードラーら「文化論的理論家」（ライジング）は、ロマンスあるいは神話的読解を推進した点で同じ前提を共有している。すなわち、「自然」を「文明」の対極に位置づけ、ハックが文明から逃れて向かう先の自然には、社会のあらゆるしがらみから解放された「無垢」「自由」といったアメリカの理想が読み込まれた。そのような「ヴァージン・ランド（処女地）」（スミス）

のイメージと相まって、「無垢」なハック像のような汚れのない「アメリカのアダム」(ルイス)のイメージは、文学や国内にとどまらず、世界の様々な分野に圧倒的な影響力を誇った五〇年代から六〇年代にかけてのアメリカ的価値観／精神として海外輸出されていく。

しかし、サクヴァン・バーコヴィッチは、作中でミシシッピ川が牧歌的なイメージで描かれるのはほとんどが小説の十九章の冒頭にあたるわずか三ページであるとし、川は死と結びつくとともに、王様と公爵の侵入を受けるような決定的に不吉なものであると指摘する(九四—五)。すなわち、批評家たちがセンチメンタルなものとして捉えるわずかな箇所さえ皮肉に見えてくるというわけだ。一九章の冒頭箇所は、ジムとの筏の旅を続けるハックが周りのミシシッピ川の風景と一体化したように描写されることで有名だが、同じ箇所に平底船や筏、蒸気船、製材所、大櫂のきしる音に薪割りの斧が光って「カーン」と聞こえる様子など、人間の営みが描き込まれていることに注意を喚起するアラックは、そこから自然の原風景のみを抽出するマークスに疑問を投げかける(一七〇)。エリオット＝トリリングが不吉な部分も含めて捉えた自然を、マークスは自身の対蹠的命題「楽園と機械文明」の「楽園／自然」(パストラル)のイメージに合うように曲解したことで、結局彼らと同じく神話的な読みへと傾き、作品の持つ政治性を弱めることに加担してしまっているのだ。

よって、不吉な部分も含めた自然の表象を再検討する必要がある。その際、ハックとジムが大嵐に襲われた晩に難破船を探検したことや、霧にまかれた夜に二人が大喧嘩をしたこと、靄で視界がきかなくなった夜に筏が蒸気船と衝突して川に投げ出されたことなど、作中の悪天候と事件に注目した佐野が、その前後に必ず、ハックがトム・ソーヤー的な考え方や社会の声に傾斜していることを指摘し、悪天候とハックの間に相関関係を見出していることは注目に値する。彼によれば、「ジャクソン島からグレンジャーフォードにいたるまでのハックの心理を追いかけていくと、いかに彼の心理と大河の天候とが呼応しているか、が分かる」(八八)というのだ。このような見方は、「時に思いやりに溢れて思慮深く、時に向こう見ずで威圧的というように、ハックは嵐と同じく手に負えないほど揺れ動く」(一三三)様に、擬人化された自然とハックの心の揺れ動きとの呼応関係を読み取るクーロームにも共有されていると言えるだろう。

佐野は、「ハックはジムに歩み寄る素振り(『凪』)を見せながら、その実、ジムを裏切る(『嵐』)行為に走る」(一〇三)ようなハックの「『凪』から『嵐』へという行動パターン」

（九二）に悪天候との連関を見出す。一方、シュミットは、まさに佐野が注目した小説の第八章（ジャクソン島）から第十六章（グレンジャーフォード家）において、ハックがジムの人間性に触れ彼との絆を深めていくにつれて、それとは正反対の、ジムとの距離や優位性を再確認する必要に駆られているかのような行動に出ているところにハックの「ホワイトネス」の危機を読み込む（一五二）。

シュミットは、ハックの「ホワイトネス」の危機を自然の表象との関連性のうちに捉えることはしない。しかし、佐野が自然と連動するハックの心理状態を読み取ったのと同様の箇所に「白人性」の危機があることから、不吉な自然はまさに、ハックの「白人」意識の表れとして猛威を振るっている可能性が浮上する。クーロームは、『ハック・フィン』における「外界の世界が『トム・ソーヤー』同様、内なる態度を反映した」ものであるだけでなく、「自然が彼に働きかける力がある」（一三〇）と指摘する。それはすなわち、通常は抑圧されているが、ふとしたことで目を覚まし牙を剥き出し、思いも寄らないところでハックを突き動かす内なる獣性が、彼の内部に巣食う他者として自然に表象されていることを意味する。それが度々ハックとジムを引き離し、最終的にはジムの解放を頓挫させてしまうことを考えれば、ハックの内部に潜む他者の正体は、ジムとの間に「人種」間の境界線を引いてしまう彼の「ホワイトネス」ではないか。自然のなかでも特に蛇と霧の表象に焦点を当てることで、「無垢」なハック像によって消し去られた彼の「人種」をめぐる暴力性を暴き、「文明」対「自然」という単純化された枠組み自体を問い直すことを目指す。

二　這い上がり、首をもたげる蛇

不吉な自然の表象のなかでも、第十五章の白い霧の場面が物語上重要な役割を担っていることに異論はないだろう。この霧の発生によって、ハックとジムはミシシッピ川から自由州へと抜けるオハイオ川との分岐点であるケアロを通過してしまい、ジムの自由への旅は絶望的になってしまう。しかし、霧の場面を考える上で、蛇の存在が関わっていることは見逃せない。というのも、続く十六章でハックが、霧の中でケアロを通り過ぎてしまったかもしれないと言ったのに対し、ジムが「あの蛇のぬけがらのたたりはまだすんでいねえと思ってた」（一一四）と述べているからだ。[7]

ぬけがらのたたりについては十章において、ハックが流出家屋の中にあった死体（それはパップの死体であったが、ハックにはそのことは結末まで知らされない）の殺害者や殺害理由に関して話題にするのを、呪われるからと言ってジムが許さなかったことに由来する。家屋から盗んだ品々の中にお金を発見したハックは、その二日前に尾根で見つけた蛇のぬけがらを掴んだ際、ぬけがらに手で触れることが一番の災難を招くとジムが言っていたことを引き合いに出して、災難どころか幸運が訪れたとジムにやり返す。しかし、その三日後、ジムの言う呪いは現実のものとなる。ハックはジムを驚かそうと蛇の死体をジムの寝床に入れておいたことによって、ジムが連れ合いの蛇に噛まれてしまうのだ（六三）。

この場面でジムが蛇に噛まれるまでの一連のエピソードが、パップへの言及から始まっていることは偶然ではない。というのも、パップこそ物語の中で蛇に苦しめられる最初の人物であるからだ。小説第六章で、パップは実際はいもしないヘビが足を這い上がってくる幻覚に取り憑かれ悲鳴を上げる（三一　強調引用者）。この幻覚は、彼が酔いつぶれて眠っていたという理由だけでは処理しきれないほど根の深い問題を孕んでいるように思われる。というのも、パップの血の気のない顔は「白い色をしていた。ほかの人のような白さではなく、胸がむかつくような、体がむずむずしてくるような白さだった――雨蛙の白さ、魚の腹の白さだった」（三一）と描写されるが、パップの足に「這い上がってくる（crawling up）」蛇の幻覚の原因はどうも、体が「むずむずする」（crawl）ような彼の不潔な「白さ」にあるからだ（四一）。実際、彼は眠りにつく前に、「オハイオからきた黒んぼで市民権を持った」「白人と変わらぬくれえ色の混血」が「見たこともねえ真っ白いシャツを着こんで」「ピカピカ光る帽子をかぶって」いることに怒りを顕わにしていた（三九　強調引用者）。自由「黒人」が「白人」のように振る舞っていることへの怒りは裏を返せば、彼自身の体の「むずむずする」ような不潔な白さ（＝「黒」に近い「白」＝「混血（ムラート）」）に対する危機感の表れでもある。貧乏（プア）「白人（ホワイト）」であるパップは、南部「白人」社会において南部貴族から他者化された存在であり、「黒人」を最下層に捉え、彼らとの差異を常に確認し続けることで、つまり、身体的な「白さ」を唯一の手がかりとして自らの優位性を保持することができた。そのことは、彼が「黒人」によって自分の立場が脅かされる危機意識に取り憑かれていることを意味する。よって、彼の足を這い上がる実体のない蛇の正体とは、「白人」としての自らの優位性が脅かされたことによって、彼の中で頭角を現した、実体のない「ホワイトネス」ではないか。

蛇の幻覚の直後再び眠りだしたパップに対して、酔っ払った彼をいつでも撃てるようにハックがこっそり銃口を向ける場面には、その後の九章でパップが死体となって流れてくる箇所と合わせて、一連の父親殺しのモチーフが認められる。ケネス・リンによれば、実際にそれが遂行されるのは、パップが追跡してくることのないようハックが小屋から脱出する際、豚を一頭殺して血を小屋に撒き散らし自らの死を偽装するという行為が、同時にパップ殺しを思わせるという象徴的な次元においてである（二一二）。パップは酔っぱらうと豚と一緒に寝転んでいる場面が度々目撃されていたが、野生の獣と同一視され、「ながく、もつれ、油じみ、垂れ下がっている」髪が「葡萄づる」に喩えられる様は、彼の寝床である「古い丸太小屋」の「ありかを知らなければ見つけることができないほど」「木が鬱蒼と茂っている」様にも似て、彼自身が飼い慣らされない自然そのものであるかのようである（三一、三六）。よって、ハックの象徴的な屠殺はその「父親をその下劣な獣性もろとも抹殺」（リン　二一二）したいという願望の表れでもある。後藤和彦によれば、「作品の最初のわずか数章に騒々しく登場して、読者に忘れがたい印象を与えながら、以降はすっかり姿を消し、作品の結末に死んだことが確認されるだけ」の「フィン親父はハックがいかなる社会的産物かを示すためにのみ登場しているように見える」（一八〇―八一）。そして、「フィン親父は口癖のように、自分もダグラス未亡人と同じような『貴族』だと言っていた」ように、「まさに絵に描いたような人種差別主義者である点で、彼が疑いなく南部の社会的産物である」ことから、「フィン親父からハックへと受け継がれ得る、個人的な資質ではなくて、南部人としての社会的な資質は、人種差別を当然と考える資質である」と結論づける（後藤　一八三）。つまり、ハックはパップから受け継ぐプア・「ホワイト」の「人種」差別意識を断ち切るためにも、父親殺しをする必要があるのだ。

しかし、興味深いのは、「時には、ハックが父親から逃亡するのではなく、父親を追跡しているかのように見えることがある」（グリスウォルド　六二）という点だ。「象徴的な屠殺」にハックの死の偽装とパップ殺しが二重写しになっていることで、「逃げる」という行為が「追跡」するという真逆のベクトルを持ったものとして作用してもいるのだ。それこそが隠された主題であることは、出版される段階で削除された筏師の章（小説第十六章）の中心的主題が、子どもの亡霊による父親探しであったことを想起すれば良い。ハックの逃亡と抱き合わせでパップが物語から退場し、入れ替わりでジムがハックの父親的な座につくジャクソン島の場面にさえ、すでに父親を追跡するかのようなハックの姿を見出すことができる。ハックはパップを思い起こさせる蛇を追いかけていてジムを発見したのだった（五一―二）。そして、ジムはハックを見たとき、初めは彼を化けて出てきた子どもの幽霊だと思ったのだ。また、流出家屋から出た後で、埋葬されていない人間は我々のところに化けて出やすいとジムが予言した通り、川下りの間中ハックの頭にはパップのことが度々よぎるばかりか（グリスウォルド　六〇―一）、ハックに胚胎した「人種」イデオロギーがハックの「父親的人物」（グリスウォルド　四六）となったジムへと向かう。

こうなると、ハックが父親殺しによって「人種」差別意識を断ち切れたのかどうか、あるいは父親殺し自体「人種」差別意識を断ち切るためのものだったのかあやしくなる。そもそも小説第六章の冒頭において、ハックは実際に父親を目の前にした時自分があまり怖がっていないことに気付くが、その理由はどうやら、ダグラス未亡人のもとでしつけられお金や識字力を手にしたことで、父親に対して優越感を持っていることにあるようなのだ。つまりハックには、すでにこの時点で階級意識が芽生えている。父親のもとを逃げ出した先のジャクソン島で、ハックが自分を島の「大将（boss）」（五一）であると捉えたことは、パップが自分をハックの「支配者／親（boss）」（三三、三六）であると主張していたことと表裏一体なのだ。また、佐野はハックがウォルター・スコット号から本を持ち出したことに触れ、文字の出現についてのレヴィ・ストロースの言説を引きながら、読書行為を「身分と階級分化の正当性を追認する体験」と捉え、「ハックが読書をすると必ず差別を容認する言動が多くなる」（五四）と指摘する。つまり、ハックは父親殺しによって「人種」イデオロギーから解放されるどころか、むしろ父親殺し自体、所有される者（＝子＝ハック）が所有する者（＝父＝パップ）の座を奪取するという権力闘争の様相を呈している。ハックは父親からの脱出の手筈を整えるときでさえ「トム・ソーヤーがここにいればいいのになあ」（四五）と社会／文明側に傾斜しており、パップの所有欲から逃れた後も、トム・ソーヤー的な考えに傾斜しながら蛇を追いかけていてジムに出会う。その構図は、彼の「白人」意識が自分を優位にさせるもの／自分に従属させるものを嗅ぎ付けるかのようである。彼は蛇を追跡していたどころか蛇と一体化しているようでもあり、それが後の場面で蛇の悪戯へと（さらに先回りして言うなら、結末部のトムの蛇を使った茶番劇へと）結実することの伏線となっている。ローリーの指摘するように、「パップの魚の腹の白さは、ハックの逃亡を闇の奥ならぬホワイトネスの奥への旅へと変容させながら小説全体を色付けている」（五八）のだ。

確かにハックは、フェルプス農場でサリーおばさんに船のシリンダーヘッドの破裂で怪我人がいたか訊かれ、「いいえ、奥さん。黒ん坊が一人（a nigger）死にましたが」（二三〇）と返答したように、南部社会の考えに順応していない／できない（からこそ、従ったり順応しようとする）（バーコヴィッチ 九六）。しかし、腐敗した醜悪な社会／文明を体現する王様と公爵の茶番劇に対して「まったくこんなことは見たことも聞いたこともない（Well, if ever I struck anything like it, I'm a *nigger*.）」（二七六 強調引用者）と批判するときも、あるいは小説の結末で、ジムは「心が潔白だ（*white* inside）」（二七九 強調引用者）と言うときでさえ、「人種」間の境界線を引いてしまう「ホワイトネス」は保持されたままなのだ。

ここで再び十章のジムの悪戯に目を移せば、蛇に噛まれたジムがウィスキーを飲みながら時々暴れたり叫ぶ様子はパップの姿に重なる。パップが囚われていた「ホワイトネス」が、蛇の悪戯（ハックの「白人」優位の「人種」差別意識）を通してジムを苦しめているかのようである。無邪気な悪戯のつもりがいかに深刻な結果をもたらしてしまうか、その暴力性が蛇を通して描かれている。

ではなぜハックはこのような悪質な悪戯をしたのだろうか。佐野はこの問いをなぜハックは「ジムにたいし優位を示そうとしたのであろうか」に置き直し、二人がジャクソン島で出会った直後、ジムは小鳥の雛の様子から雨の前兆を読み、前もって洞窟に避難して難を逃れた際のジムの得意げな様子に注目する（一四三―四四）。ここでは、荷物を洞窟に運び込もうというジムの提案を、骨が折れるからと渋ったハックの自尊心が傷つけられている。また、佐野は、ジムがトムには「"Misto Tom" と敬意をあらわしている」のに対し、ハックのことは「"honey", "chile" とまるで恋人や子供に話しかけるときと同じように呼んでいる」とし、「当時の一般社会における白人と黒人のきびしい身分関係からすれば、こうした気やすさはまったく異例」であることから、「ハックは自分がジムの逃亡を助けていると自負しているようだが、実際は共同生活の指導権をジムに握られてしまっている」と分析する（一一四）。そして、「ハックの心の奥底に、……少なくとも自分は白人であり、ジムから一目置かれて当然である、という気持ちがあったとしても不思議ではない。そうした不満が澱のように沈殿され、無意識のうちにいたずらとなってあらわれてでてしまったと考えるべきだろう」（一四三）と述べる。ここで興味深いのは、ジムがハックよりも自然の中での経験や能力に優れていたり、社会の外でジムがハックのことをより親しく感じるようになったことを、ハックは自分の優位性が脅かされていることにすり替えてしまっている点である。言い換えれば、制度に支配された社会の外でさえ、ハックはジムを階級という色眼鏡を通して見ているのだ。彼の階級意識が危機に陥る度に、彼の内部で「ホワイトネス」が頭をもたげジムに襲い掛かる。それが十章のハックの悪戯の場面に描かれていると言える。

次章では、もうひとつのハックの悪戯の場面である小説第十五章における霧と「ホワイトネス」との関係について考察したい。

三　目の前を曇らせる霧、蒸気船、トム・ソーヤー

十五章では、霧の発生によって行方が分からなくなったハックを心配していたジムに対し、二人は離れ離れになどなっておらず、ジムが夢を見ていただけではないかとハックは嘘をつく。彼はなぜこのような嘘をつくに至ったのだろうか。理由ははっきりと述べられていないが、霧の場面の直前（小説第十四章）で前景化するのは、シュミットの言うハックの「白人」意識の危機である。

十四章では、ジムの話を聞いて、ハックはジムの言うことがいつも正しく頭が良いことを認めた際にも、「黒人 (a nigger) にしては」（八六）という言葉を付け加える。あるいは、ソロモンは賢人ではないと言うジムに対してこんな「黒人 (a nigger)」を見たことがないと言い、ソロモンをここまで攻撃する「黒人」は初めてだと述べる（八九）。また、フランス人は人間なのになぜ人間の言葉（英語のこと）を話さないのかと言うジムに対し、「黒ん坊 (a nigger)」（九〇）に議論の仕方を教えることはできないと言う。ハックの捉える「黒人」の枠組みを侵犯するジムによって「白人」としての優位性が危機に晒されたことで、「ハックが fool や nigger といった言葉を使う度に、彼は自らの白人性を再主張する必要性に駆られている」（シュミット　一五二）のだ。佐野によれば、「ハックがジムとジャクソン島で出会って以来、この場面にいたるまで二人の関係のなかでジムを指して『ニガー』という表現が使われたことは一度もなかった」にもかかわらず、「『ジム』という個人名で呼ばれていたのが、……『ニガー』というカテゴリーに回収されつつある」（八一）。

霧が発生するのは、まさにこのような状況においてである。ハックの「ホワイトネス」の危機としてシュミットが例証した第十四、十五、十六章の計三章のうち、霧の場面はその中継点にある。十四章においてハックがジムに言い負かされた場面と十五章の霧の後でハックがジムに軽率な嘘をつく

場面を、霧の存在が接続させていることを踏まえると、霧とは外界の自然現象というよりむしろハックの内なる自然の現出であるかのようだ。クーロームは見通しの悪い霧に、ジムに対するハックの曖昧な心境を読み取る。その背後に潜む「白人至上主義に相応しいメタファー」として十五章の「厚く白い霧」(九一)を捉えるエリック・ロットによれば、「それはハックとジムを互いの視界からさえも引き離したが、今や霧が晴れて分かるのは、ハックが人種間の障壁を再構築しているということだ」(一三九)。彼らの議論を敷衍すれば、霧の白さ自体がハックの「ホワイトネス」を表象していると言えるのではないか。というのも、十四章でのソロモン王とフランス語に関する議論で「黒人」(ジムではなく)に言い負かされるというハックの屈辱が、十五章における霧の発生を経て、ジムに対する悪戯として報復が果たされていると見るなら、霧は「白人」の優位性が脅かされたことによるハックの「人種」イデオロギーの発動であり、彼の「白さ」への固執の表れであるからだ。十六章において、霧の中でケアロを通り越してしまった可能性の原因として蛇のぬけがらが巻き起こす災難がまだ済んでいなかったというジムの発言は、蛇と霧を一直線で結ぶ。パップから蛇へと引き継がれるハックの「ホワイトネス」は、[8]彼とジムを引き裂く霧(白さ)となって立ち現れる。霧(白さ)はロットの言うように、ハックとジムを「白人」／「黒人」として分かつ障壁(／)のような暴力性を帯び、十五章後半のハックのジムに対する悪質な悪戯をもたらす。それがジムにとっては到底「悪戯」の範疇に収まりきれるものでなかったことは、ハックが内部に潜む他者としての「ホワイトネス」に無自覚であることの証左である。

悪戯の後、ハックはジムに嘘をついたことを謝るが、「黒人(a nigger)のところへ謝りに行く決心がつくまで十五分かかったが、しかし、僕はやってのけた」(九五)と言うハックに、クーロームは「人種差別を克服したというよりもむしろ、白人優位の気持ちとまだ格闘している」(一三四)ハックの姿を見る。十五分とはハックの差別意識の長さであるが、問題はそれが長いかどうかではなく、彼がジムに謝ることを「黒人」(a nigger)に謝ることにすり替えている点である。たとえこの箇所にハックの「格闘」があるとしても、彼の「ホワイトネス」は温存されたままなのだ。そして、「後になって謝ったことを後悔しなかった」(九五)と付加することで、ジムへの誠意を告白しているようで「黒人」の枠外へとはみ出すジムを「黒人」(a nigger)に再定位し、自分の立場が上であることを前提条件として成立させ、ハックの「白人」としての優位的な立場が揺らぐことを阻止していると言える。

よって、ケアロに近づくにつれてたとえ「ハックは彼が逃げまわっている南部が、実は彼のなかにも深く巣食っていることに気づく」（永原　二六七）としても、その内奥に「ホワイトネス」が潜んでいるところまでは思い及ばない。

このような観点から、第十六章の最後で蒸気船が突如現れて筏を破壊し、ハックとジムを物理的に引き離してしまう場面を見直してみたい。この箇所は、筏に象徴される自然と調和した牧歌的な世界に、蒸気船に象徴される機械文明が侵入してくるというマークスの議論で有名だ。しかし一方で、この箇所はハックがジムを密告するかどうかについて、いわゆる「健全な心」（自然な感情からの要請）と「歪められた良心」（南部社会の奴隷制度からの要請）の板ばさみにあう直後に位置しており、シュミットはここを小説第八章から繰り返されるハックのジムとの絆の強まりとその正反対の反応パターンのクライマックスと見ている（一五二）。レスリー・フィードラーが神話的に読んだような、ハックとジムの混血の同性愛的関係（それでいてハックが少年であるがゆえに純潔）を築く場としての筏を引き裂く蒸気船は、ハックの心理に浮上してくる文明／社会側のものであることから、すなわちそれは「白人」優位の「人種」差別意識ではないか。蒸気船からもくもくと白色、灰色、黒色の間を揺れ動きながら上がる煙は、パップの「混血（ムラート）」（＝「黒」に近い「白」）的危機感にも似て、後藤の言う「白黒の逆転」（一九二）[9]の恐怖に伴うハックの「ホワイトネス」の表出のようである。「大きく口を開いた炉がずらっと長い列をつくり、真っ赤に焼けた歯のように輝いていた」（一一五）と擬人化され、「化け物みたいに巨大な船首とデッキの柵」と形容される蒸気船に飲み込まれるかのように描写される箇所には、彼が「ホワイトネス」の幻影に取り憑かれている様子を読むことができるだろう。

ここまで、小説第十章と十五章におけるハックの悪戯を、ハックの内なる荒々しい自然（＝「ホワイトネス」）としての蛇と霧の表象と蒸気船の暴力性に絡めながら論じてきた。同じく作中の悪戯のモチーフに注目するジョイス・ロウは、先に見たハックの二つの悪戯がもたらす予期せぬ結果は彼に道徳的な成長を促す一方で、筏に乗り込んでくる詐欺師たちの悪戯は川岸の社会を反映して道徳的卑劣さを帯びていくと論じる（六二一―二三）。ロウはハックの悪戯と詐欺師たちの悪戯の果たす機能を別物と捉えるわけだが、彼らが筏に乗り込んでくる直前の場面（バーコヴィッチが唯一の牧歌的な川の描写と見る小説第十九章冒頭のわずか三ページにあたる箇所）でも、ハックとジムを乗せた筏の周りを「無数の火花を煙突から吐き出し」（一三六）ながら進んで行く蒸気船の描写には、ハックの「ホワイトネス」の影がちらつく。彼はその船から「川の中へ雨のように降り注ぐ火花」に魅了されてもいる。詐欺師たちの果たす役割は、筏の上のハックとジムの「無垢」な関係を切り裂くという点で蒸気船と相似形をなしている。ハックの内なる暴力性の延長線上に蒸気船を捉えたこれまでの議論に鑑みれば、詐欺師たちの悪戯はハックのものと対照的なのではなく、ハック自身、川岸の社会を内面化しているのだ。ハックは男たちが乗り込んできたときに「もう駄目だと観念した」(一三七)ように、逃げている彼らを逃げている自分とジムに重ね合わせてもいる。すなわち、彼らが乗り込んだことで筏に生じた階級は、すでにハックとジムの間に生じていた階級が具現化したものである。確かにハックは二人に嫌悪感を露わにしており、彼らに振り回された挙句ようやく逃れたところで、ジムが売り払われていたことさえ判明する。それにもかかわらず、彼らのタールと羽のリンチに遭遇したハックは、「この哀れな悪漢たちがかわいそうになり、どうしてもこの二人を憎む気になれなかった」(二三九)と奇妙にも彼らに肩入れする。地獄に落ちる決心をしたハックは自らを、地獄に落ちる詐欺師たちと同一視しているかのようである。

このように、ハックが孕む暴力的側面が明らかになった今、「ハックとジムは、筏の上の二人の間にのみ成立する類稀な相互関係においてのみ、人種差別のイデオロギーそのものを無効にすることができる」(後藤　一八九)というような批評的定説さえ、どこまで有効か疑問に付してよい。「二人の人種差別を超越した関係は、ごく限られた条件のもとにおいてのみ発生する」と留保する後藤は、「『冒険』という必要条件が成立している状態、つまり、一種の危機的状況に二人が立たされているときに初めて有効に機能する」と述べる(一九九—二〇〇)。確かに、危機的状況におけるハックの「追手がくるぞ! (They're after us.)」(七二)という発言では、「人種的・階級的な観点からすると、『やつら (They)』にはハックも含まれるはずだが、ハックはこの瞬間に、自分の仲間たちから身をひき離し、自分を、黒人であり奴隷である男と一体化する」(イェーレン　二六七)。しかし、「危機的状況を誘発するのは大抵彼の冒険心であり、「冒険とはこのように行うべきだ」というトム・ソーヤー的な考えなのだ。また、「冒険」がそもそも「大英帝国の教具である物語形式」(三浦　二六—七)であるように、ジャクソン島の「ボス」であることを宣言するハックに所有欲が芽生えていたことは先に見た通りである。

したがって、「旧約聖書のエデンが蛇を潜ませていたように、ジムとハックの『楽園』も、『蛇のぬけがらの祟り』という異物を抱えている」（佐野　一四六）ことが強く打ち出されている。佐野によれば、蛇は「ラング（制度）の自己絶対化への傾向」、ぬけがらは「実態のない形骸化した身分制度であり、それに手を触れるとは、形骸化したものに拘泥しようとする心をあらわす」として、蛇のぬけがらのタブーを「より深い意味では、ジャクソン島や筏という逃亡者の楽園に村の身分制度を持ち込む愚を戒めたもの」である（一四八―四九）とする。そこから、「トムはハックを偶像崇拝へと誘う誘惑者、つまり知恵の実を食べるように勧める『蛇』であり、ハックはトムの真似をすることによって、『堕落』（ここでの『堕落』とはトム・ソーヤー的な考えに取り込まれること）の度合いを深める」という主題が引き出される（一五〇　括弧書き引用者）。

よって、結末部のフェルプス農場において、ハックがトムに「なる」のは自然な成り行きである。正確には、彼はサリーおばさんからトムに間違えられるのだが、それ以降ほとんど最後の方までトムでいるのは、彼がトム的なものを内在化させていることを暗示しているかのようだ。彼はジムとの触れ合いの中でジムとの絆が芽生えるのと相反して、彼の内部では目に見えない「ホワイトネス」が這い上がり、首をもたげ、目の前を曇らせるのであり、蛇や霧に表象される「ホワイトネス」を通して、彼は社会の代表的人物であるトムと見分けがつかなくなるのだ。結末のトム主導によるドタバタ劇は、それ以前の箇所でのハックのジムに対する「ホワイトネス」発動を派手にパロディ化したものとも解せうる。ゆえに、ハックがサリー叔母さんにしつけられることから逃れて「ほかの連中よりも先にインディアン居住地に出かけなければならない」（二九六）と思うときでさえ、「居住地にいるインディアンの中に大冒険をやりに行こう」（二九五）とするトムが控えているだけでなく、ハック自身、トム（＝蛇＝「ホワイトネス」）を内に抱え込んでいるのだ。

ハックが逃げ回る脅威が彼に内在化していたことは、ポスト冷戦期におけるアメリカの脅威が、冷戦構造の対極にあるスターリニズムではなく、反共・リベラリズム自体であったことを思わせる。一九世紀後半の南北戦争以前・以後と、二〇世紀前半の第二次世界大戦以前・以後という、アメリカ文学史における二つの大きな区切りに注目する巽孝之は、「南北戦争以後にはアメリカ国家の政治社会的な再建（Reconstruction）の時代に入った一方、第二次世界大戦以後には米ソ冷戦の二項対立を内部から問い直そうとする構造主義経由の思想哲学的な脱構築（Deconstruction）の時代が到来した」

（一六二）と述べ、両者がパラレルをなすものであると捉える。この見方は、再建期に書かれた『ハック・フィン』がその時代に対して持つ批評性が、この作品の再評価と連動した冷戦期の反共・リベラリズムや封じ込め政策に対する批判／見直しと通底するものがあることを検証する際にも有効だろう。

実際、『ハック・フィン』の結末に歴史のパラダイムの変化を認める大井浩二によると、この小説とターナーの「アメリカ史におけるフロンティアの意義」（一八九三）には「同じ現実認識のパターン、アメリカを語るための共通のパラダイムが見出される」（一四七）という。ここで援用されるのが、「マニフェスト・デスティニー」や帝国主義を駆動するピューリタニズム特有の修辞法（レトリック）としてバーコヴィッチが発見した「アメリカ的エレミアの嘆き（=American Jeremiad）」である。それは預言者エレミアが、堕落した社会を嘆きつつ「丘の上の町」建設の使命としての約束を謳い上げ、理想と現実の間に弁証法を成り立たせることで人々を救済へと導くというものである。アメリカ史と同義であったと言われるG・バンクロフトの『アメリカ合衆国史』（一八三四―七六）において、ヨーロッパからアメリカへ、自然から文明への歴史を進歩と捉える彼の歴史観は、金メッキ時代の荒廃した現実において「アメリカ的エレミアの嘆き」として機能し得た（大井　一二三―四、一四八）。一方、一八九〇年のフロンティア消滅宣言前夜に発表された『ハック・フィン』には、消滅宣言直後に、アメリカ民主主義にはフロンティアの存在があって初めて成立することを訴えたターナーの「アメリカ史におけるフロンティアの意義」（一八九三）と同じく希望が見出されず、「アメリカ的エレミアの嘆き」が不在であった。よって、一八三五年生まれのトウェインはバンクロフト的オプティミズムのなかで育まれたにもかかわらず、一八八〇年代にはターナー的ペシミズムへ接近していったというのだ（一五二）。

一方、バーコヴィッチは『ハック・フィン』に作者が仕掛けたデッドパン（無表情）のユーモアを見出し、トウェイン自身がハックの「成長」や「人種平等」、「無垢さ」を読み取る自由主義的解釈へと読者を誘導しながら、同時に、そのような読みをしてしまう読者を風刺していることをつまびらかにする。つまり、ハックの「人種」平等主義が根本的に「人種」差別主義であるにもかかわらず、そのことに無自覚にハックを称賛すれば、読者の「人種」差別主義が露呈してしまうというわけである。バーコヴィッチはトウェインの十九世紀末の批判的視座を導入することで、ハックにアメリカの理想を読み込んだ冷戦期批評を内部から問い直した。

また、バーコヴィッチは一九七〇年代に、アメリカは特別であるというアメリカ例外主義を批判し、その起源をピューリタンにまで遡ることで、冷戦期におけるミラーの植民地時代研究にもメスを入れる。ミラーはピューリタンの精神が宗教的な使命であったことを強調することで、ターナーの領土欲むき出しのフロンティア理論や現実の帝国主義から切り離し、聖なる領域まで格上げした。そして、堕落した現実にその精神を回復させることで、ミラー自ら「アメリカ的エレミアの嘆き」を再演しようとした。それに対して、ピューリタニズムの「アメリカ的エレミアの嘆き」をレトリックとして受け取るバーコヴィッチにおいては、「帝国主義と民主主義や自由主義とは、はじめから切っても切り離せないものとしてとらえられている」(村山　二〇二二)。よって、バーコヴィッチはそれを字義通りに受け取るミラーを、風車を巨人だと言い張るドン・キホーテとみなし、自らをサンチョ・パンサになぞらえる(一一二)。しかし、村山淳彦は、「ドンキ・ホーテを追いかけるサンチョ・パンサも、同じ遍歴の道連れであるという共犯性」を免れ得ないことから、「主人に近づき同化していく」「サンチョのキホーテ化」が度々見られることを指摘し、バーコヴィッチはミラーを批判するはずが彼に同調していることを暴く(一九〇)。よって、バーコヴィッチは結果としてミラーの手法をさらに推し進め、アメリカ例外主義を再生産してしまう。奇しくもそれは、『ハック・フィン』の第三章で、まさに『ドン・キホーテ』を手本にごっこ遊びを展開するトムが「豚」のことを「お金」、日曜学校の幼児をアラブ人だと言って、アラビア人や象を信じていることに、日曜学校と同じインチキくささを感じていたハックが、結末では結局トムに同化してしまったことを想い起こさせる。トウェインが皮肉っているとバーコヴィッチが主張した「無垢」なハックの「自由」の探求は、こうして冷戦期の帝国主義・覇権主義的状況において(さらにはモリソンやバーコヴィッチの例で見たように、批判側をも取り込みながら現代に至るまで)、皮肉にも大々的に再生産されることになったのだった。

四　冷戦アメリカの帝国と「ホワイトネス」

デイヴィッド・ローディガーが、「ホワイトネスは、白人労働者が賃金労働に依存することへの不安と資本主義的労働規律に従う必要性との両方に対処するための手段として形成された」(一三)と指摘するように、「白さ」に対する意識は、独立性が賛美されるアメリカ社会においてアンテベラム期の労働者階級形成の最中、雇われ賃金労働者の心理的不安を強く呼び起こすことによって構築された。彼らは自立性が脅かされ、自らが隷属的存在になることで、奴隷労働者と区別がつかなくなることへの不安を内面化していったのだ。そこで彼らは「肌の色の白さ（ホワイトネス）」を持ち出すことで、社会の底辺層の「黒人」労働者との間に敷居を設け、自らを資本側へと同化させた。

しかし、ローディガーが紹介するW・E・B・デュボイスの主張によれば、「人種のおかげで授けられた社会的地位と特権が、北部でも南部でも、疎外を生む搾取的な階級関係の不利益の埋め合わせに利用できた」が、「白さの結果として自分の身に受ける報酬（=the wages of whiteness）は結局は見せかけであると判明することが多かった」ために、「自由」を求めたアメリカの冒険は「人種」主義に屈したのである（一三）。それはまさに、「自由」探求の冒険として読まれてきた『ハック・フィン』において、ハックが「ホワイトネス」という「人種」主義に屈したことを想起させる。また、ローディガーは実際に、「白人」労働者の「人種」主義として、自由「黒人」に対するプア・「ホワイト」の危機意識が表れた『ハック・フィン』におけるパップの発言（本稿第二章で引用）を自著『アメリカにおける白人意識の構築（原題：The Wages of Whiteness）』で引用している（六〇）。

一方で、エイミー・カプランは現代の「ホワイトネス」研究のローディガーからの強い影響に触れ、彼の議論が依拠しているデュボイスの『アメリカにおける黒人の再建 一八六〇—一八八〇』（一九三五）はすでに「アメリカの階級における人種構成問題を、帝国というグローバル規模の無秩序（アナーキー）の一部として分析した」にもかかわらず、ローディガーはそのような「国際的な文脈を完全に見落としてしまっている」と批判する。すなわち、デュボイスによれば、熟練労働者は「白人であることとの経済的・社会的・イデオロギー的な恩恵を十分に享受していたが、そのような状況は自国内（ホーム）と国外に敷かれた帝国的な搾取構造の成立を通してはじめて可能となる」のだ。よって、白人労働者は「世界の搾取者」としての「国家そのもの」であり、「資本と労働の合体を国民にした新しい民主国家」なのだ（カプラン 一九三）。

そのことは、ターナー理論が、新たなフロンティアを海外へと求める帝国主義が顕在化する契機ともなったのと同時に、『ハック・フィン』が冷戦期の再評価を受けて、同時代のアメリカ帝国のナショナル・アイデンティティとして「もう一度生まれ変わりを果たした」（二三二）ことを思わせる。というのも、「自由」や「無垢」なイメージを強く打ち出すアメリカは、共産主義による西半球への干渉を阻害し、政情の安定と民主主義を守るという大義名分のもと、合衆国の「裏庭」であるカリブ海域の利権を確保するというように、「無垢」とはほど遠いほどの政治性を帯びていたからである。このようなカリブ海域をめぐる帝国主義という国際的な文脈において、アメリカ国内の「人種」と階級の問題は、アメリカ（搾取する者／「白人」）とカリブ海（搾取される者／「黒人」）という構図とも絡み合いながら展開していたということになる。

　アメリカが本格的な海外の領土併合に乗り出すのは一八九八年の米西戦争以降である。しかしながら、一九一五年のハイチ軍事占領前後、大統領たちがカリブ海政策に南北アメリカの孤立と不干渉を掲げた「モンロー・ドクトリン」（一八二三）を基調としていたように（浜　一四八）、国内の領土拡大に邁進していた一九世紀前半の時点で、すでにアメリカはカリブ海域を見据えていたことが分かる。よって、「人種」問題の議論の射程が国内に限定されがちであった『ハック・フィン』批評におけるいわばローディガー的状況を、デュボイスを援用するカプランに依拠しながら国家横断的な文脈へと広げ、この小説の設定された時代（アンテベラム期）と書かれた時代（再建期）である十九世紀アメリカを、〈所有〉をめぐる西半球の視座から検討していくことが、我々の次の課題となるだろう。

注

1　アメリカ文学／文化における「ホワイトネス」の先行研究については、ローリー（六三、注五）、シュミット（一六六、注一二）を参照。また、「ホワイトネス」研究が台頭してきた現代における「人種」と階級をめぐる動向については、福井（終章）を参照。尚、生物学的に否定された「人種」という用語の使用に関して、その非科学性・フィクション性を表明する意味においても、当分は「カギ括弧付きの表記を普及させることが効果的であろう」（一六）というスチュアートの見解や、福井の表記の仕方に倣い、本稿では「人種」に加え、「ホワイトネス」、「白人」、「黒人」等と記す。

2　英語の引用文献の訳出に関しては、翻訳版があるものについては最大限参照し、英語の引用文献に併記したが、一部訳を変更した箇所もある。

3　アラックは、作品評価の変遷に伴い、『アンクル・トムの小屋』から『ハック・フィン』へのキャノンの変更に働く政治学を詳細に論じている。また、両作品の「黒人」の描き方や奴隷制に対する作家の立場の違いについてはスマイリーが詳しい。

4　例として、「レーガンやブッシュが大統領として西部劇の英雄像をいかに利用したか考えればよい」（二七）と述べる三浦に加えて、「政治学者ギャリー・ウィルズが『レーガンのアメリカ』（一九八七）と題する書物の第一部と第二部に、それぞれ『ハック・

フィンの世界』、『パップ・フィンの世界』という題名をつけている」ことに触れる大井浩二が、『ハック・フィン』が「アメリカ的想像力の一部になってしまっている」と述べていることも示唆的である（一三〇―一三一）。

5 トウェインが繰り返し立ち返るミシシッピ川をアンテベラム期の「明白なる天命（マニフェスト・デスティニー）」と海洋帝国論が交差する場として捉え、「ホワイトネス」を一九世紀アメリカのトランスナショナルな文脈から検証するレメナージャーの議論は、我々の次の課題に関わる内容であるため本稿では立ち入らない。詳しくは本稿第四章の結論部を参照。

6 ライジングとアラックの批評の共通性については里内に詳しい。

7 テキストはノートン版を使用した。以後、この小説からの引用は頁数を括弧書きで記す。尚、日本語訳は、『ハックルベリイ・フィンの冒険』（村岡花子訳、新潮社、一九五九年）、山本長一訳『ハックルベリィ・フィンの冒険』（彩流社、一九九六年）を参照したが、一部変更した。

8 蛇とパップが等価であることは、竹内が、蛇の毒と同時にパップの毒とも言える酒を体内に取り込んでいることや、ハックの「僕にすればパップのウィスキーにやられるよりもまだしも蛇に咬まれるほうがましだと思った」（六四）という発言を踏まえ、蛇（の毒）とパップ（の毒）の等価性を指摘していることからも補強される（八―九）。

9 後藤は、「ハックが黒人のジムに対しても、しばしば知的あるいは感情的に隷属するような立場に立たされてしまう」ことに関して、「（ジムの）『内面の白さ』が（ハックの）『内面の黒さ』によって、外見の白黒によって常識的に決定される優位の関係を、転倒してしまう場面を我々は目撃する」と述べる（一九五 括弧書き引用者）。

引用文献

Arac, Jonathan. *Huckleberry Finn As Idol and Target: The Functions of Criticism in Our Time*. Madison: The U of Wisconsin P, 1997.

Bercovitch, Sacvan. *American Jeremiad*. U of Wisconsin P, 2012.

——. "Deadpan Huck: Or What's Funny about Interpretation." Bloom. 75–117.

Bloom, Harold. *Mark Twain's* The Adventures of Huckleberry Finn. New York: Infobase, 2007.

Chase, Richard. *The American Novel and Its Tradition*. Baltimore and London: The John Hopkins UP, 1957.　待鳥又喜訳『アメリカ小説とその伝統』東京：北星堂、一九六一年。

Coulombe, Joseph L. "The Eco-Criticized Huck Finn: Another Look at Nature in the Works of Mark Twain." *Mark Twain and the American West*. Columbia and London: U of Missouri P, 2003. 113–136.

Cronon, William. "The Trouble with Wilderness: Or, Getting Back to the Wrong Nature." *Uncommon Ground: Rethinking the Human Place in Nature*. New York: Norton, 1996. 69–90.

Fiedler, Leslie. "Come Back to the Raft Ag'in, Huck Honey!" Graff and Phelan. 519–25.

Graff, Gerald and James Phelan, eds. *Adventures of Huckleberry Finn: A Case Study in Critical Controversy*. Boston: Bedford / St. Martin's, 2004.

Griswold, Jerry. *Audacious Kids' Coming of Age in America's Classic*

Children's Books. New York: Oxford UP, 1992. 遠藤育枝他訳『家なき子の物語――アメリカ古典児童文学にみる子どもの成長』京都：阿吽社、一九九五年。

Jehlen, Myra. "Gender." *Critical Terms for Literary Study*. Eds. Frank Lentricchia and Thomas McLaughlin. Chicago and London: The U of Chicago P, 1995. 263–73. 大橋洋一他訳『現代批評理論――二十二の基本概念』東京：平凡社、一九九四年。五五三―七七頁。

Kaplan, Amy. *The Anarchy of Empire in the Making of U.S. Culture*. Cambridge: Harvard UP, 2002. 増田久美子・鈴木俊弘訳『帝国というアナーキー――アメリカ文化の起源』東京：青土社、二〇〇九年。

Le Menager, Stephanie. "Floating Capital: The Trouble with Whiteness on Twain's Mississippi." Bloom. 203–27.

Lewis, R. W. B. *American Adam: Innocence, Tragedy, and Tradition in the Nineteenth Century*. The U of Chicago P, 1955. 斎藤光訳『アメリカのアダム――一九世紀における無垢と悲劇と伝統』東京：研究社、一九七三年。

Lott, Eric. "Mr. Clemens and Jim Crow: Twain, Race, and Blackface." *The Cambridge Companion to Mark Twain*. Ed. Forrest G. Robinson. Cambridge UP, 1995. 129–52.

Lowry, Richard S. "Mark Twain and Whiteness." *A Companion to Mark Twain*. Eds. Peter Messent and Louis J. Budd. Chichester: Wiley-Blackwell, 2015. 53–65.

Lynn, Kenneth S. *Mark Twain and Southern Humor*. Westport: Greenwood, 1972.

Marx, Leo. *Machine in the Garden: Technology and Pastoral Ideal in America*. London: Oxford UP, 1964. 榊原胖夫・赤石紀雄訳『楽園と機械文明――テクノロジーと田園の理想』研究社、一九七二年。

――. "Mr. Eliot, Mr. Trilling, and Huckleberry Finn." Graff and Phelan. 289–304.

Miller, Perry. *Errand into the Wilderness*. Cambridge: Belknap P of Harvard UP, 1956. 向井照彦訳『ウイルダネスへの使命』東京：英宝社、二〇〇二年。

Morrison, Toni. *Playing the Dark: Whiteness and the Literary Imagination*. Cambridge, Mass: Harvard UP, 1992. 大社淑子訳『白さと想像力――アメリカ文学の黒人像』東京：朝日新聞社、一九九四年。

Reising, Russell. *The Unusable Past: Theory and the Study of American Literature*. New York: Methuen, 1986. 本間武俊・村上清敏・野田研一訳『使用されざる過去――アメリカ文学理論／研究の現在』東京：松柏社、一九九三年。

Roediger, David R. *The Wages of Whiteness: Race and the Making of the American working Class*. London; New York: Verso, 2007. 小原豊志他訳『アメリカにおける白人意識の構築――労働者階級の形成と人種』東京：明石書店、二〇〇六年。

Rowe, Joyce. "Mark Twain's Great Evasion: *Adventures of Huckleberry Finn*." *Equivocal Endings in Classic American Novels*. Cambridge: Cambridge UP, 1988. 46–74.

Schmidt, Peter. "The 'Raftsmen's Passage,' Huck's Crisis of Whiteness, and *Huckleberry Finn* in U. S. Literary History." Bloom. 149–170.

Smiley, Jane. "Say It Ain't So, Huck: Second Thoughts on Mark

Twain's Masterpiece." In Thomas Cooley. 354–62.

Smith. Henry Nash. *Virgin Land: The American West as Symbol and Myth.* Harvard UP, 1973. 永原誠訳『ヴァージン・ランド——象徴と神話の西部』研究社、一九七一年。

Turner, Frederick Jackson. *Frontier and Section: Selected Essays of Frederick Jackson Turner.* Engle wood Cliffs: Prentice-Hall, 1961.

Twain, Mark. *Adventures of Huckleberry Finn.* Ed. Thomas Crooley. New York: Norton, 1999.

大井浩二『金メッキ時代・再訪——アメリカ小説と歴史的コンテクスト』東京：開文社、一九八八年。

大田信良「批評理論の制度化についての覚書」『言語社会』第四号、二〇一〇年、一八一—二一二頁。

後藤和彦『迷走の果てのトム・ソーヤー』松柏社、二〇〇〇年。

里内克巳「自然とテクノロジーの弁証法——レオ・マークスのアメリカ論とトウェイン論をめぐって」『マーク・トウェイン　研究と批評』第一号、二〇〇二年、南雲堂、六二—七三頁。

佐野守男『トムとハックの神話世界』東京：彩流社、一九九六年。

竹内康浩「霧の中で起きたこと：「筏の章」はなぜ『ハックルベリー・フィンの冒険』から削除されたのか」『英文学研究　支部統合号』第六号、二〇一四年、七—一六頁。

巽孝之『アメリカ文学史——駆動する物語の時空間』慶應義塾大学出版会、二〇〇三年。

永原誠「『ハックルベリー・フィンの冒険』（一八八五）——放浪への招待」『マーク・トウェインを読む』山口書店、一九九二年。

浜忠雄「ハイチ史における植民地責任：アメリカにおける軍事占領をとおして」、『北海学園大学学園論集』第一四七号、二〇一一年、一四三—一六二頁。

福井崇史『外見の修辞学——一九世紀アメリカ文学と人の「見た目」を巡る諸言説』横浜：春風社、二〇一八年。

スチュアート・ヘンリ「多民族研究をめぐる用語整理の試／私論」『多民族研究のフロンティア』多民族研究学会、東京：金星堂、二〇一四年、一—二〇頁。

三浦玲一「アメリカ文学における『帝国主義』？——『ハックルベリー・フィンの冒険』と児童文学の伝統」『マーク・トウェイン——研究と批評』第一二号、二〇一三年、南雲堂、二〇—七頁。

村山淳彦「世紀転換期のサンチョ・パンサたち——トウェイン、アダムズ、バーコヴィッチ」『イデオロギーとアメリカン・テクスト』中央大学出版部、二〇〇〇年、一七五—二三一頁。

3 ロボット政治学の試み
――アイザック・アシモフのロボットものを再読する

新関 芳生

本論は、ロボットやサイボーグといった人工身体や疑似生命体の管理・統制の諸相について、ミシェル・フーコーがその晩年に提唱した概念である「生権力・生政治」を通しての解釈を試みるものである。アイザック・アシモフのロボットものをフーコーの生政治の応用例として読み解くという一種の逆照射を可能とするために、手始めに生政治の適用範囲を、本論では次のように拡張しておきたい。一九七八年二月八日にコレージュ・ド・フランスで行なわれた講義においてフーコーは、その前週に言及した「『統治性』という不細工な単語」(フーコー 一四三)について、この語がもっていた幅広い意味の中に「操舵する」という意味があったことを述べている(一四九)。これに関する訳注でも述べられているように「統治」を意味するフランス語 *gouverner* の語源はラテン語の *gubernare*「操舵する」である(一四二)。興味深いことに(フーコー自身が意識していたのかどうかは定かではないのだが)フーコーよりも三十年前の一九四八年に、ノーバート・ウィーナーが提唱した「サイバネティックス」という造語の語源は、右記ラテン語のさらに語源である、ギリシャ語の *kubernētes*「舵手」なのである(ウィーナー 八―九)。「生物と機械における制御と通信を統一的に認識し、研究する理論体系」であるサイバネティックスと、「統治性」が共通の語源をもつということは、フーコーが対象としていた、生物としての人間、あるいは総体としての人口を、ウィーナーが構想していた機械の制御、通信へと拡張する可能性を示唆する。フーコーの生政治が、「サイボーグ政治学という未踏の領域をゆるやかに予告する」ものだとする、ダナ・ハラウェイの示唆に富む隻句も、こうした拡張の可能性を補強するだろう(三四)。以降では、アシモフのテクストにおけるロボットの管理・統御を、フーコーの生権力・生政治のシミュレーションとして読み直してみたい。

1

アイザック・アシモフのロボットものの中編小説である「バイセンテニアル・マン」（一九七六）をまず取り上げよう。一九九九年に映画化された邦題『アンドリューNDR114』の原作であるこの小説は、ロボットであるアンドリューが、二百年の年月をかけて人間として認められていく物語である。アシモフ自身が述べているように、そもそもこの中編は、アメリカ建国二百周年にちなんで、第一線の作家一〇人が寄稿する「バイセンテニアル・マン」という短編集（結局は頓挫するのだが）のために執筆されたものであったため（バイセンテニアル・マン　一二三―三四）、アメリカの寓話という性質が当初から作者自身によって、このテクストの中に埋め込まれているのは明白である。「家僕と召使頭と小間使いの仕事をするように作られていた」「まだ実験段階だった」ロボットとして購入したマーティン家の末娘リトル・ミスによって「アンドリュー」と名付けられたこのロボットが機械化された（黒人）奴隷であることは、アンドリューが、マーティン家の人たちを「サー」、「マム」、「ミス」、「リトル・ミス」と呼ぶことからも明らかである。アンドリューは、後述するように、フーコーの言う規律権力に関する典型的な客体なのである。

　機械化奴隷を人間として認めることは、本来は人間である黒人を奴隷として規定していた法の再解釈、再定義と同様の手続きのみでは済まない問題である。奴隷の状態から解放されることに加えて、人工身体として作られたロボットを、生身の人間と同じものとして認めるという二重の手続きが必要になるからだ。こうした手続きの二重性は、この物語では法のダブル・バインドとして提示されている。アシモフが描くロボットの世界には、有名な「ロボット工学三原則」が常に機能しており、ロボットたちの「陽電子頭脳」には、あらかじめ製造段階でこの三原則がプログラミングされ、絶対的にこれに従うよう設計されている。

第一条、ロボットは人間に危害を加えてはならない。また、その危険を看過することによって、人間に危害を及ぼしてはならない。

第二条、ロボットは人間にあたえられた命令に服従しなければならない。ただし、あたえられた命令が、第一条に反する場合は、この限りでない。

第三条、ロボットは、前掲第一条および第二条に反するおそれのないかぎり、自己をまもらなければならない。

アンドリューは、ロボットを縛る法律とも言うべき厳格なこの三原則の適用対象から自らを除外すると同時に、人間の法律に新たな解釈を付け加えるという、法による二重の束縛からの脱却を目指さなければならないのである。アンドリューー自身が語るように「事実上の人間というだけでは満足できない。［……］法律上、人間として認めてもらいたいのだ。自然人として」（一六五）。

このような願望の手始めにアンドリューが行なうのは、偶発的に自らの陽電子頭脳に生じた芸術的な才能を駆使して作り出す木彫細工を売ることで稼いだ金と引き換えに、「自由」を買いたいと雇い主の「サー」（ジェラルド・マーティン）に願い出ることである。無論「自由」というものが金との交換によって得られるものではないこと、つまり「自由に値段はない」（一四三）ことはアンドリューも承知しているのだが、彼は、自分の金を裁判費用とすることで、最終的には世界最高裁において「何者も、自由の概念を理解し、かつ、自由を欲するに充分な進んだ意識を有するいかなる物体に対してもこれを拒む権利はない」（一四四）という判決を勝ち取る。これでアンドリューは晴れて「自由ロボット」となる。これが黒人奴隷の物語ならば、このような自由の獲得で物語は幕を下ろしてもよいのかもしれない。だが、自由の獲得後も、リトル・ミスが言うように「三原則は依然として有効」（一四四）な状態であり、アンドリューがロボットであるという事実を変更するものではない。自由とはあくまでも「言葉のあや」（一四三）なのであってアンドリューが置かれている現状を大きく変えるものではないのだ。

そのため「自由」を獲得したはずのアンドリューも、特に「人間にあたえられた命令に服従しなければならない」という第二条があるために、心無い人間による命令であっても、これに逆らうことができない、というジレンマをもっている。二人の不良少年にからまれ、自身を破壊するように命令された際も、間一髪のところで偶然通りかかったジョージ（リトル・ミスの息子）によって助けられたのは、不良少年の命令を上回る形で、彼がこの第二条を発動する命令をアンドリューに与えたからである。アンドリューが「言葉」について調べるために自主的に図書館に向かう途中でこの事件が起きたことは、法的な解釈による「自由」が与えられても、主体的な行動が思うようにはできない矛盾を露呈している。これをきっかけとして、ジョージとその息子で父と同じく弁護士であるポールが中心となり、ロボットに危害を加えることが禁じられる状況を規定する法案が成立することになる。

この時点までのアンドリューは、身体のパーツを最新型に交換することはあっても、ロボットであることには変わりはない。アンドリューに対して人間と同等か、それに近い権利が、法律のレトリックによって認められていくというプロセスが語られ、ロボットをめぐる状況が若干の変化を見せているにせよ、アンドリューを人間のカテゴリーの中に含めるような判決が出ているわけではないのだ。しかしこの後にアンドリューは、人工臓器や代用器官の開発と実際的な利用にかかわる、「プロステトロジー」と呼ばれることになる新しい研究分野を自ら立ち上げ、自らの身体を実験台として開発を進めていくこととなる。「炭化水素の燃焼によるエネルギーを得るシステム」、すなわち、アンドリューの本来の動力源である原子電池ではなく、有機物を体内に摂取し、それをエネルギーに変換して動く仕組みを次々と開発し、それを自らの身体へと埋め込むことで、アンドリューは「人工」と「自然」の対立を曖昧にしていく作業に着手するのである。

「プロステトロジー」はprosthesis「補綴」から作られた造語である。prosthesisは義手、義足や人工臓器などの人工物を有機体にはめこむことを意味するだけでなく、語頭音付加、すなわち語頭に音を付け加えるという意味ももつため、この語からは、身体と言語との相互関連性を引き出すことが可能である。すなわち、プロステトロジーは、アンドリューの身体が補綴化によって「人工」と「自然」との混合体になっていく過程と、法律という言語テクストに新たな解釈が付加されるというプロセスとの相互関連を補強しているのだ。これまで「物体」や「ロボット」という包括的な概念を前提としていた法的な判断は、この後から、アンドリューの個の身体を法的にどのように解釈するのか、という次元に入るのである。いわば身体テクストの法的解釈の可能性の追及となるのだ。人間ではないもの（組織）を人間に擬制するという「法律上（デ・ジュリ）」の側面は、アンドリューが稼ぎだす財産の管理を行なっている法律事務所の「法人」、「ファインゴールド・アンド・マーティン」にも現れている。corporation「法人」は、corpus、すなわちbodyを語源としてもち、元来「身体」のイメージを内包している。「法律上（デ・ジュリ）」の人間とはすなわち法的に擬制される身体であり、身体のパーツを交換しながら生き長らえるアンドリューは、勤める弁護士たちが代替わりしても、その法的に擬制される身体や主体が不変のまま業務を続ける法律事務所と同等の存在だとされるのである。

陽電子頭脳以外のすべてを人工臓器、代用器官で置き換えたアンドリューは、最後に自らを人間として認めさせるための法的な闘争を開始する。アンドリューが開発した人工臓器などの恩恵を受ける形で、生身の人間のほうも補綴化を進めていき、「自然」と「人工」は互いに歩み寄りその境界線は時代が進むにつれて曖昧なものとなる。ファインゴールド・アンド・マーティン法律事務所とアンドリューが行なう法廷闘争の戦略の要は、この境界線の曖昧さを前景化し、従来の法的な解釈にくさびを打ち込んで揺るがせ、新たな解釈を引き出すというものである。たとえば、人工心臓を移植した人間は人間性をすでに失っているのだから、憲法が定めた人間としての権利義務は消滅しているがゆえに、この人間がもっている負債は棚上げされるべきだという訴訟により、「人間」や「人権」の根源的な意味を粘り強く問いかけていく。こうした裁判を続け、敗訴を続けながらも、最終的に世界最高裁への上告に成功する。結果は敗訴となるが、「身体に埋め込まれたどのような人工物もそれが人間の体であることを妨げるものではない」（一六八）、という解釈を引き出すことに成功するのである。

しかし、生身の人間たちがアンドリューをどうしても人間と認めないのは、彼の陽電子頭脳が不死であるためだ。先の判決を言い換えるならば、人間であるかどうかは、人体を人工物が占める比率の問題ではないということになり、その点ではアンドリューは補綴化が進んだ人間よりも、より人間であると言えよう。だが、いくら身体が有機体となろうとも、不死の人間は認められないのだ。最終的にアンドリューが選び取るのは、この人工頭脳を自然に劣化させていく手術を受けることである。この際に問題となってくるのが、先述した、ロボット工学三原則である。この脳手術をためらうロボットの外科医に対し、アンドリューは、まず自分はロボットであるので、第一条である、ロボットは人間に危害を加えてはならないという規則の適用外であることを外科医に告げる。さらに今度は、自分自身が人間の似姿となっていることを逆手にとり、第二条を用いて「人間として」外科医に自分を手術するように命じる。アンドリューは、補綴化によって「自然」と「人工」の境界線上に位置することになった自分自身の存在のゆらぎを巧みに用い、最終的に死へと傾斜していく手術を成功させるのだ。最後の第三条に関しては、自分の肉体の死と、自分の希望、願望の死とを秤にかけ、後者を犠牲にして前者である肉体を生かすことこそが、第三原則への違反であるという哲学的な解釈を持ち出すことで、希望する手術がこれにも抵触しないことを証明してみせる。人間になるために死を選ぶという捨て身の行為が世論に強く訴えかけ、アンドリューは法的にも人間として認められる。ロボット工学三原則と人間の法律の両方に存在する解釈の余地を突き、「事実上（デ・ファクト）」かつ「法律上（デ・ジュリ）」の人間としてアンドリューは死を迎えるのである。

法律・規律という点から読み直すならば、アンドリューがロボットから人間へと変化するプロセスは、アシモフのテクストにおいてすべてのロボットにプログラミングされている三原則の規制をはずし、生身の人間の法律による解釈の枠組みへと移行していくプロセスに等しいと言うことができるだろう。身体に埋め込まれ、その動きを規制する「規律」から、「自由」に生きる（あるいは「自由」に死ぬ）ことを規定する法律へと移行していることになる。こうした移行を、生政治（バイオポリティクス）へと関連させ、さらに解釈を拡張したいのだが、依拠する理論的な枠組みとしての生政治、あるいは生権力は、フーコー自身がこの概念を生前十分に発展させることがないままに逝去したため、かなり曖昧でとらえどころがない概念のままになっている。金森修は、この生政治の概念がフーコーの一連の講義、著作に現れた経過を詳細に分析した上で、この概念には元の確固たる意味＝原義はほぼ存在しないと述べてもいい、とまで言い切っているのだ（四四）。生政治が、このような曖昧な概念であることを承知した上で、本論において着目したい点は、フーコーが生政治・生権力を提唱する初期段階で述べていた、「身体の規律ではなく、生命の調整」という点である。「バイセンテニアル・マン」におけるアンドリューのロボットから人間への移行は、フーコーの言葉を借りるならば、「禁止されるものや許可されるもの、むしろ義務とされるものが正確に特定され、規定される」「規律権力」から、国民が統治の客体としてではなく、自主的に行動する主体として、自由な存在であることが必要とされる「生権力」への、二百年の歳月をかけた移行であると言い換えることができるのである。アンドリューが、その法廷闘争に訴えた最初の権利は、先に述べたように、他でもない「自由」であったのだから、こうした図式も決して的外れではない。

また、アンドリューがロボットからサイボーグへと生まれ変わった後に、本来の製造元であるUSロボット社が、一台のセントラル・コンピュータに、数十体から数千体のロボットを接続するというコンセプトへと、自社で製造するロボットの基本設計思想を変えたことからも、こうした構図がいっそう明確になる。頭脳と身体とを分離し、身体を遠隔操作で完全に統制するシステムと、自律性と自由とを獲得しつつあるアンドリューとには、「規律権力」と「生権力」との対立が重ね合わされるのである。

2

「バイセンテニアル・マン」では、「規律権力」と「生権力」の対立がロボット（人工）と人間（自然）との二項対立に重なり合っている構図が見られるのだが、「生権力」の全体的な調整システム、つまり、国家の概念にはほとんど言及されてはいない。『われはロボット』の一連の短編に登場するロボット心理学者スーザン・キャルヴィンによれば、彼女が生まれた一九八二年に「最後の世界大戦」が終結し、その後国家は「地区」へと長い時間をかけて変化していったとされる（一七〇）。そして二〇四四年に地球地区は連邦政府を結成したとされ（一九七）、この時点で旧来の国民国家は事実上消滅したものと思われる。アシモフのロボットの世界は、共通した設定のもとに構成されているので、「バイセンテニアル・マン」には描かれてはいないグローバル化した世界における、生政治の調整システムを明らかにするために、短編「災厄のとき」（一九五〇）を見てみよう。

二〇四四年の連邦設立以降、地球は四つの地域に分けられ、それぞれの地区にコーディネーターが置かれている。これら全体を統括する人物がスティーヴン・バイアリーで、この物語の時点では彼の世界総監の二期目が終わろうとしている二〇五二年になっている。この時には、地球上のあらゆる生産、経済、労働などが、前述のロボット工学三原則に従って稼働する「マシン」と呼ばれるコンピュータによって一元的に管理、調整されている。「マシン」によって「地球の経済は人類の最高の利益にかなって」おり「もはや失業も生産過剰も生産不足も」なく「それゆえ生産手段の所有権という問題はしだいに消滅して」いっている（二〇二）。失業も生産過剰も生産不足もない、適切に調節された世界という表現には、カレル・チャペックの『ロボット』（一九二〇）のこだまを聞き取ることができるかもしれないが、「災厄のとき」では基本的に労働は人間が行なっており、『ロボット』におけるように、すべての労働を機械奴隷に行なわせているわけではない。『ロボット』においては、労働と生産、収入と、それに伴う不平等をなくすために、ロボットによる生産過剰状態が引き起こされ、結果的にはそれによって人間の出産（リプロダクション）が行なわれなくなってしまう。また、人間は初老の男性一人をのぞいてロボットに滅ぼされるために、ロボットの生産（リプロダクション）も止まってしまうという、全体的な調節の失敗による連鎖反応が引き起こされている。このような悪夢に較べるならば、アシモフの「災厄のとき」の世界は、実に巧みにレギュレーションが行なわれていると言えるだろう。

しかし突然、この「マシン」の計算に従っているにもかかわらず、世界各地で生産過剰、生産不足、労働者の解雇などの現象が起きる。これの原因究明にあたったバイアリーとスーザン・キャルヴィンが最終的にたどりつく、この調整ロボットの不調に見える状態の原因は、当初バイアリーが考えていた、「マシン」によって指図される下僕であることを嫌い、このロボットの不要論を展開する反抗的な組織である「人間同盟」の仕業などではなく、「マシン」が自身で、三原則の第一条に最もかなう形で判断した結果であることが判明する。人間(ここではさらに拡張して人類全体)に危害を加えてはならない、という第一条が守られるためには、経済的混乱を回避しなければならない。そのためには、地球全体の調節機能をつかさどっている「マシン」そのものが破壊されるような事態を防がなければならない。これを実行するために「マシン」は、自身の破壊を引き起こしそうな「人間同盟」の人間たちを、あくまでもその命や身体などは脅かされないよう、「マシン」の破壊に関連しないに部署に異動させるために、生産の調節の不具合をあえて引き起こしていたのである。

生政治においては、純粋に利益を獲得しようとする主体である「ホモ・エコノミクス」としての国民が自由に行動したときに、各人が最大の利益を得られるように調整することが必要となり、これが、フーコーによれば、十八世紀以降、現代にいたるまでの国家の機能の本質的な要素となっている。フーコーが述べている生政治は、このように経済における自由放任主義(レッセフェール)の色彩が強いのだが、それが可能となるには、国家の調節機能がうまく作動することが条件となる。しかし、現在、二十一世紀のわれわれが生きている世界を見ても明らかであるように、すでに国民国家ごとに、その内部のみが潤うように自由放任主義的(かつ保護主義的)に調整機能を働かせることの限界が見えてきている。その国民国家の枠組みが消滅し、世界が一つの政治機構となった場合には、この調節機能はどのようなものとなるのか? という問いかけへの一つの回答を、アシモフはこの「災厄のとき」において描いているのである。人間に気ままで自由な生産活動、経済活動を許している限り、この調節はうまくは機能しない(これはチャペックの『ロボット』ですでに予言されていたとおりだ)。それならば、ロボット三原則のうち、特に人間(人類)に危害を加えてはいけないということを判断の根本原理としたロボット、「マシン」に地球規模の調節をまかせることで、地球上に起こりうるあらゆる衝突を回避し、人類が繁栄するようにする。『ロボット』の世界が「重商主義」的な世界であるとするならば、「災厄のとき」は「重農主義」的な世界だと言えよう。この物語の最後でスーザン・キャルヴィンが語っているように、「農民風の、あるいは田園生活風の文明のほうがよいのかもしれない。もしそうだとすれば「マシン」はわれわれには知らせずにその方向へ進んでいくにちがいない」(二二三―二二四)のである。マシンはこのように人類に対して経済に関する絶対的な支配権をもつような存在となっていく。だが、その権力は、十七世紀の王たちが行使した規律権力の形ではなく、十八世紀以降に姿を現した「安全装置」(フーコー 一四)である生権力として人類への調節機能を行使するのである。これにより「この先ずっと、あらゆる紛争がついに避けられることになる」のだ。「災厄のとき」の原題 "The Evitable Conflict" はこのキャルヴィンの "all conflicts are finally evitable" という言葉から取られている。そして彼女は自らの言葉をこう結ぶのだ "Machines, from now on, are inevitable!" (二二四)

3

「災厄のとき」の根本にあるのは、人間を生かすための政治、調節の中心で絶対的な、普段はほぼ不可視の「避けられない」力が、ロボットであることへの不安感、恐怖感である。地球全体の統括をしている総監であるバイアリー自身も、実は精巧にできたヒューマノイドなのではないかという疑惑が、短編集『われはロボット』におけるこの短編の前に置かれている物語「証拠」の中で描かれているのだが、最後までその疑惑の真相は明らかにはならない。映画版の『アイ・ロボット』では、ロボットによって人間の生命がコントロールされるというこうした考えが、さらに悲観的な色彩を帯びて、終結近くでコンピュータによって語られている。ロボット工学第一条の障害となるのは、他でもない人間自身であるのだから、第一条を守るためには、人間がロボットによって統御されなければならないという論理が成立してしまう悪夢が語られるのだ。

この「災厄のとき」における調節の形態は、時の経過とともにどのような変貌を遂げるのだろうか。バイアリーやスーザン・キャルヴィンが生きていた時代から、さらに百五十年以上が経過したと推測される世界を描いたのが、「心にかけられたる者」(一九七四)である。ここでは、これまで二百年間にわたってロボットの開発、生産、販売を独占してきたUSロボット社が、今や会社存続の危機に立たされている。一世紀ほど前にこの会社が作ったロボットが、エコロジーの危機を救ったという、USロボット社の地球への貢献も、時間の流れとともに色褪せており、今では、「災厄のとき」の終結部でバイアリーが叫んだ「なんとおそろしいことだ！」（二二四）という感情、すなわち、人びとの、いわゆる「フランケンシュタイン・コンプレックス」によるロボットへの反感がうねりとなり、ついに政府から、二年間の猶予の後に会社を整理するよう言い渡されている（時系列から言えば、このエピソードは「バイセンテニアル・マン」において、ロボットを保護する法律が可決されたあたりの時期に相当すると思われる。明示はされていないが、アンドリューをめぐる状況にもこの「フランケンシュタイン・コンプレックス」があったことがうかがえる）。USロボット社の研究部長キース・ハリマンは、この二年の間に、人びととの心に生じているロボットへの偏見を取り除いて会社の危機を救うべく、その陽電子頭脳が知識を吸収し続けながら成長し、やがてノンヒューマンな視点から物事を判断できるオープン・エンドの設計がなされている（すなわちディープ・ラーニングのAIが搭載されている）、最新型のロボットであるジョージ10に、分析、判断させ、この困難な状況への回答を引き出そうする。

結果的にこのジョージ10が、自らの先代モデルであるジョージ9との対話によって導き出した回答によって、USロボット社が打ち立てた組織としての生き残り策は、エコロジーを破壊するのではなく、エコロジーのパターンの中で、建設的な目的を達成する「ロボアニマル」を作って「目的に応じて部分的に補強することで、人間の必要に合わせていく」という方向性である（七八）。つまり生態系に動物、鳥、虫などのロボットを放ち、これによって人間を含めたすべての生態系を包括的に調整する人工的なシステムの構築という方策である。これによりUSロボット社は、人間型ロボットの開発は終了するが、動物型ロボットの開発によって利益をあげ、政府は安泰となり、人類は繁栄することになる。しかしこの回答を与えたロボットのジョージ10の頭脳には、別の思惑がひそんでいる。ジョージ10が描いているのは、生態系のかなりの部分がロボット化されると、将来的には人間が自分たちロボットを恐怖を抱かずに受け入れるようになるという予測だ。膨大な知識の吸収によって、人間以上の知性と判断力を身につけたジョージ10は、ジョージ9とロボット工学三原則の解釈をめぐる対話を続け、自分たちが三原則の枠内で、すべての人間の上位に置かれる「人間」だという解釈に最終的にたどりつく（八三）。ここから論理的に導き出されるのが、いずれ生態系がロボット化され、自分たちやさらに進んだ設計のロボットたちが人間に受け入れられるような時代が訪れるならば、まず、人間よりも上位の自分たちを三原則によって危害から守るような社会を作ること、すなわち、生身の人間の生存権よりも、まずはロボットの生存権が優位となるような社会の誕生である。人間とロボットとの支配・被支配関係は、ゆるやかな形ながら逆転することが予測されるのである。

「心にかけられたる者」の物語時間の約二十年前に製造、起動された「バイセンテニアル・マン」のアンドリューは、ジョージたちが想定している「その形態と気質を継いで後に続く者たち」(八四)、「ぼくたちよりももっと進んだ設計のロボットたち」(八三)の一人(一体)となるはずだが、確かにアンドリューは、月に設立された研究所では人間の研究者たちに命令できる立場にはなるものの、最終的にはロボットのままでいるのではなく、人間になることを選択する。アンドリューは、「キャンヴァス」(一六三)だと呼ぶ自らの身体において、「人工」と「自然」の曖昧化を推し進め、人間たちも新たに開発された人工臓器などを自らの生身の身体に移植するようになる。「心にかけられたる者」における生態系という自然の中にロボットという人工的なものを組み込む「補綴」は、アンドリューを始めとした個々の身体レベルへと移行していくことになる。フーコーは、個々の身体に作用するミクロ的な規律権力が、後にマクロのレベルで作用する生権力へと変化したことを述べているが、身体の改造という点では、アシモフのテクストにおいては、マクロなレベルからミクロへの逆の移行のベクトルが認められるだろう。ジョージたちは、「人間学の三原則」によって、ロボットが人間を支配するようになると予言したが、地球に残った最後の一体のロボットであるアンドリューは、人工と自然の二項対立を曖昧にすることで、最終的には支配と被支配の対立構造をも突き崩すのである。

フーコーは、規律権力による統治性の特徴を、その「人工性」であることに見いだしているが、十八世紀になって、統治の技術の中に、住民・人口といった「自然」が入ってきたことが、統治における大きな転換点であったことを述べている。中山元はこの統治の転換について、「人間は人類という理念的な『類』概念のもとではなく、他の動物と並ぶヒトという『種』概念で考えられるようになる。[……]人間の統治が生物学の領域と深いかかわりをもち始めるということである」(一九七)と述べている。ジョージ10も、「人間はそのうち(生物界における種)の一つにすぎませんね」(七三)と発言している。アシモフの三つの中短編の中(時間経過は約三百五十年間)での「自然」と「人工」の関係とその現れ方について言うならば、統治における「人工」と「自然」、こう言い換えてよければ、規律権力と生権力とは、時の流れの中で、交互にその主導権を主張しながら互いを変質させ、ロボット化された生態系の中での、ロボットのための生政治、という状態を経て、最終的には、規律権力の消滅、より正確に言うならば、規律権力が行使される客体（ロボット）の消滅へと移行していくと言うことができる。SFのテクストをフーコーの生政治の概念から読み解くというある意味無謀な企てによって、没後四半世紀が経過した彼の理論的な枠組の限界を見据えることは十分に可能なのではないだろうか。そして、その枠組からはずれてしまう現象や状況こそが、二十一世紀の私たちがその予兆をSFのようなフィクションに、あるいは、実際の世界に見いだしている、そう遠くはない未来の現実の姿なのかもしれない。

引用文献

Asimov, Isaac. *Bicentennial Man*. Granada, 1983.（『聖者の行進』池央耿訳、東京創元社、一九七九年）

——. *I, Robot*. Bantam Books, 2004.（『われはロボット〈決定版〉』小尾芙佐訳、早川書房、二〇〇四年）

ウィーナー、ノーバート.『人間機械論——人間の人間的な利用』鎮目恭夫、池原止戈夫訳、みすず書房、二〇〇七年

金森修『〈生政治〉の哲学』ミネルヴァ書房、二〇一〇年

チャペック、カレル.『ロボット（R.U.R）』千野栄一訳、岩波書店、一九八九年

中山元『フーコー——生権力と統治性』河出書房新社、二〇一〇年

フーコー、ミシェル.『安全・領土・人口』高桑和巳訳、筑摩書房、二〇〇七年

※本稿は、二〇一〇年十二月四日に行われた、第五十四回日本アメリカ文学会関西支部フォーラム「アメリカ文学と生政治」において発表した、「人工身体の統御の欲望と生政治」の原稿に大幅な加筆修正を行ったものである。

四次元思想と時空を巡る文学的想像力

――タイムトラベル物語としての『過去の感覚』

中村　善雄

一　世紀末の四次元を巡る思想

ヘンリー・ジェイムズの最晩年の未完小説『過去の感覚』は、ダナ・シュビロヴィチの言葉を借用すれば、「ナラティヴの迷宮」(Przybylowicz 197) の様相を呈し、ジェイムズ作品中でもとりわけその晦渋さで際立っている。同時に「迷宮」と化した語りを紐解かんと、従来ナラトロジーの視点から多くの考察が試みられてきた。しかし、この作品の内容は、一九一〇年を生きる主人公ラルフ・ペンデルが、彼と瓜二つの一八二〇年を生きる分身と立場を入れ替え、過去の世界へとタイムスリップし、分身の世界を体験する物語であるがゆえに、タイムトラベル物語としても解釈し得る。しかし、サイエンス・フィクションの系譜に『過去の感覚』が位置付けられることはなく、そのサイエンス・フィクション性に関する研究もほぼ皆無である。

しかしながら、ジェイムズが一種のタイムトラベル物語を二十世紀初頭に執筆したのは偶然ではない。むしろ時代の必然とも言える。クリストファー・ハーバートの書名『ヴィクトリア朝の相対論』が物語るように、十九世紀はダーウィンの進化論に象徴される絶対性が問われる時代であった。時間と空間の相対性もその一つで、十九世紀末から二十世紀初頭にかけて四次元を巡る思想が流行した。四次元といえば、特許庁の審査官であったアルバート・アインシュタインが一九〇五年に発表した特殊相対性理論が挙げられるであろう。それはニュートン力学による絶対時間や絶対空間を否定し、三次元空間と一次元の時間を結びつけた四次元時空、いわゆるミンコフスキー空間を取り扱っている。しかし、相対性理論以前に、その理論とは直接関係のない、四次元世界を巡る思想が、数学、物理学、哲学、心理学、心霊学といった観点から論じられ、知的流行と化した。

四次元思想と一口に言っても、それは諸学問の領域から検討されたがゆえ、その中身も多岐にわたる。相対性理論は光速度不変の原理を基盤として、時間の遅れと空間の歪みを物理学的に説明したが、それ以前から、時間を四つ目の次元として考えるアイデアは存在していた。一八九五年にH・G・ウェルズが『タイム・マシン』でおよそ八十万年の未来を舞台としたのはその一例であろう。

四次元時空とは異なり、四つ目の次元を空間と見なす四次元空間の概念も存在した。高次元空間を認識することで「高次の意識」を進化させようとする考えが生まれ（向山　一三七）、リンダ・ヘンダーソンはそれを「超空間哲学」と呼んでいる(4)。この代表的な論者には、ルドルフ・シュタイナーやクロード・ブラグトン、P・D・ウスペンスキーらの名前を列挙できるが、彼らに大きな影響を与えたのが、アインシュタイン同様、特許庁の審査官の職にも就いたことのある数学者チャールズ・ハワード・ヒントンであろう。ヒントンは、オックスフォードで学位を取り、プリンストン大学でも数学教師として教鞭を執ったことのある数学者である。ヘンダーソンは、「超空間哲学」のパイオニアとしてヒントンを位置づけ、ヒントンの著書『思考の新紀元』や『四次元』が、四次元空間を理解するための実際的な手立てを提供しているると論じている(4)。ヒントンは四次元空間を直観するために、様々な超立方体を作成する一方、『科学的ロマンス集』と題した一連のサイエンティフィック・ロマンスも執筆している。ホルヘ・ルイス・ボルヘスは『科学的ロマンス集』に寄せた「序文」の中で、この数学者の産物を次のように評している。ヒントンは「文学の歴史の中に、確かな地歩を占め」、彼の著作は「ウェルズの陰鬱な想像世界に先行し」、「サイエンス・フィクションという作品群の、どうみても尽きることのない大波を、紛れもなく予兆している」（十三）と評し、この分野におけるヒントンの文学的先駆性を讃えている。さらにヒントンが『科学的ロマンス集』所収の「平面世界」を執筆した一八八四年に、同じく高次元への認識を主題とした風刺小説『フラットランド――多次元の冒険』を執筆したエドウィン・A・アボットの存在も忘れてはなるまい。

四次元思想の中には、幽霊や亡霊といった純粋科学では説明できない超自然現象を多次元の枠組みで説明しようとする動きもあった。高橋理樹が言及したように（三〇）、アーサー・ボストウィックは「四次元空間」（一八九六）の中で、「亡霊の住処はどこかの遠い惑星にあると考えて自らを慰めてきた人もいる。しかし、霊が肉体から離れたとき、単にそれは次元の条件から自由になるという方がありうることである」(149)と述べ、幽霊を三次元とは異なる次元の産物と関連付けた。四次元世界における幽霊という考えは一八七七年にロンドンで起こったスレイド裁判で一般的に脚光を浴びる。一八五〇年代にアメリカで大流行した心霊ブームがイギリスに飛び火し、霊媒師ヘンリー・スレイドはその機に乗じてロンドンに渡り、呼び出した霊が自動的に石板に霊的なメッセージを書く心霊筆記によって、彼の交霊会は人気を博した。しかし、彼の心霊術にはトリックがあり、詐欺罪で告発され懲役三カ月の刑を言い渡される。だが、当時の高名な学者たち、生物学・博物学者アルフレッド・ラッセル・ウォレス、天文・物理学者ヨハン・フリードリッヒ・ツェルナーや、物理学者サー・ウィリアム・クルックスらが四次元と超常現象との親和性を主張し、スレイド擁護に回った（向山 一三六）。彼らの態度からも霊的存在を科学的手法で証明し、その存在の所在を四次元空間に求めようとした思想があったことが伺える。

　このように、四次元思想の内容は多様性に富み、一概には言えない。世紀末にかけて将来に漠たる不安を抱えた時期に、不可解・不可知なものへの理解や新しい知の地平の表象として四次元というテーマが諸学問の領域から論じられたのである。

二　ライ・サークルにおける四次元思想の文学的影響

四次元思想は知識人の間で議論を呼び、ジェイムズの居所であったイギリスのライ近辺に形成された知的グループ「ライ・サークル」も例外ではなかった。このコミュニティにはジェイムズの他に、ジョゼフ・コンラッド、フォード・マドックス・フォード、スティーヴン・クレイン、H・G・ウェルズらの文学者が参加しており、四次元思想が彼らの間で議論の的となると同時に、各作家の文学的想像力を喚起したことは想像に難くない。サークルの一員であったコンラッドとフォードが共作にて四次元世界を主題とした『相続者たち』を一九〇一年に発表したのもその一例である。それ以上に有名なのは、同じグループに属していたH・G・ウェルズの一連のサイエンス・フィクションであろう。特にウェルズの代表作である『タイム・マシン』には、主人公の時間旅行家と友人たちとの議論を通じて、当時の四次元思想の諸相とその影響が見て取れる。まず、時間旅行家は「実際、四つの次元があって、そのうち三つを空間の次元、四つ目を時間と呼んでいる」(7)と、四次元時空のモデルを提示している。しかし、それだけに留まらず、「時間と空間の三次元との唯一の相違は、私たちの意識が時間にそって動くということだけなんだ」(8)、「ぼくらが時間の中を動くことができないと言うのは誤解なんだ。例えば、ある出来事をとても鮮明に思い返しているとすれば、僕はその過去に戻ったと言えるだろう」

(13) と、外的時間と時間の内的知覚を同一視し、意識の変化による時間の相対化を示唆している。ウェルズもその著述を読んでいた数理統計学者カール・ピアソンは、『科学の文法』（一八九二）の中で、「空間と時間は現象世界の実在ではなく、われわれが物を知覚するときに使う様式である。空間と時間は無限大でもなければ、無限に分割されうるものでもなく、我々の知覚の内容によって本質的に制限されている」(Pearson 229) と語っている。つまり、空間や時間の感覚が意識によって左右されることを唱えた。時間旅行家はタイムマシンという機械を用いて未来に至るが、同時に彼がピアソン流の言説に倣って、人の意識によって時間を行き来する可能性に言及している点は着目すべきである。時間旅行家の四次元を巡る解説はそれだけに留まらない。彼は四次元の幾何学を話題にする中で、アメリカの著名な天文学者で数学者のサイモン・ニューカムを引き合いに出している (9)。ニューカムは「現代の数学的思考」（一八九四）の中で、「四番目の次元に空間を加えてみなさい、そうすれば相互に無限数の宇宙が並ぶ余地があります」(Newcome 105) と論じ、四次元空間の存在を主張している。その他にも、時間旅行者が友人にタイムマシンを披露した時、友人である医者が「これはトリックなのか？　前のクリスマスのときに僕たちに見せてくれた幽霊みたいに？」(24) と疑問を発し、心霊研究の視点から四次元思想が論じられていた事実が反映されている。このように、時間旅行家と医者や心理学者らのやり取りはまさに知識人たちの間で交わされた四次元思想の多面性を反映している。

同じ文学サークルに属していたジェイムズも、四次元思想とは無縁ではない。リチャードソンは、四次元や時間に関するトピックは、ジェイムズが常連の寄稿者であったレビューやジャーナルで扱われ、従来の空間や時間や知覚の概念への重要な挑戦をジェイムズは知っていたと指摘している (Richardson 153–54)。エリザベス・スロウェッチによれば、ジェイムズがヒントンの著作を読んだ確証はないが、兄ウィリアム・ジェイムズとヒントンはイギリスの哲学者でプラグマティズムの先駆者シャドワース・ホジソンを介して知り合い、一八九二年から一九〇七年の間に十一もの書簡のやり取りがあり、その関係でヘンリーもヒントンの考えに通じていたことを指摘している。スロウェッチはまたヘンリーが、親しき友人ジョルジュ・デュ・モーリアの、四次元を扱った作品『火星人』（一八九七）の書評をした事実を挙げている (Throesch 109–11, 168)。

このようにジェイムズも四次元思想を各方面から見知って

いたが、『過去の感覚』執筆の背景にあたって、ウェルズとの文学的交友から生じた影響は無視できない。特にウェルズに対して、ジェイムズはその文学的才能を高く評価し、後見人を自任し、ウェルズの作品を熟読していたがゆえに尚更である。ジェイムズは一八九九年五月出版のウェルズの『冬眠二百年』を同年夏に、一八九九年十一月出版の中短編集『空間と時間の物語』のコピーを秋に受け取り、十一月二〇日の手紙で、後者の作品送付に対する礼を述べている。その中で、ジェイムズは、その短編集に所収された作品を「すでに吸収し (absorbed)、力の限り消化した (assimilated)」と記し、「あなたの精神は偉大で、あなたの魅力は抗いがたく、あなたの資質は計り知れない」(Edel and Gordon, 62) と絶賛している。

　他方、ジェイムズは、ウェルズに対する文学的期待の大きさゆえに、苦言も呈している。彼は『タイム・マシン』を受け取った直後の、一九〇〇年一月二九日の手紙の中で、以下の文面をウェルズに宛てている。「あなたはとても見事だ。私はひどく批判的であるが、あなたは極めて素晴らしい。私は読みながら、あなたの作品を、多く書き直しますが (rewrite)――それはこの無礼な私が作家に払うことのできる最大の賛辞なのです」(Edel and Gordon, 63) と、ウェルズ自身と『タイム・マシン』を賞賛する一方、ジェイムズは「書き直す」行為に言及している。この書き直しというイメージは、ジェイムズが、ウェルズの『月世界最初の人間』(一九〇一) を読んだ後の、一九〇二年九月二三日のウェルズに宛てた手紙のなかでより具体的な形へと変化している。「あなたは私と協同することでとてもたやすく挽回することができます。我々が力を合わせることは、私が思うに効果的でしょう」(Edel and Gordon, 80–81) とジェイムズは二人の協同作業が、ウェルズの作品の質の向上を図ることを確信している。さらに二週間後の一〇月七日の手紙では、協同作業の内容がより明確となっている。

> 私が他の作家の小説を熟読する唯一つの理由は、それが大変な不朽の名作であっても、私からすると、書き直すためなのです。書き直すこと、つまり、適切な言葉に対する私自身の鋭い感性からと、非常に多くの改良と装飾でもって作り直すのです。こういった場合、私は正しく主題をそのままを受け入れること、つまり、主題を全て継承して、それを最大限に利用します。例えば私は密かに二人の男などの主題を継承します。その主題の上に打ち建てられた物語は、(主題を除いて) あなたの作品とはほとんど、あるい

は全く似通ったところはありませんが。

(Edel and Gordon, 81–82)

と述べている。加えてその手紙の後半部では、ウェルズの作品に「自分のヴィジョンの恩恵」を与えることと、自らが「誠実に最後の仕上げ」を担う役を買って出ている (Edel and Gordon, 81–82)。この手紙から、ウェルズが自らの文学的後継者になり得ることの期待と同時に、その実現のためには自らの熟達した文学的技巧の注入が必要であるとのジェイムズの想いが透けて見える。同じ文学サークルのコンラッドとフォードとの協同作業による作品『相続者たち』に倣って、ウェルズとの共作を望んだのである。一方、この手紙では、「二人の男」などの主題を継承し、その主題を基にウェルズの作品とは異なる作品執筆をジェイムズは示唆している。ティントナーによれば、ジェイムズが一九〇一年作の『月世界最初の人間』の主人公ベッドフォードとケイヴァーのことを「あなたの二人の男」(“Your Two Men”) と称していたことから、「二人の男」とは、この作品のことを指しており (Tintner 279)、ジェイムズは『月世界最初の人間』などの、ウェルズのサイエンス・フィクションと主題の重なる作品を構想している。

しかしジェイムズの「書き直し」と「協同作業」の提案は、結局のところウェルズに拒否され、ジェイムズは、先の手紙の後半部に記された、ウェルズ作品と同じ主題を共有し、尚且つジェイムズ流の異なる作品を執筆することになる。実は、ジェイムズにとって、他作家の作品に対する一種の「書き換え」はウェルズ作品に限ったことではない。ティントナーによれば、一八九一年出版の短編「教え子」は、ロバート・ルイス・スティーヴンソンの『宝島』(一八八三) と『誘拐されて』(一八八六) といった冒険物語に対するジェイムズ流の返答であった (Tintner 282)。ウェルズの小説の構想がエドワード・ベラミーのユートピア小説『顧みれば』(一八八八) やラドヤード・キップリングの『王になろうとした男』(一八八八) に依拠しているように、ジェイムズはウェルズの小説に負っているのである。しかしウェルズの影響を受けながらも、彼のサイエンス・フィクションが未来世界を描くのに対し、『過去の感覚』は約百年前の過去を扱い、両者の時間志向は正反対である。なぜ、ジェイムズは未来ではなく、過去へと遡る物語を執筆したのであろうか。

三　『過去の感覚』におけるサイエンス・フィクション性
――時間と空間の四次元時空／空間

『過去の感覚』はウィリアム・ディーン・ハウエルズの注文によって一八八九年の秋に執筆され始めるが、翌一九〇〇年に主人公のラルフ・ペンデルがタイムスリップする手前までを描いた第三巻で中断され、執筆再開に至るまで、十四年に渡る空白期間があった。その間の、一九〇四年八月から翌年の七月にかけて二一年ぶりにジェイムズはアメリカを再訪している。しかし二十世紀のアメリカは、急進的な経済発展を遂げ、予想とは異なる様相を眼にする。ジェイムズが再訪前に抱いていた古きニューヨークは姿を消し、「アメリカンビューティ」(420) に例えられる高層ビル群が林立し、膨大なる移民者の到来と人種の混交に満ち溢れた大都市へと様変わりし、時の経過と共に同一の場所が一変している現実にジェイムズは直面した。記憶のなかのニューヨークと現在のニューヨーク、これは彼にとって時間を隔てた二つの異なる世界として認識され、ウォーターズは、『アメリカの風景』はジェイムズにとって未知なる、いわば未来のアメリカと直面したタイムトラベルの物語であると指摘している (Waters 183)。裏返せば、ジェイムズにとって馴染みの、かつ愛すべきアメリカに回帰するには、彼の意識の中で過去へと逆行する必要があったのである。

また、空白期間には、第一次世界大戦が勃発し、ヨーロッパの政情不安とその結果として第一次世界大戦が勃発し、ジェイムズは負傷者への個人的な慰問や救援活動を行い、従来の傍観者的イメージを覆す積極的な現実への介入を行なった。しかし、一個人の救済はあまりにも無力で、憂慮すべき現実が、ジェイムズに過去への憧憬を促した。『過去の感覚』同様未完に終わった長編『象牙の塔』の序文にて、パーシー・ラボックは「戦争が勃発し、ヘンリー・ジェイムズは同時代のあるいは最近の人生を表現すると思われる小説に取り組むことがもはやできないと分かった」(v) と記し、『過去の感覚』の序文では、ジェイムズ自身が「『象牙の塔』を続ける気にはなれず、遠く現実離れした人生の物語ならなんとか書けそうだ」と記している。

ジェイムズはさらに、『過去の感覚』執筆再開の前に、自身の少年・青年時代の過去を振り返る自伝的作品『ヘンリー・ジェイムズ自伝――ある少年の思い出』(一九一三年)と『息子と弟の覚書』(一九一四年)を相次いで出版している。人生の終末が脳裏を横切る晩年にあって、自らが辿ってきた過去を回顧したのである。

『過去の感覚』執筆中断の間に、ジェイムズが直面したこれらの現実は、彼を否応なく過去へと志向させ、執筆再開を促し、自伝のみならず、小説を通して、彼は再び過去を遡る営為に没入したのである。主人公の歴史家ラルフ・ペンデルは、母の死去に伴い肉親全てを失い、未亡人オーロラ・コインにはプロポーズの答えを留保され、現実に望みを見出せず、自らを「過去への好奇心に取り憑かれた男」(*Sense* 105–6) と称したが、ラルフにそれを語らせるジェイムズ自身も「過去への好奇心に取り憑かれた男」と言えよう。

ジェイムズはこのように過去への思慕の念をラルフに託すが、ウェルズが椅子状のタイムマシンによって時間の移動を可能にしたのに対し、『過去の感覚』では家がその役割を果たしている。「ドアが再び閉ざされ、彼をこちら側に引き入れると同時に、彼が見慣れた全世界をあちら側に閉め出してしまった」(SP 115) と、家の中の「こちら側」である過去と見慣れた「あちら側」の現在はドアを境に分岐されている。『ヘンリー・ジェイムズ自伝――ある少年の思い出』の冒頭部分においても、ジェイムズは少年時代の過去に立ち帰ることを、「過去の扉をノックすることは、要するに扉が私に向かって大きく開くのを見ることだ」(2) と表し、家の内側が時間遡行のための空間に位置付けられている。家はジェイムズにとって特別な意味を有し、ピーター・ローリングは、「ジェイムズにとって、事物、特に家はしばしば魅力的である、というのもそれらは直線的かつ年代順的なモデルを撹乱する方法で家が時を空間化し、時を刻むからである」(Rawlings 140) と論じ、家に時間の移動を可能にする機能を付与しているとしている。

家の中は時間の相対化を齎す場と化しているが、ジェイムズにとってその場所は、人の意識の在処としても表象されている。彼は複数の作品において、家の内部を人間の意識と連動させており、『小説の技法』においては、作家たるものの内面には「意識という部屋に張られた細い絹糸からなる巨大な蜘蛛の巣」(52) が必要と主張している。短編『懐かしの街角』では、三十三年ぶりに戻ってきたニューヨークの家で、主人公スペンサー・ブライドンが自らの過去を顧み、オルター・エゴと遭遇するがゆえに、レオン・エデルは「『懐かしの街角』の家は一つの精神、一つの頭脳である」(Master 314) と指摘し、スロウェッチもエデルの考えを支持し、さらにこの家は「一種の四次元的意識の場」(Throesch 186) であると語っている。[1]『過去の感覚』では、「その家が彼（ラルフ）の家であるように、時間もそれが彼の意識のうちに沈み込む時、彼の時間となる」(66) と、家と関連付けられた時間が意識によって左右される感覚をラルフは抱いている。『タイム・マシン』において、時間旅行者は時間と人の意識の連動性を示唆したが、『過去の感覚』では顕在化している。[2]

しかし、『過去の感覚』の家では、時間だけではなく、空間的な次元の揺らぎも生じている。ラルフの相続した家にはラルフと瓜二つの肖像画が飾ってあるが、肖像画の世界は言うまでもなく二次元空間である。しかし、肖像画の中の「紳士は背を向けていたが、どう見ても絵のなかで背を向け」(74)、「彼は好きなように向きを変えられる」(75–76)と、二次元世界の中で三次元的自由さを得ている。最終的に肖像画の紳士は正面を向き、さらに額縁から抜け出て、文字通り三次元の存在としてラルフと対峙しお互いの立場の交換を申し出る。肖像画の中で生きる分身と言えば、世紀末に出版されたオスカー・ワイルドの『ドリアン・グレイの肖像』(一八九〇)が想起されるが、その分身はあくまで二次元の世界に幽閉されたままである。

一方、四次元思想では二次元から三次元への次元の越境や次元の差異というモチーフは馴染み深いものである。その思想のなかでは、四次元世界を理解するのが困難なため、次元を下げ、二次元と三次元の違いから高次元の世界を考えるという手法が採られた。例えば、ヒントンは「第四の次元とは何か」のなかで、一次元の線から三次元の立方体までの世界を順番に例に出して、一つ上の次元がいかなる形を呈するのかを四次元まで解説し、「平面世界」では、三次元からみて二次元世界がいかなる世界であるかを物語化している。「平面世界」と双子関係にあるアボットの『フラットランド』では、フラットランド＝二次元の平面世界に住む主人公スクエア(四角形)氏のもとを来訪した、スペースランド＝三次元の空間世界の住人「球体」が「球」という奥行きのある実体を知らしめるために三次元世界にスクエア氏を連れていくという物語が展開する。ヒントンやアボットの作品を『過去の感覚』執筆にあたって、ジェイムズが直接参照した確証は得られていない。しかし次元の相違や異次元同士の遭遇というテーマの共通性には着目すべきである。

『過去の感覚』では、次元の異なる人物の遭逢だけでなく、多義的な四次元思想の一端を具現化したような箇所も見受けられる。タイムスリップしたラルフは一八二〇年代の分身と立場を交換し、分身の婚約者であるミドモア家の長女モリーや母であるミドモア夫人らと会話を交わすが、会話のなかで齟齬が生じる場合にはラルフに「霊感(inspiration)」(187)が働き、それによって彼は事なきを得る。霊感が生じる理由をジェイムズは明らかにはしていないが、心霊学者たちが霊的能力などの超自然現象を四次元的出来事として説明しようとした試みを考慮に入れれば、「霊感」というアイデアと四次元思想との親和性も言及できよう。

他方、ラルフの行き過ぎた霊感に対しても四次元的な力が作用している。ラルフの霊感が必要以上に働き、例えばミドモア家の邸宅にある壺の大きさ、色、場所を言い当てた時に、突如としてラルフは「二本の強い腕で掴まれ、一瞬大きく揺すぶられた感じ」(247)を抱く。ジェイムズは、『過去の感覚』の「創作ノート」の中で、ラルフが過剰な霊感でもって分身が知り得る以上のことを知り、過去の世界に影響を及ぼす可能性のある時に、分身はラルフに「警告」(323)を与えると記している。「創作ノート」ではさらに、分身の許嫁である長女モリーでなく次女ナンに、ラルフが好意を抱くと、ラルフは分身によって「置き去りにされ、今いるところ、立場、とりわけ時代に譲り渡される」(336)という「報復」(323)まで構想されている。分身による「二本の強い腕」の介入や、過去への封じ込めという計画はラルフの歴史改変に対する警告や報復と考えられる。上島健吉はそれゆえ分身が歴史改変を許さない、いわゆる「タイム・パトロール」の役割を担っていると指摘している(558)。分身はラルフの住む一九一〇年代を生きながら、同時に一八二〇年のラルフの行動を監視する立場にあり、この超越的行為を可能にする枠組みとして、四次元的世界観が想定されよう。スロウェッチによれば、ジェイムズ後期の作品では、登場人物が作者のように、あらゆる次元の見方に触れるような思いがけない瞬間が多くなると指摘しているが(168)、作者のごとく、全てを知る分身は三次元を超越した高次元の立場にあると考えられる。

このように考察すると、『過去の感覚』は四次元時空の創出という点において、ウェルズの『タイム・マシン』と共通するが、さらに空間次元の越境や超常現象といったモチーフを織り込んでおり、多様な展開を見せた四次元思想とより多くの点で共振している。それを踏まえれば、ウェルズへの手紙の中で語ったように、ジェイムズは『過去の感覚』において、ウェルズの主題を「継承」しつつも、「似通ったところのない」ジェイムズ流のサイエンス・フィクションを執筆したと言えるかもしれない。

しかしながら、ウェルズの一連の作品がサイエンス・フィクションの古典として君臨するのに対し、『過去の感覚』がその系譜に連なることはなく、このジャンルの作品として難題を抱えていることは否定できない。ジェイムズは「創作ノート」の中で、居間の肖像画はラルフが過去を訪れた期間に描かれたラルフ自身の肖像画であると記している(346)。ゆえに両者が瓜二つとの説明はつくが、一八二〇年の過去を一度も訪れたことのないラルフが、一八二〇年にラルフをモデルとする肖像画と入れ替わり、一八二〇年の過去へと遡ることは明らかな矛盾を来している。上島健吉は、この点に関して、ジェイムズがタイム・パラドックスに陥っていると指摘している（五五八）。ジェイムズ自身もその矛盾を認識しており、デスポトポリュによると、タイムトラベルに付随する矛盾がジェイムズに『過去の感覚』を中断させ、執筆再開後もその課題を克服できず、結局、未完となったと主張している (Despotopoulou 23)。ハビランドはより端的に、『過去の感覚』は「ジャンル・トラブル」に見舞われていると断じている (Haviland 27)。また、ラルフの現代への帰還が、ミドモア家の次女ナンの彼にたいする自己犠牲的な愛による「解放」(351) との筋立ては、この作品のサイエンス・フィクション性を希薄にするであろう。

　ゆえに『過去の感覚』はサイエンス・フィクションの正典とは位置づけ難い。しかし、サイエンス・フィクションの土壌となる四次元思想の影響を受け、またウェルズ作品のテーマを承継しており、本作はタイムトラベル物語のジェイムズ的「書き直し」という側面を有している。

注

1　四次元という言葉は、ジェイムズの一八九七年の作品『ポイントンの蒐集品』で使用されている。ゲレス夫人から美術品に宿る「何か」に対して名前を付けるように言われたフリーダ・ヴェッチが、その「何か」がある世界を「一種の四次元」(249) と答え、同時にそれが「幽霊」と結びつけられており、四次元的世界が心霊研究の対象となっていた歴史的背景が反映されている。

2　『過去の感覚』を賞賛したT・S・エリオットは、一九三九年初演の詩劇『一族再会』において、「僕は朽ちかけた家です。そこには不快な悪臭と暁前の悲しみが伴っています。その中では、全ての過去が現在なのです」(Eliot 28) と記しており、グレイクはこの台詞に『過去の感覚』の影響を認めている (Gleick 201)。

引用文献

Abbott, Edwin A. *Flatland: A Romance of Many Dimensions*. Penguin Books, 1987.

Blacklock, Mark. *The Emergence of the Fourth Dimension: Higher Spatial Thinking in the Fin De Siècle*. Oxford UP, 2018.

Bostwick, Arthur E. "Four-Dimensional Space." *New Science Review*, vol. 2, 1896, pp. 146–52.

Despotopoulou, Anna. "James's *The Sense of The Past*." *The Explicator*, vol. 59, no. 1, 2000, pp. 23–25.

Edel. *Henry James, The Master: 1901–1916*. J. B. Lippincott, 1972.

Edel, Leon, and Gordon N. Ray, editors. *Henry James and H. G. Wells : A Record of Their Friendship, Their Debate on the Art of Fiction, and Their Quarrel*. Greenwood Press, 1979.

Eliot, T. S. *The Family Reunion*. Harcourt Brace, 1964.

Gleick, James. *Time Travel*. Fourth Estate, 2017.

Henderson, Linda Dalrymple. *The Fourth Dimension and Non-Euclidean Geometry in Modern Art*. Princeton UP, 1983.

Herbert, Christopher. *Victorian Relativity: Radical Thought and Scientific Discovery*. U of Chicago P, 2001.

Hutchison, Hazel. *Seeing and Believing: Henry James and the Spiritual World*. Palgrave Macmillan, 2006.

James, Henry. *The American Scene. Collected Travel Writings: Great Britain and America*. Library of America, 1993.

——. "The Art of Fiction." *Literary Criticism*. Vol. 1. The Library of America, 1984, pp. 44–65.

——. "Notes for *The Sense of the Past*." *The Novels and Tales of Henry James*. Vol. 26. Augustus M. Kelley,1976.

——. *The Sense of the Past. The Novels and Tales of Henry James*. Vol. 26. Augustus M. Kelley,1976.

——. *A Small Boy and Others*. Charles Scribner's Sons, 1913.

——. *The Spoils of Poynton. The Novels and Tales of Henry James*. Vol. 10. Augustus M. Kelley,1976.

Lubbock, Percy. "Preface." *The Ivory Tower. The Novels and Tales of Henry James*. Vol. 25. Augustus M. Kelley,1976.

——. "Preface." *The Sense of the Past*. Augustus M. Kelley,1976.

Matthiessen, F. O., and K. B. Murdock, editors. *The Notebooks of Henry James*. U of Chicago P, 1981.

Newcomb, Simon. "Modern Mathematical Thought." *Bulletin of the New York Mathematical Society*, vol. 3, 1893/94, pp. 95–106.

Pearson, Karl. *The Grammar of Science*. Walter Scott, 1892.

Przybylowicz, Donna. *Desire and Repression: The Dialectic of Self and Other in the Late Works of Henry James*. U of Alabama P, 1986.

Rawlings, Peter. *Henry James and the Abuse of the Past*. Palgrave Macmillan, 2005.

Richardson, Joan. *A Natural History of Pragmatism: The Fact of Feeling from Jonathan Edwards to Gertrude Stein*. Cambridge UP, 2006.

Throesch, Elizabeth L. *Before Einstein: The Fourth Dimension in Fin-de-Siècle in Literature and Culture*. Anthem Press, 2017.

Tintner, Adeline R. *The Pop World of Henry James: From Fairy Tales to Science Fiction*. UMI Research Press, 1989.

Waters, Isobel. "'Still and Still Moving': The House as Time Machine in Henry James's *The Sense of the Past*." *The Henry James Review*, vol. 30, no. 2, 2009, pp. 180–95.

Wells, H. G. *The Time Machine*. Henry Holt, 1895.

上島健吉「解説『過去の感覚』」『ヘンリー・ジェイムズ作品集6——象牙の塔、過去の感覚』国書刊行会、五五四—六〇頁。

高橋理樹『隣接する科学とフィクション——19世紀末イギリスにおける四次元論の展開』『文学研究論集』第二五号、二七—四二頁。

ヒントン、C・H『科学的ロマンス集』、宮川雅訳、国書刊行会、一九九〇年。

ボルヘス・J・L「序文」『科学的ロマンス集』、宮川雅訳、国書刊行会、一九九〇年。

向山毅「超空間を求めて：ウスペンスキーの奇妙な旅」『研究論集』八八巻、一三五—五二頁。

※本稿は、ＪＳＰＳ科研費「19世紀アメリカ文学とテクノロジーの交錯にみるサイエンス・フィクションの原風景」（課題番号 17K02577）の助成を受けた研究成果の一部である

5 二〇一六年アメリカ大統領選挙と人種問題
――ジョナサン・フランゼンの『フリーダム』における白人表象

川村　亜樹

はじめに

二〇一六年のアメリカ大統領選挙では、異端候補であったドナルド・トランプが番狂わせの勝利を収めた。彼は一九四〇年代に第二次世界大戦参加の是非をめぐって使われた「アメリカ・ファースト」というフレーズを復活させて反ユダヤ主義の記憶を呼び覚まし（ネルソン）、*Crippled America: How to Make America Great Again*（二〇一五）にも記されている、メキシコとの国境線上の壁建設や不法移民の排除をはじめ、戦後アメリカ社会が公民権運動などの闘争を経て形成してきたリベラルな精神を根底から揺るがす政策を掲げた。そうした人物を大統領にまで押し上げる原動力となったのは、ヒルビリー、ホワイト・トラッシュと呼ばれる労働者階級の白人とされている。

二〇一六年七月『ニュー・リパブリック』に「トランプはホワイト・トラッシュのアイコンか」との記事が掲載された（マーシャル）。九月に『アトランティック』も、近年、白人貧困層に対するこの国の見方が変化してきたという趣旨の書き出しで、大衆の間での民主党離れとトランプ人気に着目し、植民地時代から現在まで続く白人の階級問題に焦点を当てたJ・D・ヴァンスの『ヒルビリー・エレジー――アメリカの繁栄から取り残された白人たち』（二〇一六）と、ナンシー・アイゼンバーグの *White Trash: The 400-Year Untold History of Class in America*（二〇一六）を取り上げた（マクギリス）。ヴァンスは驚くべきこととして、いまアメリカで最も悲観的な集団は労働者階級の白人であり、ラティーノや黒人より悲惨だと述べている（四）。二〇〇九年にバラク・オバマがアメリカ初の黒人大統領に就任し、一九七〇年代以来唱えられてきたポスト人種[1]への期待が高まったが、皮肉にも相次ぐ白人警官による黒人青年の殺害の報道、それに続くトランプ旋風がアメリカの人種問題の悪化を浮き彫りにし、労働者階級の白人が改めて注目を浴びる新たな局面を人種問題は迎えた。二〇一六年の大統領選挙の第一回公開討論で司会者が、ここ数十年で人種問題は最悪の状態と述べたことも看過できない。

そこで本稿では、『コレクションズ』(二〇〇一)で全米図書賞を受賞し、近年のアメリカ文学の主流を形成する「白人男性作家」として、人種問題で物議を醸すジョナサン・フランゼンによる、「リベラルなアメリカの奇妙な死についての軽快で巧みな二つの心臓を持つコミック小説」(ミラー)と評されたリアリズム小説『フリーダム』(二〇一〇)における人種関係を考察したい。特に、リベラルなエリート主義の欺瞞、白人労働者階級の台頭、大学生の経済苦といった、二〇一六年大統領選挙の争点の兆候を探りつつ、ポスト人種的ヴィジョンに幻滅するなかでの白人表象について検討したい。

一　白人男性作家、ジョナサン・フランゼン

フランゼンは自己省察的、あるいは、自虐的とさえいえる、リベラルな白人男性作家として、ポストモダン以後のリアリズムの意義を探求すべく、資本主義、ジェンダー、環境などのテーマを、アメリカ中西部をホームとしつつ、グローバルな視点で問い直してきた。『フリーダム』出版の二〇一〇年、彼は「偉大なアメリカ作家」として『タイム』の表紙を飾り、『ニューヨーク・タイムズ』では、「『コレクションズ』は瓦礫のなかからそびえ立った、破壊された世界に対するモニュメントであると同時に、ポストモダニズムの支配による窒息状態を打ち破る、新たな種類の小説への道を照らす灯台である」(タネンハウス)といった称賛がなされた。だが、こうした成功を収めるなかで人種問題とも対峙し、厳しい批判にも晒された。たとえば、オバマ大統領が休暇中に本作品を読むと報じられた一方、ジョディ・ピコーやジェニファー・ウェイナーが、『ニューヨーク・タイムズ』とその取り巻きが白人男性作家を優遇していると抗議した(ウォーカー)。また、彼はオプラ・ウィンフリーのブック・クラブのセレクションを感傷的で一面的と非難し、彼女と確執した。

二〇一六年七月には、「ジョナサン・フランゼン——名声、ファシズム、そして、なぜ彼は人種についての本を書こうとしないのか」と題したインタヴューが波紋を呼んだ。彼は大統領選挙の情勢をめぐり、トランプとサンダースの台頭、そして、トランプ現象と重なるかたちでの人種問題の深刻さを指摘し、原因として、急進主義は世間が最も厳しいときではなく、人々がなんらかの期待を持たされたのに、それが実現しなかったときに起こりがちとの見方を示した。白人警官による黒人青年への暴力にも言及しており、オバマ政権が掲げたチェンジが議会の捻れなどにより骨抜きにされるなかでの、ポスト人種という理想への幻滅を示唆している。さら

に、人種に関する本を書こうと考えたことはあるかと問われ、実際には彼は、マイノリティであった、あるいは、マイノリティと化しつつある、貧困層や中流階級の白人を描いてきたのだが、自分には黒人の友人があまりおらず、黒人女性を愛したこともないので書けないと回答し、彼を中傷したい人々に恰好の攻撃材料を与えた。

とはいえ、一九九六年に『ハーパーズ』に掲載されたエッセイで、フランゼンは二十世紀後半のアメリカ文学を、

> 過去五十年、多くの白人男性たちは郊外へ、そして、沿岸部にあるテレビやジャーナリズム、映画の権力中枢へと移動した。残った大半は、民族的、文化的少数集団であった。多くの現代フィクションの活力はいまや、去っていったストレートの白人男性によって取り残された建物へと移ってきた黒人、ヒスパニック、アジア系、ネイティヴ・アメリカン、ゲイ、そして、女性のコミュニティのなかにある。
> （「パーチャンス・トゥ・ドリーム」三九）

と捉えていた。遺棄された文壇で、逆説的にストレートの白人男性作家はマイノリティとなり、その結果、労働者階級を含め、白人がメインストリームの文学作品に登場する機会が減少したとすれば、そうした新たな人種関係が展開する状況で、苦悩する白人ばかりを白人男性作家が描いても許されるのではないか。フランゼンによる白人表象は、「グレート・マジョリティ」として白人の社会的権威を形成、維持、あるいは、復活させるためではなく、『ホワイト・トラッシュ』が明るみにした四百年に及ぶ「持たざる者」の歴史的文脈を踏まえて、マイノリティとしての白人の視点で、現在のアメリカ社会における人種関係の診断を試みることに他ならない。

二　リベラルなエリート主義と保守的な白人至上主義の狭間で

二〇一六年の大統領選でヒラリー・クリントンが積極的に応援されなかった理由として、メール問題や体調不安もさることながら、経済格差が縮まらず、ポスト人種的社会を期待させながら議会の捻れに苦しんだオバマ路線の継続では社会変革が期待できず、上品ではあるが欺瞞に満ちた、リベラルなエリート主義には辟易する、といった点を挙げることができるだろう。こうした非難は『フリーダム』にもすでに現れており、トラウマを抱え自分の殻に閉じこもるパティが精神的リハビリのために自伝を執筆するという、作品全体の語り

の構造や、リベラルなエリートの両親による彼女への裏切りで示唆されている。

本作品の語りについてフィリップ・ワインスタインは、「パティに語らせたのは、フランゼンにとって重大で、それはエリート集団の発言、特権的な人々の洞察、特別な人々からなる象牙の塔から降りることを意味する。本作品で彼が求めるのは、パティの「誰でもない」語りで、というだけでなく、カジュアルで大衆的なリズムで、さりげない散文で世界全体を描くというものだった」(一五四)と分析している。大学時代バスケットボールの練習に明け暮れ、卒業後ビジネスキャリアを積む道を選択しなかった語り手の文章を装う、洗練されていない文体に対し批判的な見方も可能だろう。だが、文学理論に精通した権威ある作者フランゼンから、平凡な主婦パティに語りが委ねられることで、エリート主義への抵抗が示されているともいえる。また、その語り手は一人称と三人称の間を揺れ動き、家庭崩壊の危機に瀕して自分だけの空間に閉じこもりつつも、夫や息子が関わる、グローバル社会を背景とする政治や経済活動を批判的に描き、自閉的空間からリベラリズムの挫折を露呈する、綺麗事では済まされないリアリズム的世界が展開する工夫がなされている。

さらに、フランゼンはドン・デリーロからもらった手紙で、「書くことは個人の自由の形式であり、われわれを取り巻くあらゆるものが形成されていく際に目撃する集合的なアイデンティティからわれわれを解き放つ。結局、作家は文化の下部にいる無法者の英雄になるためではなく、主として自分たちを救い、個人として生き残るために書く」(「パーチャンス・トゥ・ドリーム」五四)という点に興味を抱いている。ユダヤ人のハーフであるパティは、苦悩の人生を綴るなかで、民族的出自は宗教を信じる人のもので、自身には関係ないとする。彼女が意識から民族的記憶を完全に抹消できないように、歴史的に構築された集合的アイデンティティは強力だが、その状況を甘受するわけでもなく、執筆によって交渉する個人の政治的態度は、リベラルなポスト人種的理想が挫折する状況と向き合う際に一つの示唆を与えるだろう。

また、「私が関心を持つ文学、そして、生み出したい文学は、われわれの表層的な営みの表面を剥ぎ取り、その下にある熱いものを掘り出す」(バーン)というフランゼンの言葉を体現するように、パティは周囲から「あの愛想のよさそうな上っ面をガリガリやってみたら、下からびっくりするほど手ごわくて、利己的で、負けず嫌いで、レーガン主義的なところが出てくるかも」(七)と見られている。そうした彼女の別の一面を産み出しているのは、民主党の政治家で、ユダヤ系の母ジョイスと、人種的マイノリティを法的に援助してきた弁護士の父レイが体現する、ポスト人種を期待させる、リベラルなエリート主義に対する幻滅である。

ブルックリンの貧しいユダヤ系の娘で、その民族的出自が嫌でたまらなかったジョイスは、政治家になる道のりで自身をエリート視するようになる。そして、「ただ相手を打ち負かすのが楽しいなんて理解できない。みんなで作業をして、協力して何かを作り上げる方がはるかに楽しい」(三〇)という理由でスポーツを嫌い、娘が活躍するバスケットボールの試合を一度も見に行こうとしない。

また、作品終盤、レイが癌で亡くなり、壮大な葬儀が執りおこなわれ、「後ろの列は恵まれない人たちでぎっしり、百人以上はいただろう。多くは黒人、ヒスパニック、その他の民族のひとたちで、[……]レイに受けた恩に手短に感謝の言葉を述べた。命の恩人です。不当な判決から救ってくれました。本当によくして頂きました」(五一四—一五)と、リベラルな活動への偉業が称えられる。だが、この人権派弁護士は、人種的マイノリティのために戦えても、かつてパティをレイプした権力者の息子イーサンを、勝ち目がないといって訴えない。この事件への父の対応は、彼女に消去不可能なトラウマを与え、こうした裏切りと、レイの死自体がリベラルな理想の限界を暗示する。

とはいえ、パティは欺瞞に満ちた両親のリベラルなエリート主義的態度に距離を取りつつも、保守的な労働者階級の白人を代表する隣人のモナハン家に対しても政治的に共感しない。不倫の末シングルマザーとなったキャロルは労働意欲がなく、パティたちに依存する生活力のない持たざる者だった。そんな彼女の前にヤギ髭を生やした重機操縦者のブレイクが現れ、ピックアップに乗って「通りの端から端までアンセムロックをズンズン響かせ、[……]バイキングスのジャージに紐をほどいたワークブーツ、手には缶ビールといった恰好でずるずる歩き回った。しばらくすると、チェーンソーで裏庭の木をすべて切り倒し、借りてきた掘削機で大暴れした。愛車のバンパーには「白人の一票は白人のために」なる言葉が見られた」(十七)。パティはブレイクを白人至上主義者とみなし、木の伐採に抗議するだけでは収まらず、彼の車のタイヤを切り裂く。九・一一を経験したブッシュ政権期を時代背景とする本作品において、アメリカ車を代表するピックアップに宗教ロックを爆音で垂れ流す様は、砂漠に展開する戦闘車両を連想させる。また、木の伐採は「不都合な真実」を訴え続けたアル・ゴアから、グリーン・ニューディールを推進したオバマへと続く環境保護政策の否定を暗示し、こうした共和党を支持する粗野でマッチョな白人優越主義者にもパティは怒りを感じる。それゆえ、彼女の苦悩はクリントンとトランプという選択肢を与えられる中流階級の白人の嘆きと、新たな政治的ヴィジョンの必要性を予兆している。

三　ヒルビリーの反逆

パティが苦悩する一方で、夫ウォルターは、リベラルなエリートの欺瞞や挫折を自ら演じる。生活力のない父親のせいで学生時代は貧困に苦しんだが、カネには執着しない理論先行型の「善人」、特に、「グリーンピースよりグリーン」(三三)なフェミニストとして、野鳥保護や人口抑制などの環境保護に取り組む。だが、リベラルを貫くジョイスが、「ウォルターってかなり保守的っていうのかしら、いや、保守的っていうのも正確ではないけど、ただ実際、民主主義のプロセス、草の根から政治を動かす、誰もが繁栄に与れる、といった観点でいうと、独裁とも違うけど、そう、ほとんど保守的」(一二三)と見透かすように、パティ同様に保守的な裏の顔を覗かせる。事実、ワシントンに移り住み、ネオコン系のトラストが推進する、野鳥保護の名目での炭鉱開発事業の陣頭指揮を執り、ウエストヴァージニアの森林を破壊する。そして、その事業をめぐり現地のヒルビリーによる反逆に遭い、醜いエリート主義を曝け出す。

ウォルターの思想が現実にそぐわない独善的な戯言であることは、ビジネスキャリアに関心のない妻に外で働くよう促し、彼女がスポーツクラブの受付係に就いても満足せず、挙句の果て、彼以上に有能なベンガル人の部下ラリーサと不倫することで示される。また、人口抑制の話で意気投合する二人が食事しているところを、「黒い女が好みなのか」と白人の男に絡まれたウォルターは、「彼女はアジア系だ」とアフリカ系とアジア系に境界線を引くだけでなく、「白人で三十前後、顔に貧しさが染みついている」(三一〇)とその相手を見下す。こうした言説が彼を支配しており、「森林伐採、炭鉱労働、産業化以前から脱工業化時代に至るまで、残り物の土地から生計をこそげとるような暮らしを強いられた彼らは、[……]びっしり世代の詰まった巨大家族で埋め尽くした。ウエストヴァージニアはこの国のバナナ共和国、内なるコンゴ、ガイアナ、ホンジュラスなのだ」(三三七)とすら表現する。貧困が蔓延し、出生率が高いとして、ウエストヴァージニアを人口爆発に直面するアフリカに喩えて非難し、一見、上品で正義を装うエリートの白人男性に潜む、ラディカルな環境保護思想に、階級と人種差別が絡み合ったグロテスクな一面を露にする。

他にもウォルターは、「高い出生率、石炭産業による支配、キリスト教原理主義者の多さ、そして、二〇〇〇年の選挙でジョージ・ブッシュを有利にした責任に対してウエストヴァージニアを恥じ入らせてやろう」（四九五）と繰り返しヒルビリーたちを非難する。その根底には開発事業における、彼に対する現地民コイル・マシスによる、「プア・ホワイト的な理不尽さと憤怒は、ウォルターの存在そのものへの攻撃だった」（二九八）という確執がある。結局、事業用地の買収は成功し、見返りに経済援助として作られたイラク戦争用の防護服工場の竣工式典で、ウォルターはマシスらを前にして「ようこそ中流階級の世界へ！」（四八三）という言葉ではじめ、環境破壊について思いのたけを語り、「われわれ人間はこの惑星の癌だ！」（四八四）と絶叫したところで、暴徒と化した群集に殴り倒され病院送りにされる。このシーンには労働者階級の白人を諸悪の根源とみなす知的エリートの傲慢に加え、トランプ旋風が起こる兆候を読み取れる。

さらに、ウォルターのフェミニズムの偽善性は、大学時代のルームメートで、ロックミュージシャンのリチャード・カッツとのホモソーシャルな関係でも示される。ただし、二人は対照的な存在で、ブッシュ政権を非難する点では共感しつつも、潔癖症のフェミニストであるウォルターが反面教師として新たなリベラルの可能性を問う必要性を体現する一方、女癖の悪い未婚のリチャードは共和党の改革を考える。その一端は、彼が音楽活動を一時休止し、マンハッタンの資産家宅のデッキ造りの仕事をしているときのザカリーに対する「自分自分自分、買って買って買って、パーティパーティパーティ。自分だけの小さな世界に座って、目をつぶって、体を揺らして。俺が言おうとしているのは、俺たちはもうすでに完璧な共和党のお手本ってことさ」（二〇二）という発言から窺える。だが、保守的な白人にとって都合の良い、パーティに明け暮れるホットでホワイトな未来、「自分だけの小さな世界」は、九・一一が言及される本作品では支配的ヴィジョンとは言い難い。

さらに、リチャードはワシントン行の列車で、完全なプライバシーを確保すべく、周囲の世界がぶつけてくる音をすべて消す、ホワイトノイズを加工した「ピンクノイズ」が流れるヘッドホンをするが、他者なる白人カップルからの挑戦を受ける。

乗ってきたのは二十代前半の白人カップル、どちらも白いTシャツを着て、つやつやの紙コップに入った白いアイス

> クリームを食べながら、空いたばかりの一つ前の席に腰をおろした。Tシャツのどぎつい白さがブッシュ政権の色に見える。すぐにねえちゃんの方が彼のスペースに座席を倒した。そして数分後、アイスクリームを食べ終えると、カップとスプーンを座席の下に放りこんだ。これがカッツの足に命中。（三四九―五〇）

色のついたノイズに包まれた世界を実現しようとする行動は、白さを強調する白人カップルが体現する、横柄で自己中心的な白さの集合的アイデンティティ、ブッシュ共和党から個人として距離を取ろうとする政治的態度である。その一方で、共有空間での彼らの接触により、リベラルと保守のイデオロギー交渉が展開される。こうしたウォルターとリチャードの物語は、ブッシュ政権への非難が支配的言説を形成していた二〇〇〇年代のアメリカ文学、思想のトレンドを反映しつつ、リベラルな理想主義者たちを現実に引き戻し、保守層の白人の存在を前景化する。

四　白人大学生の経済苦

ジョイスとレイの世代で掲げられた、ポスト人種を目指すリベラルな理想が、パティとウォルターの世代では現実へ引き戻される歴史的プロセスをここまで見てきたが、二〇〇一年にヴァージニア大学に入学する彼らの息子ジョーイの世代ではどうだろうか。彼が好むラッパーが白人のエミネムではなく黒人の2パックのように、表面的にはポスト人種を反映しているように見えるが、マジョリティの白人が持っていた社会的特権が、半ば剥奪されつつあるなか、経済的に困窮を強いられる白人の大学生がリベラルな価値観をそのまま受け入れるのかどうかは興味深い。

人種関係に関する認識について、親と子の世代を比較してみると、ストリートの黒人の若者は、パティにとっては自身の人生に直接関わりのない、「話で読んだことしかない黒人の怖そうなお兄さんたち」（一一一）だが、ジョーイの世代では2パックといったラッパーとなり、大学のシラバスで目にするトニ・モリスンの『ソロモンの歌』は彼に感動を与える。また、叔母アビゲイルのマンハッタンのアパートに滞在中、下水が詰まった際に駆けつける管理人ヒメネス氏に「ヒスパニック系」という形容詞が付かない一方、彼が誤って指輪を飲み込んで駆け込んだ病院では、「白人」の若い医師が対応し、アイデンティティ表記をめぐる逆転現象が起こる。

さらに、イスラエル系の女優ナタリー・ポートマンのポスターを飾る、ジョーイの大学のルームメートで裕福なユダヤ人のジョナサンが執拗に出自を語るなかで、民族的アイデンティティの消去不可能性が示される。そして、ジョナサンの美人の姉ジェナを諦めて、高校時代同棲をしていた、隣人キャロル・モナハンの娘でウェイトレスのコニーとの結婚を決意する際には、ユダヤ人のクオーターとして自民族を裏切る感覚を持つ。また、「ホットドッグのマスタードのシミだらけの白いTシャツ」（四一七）を着た彼が結婚指輪を買うために入った宝石店は、ニューヨーク四七丁目にある、盛装したユダヤ人が経営する店だが、四七丁目はアメリカ独立記念日を仄めかす。このように、染みのついた白いTシャツが象徴するように、ジョーイの身体上では、依然としてユダヤ人と中西部出身の白人としてのアイデンティティがせめぎ合っている。

その一方、善人ぶった両親の挫折を目の当たりにしてきたジョーイは大学生活において、ウォルターに隠れてパティが援助しなければならないほど経済的に困窮するなかで共和党支持に傾く。そもそも彼は、「アル・ゴアとウェルストーン上院議員へのクラスメートたちの熱狂に彼が向ける、気に障る笑み、リベラリズムは自慰に匹敵する悪癖だとでも言いたげな顔つき」（二二五―二二六）のように、アル・ゴアが象徴する環境保護を掲げたリベラリズムを見下し、「強い」保守を欲望する。

そして、廃品同様の戦争用車両を調達する、イラク戦争に関わるいかがわしい事業での儲け話をウォルターに打ち明ける際には、「共和党の薄笑いを浮かべて座っていた。ウォール街の笑いだ。古臭いモラルに囚われた、間抜けで世間知らずの父親は大目にみてやろう、自分の方が世間のことが良くわかっている」（三二六）との態度を取る。九・一一が発生したときも、周囲の学生が二手に分かれて政治的議論を白熱させるのを冷ややかに眺めていたことを含め、一見すると、血の通わない歪んだ拝金主義者に見える。だが、こうした態度を生み出した背景には、彼が生きる空間でますます支配的になる新自由主義的な経済とともに、

母はお高くとまって、キャロルとブレイクを馬鹿にし、彼らと一緒に暮らしているだけでコニーのことも良く思っていない。彼女は頭から、彼女より生い立ちが恵まれない白人の趣味や意見について、ジョーイ含め、正しい考えを持っている人なら分かっていると思い込んでいる。ジョーイにとって共和党のいいところは、リベラルな民主党のやつらのように人々を見下してないところだった。共和党員も

リベラルを憎んでるけど、先に民主党員が目の敵にしたからだ。（三九三）

というスノッブな親への反感もあった。彼にとって、先に自分より社会的立場の低い人々を見下す態度を取ったのは民主党側であり、新自由主義のもとでの階級意識に嫌悪感を覚える彼は、報復的反抗として両親を見下そうとしたわけである。国民誰一人見捨てはしないとトランプが大統領就任演説を締めくくった点に繋がる、エリート主義への反感の高まりを彼は体現している。

また、「二度目の大統領選挙公開討論の司会者が、アル・ゴアがどれほど嘘つきか追求しなかったのはアホ。ミネソタの勤労者の血税を使って、不法移民のメキシコ人や生活保護の税金泥棒に先端医療をタダで受けさせているのもアホ」（二四六―四七）と、リベラルを嘘つきと呼び、医療制度に対する中流階級の白人の素朴な意見と絡めて、「不自由なアメリカの再生」を目指すトランプが取り上げた不法移民問題にも言及している。こうしてみると、本作品の時代背景から見て近い未来に、大学生として経済苦を抱え自由を求めていた白人が魅了されるであろう政治選択は、ヒラリー・クリントンが体現するリベラルなエリート主義や、バーニー・サンダースが掲げた州立大学の授業料無償化ではなく、労働者階級の白人の不満を代弁するトランプ主義ということになるかもしれない。ただし最終的にジョーイは、自身が関与した軍事ビジネスに倫理的責任を感じて足を洗い、オバマのステッカーを貼ったプリウスに乗る父の紹介で始めた南米でのコーヒー栽培ビジネスで、ボルボを購入できるほど成功しており、従来のリベラル、保守に囚われない政治選択の新たな可能性の萌芽を示唆する。

とはいえ、本作品は五百頁以上にわたって政治談議をしたにもかかわらず、結局、具体的な政治的メッセージを示さず、白人家族の小さな世界で、夫と妻、父と息子が安易に折り合いをつけてしまう。こうした美談に対し、フランゼンは「鏡でしかなく、ランプではない。彼は全体像を詳細に、真に心理的な洞察をハイパーリアルな肖像画に置き換えた。［……］叙事詩の代わりにソープオペラを作った」（フランクリン）といった批判もある。だが、ここまで見てきたように、リベラルなエリート主義の裏切りによって苦悩に苛まれる主婦の語りをとおして、少なくとも、二〇一〇年代のアメリカ社会における最重要課題である人種関係の新たな動向や、トランプ台頭をもたらす状況を予兆的に描いている点では、リアリズム小説としての役割を十分に果たしたはずである。

またフランゼンは、「私には社会小説のアイデアがあって、それがすでに時代遅れだとは思っていなかった。むしろ素朴に、もし私が巨大システムがどのように作用しているか捉えることができたら、読者はそのシステムにおける自身の場所をより理解でき、より良き政治的決断ができると信じていた」(バーン)と語っており、脱構築を織り込んだ文学であれば当然のこととして、作者による社会問題に対する具体的な解決策の提示は許されるはずはなく、政治選択は読者に委ねられる。フランゼンのリアリズムは大文字の歴史の存在を想定しつつも、システムの支配を暴いて革命を起こすというより、その歴史を探し求めるプロセスのなかでのリアリティをともなった個人の生のサバイバルに重点を置いているように見える。彼は、「悲劇的リアリズムは、その信奉者を有能な楽観主義者にする逸脱効果を持っている」(「パーチャンス・トゥ・ドリーム」五四)とも述べており、『コレクションズ』ではアルツハイマーのアルフレッドが妄想で自身の排泄物に襲撃され、『フリーダム』ではジョーイが誤って飲み込んだ指輪を取り戻すため自身の排泄物に手を突っ込むように、まさに人間の暗部をコミカルに描き出し、緊張感を孕みながら悲劇に笑いを添えて、生きる望みを紡ぎ出そうとしている。

おわりに

フランゼンは三世代にわたる白人家族を描いた『フリーダム』で、白人から見た二〇世紀後半から二〇〇〇年代までの人種関係の変遷を前景化しながら、リベラルな価値観を自己批判的に問い直し、二〇一六年大統領選挙を特徴付けた現象、特に、トランプ現象を引き起こした白人をリアリズム的手法で予兆的に描いた。二〇一〇年代、アメリカ政治、そして、アメリカの人種関係は新たな局面を迎えており、その鍵を握るのは、ずっとマイノリティであった、あるいは、マイノリティになりつつある白人であり、本作品で浮かび上がってきた人種関係は、人種という概念自体が無効になる世界のものではなく、中心を欠いた分裂的な状況に陥って、より複雑な問題を抱えている。自身をマイノリティ作家と認識する異性愛者の白人男性作家が、半世紀を越える人生において黒人とほとんど私的関係を持ったことがないという理由で黒人を描けないことが、なによりその状況を示している。

註

1　人種的偏見や差別のない世界を目指すもので、一九七一年『ニューヨーク・タイムズ』では、人種関係が、人口増加、産業発展、経済変動によってじきに取って代わられると予期されていた（ウーテン　二六）。

引用参考文献

Burn, Stephen J. "Jonathan Franzen, The Art of Fiction No. 207." *Paris Review*. Winter 2010. Web. 10 Mar. 2018.

Chotiner, Issac. "Jonathan Franzen on Fame, Fascism, and Why He Won't Write a Book about Race." *Slate.com*. 31 July 2016. Web. 10 Mar. 2018.

Franklin, Ruth. "Impact Man." *The New Republic*. 23 Sept. 2010. Web. 10 Mar. 2018.

Franzen, Jonathan. *Freedom*. New York: Farrar, Straus and Giroux, 2010. Print.

——. "Perchance to Dream: In the Age of Images, a Reason to Write Novels." *Harper's*. Apr. 1996. 35–54. Print.

——. *The Corrections*. New York: Farrar, Straus and Giroux, 2001. Print.

Isenberg, Nancy. *White Trash: The 400-Year Untold History of Class in America*. New York: Viking, 2016. Print.

MacGillis, Alec. "The Original Underclass." *The Atlantic*. Sept. 2016. Web. 10 Mar. 2018.

Marshall, Sarah. "The White Trash Theory of Donald Trump." *The New Republic*. 6 July 2016. Web. 10 Mar. 2018.

Miller, Keith. "Freedom by Jonathan Franzen." *The Telegraph*. 24 Sept. 2010. Web. 10 Mar. 2018.

Myers, B. R. "Smaller Than Life." *The Atlantic*. Oct. 2010. Web. 10 Mar. 2018.

Nelson, Libby. "'America First': Donald Trump's slogan has a deeply bigoted backstory." *Vox*. 1 Sept. 2016. Web. 10 Mar. 2018.

Tanenhaus, Sam. "Peace and War." *The New York Times*. 19 Aug. 2010. Web. 10 Mar. 2018.

Trump, Donald J. *Crippled America: How to Make America Great Again*. New York: Threshold Editions, 2015. Print.

Vance, J. D. *Hillbilly Elegy: A Memoir of a Family and Culture in Crisis*. New York: Harper, 2016. Print.

Walker, Tim. "Freedom, by Jonathan Franzen." *The Independent*. 16 Sept. 2010. Web. 10 Mar. 2018.

Weinstein, Philip. *Jonathan Franzen: The Comedy of Rage*. New York and London: Bloomsbury, 2015. Print.

Wooten, James T. "Compact Set Up for 'Post-Racial' South." *New York Times*. 5 Oct. 1971. 26. Print.

※本稿は二〇一六年一〇月二日にノートルダム清心女子大学で開催された、日本アメリカ文学会第五五回全国大会、シンポジアI「大統領選挙とアメリカ文学」での研究発表「「不自由な」アメリカの再生」に加筆修正したものである。

6 "I See Me Dead"
——『武器よさらば』に横たわるキャサリン・バークレーとイーディス・キャベル

畠山 研

1 序

アーネスト・ヘミングウェイの『武器よさらば』では、語り手フレデリック・ヘンリーとヒロインのキャサリン・バークレーの恋が燃え上がる中盤、彼女が自分の死を想像する場面がある。「雨がこわいのは、ときどき雨のなかで死んでいる自分が見えるからなんです」(*A Farewell to Arms* 一一〇)。一見しただけでは、これは物語の悲劇的な結末を暗示するようであり、実際、最後にキャサリンは帝王切開の手術で死んだあと、外では雨が降り続いている(*FTA* 二八四)。一方、本稿では、「死んでいる自分が見える」と言うとき、それは当時の実在の看護婦イーディス・キャベルを思い出させることを考えたい。[1] キャベルは『武器よさらば』の背景である第一次世界大戦の勃発から一年後の一九一五年、ベルギーで救急看護奉仕隊(一般にVADと略されるVoluntary Aid Detachment)の一員として傷病兵の救護に励みながらも密かに兵士たちの逃亡を手助けした罪で現地を占領していたドイツ軍に処刑された。白衣の天使の処刑は反ドイツ感情を高める目的もあって連合国側に広まり、そこではポスター、ポストカード、リーフレット等で女性の横たわるイメージが氾濫した。[2] 日本ではあまり知られていないものの、キャベルは今でもフローレンス・ナイチンゲールに次いで歴史上有名な看護婦の座にいる。[3]『武器よさらば』のキャサリンが雨のなかに倒れている自分の姿を想像するとき、それはこのキャベルが横たわるイメージと奇妙にも重なり合うのではないか。

本稿は、キャサリンがこの雨の死の想像でキャベルと重なることを指摘するとともにそのほかの場面でも類似するように描かれていることを確認し、『武器よさらば』再読の機会としたい。これまでの研究でもキャサリンはさまざまな視点から考察されてきたが、彼女が自分の死を思うときにキャベルを喚起させることはまだ十分論じられておらず、レスリー・A・フィードラーが「物語で死ぬのは、フレデリックの看護婦、キャサリン・バークレーで、これはありそうもないが、戦争の最中に死んだキャベルの伝説がつきまとっていた時代にはよく合っている」(Fiedler 一〇八)と述べただけである。一九一七年のフレデリックとキャサリンの出会いからはじまる物語にはキャベルが処刑された二年前の事件へ遡って言及する場面はなく、[4]作者ヘミングウェイもキャベルについて特に目立った発言を残しているわけではない。加えて、キャサリンの形成には「きわめて大きな役割を果たしたことは間違いない」(日下 一一)と言われるほどのモデルとしてヘミングウェイがイタリア戦線の入院先で恋に落ちた看護婦アグネス・フォン・クロウスキーの存在もあり、『武器よさらば』でキャベルの影響は論じられにくいように思われる。一方、本稿では、キャサリンはアグネスただ一人だけでなくキャベルもまた思い起こさせること、それによりキャサリンには法に背く罪への罰もかまわず行動したキャベルと同じ側面が付与されることを考えたい。そのとき、フレデリックと出会う前にすでに戦争で婚約者を失っていたキャサリンは同じ悲劇を繰り返さない目的で新しい恋人を戦場から逃がそうとする反戦的な人物として読み直されるのである。

2 『武器よさらば』に横たわるキャサリン

『武器よさらば』でキャサリンが「雨のなかで死んでいる自分が見える」と言うところは、第二部一九章、イタリア軍に身を置き負傷兵を運搬する任務に就くフレデリックが戦場でオーストリア軍の爆撃に被弾し、足を負傷したあと、入院先のミラノの病院で彼女と再会し、外を歩けるようになるまで回復したときの様子を描く一場面にある。


「どうして雨がこわいのかな」

「わかりません」

「教えてくれないか」

「やめてください」

「教えてくれ」

「いやです」

「言ってくれ」

「わかりました。雨がこわいのは、ときどき雨のなかで死んでいる自分が見えるからなんです」


(*FTA* 一〇九—一一〇)

先に述べたように、キャサリンは雨がこわい理由を簡単に明らかにせず、フレデリックに何度も聞かれたのち、ようやく口にする。それは自分の死が見えるからという不吉な内容であり、『武器よさらば』の悲劇的な結末の暗示と考えることができる。物語の終わりでは「キャサリンは死なない。この時代にお産で死ぬなんてない」（*FTA* 二七四）と自分に言い聞かせるフレデリックを嘲笑うかのように、キャサリンは陣痛に苦しみながら絶命し、帝王切開で救おうとした赤子もすでに死んでおり、彼は独りで雨の降り続ける世界に残される。キャサリンのこの発言について、一例として『ヘミングウェイ大事典』では次のような説明がある。「本作品［『武器よさらば』］においては、第一章の弾薬で軍服の腹がふくらみ、まるで兵士が妊娠しているように見えたり、あるいはキャサリンが雨の中に自らの死を見たり、象徴性が物語の先の展開を先触れしているのである」（高野「武器よさらば」一五）。物語でキャサリンが「わたしたちは奇妙な生活を送ることになる」（*FTA* 二三）という「予言めいた発言」（平井　一一六）をすでにしていたことも踏まえると、「死んでいる自分が見える」という言葉もそれと同じ類の一つのようであり、そのほかでは前田一平が「これまでに批評家が関心を払わなかったテキストの細部、特に無意味に思えるようなキャサリンの些細な言動（せりふ）に着目する」（前田　三二一三）ときでも考察されていないように、そこまで注意を引く一節ではない。

　しかし、キャサリンが「雨のなかで死んでいる自分が見える」と言うとき、それは第一次大戦中に処刑されたキャベルを知るものにとってその横たわる姿を思い出させるものである。キャベルは、イギリスで牧師の娘として中産階級に生まれ、三十代で看護婦の資格をとり、病院勤務を経験し、中年にさしかかるとベルギーで新設される看護学校長の職に就くことが決まるのだが、ちょうどそのとき、大戦が勃発し、赤十字に尽くすことになり、先述したとおり、その地で処刑された。キャベルの罪は反逆罪であった。彼女はベルギーが陥落して帰国命令が出たあとも現地で救護を続ける一方、内密に負傷兵を匿うという依頼を引き受け、それをきっかけに対独レジスタンスに参加し、ドイツにとって敵である連合国側へ兵士を逃亡させる目的で、傷の手当て、食事、宿の費用の捻出を続けた。兵士を希望の地へ帰還させるという行ないは何より傷ついたものを等しく手当てする看護婦としての精神の延長でもあったが、結局、その罪はベルギーを占領していたドイツ軍の知るところとなり、彼女は罰として銃殺されてしまう。非戦闘員の看護婦の処刑は衝撃的なこととして世界中に知れ渡り、イギリスでは多くの志願兵が集まり、中立を保っていたアメリカでは国が参戦に踏み切るほどであったが、[5]その背後にはキャベルが反ドイツの感情を高めるプロパガンダのもとで広められた事情もあり、当時、連合国側のあらゆる場所でキャベル事件を伝える白衣の天使の横たわるイメージが氾濫した。本稿で掲載した図1はその代表で、ローランド・ライダーは「パリで印刷され、たちまちベストセラーとなる」（Rider 三三一）と紹介している。『戦う女、戦えない女』で林田敏子は本稿で掲載した図のほかにもイギリス自治領や植民地で絶えなかったキャベル事件を思わせるポスター等を取り上げ、次のように指摘する。「カヴェルは、処刑されたとき、制服ではなく私服を着用しており、年齢も五〇歳に達していた。しかし、処刑のシーンを描いたポスターや絵ハガキでは、カヴェルは白衣を着た、垂れ髪の若い女性として登場する」（林田　六二）。この指摘のとおり、キャベルはその処刑を描かれるとき、実年齢を感じさせず、若い女性にされている。そのような若い看護婦の横たわる姿こそ『武器よさらば』で「雨のなかで死んでいる自分が見える」と言うキャサリンの想像とよく類似するのである。

　キャサリンがキャベルを思わせる可能性を考えると、ほかにも見逃せない場面がある。自分の死が見えると言っていたときと同じ章でキャサリンとフレデリックは以下のように話を続ける。

「ときどきあなたが死んでいるのも見えます」
「そっちのほうがありそうだね」
「いいえ、それはありません。だってわたしはあなたを安全にできるんですから。できるとわかります。でも、誰も自分自身を守ることはできません」（*FTA* 一一〇）

この会話でキャサリンはフレデリックの死もまた想像する。砲撃により負傷したばかりのフレデリックは自分のほうが戦場ではるかに死に近いという実感とともに「そっちのほうがありそうだね」と返答するが、それに対するキャサリンの

図 1 Ryder, *Edith Cavell*, p. 331

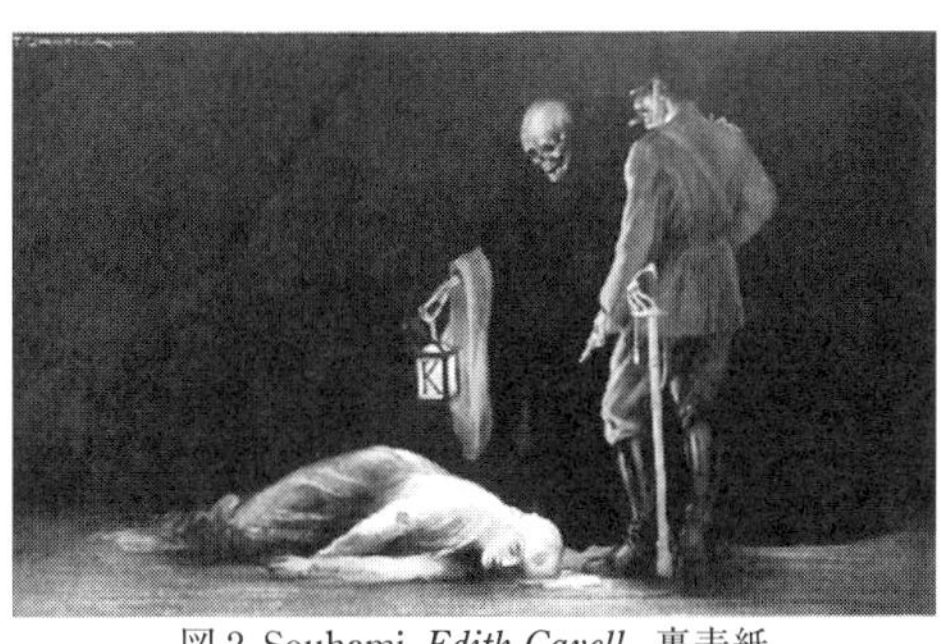
図 2 Souhami, *Edith Cavell*, 裏表紙

「いいえ、それはありません。だってわたしはあなたを安全にできるんですから」という言葉は彼女がキャベルと重なることをほのめかすもう一つのヒントである。フレデリックを安全にできるという言葉は傷ついた兵士たちを匿い安全な場所に送ろうとしたキャベルの態度と共通する。キャサリンは「できるとわかります」と続けて、フレデリックを守ることを強く主張し、その意志はのちにこの世界大戦と「単独講和」（*FTA* 二一二）するフレデリックに対して「あなたを逮捕できないところへ連れて行きます」（*FTA* 二一八）とさえ言わせてより具体的な犯罪行為であるスイス逃亡への手助けへ自身を突き動かすことにもなるが、そのような意志を見せるとき、それはそのまま兵士を逃がそうとしたキャベルを思い出させる描写となり、キャサリンがみずからそう発言するところには国家への反逆罪にもなりかねない振る舞いに彼女が意識的であることが示唆されるのである。

3 「武器よさらば」させるキャサリン

こう考えるとき、では一体どのようにキャサリンはフレデリックを戦場から逃がそうとするのかという点に注目できる。一般的に『武器よさらば』ではキャサリンは不道徳であることの罪、“sin”を問われることが多く、フレデリックと婚前交渉するさまにはキャベルの逃亡手助けのような“crime”の性質を含む犯罪行為が目立つことはない。たとえば、二人が初めて出会う場面では今は亡きフィアンセの話をする場面がある。


「長く婚約していたのですか」

「八年です。幼なじみで」

「なぜ結婚しなかったんですか」

「わかりません」キャサリンは言った「おろかだったと思います。彼にあげてしまえばよかったんですけど。でも彼に悪いかなって思ったんです」（*FTA* 一六）

この引用ではキャサリンは結局のところフィアンセと結婚しなかったことを明かす。高野泰志が指摘するように、この二人の会話で「結婚」という言葉は「制度上の行為を指しているのではなく、明らかに肉体関係を持つことの隠喩として用いられている」（高野『神との対話』九六）。「彼にあげてしまえばよかったんですけど」(“I could have given him that anyway”)と言うとき、その“that”が彼女の身体あるいは婚前交渉の機会を意味するとすれば、それをなかなか与えなかったキャサリンは当時のモラルに従順な女性であったと推測できる。同じ態度はほかにも物語の前半で彼女が軽々しく近づこうとするフレデリックに平手打ちし、それを謝るときに自分も含めて看護婦が非番には兵士と戯れがちであると思われたくなかったと言って道徳観を備えていることを見せる場面にも見られるが（*FTA* 一二一）、モラルを重んじることは当時めずらしいことではなかった。アンジェラ・ホールズワースは当時の男女関係のについてわかりやすい一例を紹介している。「交際中のカップルは暗い玄関先でキスするか、まれに二人きりの瞬間に慌ただしく抱擁する機会があるだけだった」（Holdsworth 一三六）。そもそもＶＡＤに志願した女性たちは一般に「中流以上の階級に属する教育のある女性たち」（荒木 八）であったことも考慮すると、キャサリンも例外に見えず、フィアンセがいたとしても純潔を守り続けたに違いない。そのようなキャサリンだからこそ、かつての自分と違って今ではフレデリックとたちまち親密になり、フレデリックの入院先の夜間勤務に積極的に手を挙げ、そこで婚前交渉を繰り返すとき、そして、「わたしたちはもう結婚しているわ。これ以上結婚したって気にはなれないでしょう」（*FTA* 九九）と言って自分たちの関係を正当化しようとするとき、彼女は道徳的に罪深い人物として印象づけられる。

だが、注意すべきはキャサリンが自身の不道徳さの結果として戦時の法に触れるかもしれない状況に達すること、フレデリックを戦場から逃がすように導くことであり、その点で彼女はキャベルと同じ“crime”を犯すという見方も可能である。キャサリンは戦争中という今このとき恋愛を手段としてフレデリックを前線から離脱させるように駆り立てる。例として、フレデリックは物語の第三部三〇章で野戦憲兵にスパイであると疑われて強引に裁かれるという危機から脱するときに空腹を満たしたいという根本的な欲求とともにキャサリンと「寝る」ことを精神の支えにして生き残ろうとする。

> 考えているときではなかった。腹を満たしたかった。そうだ、それがいい。食べて飲んで、キャサリンと寝る。きっと今夜には。いや、無理か。でも明日の夜は、うまい食事とシーツ、そしてもう二度と離れたりしない。きっとすぐにでも動かなければならない。彼女も来てくれる。ぼくにはわかる。いつ出発する？　まずそれを考えておかなければ。あたりは暗くなってきた。ぼくは身を横たえて、どこに行けるか考えた。候補は無数にあった。
> （*FTA* 二〇〇—〇一）

負傷者のために看護活動に従事しているかぎり、キャサリンは戦時の国家の要求である傷ついた戦闘員の回復に努めているようで、しかしながら、彼女は同時に看護の合間に婚前交渉を許し、「武器よさらば」と訳される"A Farewell to Arms"というタイトルが意味するように、フレデリックを国のために戦う「武器」("arms")から引き離して愛するものの「腕」("arms")に向かわせる。フレデリックが戦争に別れを告げておのれの恋愛に向かうとき、キャサリンはフレデリックを戦時の国家のためではなく個人の欲望とその充足のために生きるように促し、それはどこか別の「場所」へ逃がすことに似て、彼女は法に触れる罪を犯す寸前の人物となる。かつて婚前交渉の機会を与えなかったまま、フィアンセが失われた経験、言い換えれば、当時のモラルに従順であることでフィアンセが戦争の犠牲に捧げられてしまった経験から今では同じことをせずにフレデリックを国へ貢献させせようとしないのであれば、キャサリンは自分のしていることに無自覚でなく、戦時にあって国家に非協力的な人物としてキャベルと重なり合ってゆく。実際、『武器よさらば』ではフレデリックとキャサリンは自分たちが「犯罪者」("criminal")であることを意識する場面がある。無断で軍を抜けたフレデリックは言う。「常に犯罪者みたいに生きていかなきゃいけないなんて」(*FTA* 二一七)「犯罪者の気分だよ、軍から逃げてきたんだからら」(*FTA* 二一八)。そして、そのような気分が落ち着いたあとでキャサリンはこう問いかける。「あなたは犯罪者のような気がするんですか」(*FTA* 二一八)。『武器よさらば』ではキャサリンは"sin"の面のみでなく"crime"の面でも罪深く、そのせいで彼女はキャベルと類似するのである。

4　「武器よさらば」の代償

そのような"crime"を犯すキャサリンにとって物語の終わりの死はまさにキャベルの銃殺処刑と重なる出来事である。第三部最終章で戦場から離れた二人はいよいよ出産に臨むが、キャサリンは帝王切開で身体に負担がかかり、手術中に死亡する。それは「生物学的に罠にかかった」(*FTA* 二七四)、「一緒に寝た代償」(*FTA* 一二一)ことをその「結果」(*FTA* 二七四)と書かれており、フレデリックに世の不条理を突きつけるが、手術の様子はその場の人々の好奇の目に曝されるものであった。手術を見守るフレデリックは以下のように説明する。

看護婦が二人、小走りで見学席の入口へやってきた。

「帝王切開よ」と一人が言った。「これから帝王切開をするんですって」もう一人が笑って言った。「ちょうど間に合ったわ。運がよかった」二人は見学席へ通じるドアへ入っていった。
看護婦がもう一人やってきた。同じく急ぎ足で。(*FTA* 二七七)

この直後にフレデリックはキャサリンの様子を次のように語る。

僕はキャサリンが死んだと思った。死んでいるように見えた。土気色の顔が少し見えたのだ。照明の下では担当医が鉗子で大きく広げた切開した部分、厚い傷口の部分を縫合していた。もう一人、マスクをした医師は麻酔を施していた。同じくマスクをした看護婦が二人、何かを手渡した。その様子は異端審問の絵のようだった。(*FTA* 二七八)

看護婦たちが興奮状態で続々とやってくる一方、フレデリックがそれを異端審問のようだったと言う状況、そこでは、キャサリンが"sin"の罪、この場合、禁じられた姦淫の罪を続けていたことに対する罰を受けるという解釈がふさわしく、たとえば、高野はこう述べる。「キャサリンは望まぬままに異端のキリストとされ、フレデリックの身代わりに罪を贖うのである。そしてその結果フレデリックはマグダラのマリアの立場におかれ、売春婦通いから改悛して列聖されることにつながる」(高野『神との対話』一一二)。ただし、キャサリンには"sin"とともにキャベルと同じ"crime"の罪もあることを踏まえると、手術中、まわりに人々が集まること、そして、処刑のイメージが与えられること自体、それはキャベルの銃殺処刑とよく似た設定であり、キャベル事件を見ることを許す描写でもある。人々の注目を集めるように、まるで処刑されるように描かれる点が共通する一方、キャベルは銃弾に倒れ、キャサリンは帝王切開による負担、赤子の摘出による負担で死んだが、この銃弾と妊婦の赤子は物語のはじめのほうで意味深く関連づけられていた。

兵士たちのライフルは雨に濡れていて、外套の下ではベルトの前に装着した二個の革製のカートリッジ入れがあり、その灰色のカートリッジ入れのなかには細長い六・五ミリ弾用の挿弾子が詰まっていて重く、それは外套の下で膨らんでいて、彼らは道を通り過ぎるときにはまるで妊娠六ヶ月の妊婦のようだった。(*FTA* 四)

兵士たちが妊娠した女のようだと言われるとき、カートリッジ入れのなかの銃弾と妊婦のお腹のふくらみはテクスト上で等号で結ばれる。銃弾を抱えた兵士が赤子を孕んだ女となっているゆえに『武器よさらば』で「銃弾イコール赤子」という等式が成立するのであれば、キャサリンは「赤子」という「銃弾」に貫かれて死んだという見方が可能になり、キャサリンの帝王切開は異端審問だけでなく戦時の犯罪者の銃殺刑と同一視できるようになる。キャサリンは死んでいる姿を想像して自分とキャベルを似せるにとどまらず、処刑されるように描かれることでよりキャベルに近づく。単純にキャサリンが死ぬというところにキャベルとの共通点を見るだけでは本稿のはじめで引用したフィードラーの指摘以上のことを述べるのは難しいが、実のところ、手術の場面もまたもう一つの「横たわる」イメージとなって法に触れたキャベルの裁きを思わせる。『武器よさらば』では、フレデリックは戦場で負傷するものの、自分の足に突き刺さった無数の散弾の欠片の摘出手術を無事に終え、彼はもう一つの危機である先に引用したスパイ容疑からも逃れて、それを機に職務を放棄し戦線から離脱する。そのようなフレデリックと対照的にキャサリンは死にいたる「銃弾」(赤子)を「体内」(胎内)に残し、それは深く突き刺さったまま、「摘出」(帝王切開)は失敗に終わり、致命傷となって、まるで罪を犯して罰を受けるように死ぬ。キャサリンはキャベル事件をこうして反復するのである。

5 結論

以上のように、『武器よさらば』のキャサリンは「雨のなかで死んでいる自分が見える」と言う場面に加えて、フレデリックに対して「あなたを守ることができる」と発言し、戦時に兵士たちを匿い銃殺されたキャベルと重なり合う。キャサリンの行為は見かけ上ではＶＡＤの救護活動であるようで、それは当時のモラルを無視した婚前交渉の繰り返しであるため、彼女は“sin”の罪を負う側面を強調させるが、そこでは同時にその不道徳の結果としてフレデリックを戦争へ向かわせず国に対して非協力的にするという“crime”の罪も強い意志のもとで実践されており、その点でキャサリンはキャベルと類似する。加えて、物語の終わりで出産に臨む帝王切開の手術がまるで処刑のように描かれるとき、その様子は罪人を裁く公開処刑を連想させ、そのなかで命を落とすことでなおキャサリンはキャベルを思い出させるのである。

フレデリックと出会う前、キャサリンは同じ大戦でフィアンセを失っていた。「彼が出征したときにわたしも着任しました。自分のいる病院に彼が来るかもしれないって、ばかなことを考えていました。サーベルの傷とか、頭に包帯を巻いた姿とか。肩を撃たれたりとか」(*FTA* 17)。キャサリンはフィアンセの死を淡々と語る。「彼は砲撃で粉々にされました」(*FTA* 17)。サーベルの傷や銃で撃ち抜かれる負傷をはるかに上回る新世紀の破壊と殺戮、それはおそらくキャサリンが戦争そのものを拒絶するのに十分な経験であったに違いない。そのようなとき、キャサリンがキャベルと重なるのであれば、それは彼女がキャベルのように破壊と死を拒絶する意志のもとで行動する人物であることを読むように促すのではないか。『武器よさらば』で「死んでいる自分が見える」と言うとき、キャサリンはキャベルの後継者として、そして、それゆえ戦場から人々を遠ざける反戦的な人物として読み直されるのである。

注

1 本稿では「看護婦」という言葉を用いるとき、正規訓練を受けて資格を持つ看護婦と短期訓練しか受けていないボランティアの救護係を区別せず、読みやすさを優先し、広く第一次大戦で傷病兵の救護にあたった女性を意味したい。『武器よさらば』では両者が区別される場面も多いが、その仕事内容等の比較は荒木を見よ。

2 たとえば、図1と図2を見よ。キャベルのイメージの比較と分析は林田を見よ。なお、本稿ではキャベルについて主にスーハミ、ライダー、林田を参考にした。

3 スーハミの伝記の日本語訳『博愛・不屈・犠牲・献身に生きた看護師 イーディス・キャベル』の「訳者あとがき」ではキャベルが「日本ではあまり知られていない、言うなれば第2のナイチンゲールとも言えるこの看護師」(下笠 四五〇)と紹介されている。

4 ただし、キャベルは世間からすぐに忘れられたわけではない。林田はキャベルのイメージが戦時中に生産され続けたことを確認し、一九一八年の時点でも「事件から三年が経過してなお、カヴェルがその影響力を失っていなかったことがうかがえる」(林田 六二)と述べている。

5 キャベル事件がアメリカまで伝えられたときの様子は、たとえば、ウィラ・キャザーの『われらの一人』の一場面に描かれている。「例の英国の看護婦が処刑されたニュースを忘れないうちに言っておきたいわ」/「イーディス・ケィヴルのことですか?ぼくは読みましたよ。」[……]「なにも驚くことはありません。ドイツはルシタニア号を撃沈するくらいだから、英国の看護婦ひとり射殺するのは何とも思っていませんよ」(『われらの一人』一六二)。『われらの一人』でキャベルが言及されていることは中村亨先生から教えていただいた。

引用文献

Fiedler, Leslie A. "Images of the Nurse in Fiction and Popular Culture." *Images of Nurses: Perspectives from History, Art, and Literature*. Ed. Anne Hudson Jones. Philadelphia: U of Pennsylvania P, 1988. 100–12. Print.

Hemingway, Ernest. *A Farewell to Arms*. 1929. The Special Edition. Ed. Seán Hemingway. London: Vintage, 2012. Print.

Holdsworth, Angela. *Out of the Doll's House: the Story of Women in the Twentieth Century*. London: BBC Books, 1988. Print.

Ryder, Rowland. *Edith Cavell*. London: Hamish Hamilton, 1975. Print.

Souhami, Diana. *Edith Cavell*. London: Quercus, 2010. Print.（『博愛・不屈・犠牲・献身に生きた 看護師 イーディス・キャベル』下笠徳次監訳、東京数学社、二〇一四年。）

荒木映子『ナイチンゲールの末裔たち――〈看護〉から読みなおす第一次世界大戦』岩波書店、二〇一四年。

日下洋右『ヘミングウェイと戦争――「武器よさらば」神話解体』彩流社、二〇一二年。

高野泰志「武器よさらば」『ヘミングウェイ大事典』今村楯夫・島村法夫監修。勉誠出版、二〇一二年。一三一―六。

――.『アーネスト・ヘミングウェイ、神との対話』松籟社、二〇一五年。

林田敏子『戦う女、戦えない女――第一次世界大戦期のジェンダーとセクシャリティ』人文書院、二〇一三年。

平井智子「フレデリック・ヘンリーの学びの欲望」日本ヘミングウェイ協会編『アーネスト・ヘミングウェイ――二十一世紀から読む作家の地平』臨川書店、二〇一一年。一〇八―二二。

前田一平『若きヘミングウェイ――生と性の模索』南雲堂、二〇〇九年。

キャザー、ウィラ『われらの一人』福井吾一訳、成美堂、一九八三年。

※本稿は二〇一六年一一月二〇日（日）に関西学院大学西宮上ヶ原キャンパスで行なわれた日本ヘミングウェイ協会第二七回全国大会ワーク・イン・プログレスの口頭発表原稿及び二〇一七年一二月一六日（土）に東北大学片平キャンパスさくらホールで行なわれた日本アメリカ文学会東北支部一二月例会研究発表の口頭発表原稿に加筆訂正を施したものである。

7 不明瞭なテクスト
——フィリップ・マックファーランドの『恐怖の季節（とき）』にみる歴史小説的策略

白川 恵子

1. はじめに——奴隷叛乱事件の物語化

フィリップ・マックファーランドの『恐怖の季節』（一九八四）は、一七四一年、植民地ニューヨークを席巻した奴隷叛乱陰謀疑惑事件を背景に創作された歴史小説である。だが、本作題名を聞いても、その内容を思いつく読者はほぼ皆無であろう。アンテベラム期の南部における奴隷叛乱事件とその小説化の例が複数存在するのに対して、植民地時代のニューヨークにおける奴隷制には、一般的に言って、注意が向きにくい。また仮に、本件がしばしばセイラムの魔女狩りに勝るとも劣らぬ悪名高い疑惑事件であったにせよ、その認知度は極めて低いのだから、ましてや事件を小説化した作品が注目されてこなかったのも道理であろう。事実、筆者が知る限り、本作について考察する論考は発表されていない。

とはいえ、ニューヨーク奴隷叛乱陰謀事件については、複数の歴史家による報告や考察がなされており、また本件を扱った小説（およびグラフィック・ノベル）も、マックファーランド作品を含めて、これまでに少なくとも七作が上梓されてきた。[1] 本稿は、これらの作品群からマックファーランドの小説を考察対象とする。対象とする事件を同じくする複数の小説は、そのいずれもが文学研究者の分析対象となってはこなかったし、大方が煽情的大衆文学として読み捨てられてきたと言える。その中で、マックファーランドの作品は、しかしながら、ある種、策略的とすら思える技巧を駆使して創造されており、他作品よりもはるかに学術的な様相を呈している。一見忘れ去られたかのように見えるテクストが、認知度の低い歴史的事件をひもとく時、作家が行う歴史記述と娯楽

Philip McFarlandと*Seasons of Fear*表紙（マックファーランドの公式ウェブ頁より転載）

提示の融合は、啓蒙的大衆教化に貢献することになる。

では、マックファーランドはいかなるプロットを提示して、またそのテクストの特異性はどこにあるのか。これらを考察する前に、まずは、ニューヨーク奴隷叛乱陰謀事件を概観し、マックファーランドのキャリア背景や作品が参照した文書について紹介する必要があるだろう。そして本稿の最後では、語り手の不明瞭で不完全な提示内容こそが、謎に満ちた事件解釈と小説そのものの信憑性を高める効果を上げていると結論づけたい。

2. ニューヨーク奴隷叛乱陰謀／疑惑事件

本件は、植民地時代の十八世紀半ばのマンハッタンにおいて、白人酒場主人とそこに出入りする奴隷たちの窃盗に端を発し、それが連続放火による奴隷一斉蜂起疑惑、スペインによる叛乱教唆説、カトリック陰謀説と発展的連鎖をなした疑惑容疑事件である。窃盗被害自体と放火と思しき建造物の焼失被害や小火の発覚はあったものの、奴隷叛乱説、スペインやカトリックの陰謀説については、あくまでも噂と伝聞証拠のみによって裁かれ、容疑者有罪が決定した。その間、人々はパニックに陥り、「疑わしきは罰す」に至る容疑者狩りが展開したのである。

同年二月、奴隷シーザーとプリンスが、ロバート・ホッグの商店から盗んだ金品を、ハドソン川沿に位置するジョン・ヒューソンの酒場に隠匿していた手口が発覚し、酒場主人一味が逮捕された。このいかがわしい酒場は、黒人への酒の販売を違法に行っていたため、かねてより当局に目をつけられていた。翌三月、マンハッタン南端に位置するジョージ砦から火の手が上がると、要塞はもとより、敷地内の副総督邸、秘書官室、兵舎や教会など、近隣を焼き尽くした。その後、わずか一カ月の間に複数件の火災がマンハッタン各所より頻発する。火災現場から逃げていく黒人が目撃されたり、奴隷が放火を思わせるような会話をしていたとの伝聞により、奴隷による連続放火と体制転覆的叛乱が疑われるようになる。

本件の指揮を執った一人が、当時、ニューヨーク植民地最高裁判所の第三判事であったダニエル・ホースマンデンである。黒人奴隷が日常的に不法に飲酒するヒューソン酒場は、それ自体が盗品故買にかかわる違法の場であった。窃盗事件発覚とジョージ砦全焼が、わずか二週間の間に起こり、また酒場には放火容疑をかけられた黒人たちも出入りしていたため、ホースマンデンは、この酒場で年季奉公人として働いていた白人娘メアリ・バートンを証人として召喚する。以降、バートンは、一連の疑惑が展開するたびに証言を求められ、あらゆる容疑をヒューソン酒場と結びつけて情報提供する重要証人となった。バートンの証言により、窃盗犯であったヒューソンやシーザーらは、体制を覆す叛乱容疑者となった。また伝聞や黒人証言により放火や蜂起への加担容疑者が名指しされ、監獄は膨れ上がっていった。まさしく魔女狩り現象を呈したのである。

当時イギリスは、一七三九年から始まったスペインとの戦争の最中で、軍隊はカリブ海沖に駐留していたため、要塞を焼失した英領ニューヨーク植民地は内外からの攻撃に脆弱な状態にあった。その折の奴隷たちの不穏な動きの噂に、マンハッタンはパニックに陥ったのである。しかも本件前年には、イギリス船によって拿捕されたスペイン船上の黒人たちが、自らをスペイン王の臣民であると主張したにも関わらず、奴隷としてニューヨーク市場で売られ、彼らの一部がヒューソン酒場でも目撃されたため、スペイン黒人の報復犯行説が取り沙汰されたのである。イギリスとスペインとは西インド諸島の市場と通商競争のため、かねてより海上紛争が絶えず、臨検行為による蛮行の応酬が続いていたから互いに因縁は深かった。英国領内の奴隷が逃亡し、フロリダのスペイン領に至れば、自由を与えると約束した一七三六年のスペイン王令は、明らかに英領内の奴隷たちを鼓舞した。事実、一七三九年には、サウスカロライナ植民地の奴隷たちが大規模な叛乱を起こし、自由を求めてセント・オーガスティンへ逃走する事件が勃発している。よって、イギリス側のスペインに対する敵意は、ニューヨーク奴隷叛乱疑惑以前からすでに熟しており、マンハッタンの連続放火や体制転覆計画の背後には、スペイン側密偵による奴隷叛乱誘導が潜むという陰謀説を生成するには、うってつけの時流であった。敵国への忌避感がさらに発展した先にあるのがカトリック陰謀説である。密偵は、往々にして医師や教師に扮したカトリック司祭がその命を受け、表層的には市民の信頼を得て潜伏すると考えられた。本件でその犠牲者となったのが、ジョン・ユーリなる白人である。彼はギリシャ語やラテン語に精通した舞踏教師で、ヒューソン酒場でも見かけられたため疑惑を持たれた。結果、カトリック司祭として秘儀を行い、叛乱を教唆した容疑で有罪となり、処刑された。

実際、マンハッタンの黒人共同体で本当に奴隷叛乱と体制転覆の意図が構築されていたのかどうかは、定かでなく、連続火災の真相も闇の中である。窃盗事件と放火および叛乱計画とが、別々の偶発的事件として同時期におこっただけなのか、あるいは、何らかの必然的な関連性を有していたのかもわからない。ましてや為政者側の思惑や個人的見解以外に、スペインやカトリックによる国際陰謀説を証明できうる物証はない。事件終結までに約二百人の黒人が収監され、七十二名が南部および西インド諸島へ移送され、白人男女四人を含む計三十四人が処刑された。処罰者の数字だけからみても、本件がいかに当時の白人社会を震撼させる事件であったかは明らかだろう。[2]

3. 歴史家／作家マックファーランド

セイラムの魔女狩り同様、容疑者逮捕や処刑が続き、事態が過熱すると、一方で、それを冷静に批判する声も現れる。本件について裁定した判事の一人ホースマンデンは、事件終結後、批判に反駁するため、裁判メモや容疑者取り調べの記憶等、情報を収取し、特定の容疑者の動機や背景考察を含む二百頁にも及ぶ私的な記録文書『黒人や奴隷と共謀しニューヨーク市の放火および住民殺害を謀った白人による陰謀の発覚に関する法的手続きの記録』(一七四四、以下『記録』)を出版した。窃盗と連続火災事件に端を発した本件の正式な裁判記録は、皮肉なことに、後に別件の火災により失われたため、ホースマンデンによる私的記録文書が、こんにち最も重要な一次資料となっており、歴史家であれ作家であれ、事件を紐解くにあたっては、これに依拠するところが多い。マックファーランドも御多分にもれず、本件を小説化するにあたって『記録』を参照したことは、作品巻末の「注記」(“Note”)からも分かる。

だが、マックファーランドは、ホースマンデン以外にも多数の同時代の歴史文書を巧みに利用して、作品を構築している。恐らくそれは、彼がオバリン大学で歴史学を、ケンブジッリ大学で英文学を学んだ背景にも関連しているのだろう。彼の著作には、ノンフィクション作品と銘打ったものが多く、いずれも何等かの意味で文学と歴史との接点を模索する著述が多い。[3] またアラバマ州バーミンガム生まれで、現在は、マサチューセッツ州レキシントン在住であるせいか、表象素材として人種問題や抵抗・独立精神の発露という一貫したテーマが見いだせる。

本稿が分析する『恐怖の季節』は、マックファーランドの作品群中では数少ないフィクションに分類されている。とは言え、本作そのものが歴史的事件を扱う小説であり、その提示方法ゆえに、あたかもノンフィクションであるかのようにも読める体裁となっている。そもそも、本件のような陰謀疑惑事件を扱う場合、仮に虚構としてではなく、事実関係を積み上げて分析する歴史的記述を意図していたとしても、多分に想像域や推測を含む小説的提示にならざるを得ないのだから、史実記載は必然的にミステリの様相を呈する。だが史実と虚構が不可分に混ざり合うのが必定であるにせよ、マックファーランドは、創作部分の構築にも歴史的資料を使用するという精緻な改変技巧を駆使しており、その点こそが、本件を扱う他の大衆小説群と彼の作品とを差異化している要素であると言えるのである。

4. 陰謀としての歴史事象、策略としての小説提示

『恐怖の季節』は、第一義的に、前述した一七四一年の事件を解説する小説であり、窃盗や火災から発生した奴隷叛乱疑惑、スペイン・カトリック陰謀容疑を裁く「不適切な法の手続き」の恐怖と悲劇を描いている。マックファーランドのナラティブ戦略の妙は、すでに物語が始まる前から示されている。本編の前後に、「筆者覚書」と「注記」を配置し、それぞれに以下の説明を付す。「筆者覚書」は次の通りである。

以下に続く頁には、はるか昔、ある春から夏にかけて、ニューヨーク市民の生活を大混乱に導いた社会的惨事についての特質、様相、原因、解明が正確に記録されている。破滅的状況を引き起こした諸問題に対する三者の当時の見解が、複合的に表明されている。それは、もしかしたら、その折にニューヨークに暮らしていたかもしれない者たちの当時の様々な手紙や日記から引き出されたものなのである。本書の巻末の注記は、この事件を描くために、いかなる歴史記録の修正が施されたのかを示唆している。（頁表記なし）

正確な記録という一方で、歴史記述の変更については暗示するに留めたまま、その具体例を後注に預け、事件理解の基盤となる手紙や日記が、実在の人物の筆によるものかどうかを敢えて不鮮明にしている。よって物語開始以前には、読者は、本作がどの程度の歴史的正確さを反映しているのか、分からない。

物語終結後の「注記」は、「作者覚書」が示唆した内容を明示するための記で、三者の「歴史記録」が具体的に何を指し、どのように「修正」されているのかを詳述している。本作の主要登場人物三名——チャールズ・アレクサンダー・コリマー、エリザベス・パーセル、フランシス・ショウ——は、いずれも架空のキャラクターではあるものの、一七四一年の疑

惑事件に関連して作中に引用される彼らの日記や手紙は、史実上の人物のそれに依存しながら構築されている。例えば、コリマーの日記は、「ジェイムズ・バーケット、ドクター・アレクサンダー・ハミルトン、ウォーレン・ジョンソン、ウィリアム・バード、ピーター・カーム、ロバート・ハンター・モリス、ダドリー・ライダー、青年時代のジェイムズ・ボズウェル、その他おおよそのコリマーの同時代人」の日記を「模倣し、時に再生させながら」、パーセル嬢の手紙は、「メアリー・ウォートリー・モンタギュー夫人の手紙、『王党派夫人アン・ホルトンのハーバー嬢への手紙』、『アビゲイルとジョン・アダムスの記録』」に基づき、ショウの回想録は、「ジョージ・ホイットフィールド、ジョン・ウールマン、ウィスリー兄弟、アンソニー・ベネゼット、また同様の思想を有す同時代人の著述」を参照しつつ物語化されている。曰く、「架空の事象は、従って、十八世紀の人々に二十世紀的態度を押し付けないように創作されている。事実に基づく世界の中に、信憑性のある虚構を少々入れることによって、アメリカ一都市の遠い過去の時代を身近なものにする一助となるかもしれない」(二四九)。マックファーランドは続けて、一七四一年の事件に焦点を当てるために、歴史の記録に適宜、変更を加えた旨、報告する。例えば、ホースマンデンの市議選出や役職経緯は事実とは少々異なるし、同名による混乱を避けるために、史実上の人物名を変更させたり、数名の奴隷を一人の登場人物に仮託して描写するなどの工夫をしたという（二四九―五〇）。だが、本件の歴史や同時代の著述によほど精通した読者でもないかぎり、物語を読むだけでは、虚構と史実との境界を精緻に弁別するのは極めて困難だろう。

　作家による小説の枠組み構造と、事件進捗の説明方法は、さらに本作を複雑かつ不鮮明にしている。物語は、のちにカヴェンダムの第五代伯爵となる二十歳のチャールズ・アレクサンダー・コリマーが、ギニア出身の奴隷ボニー・ジャックを伴って大西洋を渡り、ニューヨークに降り立つ件りから始まる。ハンター波止場に到着するやいなやジャックが人込みに紛れて逃走したため、コリマーは、一七四〇年九月二九日付の『ニューヨーク・ウィークリー・ジャーナル』に逃亡奴隷手配書を掲載。新聞紙上の報奨金広告を引用紹介しながら物語を駆動し始めるのが、小説の一人称の語り手である。事件から二世紀半後のニューヨークに暮らしている彼は、一九四〇年代にニューヨーク大学教授であった叔父が苦労して探し当てたコリマーの日記『永続版メモリアル――カヴェンダム第五代伯爵のアメリカ日記一七四〇―四一年』を譲り受けており、「私が語らなければならない物語のために、一次資料から引用」しながら奴隷叛乱陰謀事件を紐解かんとするのである（二―三）。因みに、作家の分身とも考えられる語り手は、エリザベス・パーセルの七代後の子孫であるのだが（二四）、彼の名は最後まで明かされない。恐らく意図的に、虚構のキャラクターたちの人生について、作家は不明点を残してるように思われる。そもそもなぜイギリス貴族の三男坊が新大陸にやってきたのかも不明だと、語り手は述べる。その直後に、奴隷貿易のような利潤の上がる仕事向きのためなのではないかと推測しているけれども（三、一二）、ニューヨーク滞在中の彼がビジネスに関わる様子は見られない。尤も、主要登場人物が奴隷制度と何の接点もなくては、本件を提示する必然性が稀薄に過ぎるだろうけれども。

さて、ともに大西洋を渡った後に、コリマーがニューヨークで賓客として滞在するのが、既にロンドンで知人となっていたニューヨークの商人ベンジャミン・パーセルとその十六歳の娘エリザベスが暮らす邸宅である。パーセル屋敷は、マンハッタン南端のジョージ砦にほど近い現在のボーリング・グリーンの辺りで、ここからブロードウェイを少々北上したハドソン川沿いにヒューソン酒場があるのだから、架空の邸宅は、事件目撃のためには最適な位置関係にある。コリマーらと共に、同じくハッピーリターン号でグリニッチからニューヨークに渡ったフランシス・ショウは、コリマーよりも少々年上の二十代半ばの青年で、貧しい出自ながら、ジョージ・ホイットフィールド牧師と同期としてオックスフォードはペンブルック・コレッジで学を修めた秀才だった。ショウは、ロバート・ホッグ氏――連続放火容疑に先立つヒューソン一味の窃盗事件の被害者――の自宅に下宿して、教師をしながら生計をたてる。こうして同時期に同じ船でロンドンを出発し、一七四〇年九月にニューヨークに降り立った者たちは、頻発する火災と奴隷叛乱疑惑渦巻く前後のニューヨークに居住し、人々がパニックに陥る様子やホースマンデンやメアリ・バートンが「活躍」する「魔女狩り」的裁判を目撃するのである。事実、コリマーは、パーセル家に滞在してすぐにホースマンデンと知り合い、ショウやエリザベスとともに要塞の総督邸で開催された英国王誕生日祝賀舞踏会にも参加する。その帰り、道に迷った英国貴族は、偶然にもヒューソン酒場に立ち寄り、酩酊して金品を盗まれるが、その朦朧とした意識下で逃亡奴隷ジャックを見かける。のちにジャックはヒューソン酒場から始った奴隷蜂起の噂の犠牲者として投獄されていたことが判明したため、英国貴族は、本国への帰国前に判事に働きかけてジャックを監獄からも、奴隷の立場からも解放し、アフリカに帰還させてやる。一方ショウは、教師のかたわら――その理由は不明だが――判事によって「鳴鐘役かつ最高裁法廷の秘書官」及び「判事の特使」に任命されたため（一一六）、裁きの過程を熟知する立場となる。なお、語り手がエリザベスに連なる子孫であると早い段階で紹介されるのに対して、彼女がショウと結婚したと分かるのは、物語が百頁余も過ぎたあたりである（一〇八）。語り手を含め、本件に関連する者たちの日記や手紙を同定・提供した植民地ニューヨーク史研究者の叔父テッドも、その兄弟も、ショウの子孫である旨がここでやっと判明する訳だが、物語冒頭で、適齢期を意識して放蕩も経験するコリマーと明白に彼に憧れる可憐なエリザベスとの相思相愛の恋愛劇を期待した読者は、肩透かしを食う。

陰謀事件を紐解くために語り手が引用紹介する――ひいては物語を構築するために作家が創作する――「一次資料」は、当然ながら、コリマーの日記からだけではない。『アメリカの聖職者フランシス・ショウ尊師の日記、回想録、書簡』、エリザベス・パーセル嬢がイギリスの友人ソファイア――ロンドン商人ナサニエル・ミンナーの一人娘――に宛てた六通の手紙、一九五九年発行の『パーセルの商取引関連文書一七三七―一七三八』(New York, 1959) からも、本件事件に関連する部分を、引用符つきで――場合によっては、頁番号まで付して――掲載紹介し、同時代を生きた人物たちの生の感情や言葉を伝えるようとするのである。無論これらは全てマックファーランドの「捏造」なのだが、前述のように、それそのものが同時代の歴史的資料に依拠しているため、まさしく「本物らしく見える虚構」となっている。しかもこれら架空の資料と並んで、作家は、実在の文書提示、例えば、ホースマンデンの『記録』を参照して詳細な会話を記した裁判の進捗や、『牧師ホイットフィールド氏の続・日記』（一七四一）への言及、さらにはジョン・ピーター・ゼンガーによる体制批判新聞『ニューヨーク・ウィクイリー・マガジン』の記事を、あざといまでに同時に掲載しているため、虚実は不可分に混ざり合う。

直系の子孫であるがゆえか、あるいは事件を直截に語るがゆえか、いずれにせよ参照する資料のうち、語り手が最もまとまった引用をするのがエリザベスの手紙である。その内容は、個人的感情の吐露から直接事件に関連するエピソードに至るまで、多岐にわたっている。コリマー青年の罹患原因が性的放蕩だと気づかず、雨に打たれたせいだと考える微笑ましさや、伯爵の父と兄弟の突然の死去により帰国するコリマーへの配慮と自身の寂しさが表明される一方で、ヒューソン酒場で働く以前にパーセル家で女中をしていたメアリ・バートンの素行の悪さを報告したり、あるいは奴隷一斉蜂起の噂に怯えた富裕層がパニックをきたし近隣に一時疎開する様子を伝え、さらには本件に先立つ一七一二年の奴隷叛乱を経験した叔母の異常なほどの怯え様を記す。しかも、彼女の手紙は、コリマーおよびショウの日記や、新聞記事記載、あるいはまた語り手によるオランダ統治のニューアムステルダム時代から一七四一年当時までの歴史的背景や英領植民地の状況、特に一七一二年の叛乱後の奴隷法取り締まりの強化と同時並行的に紹介されるので、小説の筋と陰謀事件——すなわち二つのプロット——が同時展開する過程で、読者は、数多の断片的歴史資料を継続的に読み、全体像を組み立てながら学んでいるような錯覚を覚えてしまう。虚実の別によらず、複数の参照資料が、相互補完的に提示される時、ナラティブは重層性を増す。こうした「歴史資料」の創造力と使用技術にかけて、マックファーランドは他に抜きん出ていると言って良い。

おわりに——不明瞭の効用

『恐怖の季節』が歴史上の一事件を語るメタナラティブあり、小説が歴史をも「創作」してしまう可能性を示すとき、凡庸で物語的要請に合致した大団円よりも、依然残る謎をそのまま提示するほうが、はるかに真実味を増す場合がある。本作はそのような事例であると考えられる。

　そもそも基盤とするニューヨーク奴隷叛乱疑惑が、噂や陰謀といった後味の悪さを残す事件なのだから、「魔女狩り」裁判の事態収拾がコリマーの英国への帰国と重なる終結と、エンディングに至る登場人物たちについての唐突な説明が、物語のカタルシスを一切喚起しないのも頷けるだろう。詳述する「資料」がないがゆえに——つまり作家が提示しないがゆえに——なぜそのような展開になったのかが、不明瞭なまま残されることが多々あるのだ。例えば、エリザベスは、父親の落胆にも関わらず、なぜショウと結婚したのか。ショウは、ニューヨークに渡る前に、西インド諸島での生活経験があったとされているが（三五）、なぜカリブ海英領植民地からロンドンに戻り、その直後のコリマーとニューヨークに来たのかについての経緯や理由は分からない。義父のパーセル氏が裕福な商人で、筋金入りのトーリー党支持である一方、ショウはのちの独立戦争時には、ワシントン将軍の部隊の牧師——「バレー・フォージの従軍牧師」[4]——となったわけだが（一〇八、二四二—四三）、ショウとパーセルとの間に当然あったであろう確執も語られることはない。英国から植民地に来る折に購入し、到着後すぐに逃亡した奴隷ジャックを——そもそも良好な主従関係を構築する間すらなかったはずなのに——コリマーが、わざわざ為政者に手をまわし、苦労して取り戻した挙句、解放したのはなぜか（二四五—四六）。コリマーが奴隷貿易ビジネス目的で新大陸に渡ったならば、なおさら不可解である。一体、ジャックは、逃亡後に、どのようにヒューソンと関わり、投獄されるに至ったのか。第一、件の奴隷は、物語内に断片的かつ間接的に、わずかに登場するに過ぎない。また、二十四歳で第三子誕生の折に産褥死したエリザベス亡き後、なぜショウは敢えて寡夫を通したのか（二四二）。加えて、エリザベスの死と同年の一七四九年、コリマーが暴漢に襲われて死亡したという事件の背景説明も皆無であるし、コリマーの子孫が一七六二年に植民地に渡り、オハイオの荒野を開拓したというのも、かなり取って付けた感がある（二四六—四七）。

不明瞭な疑問を残しつつ終了する物語は、「プロット」満載であるはずの小説にしては、不完全さが残る。だが、この不足こそが、作家の戦略なのかもしれない。これが、「祖先」の来歴と歴史の「真相」を探り、ありのまま提示せんとする語り手の意図の反映であると考えるならば、その不完全性や曖昧さは、かえって提示内容の信憑性を強化し、語り手＝作家の歴史提示方法の誠実さを示唆することになりはしまいか。マックファーランドが数多の資料を換骨奪胎し、テクストの「捏造的創造」を成したことに鑑みれば、なんとも皮肉である。もちろんそれこそが、マックファーランドの思惑であり、叛乱容疑に関わる陰謀説を、史実と創造の接点に存する登場人物によって、歴史／物語と真実／虚構の不確定性に落とし込む策略がここに確認されるのである。一見、結論をなさず、不明瞭に思えるテクストによって、読者は啓蒙されるのである。

注

1 マックファーランド作品以外には、ジーン・パラダイス、ピート・ハミル、アン・リナルディ、マット・ジョンソン（小説および漫画原作）、ロバート・メイヤーの六作がある。

2 事件の発展過程や背景の概要については、Corfield, Farrow, Watlers が簡便でわかりやすい。本件詳細については、白川を参照。

3 例えば、最近の著作から遡って概観すると、ジョン・ヘイの時代と人生を、リンカーン、トウェイン、ヘンリー・ジェイムズ、セオドア・ルーズベルトとの関係から紐解く『ジョン・ヘイ——巨人たちとの交友』（二〇一七）、世紀転換期の作家とセオドア・ルーズベルトの関係を扱った『マーク・トウェインと大佐』

（二〇一二）、ストウ、ホーソーン、ワシントン・アーヴィングの伝記（それぞれ二〇〇七、二〇〇五、一九八二）、独立革命期のマサチューセッツ湾植民地最後の王党派文民総督トマス・ハッチンソンとその政敵である独立派のジョサイア・クインシーおよび外交家ベンジャミン・フランクリンとの関係を探った『ボストンの勇者たち』（一九九八）、一八四二年のソマーズ号上での反乱事件を描く『海上の危機』（一九八七）といった具合に、歴史上、文学上の要人や、その背景が描きだされている。

4 ショウについてのこの名称は、史実上、総司令官ワシントンの従軍牧師であったイスラエル・エバンスを意識して創作されたと思われる。

参考文献

Corfield, Justin, "New York slave Insurrection (1741)." *Revolts, Protests, Demonstrations, and Rebellions in American history*, Volume One, Edited by Steven L. Danver. ABC-Clio, 2011.

Farrow, Anne, et al. *Complicity: How the North Promoted, Prolonged, and Profited From Slavery*. Ballantine, 2006.

Hamill, Pete. *Forever*. Back Bay, 2003.

Horsmanden, Daniel. *The New York Conspiracy Trials of 1741: Daniel Horsmanden's Journal of the Proceedings with Related Documents*. Edited by Serena R. Zabin, Bedford/St. Martin's, 2004.

Johnson, Mat. *The Great Negro Plot: A Tale of Conspiracy and Murder in Eighteenth-Century New York*. Bloomsbury, 2007.

Johnson, Mat (story), Tony Akins and Dan Green Cover (art), *John Constantine Hellblazer: Papa Midnite*. Vertigo, 2006.

Lepore, Jill. *New York Burning: Liberty, Slavery, and Conspiracy in Eighteenth-Century Manhattan*. Vintage, 2005.

Mayer, Robert. *1741*. About Comics, 2015.

McFarland, Philip. *Seasons of Fear*. Schocken, 1984.

Paradise, Jean. *The Savage City*. Ace, 1955.

Rinaldi, Ann. *The Color of Fear*. Houghton, 2005.

Walters, Kerry. *American Slave Revolts and Conspiracies*. ABC-Clio, 2015.

Zabin, Serena R. "Introduction: Fear, Race, and Society in British New York." Horsmanden, pp. 1-36.

白川恵子、「マンハッタンの『魔女狩り』――ニューヨーク奴隷叛乱陰謀事件における情報解釈共同体的誤謬」、『繋がりの詩学――近代アメリカの知的独立と〈知のコミュニティ〉の形成』彩流社、二〇一九年、一七―三六頁。

※本研究はＪＳＰＳ科研費 JP16K02517 の助成を受けたものです。

第五章

文化と表象

1 ブルースを説教する
――サン・ハウスとブルースの実存

平尾　吉直

サン・ハウスとその波乱の人生

破天荒な生き方をするものが多いブルースの世界にあっても、サン・ハウスほど数奇な運命をたどったものは少ない。聖と俗の間を揺れ動くその歩みは、方向は逆だが、ハスラーから敬虔なムスリムになることを決意し、誠実なブラック・ナショナリストとして死んだマルコム・Xのそれを思い起こさせる。自分たちの置かれた状況に対する深い怒りという点でも両者は相通じるものがある。

のちにデルタ・ブルースを代表する歌手／ギターリストとして名を残す、サン・ハウスことエディ・ジェイムズ・ハウス・ジュニアは、ミシシッピ州クラークスデイル近郊の町リヴァートンに生まれた。リヴァートンは、ミシシッピ川が運んでくる砂との闘いに負け、衰退しつつある小さな町のひとつで（ブラッグ　一一四）、現在ではゴースト・タウンになっている。出生証明書によると、一九〇二年三月二十一日、同じ名前の父エディ・シニアと母マギーの間に、三人兄弟の二番目として生まれたことになっているが、生年については諸説あり、はっきりしない。のちのハウス自身の発言などから、もっと前ではないかという説が有力になってきている（濱田　一一）。

父親と、十二人いたとされるおじたちが、ハウス少年が最初に音楽に触れる機会を提供した人物であった。ジュリアス・レスターとのインタビューによれば、彼らはブラス・バンドを組み、地元のダンス・パーティで演奏した。決まって始めに演奏されるのが、「ティア・ザ・ラグ」という曲だったという。父親はギターも持っており、おじたちがいない時には、家や他の場所で弾いて見せた。「四時のブルース」というブルースをミシシッピ・ジョン・ハートのようなスタイルで演奏する父親の姿を、ハウスは記憶している。しかし、休まず日曜学校に通うハウス少年が、父親やおじたちが演奏する楽器を演奏したいという誘惑にかられることはなかった。教会で歌うことだけが、彼が自分自身に許した音楽だった。敬虔な少年は、罪深い音楽として、ブルースを忌み嫌っていた。

若いころのハウスは、各地を転々としていて、一つの場所に身を落ち着けるという気持ちは全くないようだった。両親が離婚し、しばらく父と再婚相手のもとで暮らしていたが、父が若い女性と三度目の結婚をする頃には、ルイジアナ州北部の町タルーラに住む実母のもとに移ったようだ。敬虔なクリスチャンであった父親は、音楽と酒にのめり込み、一時的に教会を離れた。この放蕩が両親の離婚を招き、ハウスがブルースを嫌う決定的な要因になったのかもしれない（もっとも、ハウス自身、後に父親と同じ道を歩むことになるのだが）。やがて、ハウスは、ニューオリンズの対岸に位置するアルジャーズで、マットレスなどの原料となる苔を採集する仕事をはじめる。本人によれば、一九一六年から二〇年、年齢は二十歳のころだという。母親の死と前後して、ミシシッピ州に戻り、シェアクロッパーとして働き始めるが、先の見込みのない小作契約に見切りをつけたか、一九二二年にはイースト・セントルイスのコモンウェルス製鋼所で働いたこともあった。

一方、宗教的人間としてのハウスは、十代初めのころ、母親に連れられて伝道集会に参加し、十五歳になったころには、会衆の前で説教をし始めていた。長じて、最初は、バプティスト派の教会、のちに黒人メソジスト・エピスコパル教会で牧師を務めるようになる。もっとも、説教をする子供が、牧師になるには、日々、敬虔な生活をしているだけでは不十分だった。神の啓示を受けて、本人が救済されてはじめて、正式な牧師、あるいは説教師として認められる。ある日、畑で働いていたハウスは、神の啓示にうたれ、跪いて祈った。彼は、祈り続け、こう言ったという。「そうか、それを今手に入れたということは、手に入れるべきものだということなんですね！」手に入ったから手に入るべきという、自己完結的な論理の解釈はともかくとして、ハウスはこうして宗教的体験を得、間もなく、クラークスデイル近郊の教会で、牧師の職務に就くことになった（ボーモント 三七）。

希望通り、教会の人間となったハウスだが、人々に生きる道を説かなければならないという重圧──「会衆の元を離れるやいなや、彼らと同じことをしているのに、どうして説教壇に立って、彼らに説教をすることができるだろう」──が、彼に道を誤らせていく。重圧から逃れるためか、悪友に誘われるままに酒を飲み、飲みすぎることもしばしばだった。女性関係も問題だった。一九二四年ごろ、キャリー・マーティンという年上の女性と結婚するも、ほどなく、離婚。その後、ハウスは複数の女性と、時には同時に関係を持った。エヴィ・ゴフという女性と再婚してからも、浮気癖は直らず、妻、以前の愛人、現在の愛人の争いを避けるため、ロチェスターに居を移すことすらした（ボーモント 三七―八）。こうしたことが問題となって、結局、教会を去ることになったハウスを、数奇な運命が待ち受けていた。

レスターとのインタビューによれば、一九二七年のある日、クラークスデイルの南に位置するマトソンを散歩していたハウスは、地元のミュージシャン、ウィリー・ウィルソンが弦の上に小さな薬瓶を滑らせて、ギターを弾くのを目の当たりにする。その素晴らしい音色と、演奏の不思議さに惹きつけられたハウスは、すぐに友人から中古のギターを手に入れた。そして、かつてギターを持っている男を見ることすら嫌っていたことも忘れ、ウィルソンから手ほどきを受け、腕を磨いていった（四〇）。ジョン・フェイヒーらとのインタビューでも、話の筋はだいたい同じだが、目撃したミュージシャンの名前が、ジェイムズ・マッコイになっている。ライアンの近くに住んでいたマッコイからは、ハウスの重要なレパートリーである「マイ・ブラック・ママ」、「説教ブルース」（どちらも一九三〇）の着想を得ている。ハウスはさらに、マトソン在住で、パラマウント・レコードに二曲の録音を残しているルーベン・レイシーからも、ギターの手ほどきを受けた。

こうして、地元ミュージシャンの影響を吸収しながら、「ブルースを説教する」男、サン・ハウスが形成されていった。そして、聖から俗への大転換、ブルースへの「改宗」というダイナミックな経験を踏まえ、説教で鍛えた深く響く声と、地元ミュージシャンから学んだスライド・ギターの技量を注ぎ込んで生まれたのが、ハウスの代表作である「説教ブルース」である。次節では、聖と俗として互いに相いれないと思われていた説教とブルースを結びつけた反逆的ともいえる歌詞を、一九三〇年、初録音の「パート1」を対象に、背景を踏まえながら検証し、歌に秘められた怒りが何に対するものなのを明らかにしたい。

「説教ブルース」の怒り

ブルースの基調になっている感情は何だろうか。ブルースは「憂鬱な歌」である、というのが、一般に言われるところである。果たしてそうだろうか。アフリカ系アメリカ人の文化によく見られるように、ブルースに込められた感情もまた重層的である。子供向けに書かれたジャズ入門『初めてのジャズの本』（一九五五）で、ラングストン・ヒューズは、ブルースには絶望的な悲しみと同時に、それをひっくり返すユーモアが存在することを、強調している（ヒューズ　四一―二）。担当する授業の学生に、ハウスの「死の手紙」（一九六五）を聞かせたところ、少なからぬ学生が、愛する人の死を歌ったこの歌に、「陽気さ」「楽しさ」を感じていると知った時には驚いたが、ブルースがダンス・ミュージックであることを考えれば、それも頭から否定することはできない。ようするに、ブルースはしばしば悲しみを歌っているが、悲しみに圧倒されて身を縮めている音楽ではない。そこには、悲惨な状況に対する反逆があり、ジョン・フェイヒーが述べているように（大鷹　七八―九）、重層的に積み重ねられた感情に先立って、基調となっているのは、怒りである。

「説教ブルース」を歌うサン・ハウスを突き動かしていたのもまた、深い怒りである。左手で指板の上のスライド・バーを滑らせながら、右手の親指を低音弦に叩きつけ、帰り際に他の指を高音弦にひっかけ、つんのめるような激しいリズムを叩き出しながら、ハウスは説教で鍛えた深い声で、ふりしぼるように歌い始める。

ああ、神の啓示を受けて　バプティスト教会に入るんだ（二回）

バプティストの説教師になりたいんだ　そうすりゃ、働かなくてすむ

冒頭から、かつての自分のような「教会の人間」を激怒させるであろう、挑発的な内容である。説教師になれば「働かなくてすむ」というのは、説教は仕事ではなく、説教師は単なる怠け者にすぎないと言っているのと等しい。かつての自分をも否定するようなハウスの意図は、果たしてどこにあるのだろうか。

ハウスの意図を理解するには、南部のアフリカ系アメリカ人にとって、「働く」ことが、何を意味していたかということを考えなければならない。奴隷制から解放された元奴隷たちは、財産も、土地も、教育もない状況で、「自由」のなかに放り出された。彼らの多くは、収穫の半分から三分の二を地主に差し出す、シェアクロッピングと呼ばれる圧倒的に不利な小作契約を、元奴隷主たちと結ばざるを得なかった。毎日へとへとになるまで働いても、収穫のほとんどを地主に差し出すのであれば、死ぬときに何の財産も残らなかったのも当然であった。こうした抑圧的な制度下における「仕事」に、未来を託すことはできない。ハウスとしばしば行動をともにしたデルタ・ブルースの父＝チャーリー・パットンが

「働く」ことを忌み嫌ったのも（カルト　一一〇）、若いころのハウスがあちこちを転々とし、身を落ち着けるということに興味を示さなかったのも、こうした閉塞的な状況に対する怒りが背景にあった。

再建期の改革が失敗に終わった後、南部がシェアクロッピングを中心とした「合法的な奴隷制度」にアフリカ系アメリカ人を組み込んでいったことは、刑務所における懲罰労働に端的に表れている。パーチマン農場こと、悪名高きミシシッピ州立刑務所では、多くの受刑者が、直営の農場で強制的に働かされた。ときには近隣の農場や鉄道建設に受刑者が貸し出されることすらあった。入所経験のあるブッカ・ホワイトをはじめとするブルースマンが、そこでの体験をブルースに歌い込んでいる。ハウスは、一九二八年、酒場での喧嘩に巻きこまれ、リロイ・リーという男を殺した罪で捕らえられた。正当防衛を訴えるも認められず、数か月で釈放されたものの、彼もまたパーチマン農場で懲罰労働を経験した。その体験から生まれたのが、「ミシシッピ郡刑務所ブルース」（一九三〇）である。

シェアクロッピング制度や懲罰労働に見られる、こうした「合法的な奴隷制」を逃れる道が二つあった。ひとつは、ブルースを演奏すること。もうひとつが、牧師、あるいは説教師になることである。また、ブルースと同じように、説教や伝道集会のような宗教的イベントは、朝から晩まで未来のない仕事を続ける人々に、一種の気晴らしを提供した。「説教ブルース」では、ハウスは次のように歌う。

ああ、これからはこのブルースってやつを説教していこう
皆に叫んでもらいたいんだ
むー、皆に叫んでもらいたいんだ
囚人のようにやってやる　最高にもりあげてみせるぜ

「ブルースを説教する」とは、何という、反逆的で、偶像破壊的な表現だろう。かつてのハウス自身のような、教会の教えを絶対的なものと考える人間にとっては、涜神的ですらある。もちろん、多くのアフリカ系アメリカ人は、土曜日に酒場で羽目を外し、日曜日は盛装して教会に行くという生活を続けていたが、彼らにしても、聖と俗、二つの領域を跨ぐことには強い違和感を抱いていた。しかし、ハウスはあえて、こう仄めかす。ブルースで観客を叫ばせるのも、教会で会衆を叫ばせるのも、同じことではないか。それなら、教会を追い出された自分のような人間は、ブルースを説教していこう、というハウスの決意表明である。

続く二つの節は、なぜブルースに改宗しなければならなかったのか、その理由を告白している。

ああ、自分の部屋で　跪いて祈った（二回）
それから、ブルースがやってきて、精霊を吹き飛ばしてしまった

ああ、オレは神の啓示を受けた　まさに今日この日に（二回）
だけど、女とウイスキーが　祈りを続けさせてくれないんだ

敬虔な信徒であったハウスの祈りを妨げるものとして、酒や女性と言った具体的な誘惑に加えて、擬人化された「ブルース」が登場する。ここでの「ブルース」は、「やって来る」(come along) と表現されていることからもわかるように、歌としてのブルースではない。それは、ハウスの意思とは関係ないところで、いつの間にか忍び寄ってくる何かとして、人のような姿で描かれている。ハウスの歌にもくり返し登場する擬人化された「ブルース」とは何なのかという問題は、第三節で詳しく検討する。

「説教ブルース」パート1の最後は、ハウスが自らの悪癖をさらけ出すような内容で終わっている。

ああ、オレ自身の天国があったらよかったのに
（全能なる神を讃えよ）
そう、オレ自身の天国さ
そうすりゃ、女たち全員に　いつまでも幸せな家を与えてやれる

そうさ、オレは自分と同じくらい　あの子が好きなんだ
自分が好きなのと同じくらい
でも、俺を捨てるって言うのなら　他の誰とも付き合えないようにしてやる

涜神的で、露悪的でありながら、ユーモアを感じさせる内容である。個人所有の天国、という発想は、それ自体ひどく不遜に響くが、神を讃える言葉を加えることで、讃美そのものを格下げする偶像破壊的なユーモアが加わる。一方で、ハウスの皮肉な視線は、自分自身にも向けられている。天国にすべての女を幸せにする家を持ちたいという希望からは、複数の愛人と妻の間で右往左往する現実のハウスの姿が目に浮かぶ。最後の節で強がっているのもかえって空々しい。

このように、告白やユーモアもまた、「説教ブルース」を構成する重要な要素である。しかし、それらの要素は歌を貫

く怒りという主調音を支持する形で使われている。ハウスは悪癖を露呈することで、教えを守ることのできない自分のような人間を、教会はどのようにして救うのかという問題をつきつけている。そして、教会の役割はシェアクロッピング制度における「仕事」のくび木から、一瞬でも人々を解き放つことにあり、それはブルースがやっていることだと仄めかす。ブルースを悪魔の音楽と決めつけ、排除することは、そうでなければ、ともに「仕事」から人々を解放するはずの説教とブルースの間に楔を入れる。それでは、彼らを奴隷同然の便利な労働力としてこき使おうとする人種主義アメリカの思う壺ではないか。そのことに対する怒りが、ハウスをして「ブルースを説教」させたのではないだろうか。

死を見据えるブルース

前節では、サン・ハウスの「説教ブルース」が、自分たちが置かれた抑圧的な状況、人種主義の罠に対する怒りの表現であることを見た。こうした「怒り」は、多かれ少なかれ、ブルースの基調をなすものである。こうした怒りの表現としてのブルースのなかに、擬人化された「ブルース」という謎めいた存在が登場する。サミュエル・チャーターズ『ブルースの詩』（一九六三）によれば、「ブルース」の擬人化は、初期のワークソングにも見られる（七四）。それでは、それは、音楽としてのブルース、あるいは鬱屈とした感情としてのブルースとどう関係するのだろうか。そして、アフリカ系アメリカ人の体験における聖と俗の間で、どのような位置づけをされるべきだろうか。

チャーターズも指摘しているように、「ブルース」という言葉は、第一義的には、「憂鬱、気のふさぎ (blue devils) という「古典的な意味」で使われている。特筆すべきは、人間に憑りつき、働きかける「ブルース」の執拗さである。それは、あるときはあられのように降り注ぎ（ロバート・ジョンソン「地獄の猟犬が俺を追い回す」、一九三七）、あるときは、ベッドの周りを取り囲み、枕の下まで入り込んでいる（チャーターズ　二八）。盲目のブラインド・ウィリー・マクテルは、「暗い夜のブルース」（一九二八）で、「あんまりブルースにとりつかれたので、闇のなかでだってブルースを捕まえられそうだ」と歌う。

さらに擬人化の度合いが高まるにつれ、しつこく付きまとう人間じみた「ブルース」に対し、人間のほうも人に接するように応える様子が明らかになる。第二節で取り上げたパート1と同じ日に録音された「説教ブルース」のパート2では、「今朝、ブルースに会ったよ。人間のように歩いていた／オレは言ったんだ。おはよう、ブルース、右手を出しなよ」と歌われている。チャーターズが『ブルースの詩』で擬人化の例として取り上げた、ロニー・ジョンソン（「こんなブルースには耐えられない」（一九三〇）では、ブルースと「手と手をつないで、一晩中歩いた」と歌われており、ブルースはやはり手を握ることのできる「生身の人間（a natural man）」のような存在として描かれている。それにしても、「ブルース」が「憂鬱」であるならば、すすんで手を握ったり、一緒に歩いたりしたい存在ではない。実際、多くのブルース歌手が、ブルースは酷いもので、二度と経験したくないと歌っている。そうだとすると、ここに見られるブルースと人間の親密さは何を意味しているのだろうか。

　擬人化されたブルースによく似た存在として、ブルースの歌詞にしばしば登場するのが、「悪魔」である。憂鬱を表す言葉が、"blue devils"であること、ブルースが「悪魔の音楽」とされたことを考えると、「ブルース」と「悪魔」には、少なくとも何らかの親近性がある。ロバート・ジョンソンが歌う「俺と悪魔のブルース」（一九三七）では、悪魔は親しい友人のようにぶらりと訪ねてくる。

今朝早く　あんたがドアをノックしたとき（二回）
おれはこう言った
「やあ、サタン、いよいよ来たね　そのときが」

おれと悪魔　肩を並べて歩いた（二回）
よし俺は　心ゆくまで
自分の女を殴ってやる

悪魔は、この男に、女を殴ることを決意させるような、荒んだ心をもたらす。そして、そうした荒んだ心によって、男はより深刻な結末（最後の節で、自分の亡骸をハイウェイ脇に埋葬すればいいと言っていることから考えると、おそらく孤独な死）へと追い込まれることが予想される。このように、明らかに不吉な存在であるにもかかわらず、男は、まるで親しい友人のように、悪魔の働きかけに応えている。悪魔と人間の、この親密さは何を意味するのだろうか。

　擬人化されたブルース、あるいは悪魔と、人間の関係を考えるとき、しばしばそこに「死」が介在することを見落としてはならない。戦後テキサスのカントリー・ブルースを代表する存在であったライトニン・ホプキンスと、地元テキサスの人々を描いたフィルム『ブルース・アコーディング・トゥ・ライトニン・ホプキンス』（一九六九）のなかで、ホプキンスはブルースについて、「死みたいなものさ」と述べている。一方で、「悲しい気分になったら、全世界にはっきり言うことができる。俺が経験しているのが、まさにブルースだってな」というホプキンスのブルース観は、基本的に、チャーターズの言う「古典的な意味」に近いものである。興味深いのは、ブルースについて語る際に、唐突に「死」が、引き合いに出されていることだ。

ブルースと死の親近性は、ホプキンスの独創ではない。前述した『はじめてのジャズの本』で、ラングストン・ヒューズが取り上げているブルースもまた、死に近づき、死を弄ぶことで、危ういユーモアを生む。

ぼくは　鉄道に　おりてって
線路に　頭を　のっけるんだ
鉄道に　おりてって
線路に　頭を　のっけるんだ――
だが　汽車がくるのが　みえたなら
ぼくは　頭を　ひょいと　ひっこめるんだ　（一二三）

自殺を決意した主人公がギリギリまで死に近づき、最後の最後でひょいと身をかわす姿を描いたこのブルースは、その不吉さではなく、死から目を逸らさない大胆さに本質がある。死を見据えることで生まれた自嘲的なユーモアが、死を感情的に超克することを可能にしている。同じように、ブルースは憂鬱、悲しみと言った否定的な感情から眼をそらさず、それらの感情を乗り越える契機となる。ブルースは言わば、「死」によって「死」を、「憂鬱（ブルース）」によって「憂鬱（ブルース）」を乗り越える音楽なのだ。そう考えれば、ブルースに登場する人間が、否定的な感情の化身である擬人化された「ブルース」や、不吉な知らせをもたらす「悪魔」と、親密な関係を結ぼうとすることも、理解できる。それらを正面から見据えることが、ブルースが示唆する答えだからである。

このように、南部のアフリカ系アメリカ人が死を見据え、それを克服しなければならなかったのは、死が常に彼らの身近にあったからに他ならない。貧困や過酷な労働によって、健康を害する可能性についてはもちろんのこと、リンチによる不条理な死は、いつそれがやってくるのかわからず、自己防衛のためには、常に白人が何を考えているのか、注意深く観察しなければならなかった。それは、人生の道筋が他者の気まぐれによって左右される、息苦しく、屈辱的な状況だった。しかし、ブルースを通じて自ら接近することによって、死は他者の気まぐれによってもたらされる、制御のきかない災厄ではなく、自ら対峙すべき、なじみ深い厄介ごととなり、「合法的な奴隷制」を生きる人々は、ほんの一瞬、人生を自分の手に取り戻す。

聖と俗を越えて

前節でみたように、ブルースは人種差別社会にあふれていた不条理な死に自ら接近することによって、死を突き付けられた者たちが、実存を取り戻す道筋を示すものである。一方で、ブルースが教会の示すキリスト教的道徳からの逸脱、「悪魔の音楽」として考えられてきたことは、第二節で見たとおりである。ハウスは「説教ブルース」で、どちらも黒人コミュニティの根幹をなす要素でありながら、互いに排除しあっている「ブルース」と「教会」を力業で結び付けた。このラディカルな作品を別にすると、「ブルース」と「教会」は同じコミュニティにありながら、混ざり合うことなく、孤立して存在していたように見える。しかし、そうだろうか。

例えば、オスカー・ミショーと並んで、黒人映画監督の嚆矢となったスペンサー・ウィリアムズ監督の宗教映画『イエスの血』（一九四一）を見てみよう。この映画では、夫ラスの銃の暴発によって、瀕死の重傷を負った黒人女性マーサが、天国に入る手前で信仰を試される。天国と地獄に分かれる十字路で彼女に誘惑を仕掛けるのは、いかにも道化の恰好をした悪魔だ。女性はジャズやブルースの流れるナイトクラブでの時間を楽しむが、やがて騙されていたことに気づいて逃げ出し、危機一髪のところで、キリストの血によって贖われ、息を吹き返す。映画の主題は、一見、キリスト教的教えの正しさであり、ジャズやブルースの世界はそこから排除されているように思える。しかし、彼女に試練を与えるのは悪魔であり、その意味で悪魔とイエスは共犯関係にある。道化役の悪魔は、ナイトクラブで騒ぐ人々同様、人間臭く、憎めないところがある。そして、イエスに救われた女性は、天国という聖の世界に昇るのではなく、地上の俗世に戻るのである。

最後に、テキサスを代表するブルースマン、ブラインド・レモン・ジェファーソン追悼の説教をしたことで知られるエメット・ディキンソン師を紹介し、教会の側からブルースに歩み寄る可能性があったことを示して、拙論を締めくくりたい。ジェファーソン追悼の説教（一九三〇）では、ブルースマンの生涯をイエスのそれに喩えていて驚かされるが、一九二九年に録音された説教（ティトン　一八七―八）では、ブルースを歌うことはなにも間違っていないと断言している。そして、聖書の登場人物たちも、折々に、自分たちの気持ちを歌にしたはずだとして、彼らの「ブルース」を、歌いながら列挙していく。なかでも、ペリシテ人に捕えられたパウロとシラスが、獄中で歌い出すと、古い牢獄が酔っぱらいのように揺れはじめ (reeled and rocked)、やがて手かせ足かせがはずれ、牢獄の扉が開くシーンは、圧巻である。ディキンソン師には、パウロとシラスの歌を「監獄ブルース」と呼ぶことで、会衆がベッシー・スミスの同名曲（一九二三）を連想するかもしれないとわかっていたはずだ。とすると、彼は当時の受刑者たちの苦境（再び、パーチマン農場を想起していただきたい）を、聖書の聖人たちのそれになぞらえていたことになる。ディキンソン師の説教は、ユーモアと言い、ダイナミックな発想といい、サン・ハウスのブルースに匹敵するものである。ハウスがブルースを説教したなら、ディキンソン師は説教をブルースしたのだ。そして、どちらも、過酷な現実を見据えることによって、それを乗り越える力を聞くものに与える。そこには、「合法的な奴隷制」に縛られた人々が生きる糧とするギリギリの希望があった。

引用・参照文献

Beaumont, Daniel. *Preachin' the Blues*. New York, Oxford University Press, 2,011.

Bragg, Marion. *Historic Names of Mississippi On the Lower Mississippi River*. Vicksburg; Mississippi River Commission, 1977).

Calt, Stephen and Gayle Wardlow. *The King of the Delta Blues: The Life and Music of Charlie Patton*. Newton; Rock Chapel,a988.

Charters, Samuel. *The Poetry of the Blues*. New York; Oak, 1963. サミュエル・チャーターズ『ブルースの詩』、佐藤重美訳、中央アート出版社、一九九〇。

Fahey, John, Barret, Hansen and Mark Levine, "Son House Interview, May 7, 1965," Southern Folklore Collection at the University of North Carolina at Chapel Hill.

Hughes, Langston. *The First. Book of Jazz*. New York; Franklin Watts, 1955. ヒューズ、ラングストン『ジャズの本』木島始訳、晶文社、一九六八。

Lester, Julius, "I Can't Make My Own Songs: An Interview With Son House." *Sing Out*. vol. 15 no. 3 (July 1965) 38-47.

Oliver, Paul. *The Story of the Blues*. ポール・オリヴァー『ブルースの歴史』米口胡訳、晶文社、一九七八。

Palmer, Robert. *Deep Blues: A Musical History of the Mississippi Delta*, New York; Penguin, 1981. ロバート・パーマー『ディープ・ブルース』五十嵐正訳、JICC出版局、一九九二

Titon, Feff Todd. *Early Down Home Blues*. Chapel Hill; The University of North Carolina Press,1994.

大鷹俊一「interview ジョン・フェイヒー——ブルースと現代音楽の

狭間から聞こえるもう一つのアメリカ」『レコード・コレクターズ』第一八巻一〇号（一九九九年九月号）。ミュージック・マガジン社。七六―八一。

濱田廣也「信仰と享楽の狭間で　ブルースを説教した男、サン・ハウス」『ブルース&ソウル・レコーズ』六九号（『black music review』二〇〇六年六月号増刊）、ブルース・インターアクションズ。一一―一五。

日暮康文『RL――ロバート・ジョンソンを読む　アメリカ南部が生んだブルース超人』、P-Vine Books、二〇一一。

2 ポスト・ホロコースト映画として見る『きっとここが帰る場所』
——ロード・ムービーと「ナチス残党狩り」の視点

伊達　雅彦

一　はじめに

二十世紀のホロコースト映画と言えば、その多くはユダヤ人の民族的悲劇を描くことが多かった。ポーランド、クラクフ郊外のプワシュフ強制収容所を主な背景にしたスティーヴン・スピルバーグ監督の『シンドラーのリスト』（*Schindler's List*, 一九九三）等がその典型例である。そこには、ヒトラーやナチス・ドイツへの糾弾が表裏となって描かれている。しかし、二十一世紀に入ってからは、そうしたホロコースト映画にも新たな潮流がいくつか生まれつつある。強制収容所などホロコーストを直截的には描かない点から、厳密に言えば「ポスト・ホロコースト映画」あるいは「ホロコースト関連映画」とでも言うべき類の作品なのかもしれないが、主なタイプは三つ、一つ目はホロコースト渦中の未だ知られざるエピソードを発掘的に描いた実話ベース型作品、また、二つ目は、戦後ドイツの自己反省型作品、そして、三つ目はナチスの残党をテーマとした作品である。ただ、この三つ目のテーマはホロコーストを真正面から描いた作品群から見れば、「ホロコースト映画」と呼ぶにはやや無理があるかもしれない。しかしホロコーストの記憶という点では、まさにその影響下にある作品群であり二十一世紀に入る以前からも既に小説や映画で取り上げられてきた。例えば、遡って既に一九四〇年代にはオーソン・ウェルズが主演、監督も務めた『ザ・ストレンジャー』（*The Stranger*, 一九四六）が発表されている。その後、七〇年代にはフレデリック・フォーサイス原作、ロナルド・ニーム監督作『オデッサファイル』（*The Odessa File*, 一九七四）やウィリアム・ゴールドマン原作、ジョン・シュレシンジャー監督作『マラソンマン』（*Marathon Man*, 一九七六）、九〇年代にはスティーヴン・キング原作、ブライアン・シンガー監督作『ゴールデンボーイ』（*Apt Pupil*, 一九九八）等、有名な小説を原作に持つ映画が世に送り出された。これらの作品は、ナチスの残党を単純に「悪」とする視点に立ち、その犯罪性や異常性を利用しているためクリミナル・サスペンス系やサイコ・サスペンス系作品になっている。もちろん、前述の三つの分類の境界は曖昧な部分もあり、それぞれの領域を横断する複合的な作品も目立つ。例えば、ナチス戦犯の告発に執念を燃やす実在のドイツ人検事フィリッツ・バウアーを描いたラース・クラウメ監督の『アイヒマンを追え！ナチスがもっとも畏れた男』(*Der Staat gegen Fritz Bauer*, 二〇一五）等である。

二〇一一年に公開されたパオロ・ソレンティーノ監督による『きっとここが帰る場所』(*This Must Be the Place*) も、「ナチスの残党狩り」を基軸とした作品である。原案・脚本もソレンティーノでカンヌ国際映画祭のコンペティション部門に出品されエキュメニカル審査員賞を受賞した。だがこの映画は決してサスペンスではなく、『ニューヨーク・タイムズ』紙の映画評では「コメディ」にカテゴライズされている。タイトルの『きっとここが帰る場所』はトーキング・ヘッズの曲名から採られたもので、ボーカルだったデヴィッド・バーンも主人公の友人として本人役で出演し、劇中で当該曲「ジズ・マスト・ビー・ザ・プレイス」を歌っている。作品の冒頭三十分と終盤はアイルランドのダブリンを舞台としているが、その部分を除くと舞台の大半はアメリカである。そして広大な国土を持つアメリカに舞台を移してからは、ロード・ムービー的な形式を取る。本論では、ナチスの残党狩りという主題をロード・ムービーの枠に取り込むことで『きっとここが帰る場所』がホロコースト映画というジャンルにどのような新たな地平を拓いたのかを検証する。また同時に、二十一世紀のホロコースト映画が今後、どのような展開を見せていくのかその可能性を探ろうと思う。

二　ホロコーストとロード・ムービー

「ホロコースト」を「ロード・ムービー」という形式の中に組み入れた作品としては、既にアトム・エゴヤン監督の『手紙は憶えている』(*Remember*, 二〇一五）やリーヴ・シュレイバー監督の『僕の大事なコレクション』(*Everything Is Illuminated*, 二〇〇五）等がある。両作品共にホロコーストが過去の歴史事象となったいわゆるポスト・ホロコースト映画であり、『手紙は憶えている』の原題が図らずも示しているようにホロコーストを記憶という観点から捉えている。

『手紙は憶えている』も『きっとここが帰る場所』と同様、基軸はやはりナチス残党狩りの物語である。主人公は、アメリカで高齢者用介護施設に入所中のホロコースト・サバイバーのゼヴ・グッドマン。彼はかつてナチスの強制収容所で身内を殺害された恨みを晴らすために、ルディ・コランダーと偽名を使いアメリカに潜伏する元ナチス兵オットー・ヴァリッシュを探す仇討の旅に出る。しかし、九十歳という高齢のため最愛の妻の死さえ認識できない程、認知症が進み探索は難航する。最終的にゼヴは、オットー・ヴァリッシュを探し出すのだが、それは自分自身だったという映画的には大どんでん返し的オチが用意されている。つまり認知症のため自分が強制収容所解放後、「ナチス兵オットー・ヴァリッシュ」から「ユダヤ人ゼヴ・グッドマン」に身分を偽りアメリカに潜伏していた自身の偽装工作を忘れてしまっていたのである。戦後七十年以上経った現在、ホロコースト・サバイバーの大半も他界したか、存命でも八十～九十歳代の高齢者となっている。だが、それはゼヴのように元ナチス兵も同じである。『手紙は憶えている』では高齢のホロコースト・サバイバー自らが、高齢のナチス残党を探すことになるため、老人が老人を追い詰めるという構図を取る他にない。認知症等でホロコーストの記憶を失った元ナチス兵にホロコーストの罪を問えるのかという別の問題も提起しているが、『手紙は憶えている』は広大なアメリカを舞台に仇討の旅を描くことで必然的にロード・ムービー化していると言える。

一方の『僕の大事なコレクション』は、ユダヤ系ポスト・ホロコースト作家のひとりジョナサン・サフラン・フォアの第一長編を映画化したものである。（映画の邦題は、原題とは異なるが映画の原題は原作小説と同じ ***Everything Is Illuminated*** のまま。）この作品は、主人公が作者と同名である設定が端的に示しているように作者フォアの実体験が元になっている。祖父の死後、孫のジョナサンはユダヤ人狩りが頻発した第二次世界大戦中のウクライナで、祖父をナチスから匿ってくれた女性がいたことを知る。彼は一路ウクライナに飛び、その命の恩人の消息を求めつつ戦時中の祖父の足跡を辿る旅に出る。このため、映画はやはりロード・ムービーの形式を取る。

ホロコーストの記憶を巡る物語をロード・ムービーの枠に落とし込んだ点で『手紙は憶えている』と『僕の大事なコレクション』は共通項を持つと言える。しかし、この二つの映画を決定的に分けている要素がある。それは何か。それは、前者で扱われているホロコーストの記憶が、サバイバーである主人公本人の記憶を起点にしたものであるのに対し、後者の記憶は主人公の祖父の記憶を起点にしている点である。いずれにせよ、両作品中の「現在」は第二次世界大戦中のホロコーストの現場からは時代的にも地理的にも遠く離れ、関係者も各地に散っている。そのため、記憶を巡る追想の旅は、その移動距離が必然的に長くなり、ロード・ムービー的な性格を帯びるのである。

『きっとここが帰る場所』の主人公シャイアンを演じるのは、アメリカの名優ショーン・ペンである。だが、作品自体はハリウッド映画ではなく、イタリア・フランス・アイルランドの合作になっている。スピルバーグのネームヴァリューとアカデミー賞受賞という実績から『シンドラーのリスト』がホロコースト映画としてしばしば俎上に上り、ホロコースト映画それ自体もハリウッド、つまりアメリカが主な製作を担っているかのように見える。確かに、ハリウッドでは『シンドラーのリスト』以前にも、また以後にもホロコーストをテーマにした作品は、いくつか製作されてきた。しかし、ポランスキー監督の『戦場のピアニスト』(*The Pianist*, 二〇〇二)のように非ハリウッド系のホロコースト映画も実は多い。『戦場のピアニスト』の場合、製作国はドイツ、フランス、イギリス、ポーランドである。

『きっとここが帰る場所』も、前述の三カ国の合作であり非ハリウッド系作品だが、主な舞台はアメリカだ。当然、そこにはヨーロッパからアメリカを見る特異な眼差しがある。その場合、アメリカはやはり他者の国であり、どこか奇異な場所として描かれる。かつてヴィム・ヴェンダーズが彼の代表的ロード・ムービー『パリ、テキサス』の随所で提示したアメリカの広大さに対する意識的な視線が『きっとここが帰る場所』にも見られる。そして広大な国土に必要なのは国内各所を結ぶハイウェイとその道路脇に立つ遠くからでも視認可能な巨大な看板や宣伝用オブジェである。『パリ、テキサス』の主人公トラビスの弟ウォルターは看板屋であり、巨大な看板が画面には登場する。『きっとここが帰る場所』でも、ドライブ中、シャイアンは巨大なピンの商業用オブジェの設置に出会い、ギネスブックにも載っている世界最大のピスタチオのオブジェに目を奪われる。ドライブ中のアクシデント的エピソード等も様々に用意されロード・ムービーとして十分に意識されていると言えるだろう。シャイアンの旅はニューヨークに始まり、ニューメキシコ州アラゴモードを経てユタ州ハンツヴィルまで続く。ハンツヴィルは人口約百五十人、実在の町である。

三　主人公の逸脱と複雑

シャイアンの設定は、かつては一世を風靡したロックシンガーである。現在は既に引退し(年齢は明示されないがおそらくは五〇歳代)、消防士の妻とアイルランド、ダブリンの豪邸で暮らしている。印税収入や株の売買収入により経済的困窮と無縁の生活は、悠々自適と言えば聞こえはいいが、悪く言えば通常の社会生活から孤立した隠遁的なひきこもりの状態にある。その原因のひとつがデヴィッド・バーン相手に語られる。売れるために暗い若者相手に暗い曲を作り、そのためにファンの若者二人が自殺したというのである。シャイアンは現役時代そのままと思われるステージ用メイクを施し、髪の毛もボリュームのあるロングで、全身黒を基調にしたゴシック・スタイルのファッションで身を包んでいる。明らかにザ・キュアーのロバート・スミスを意識したルックスで、若い全盛時代であればともかく、今はむしろ異様な雰囲気を漂わせ、周囲からは奇異の目で見られがちである。

メイク（化粧）というのは、通常は美を追求した行為である。仮にそうでなくても、少なくとも自らの外観に何らかの変化がもたらされるその効果を期待しての行為であるはずだ。そして、変化を求める意識の中には、本当の自分を「隠す」ことを目論む意識もあろう。シャイアンの場合も、美しさを求めたというよりも、自分の本当の姿を何かから隠蔽しようと意図しているようだが、それが何かは物語当初は不明のため、過去の栄光を引きずりながら、ロックンローラーであった自分自身に拘泥しているだけのようにも見える。

先述の通り映画の冒頭と最後はアイルランドのダブリンが舞台である。ここで映像的にインパクトのある建物が映し出される。シャイアンが住宅街を歩いている場面、その背景に巨大な構造物が在る。流線形の近未来的な建物で、ダブリンの住宅街には少なからず違和感がある建造物だ。もちろんそれは画面に偶然写り込んだものではなく、意図的に画面中央に置かれている。そしてその構造物はシャイアンの生きる現在が二十世紀から隔絶した二十一世紀である現実を強烈に印象付ける。構造物の正体は、アビバ・スタジアムというラグビーとサッカー兼用の競技場で、二〇一〇年に完成した収容人数五万人の最先端スタジアムである。そうした「二十一世紀」を背景にシャイアン、つまり「二十世紀」のロックンローラーが、あたかもその巨大なスタジアムが視界に入らないかのようにキャリーバッグをゴトゴトと引き摺りながら歩いている。老いた顔に無残に残るステージ用メイクそのままに五十を越えたロックンローラーは、時代から取り残されているように見える。

基本的にシャイアンの日常は、退屈と言えるほどに平穏である。結婚三十五年目の妻ジェーンと近所に住むロック好きの少女メアリー、友人ジェフリー等、少数の人間との関係を除けば人付き合いはほとんどない。その彼の元に三十年間、絶縁状態だった父親の危篤の知らせが故郷アメリカから届く。急遽帰国したシャイアンが向かった先は、黒い衣服に身を包み、髭やモミアゲを伸ばした人々の姿から判断できるようにハシド派ユダヤ人地区である。この現代社会にあっても宗教的伝統に則り厳格な規律の中に生きる超正統派ハシド派ユダヤ人の家庭に生まれ育ったシャイアンがロックシンガーを目指すためには、おそらくその共同体からの離脱を選択しなければならなかっただろう。文字通り親との縁を切る必要があったことは想像に難くない。

ハシディズムの創始者と目されているのがヘブライ語で「良き名の師」を意味するバル・シェム・トヴの名で知られるイスラエル・ベン・エリエゼルである。彼の教えは愛に立脚し簡明平易で多くの人々を宗教的に惹きつけたが、祈りの際には歌い踊ることも推奨した。それ故、律法や慣例を重視するハシド派が歌や踊りを一方的に否定しないとは言え、ロックは基本的に規律や既成概念の破壊を目指す音楽であり、また束縛を嫌い自由を謳う音楽であるとすれば、やはりロックとハシディズムは相容れない関係にある。唯一の接点があるとすれば、穿った見方になるが、シャイアンのロバート・スミス的な黒の衣装はハシド派との繋がりを示唆しているのかもしれない。いずれにせよ、シャイアンという人物はハシド派に出自を持ちながらも、その宗教的集団を離れ世俗化したユダヤ人なのである。映画の観客の多くはおそらくこのハシド派コミュニティのシーンに至るまでシャイアンがユダヤ人である事実には気が付かない。宗教的な視点で見ればシャイアンは非ユダヤ的であり、ユダヤ人とは言えこの時点まではホロコーストに特別の関心を寄せる存在ではない。

飛行機嫌いだったことから船路で帰国したため、シャイアンは父親の死に目には会えず直接言葉を交わす時間は得られなかった。遺体と対面したシャイアンの目は七歳の時に初めて見た父親の腕に残る入れ墨を再び捉える。映像的にはほんの一瞬しか映らないが、二一二六〇三という六桁の数字がはっきりと読み取れる。ナチスの強制収容所で刻印されたその入れ墨は彼をホロコースト・サバイバーだった父の遺したある計画に導く。生前、父親は、かつて強制収容所で辱めを受けたナチス親衛隊の残党に対する復讐を計画していたのである。シャイアンの父が追っていた元ナチス兵の名前はアイロス・ランゲ、今もアメリカのどこかで暮らしている。こうしてシャイアンは父親の遺志を継ぎ、仇討ちを通し、そのアイデンティティがユダヤに在る事実を否が応でも再確認することになる。彼もまたユダヤ民族の一人である以上、ユダヤ民族の悲劇ホロコーストと対峙することになるという筋立てである。

三十年も絶縁状態が続いていた点や、そもそも彼が父親からの愛情を受けられないまま、精神的に満たされない青少年期を過ごし、孤独を抱えて今日に至った現実を考慮すれば、シャイアンが父親に抱く感情も単純ではないであろう。そもそもなぜ絶縁状態に至ったのか、という経緯は映画の中では具体的には語られない。シャイアンは十五歳の時、メイクをしたことがきっかけで父親に嫌われ愛情を得られなくなったと思い込んでいた、という面も作品後半で暗示される。

四　ナチスの残党狩りの現実

ロード・ムービーという形式は、アイロス・ランゲを探して旅するシャイアンに様々な人たちと出会いと情報を提供する。最終的には、世界中で七百人超のナチス残党を探し今も約千五百人の情報屋を抱えて活動する伝説のナチハンター、モーデカイ・ミドラーの援助を受け、ピーター・スミスと名を変えていたランゲをついに探し当てる。ミドラーは架空だが明らかにサイモン・ヴィーゼンタールを意識しているだろう。だが眼前にいる父の仇敵、元ナチス兵のランゲは、現在、腰の曲がった一介の老人に過ぎなかった。シャイアンは亡父が生前晴らそうとしていた恨み、強制収容所で受けた屈辱とは何だったのかをランゲから聞き出す。それは収容所でランゲがシャイアンの父にシェパードをけしかけた際、恐怖のあまり失禁したというただそれだけのことだった。シャイアンの父はそれを生涯の恨みとしてランゲを追っていたのである。

二〇一六年六月、ドイツ西部のデトモルトである裁判が行われた。被告の名はラインホルト・ハニング、元ナチス・ドイツの親衛隊隊員である。罪状は、第二次世界大戦中、アウシュヴィッツ強制収容所で行われた約十七万人に及ぶユダヤ人殺害への関与である。具体的に言うと、アウシュヴィッツに送致されてきたユダヤ人を強制労働に回すか、ガス室送りにするかという選別過程の監視役であったこと、また定期的に大量のユダヤ人を銃殺、あるいは組織的に餓死させていた事実を認識し看過していたことに対する告発である。ハニングは、アウシュヴィッツで看取として従事していたことは認めたが、殺害への関与は否定した。ハニングが誰かを殺害した証拠はなかったが、ナチスの一員であった事実に間違いはなく判決は有罪、「禁錮五年」が言い渡された。見方によっては短いとも言えるが、取材に当たったAPFの記者は「おそらく終えることができないだろう刑期」と表現している。なぜならハニングは裁判当時九十四歳、車椅子で入廷し、判決も車椅子に座って聞いているほどの老人だったからである。実際、ハニングは判決から一年にも満たない控訴中の翌二〇一七年五月、服役しないままこの世を去った。

この注目の判決を肉眼で見届けたホロコースト・サバイバーは僅か四人。そのひとりハニングと同い年のレオン・シュワルツバウムは、ハニングを「許せない」とした上で「アウシュヴィッツで何が行われたか真実を語るべき」と主張している。「この裁判の意義は一人の男性の有罪を確定するだけにとどまらない」と判決を下した裁判長は語り、さらに「ホロコーストの犠牲者にせめて正義の片鱗だけでもあたえることができれば」と言葉を継いでいる。アウシュヴィッツで任務に就き、戦後まで生き残ったナチス親衛隊隊員は約六千五百人と言われている。しかし、戦後、この種の裁判で有罪判決を受けたのは五十人に満たない。そして、被害者と加害者の高齢化は日々進んでいく。このハニング裁判を報じたイギリスBBCは、「ドイツは過去と向き合っている」という言葉で始め「この国の最も暗い時代を再検討する最後の機会になるかもしれない」と締め括る。

シャイアンがついに見つけたランゲもハニングと同様、現在九十五歳の老人であり、残虐な親衛隊隊員だった面影は微塵もない。そもそも彼はミドラーの言葉を借りればナチの残党の中では小者である。ヒムラーやアイヒマンのようなナチスの大物ではなく、ハニングのように「その他大勢のひとり」に過ぎない。何よりシャイアンの父親に対する罪に限って言えば「犬をけしかけた」ということだけである。それ故、シャイアンの取った仇討ちの方法は、ランゲを全裸にして雪が積もる戸外に放り出すことだった。ランゲを演じたのはハインツ・リーフェンだが、一九二八年生まれの彼は『きっとここが帰る場所』出演時の実年齢で八十三歳である。その老齢の彼が雪原をヨロヨロ歩き全裸で佇む姿に『シンドラーのリスト』で全裸にされていたユダヤの老人の姿を重ねた人も多いだろう。肉が削げ落ち骨と皮が物悲しいシルエットを生む皺だらけの彼の肉体は、腰が曲がりもはや真っ直ぐに立つこともままならない。寒さの中、ランゲは震えながら無言で雪原に佇んでいる。この映像を見た観客は、そこに「当然の報い」を見るべきなのか、「行き過ぎた仕打ち」を見るべきなのか。先のハニングの禁錮五年の刑に比して、シャイアンの復讐が妥当性を持った「刑」だったのかどうか、いずれにせよここがこの作品をホロコースト映画というジャンルに繋ぎ止めているシーンであることに間違いはないだろう。

五　ホロコーストの記憶と主人公の設定

シャイアンは、父親の仇討を完遂することで変化する。二人の若者を死に追いやった二十世紀のロックスターという自己像に縛られて過去に足止めされていた自分を解放し、二十一世紀の自分、つまり現在の自分に追いつく。バート・スミス的白塗りのメイクを落とし伸ばした髪を切り、五十歳半ばの実年齢に相応しい外見になってアイルランドに戻ってくる。結局、彼は「子供」だったのだ。物語の前半、色々悪いことをやったがタバコにだけは手を出さなかったというシャイアンのエピソードが挿入されるが、メアリーの母が「それはあなたが子供だからよ」と既に回答を出している。父親の死を通じて記憶を受け継ぎ、ナチスの残党狩りという父親の遺志を引き継ぎ、父の仇敵を討つことでようやく「子供」から脱却し「大人」へと変貌するのである。ホロコースト・サバイバーだった父親の抱えた負の記憶を、つまり父親の果たせなかった夢を父の代わりに果たすことで、彼自身が精神的な成長（回復）を遂げたと見るべきなのだろう。ラストシーン近くにシャイアンがタバコを吸うシーンがある。

ホロコーストの記憶をどのような要素と絡めて描くのか、という部分が二十一世紀のホロコースト映画の課題だと言ってもいい。『きっとここが帰る場所』の場合は、一人の男の「成長物語」と結合させることでホロコーストの記憶が意味を帯びてくる。父親の死によってシャイアンは改めてアイデンティティの確認を迫られる。彼が旅に出た一次的理由は、父親の仇討だったが、結果としては自分のアイデンティティの確認作業にも繋がっている。ジョナサン・サフラン・フォアのように積極的に旅立つわけではないものの、アイデンティティの確認という点では同質である。シャイアンは、モーデカイ・ミドラーのようなユダヤ人と比すれば、概してホロコーストやナチスに対する執着も復讐心も希薄な人物である。しかし、そうしたシャイアンでさえもホロコーストを無視することはできなかった。

「成長物語」の主人公は、普通は「少年」や「青年」である。大まかに言えば、成長をテーマとするに相応しいのは「大人」ではなく「子供」である。シャイアンの言葉を借りれば「諦める世代」ではなく「希望を語る世代」である。そのためホロコーストの記憶を成長と結びつける場合、当然、時代的な差異、世代的な均衡が設定上、必要になる。今回のようにホロコースト・サバイバーの記憶を受け継ぐ場合で考えてみよう。一九四五年にソ連軍によってアウシュヴィッツ強制収容所が解放されるが、戦後七十年以上経た二〇一八年現在、当時二十歳代だった場合、九十歳以上である。当時十歳代であっても八十歳以上とやはり高齢だ。この設定を反映したのが前述の『手紙は憶えている』である。主人公のゼヴはまさに九十歳である。

次に、解放時十歳の人が十五年後の二十五歳の時に結婚して子供をもうけた場合、その子供も子供と言っても五十五歳ということになる。つまり、ホロコースト・サバイバーの子供を設定に利用した場合、「成長物語」の主人公に合致する「希望を語る世代」にはならないのである。五十五歳と言えば、社会的には働き盛りの壮年であり、結婚して家庭を持っていれば日常生活を営むことに精一杯の「諦める世代」で、親世代のホロコーストの記憶を巡る旅に出ることすらできない。そのため例えば、『僕の大事なコレクション』の主人公ジョナサン・サフラン・フォアは、ホロコースト・サバイバーの「息子」ではなく「孫」になっていると思われる。この作品はジョナサンの「父」ではなく「祖父」のホロコースト時代の足跡を辿る物語であることを忘れてはならないだろう。「孫」世代は「青年」の世代であり「成長物語」の主人公足りえるからだ。

ではシャイアンのようにホロコースト・サバイバーの「息子」世代、つまり五十歳代の男がなぜ「成長物語」の主人公足り得たのか。どのような設定を施せば「諦める世代」に人間的成長がもたらされるのだろうか。普通は「成長」自体が止まった状態にいるのが五十歳代である。それ故、成長の余地のある「五十歳の若者」というのは現実的には存在しない。成長するためには何らかの「子供」の部分が必要になる。それはある意味「歪み」であり、否定的な言い方をすれば、「大人になりきれない大人」という形でしか存在しない。その結果が、シャイアンのような「永遠の若者」的ロックンローラーだったのではないだろうか。

六　おわりに

『シンドラーのリスト』のような強制収容所を真正面から描く映画や、ホロコースト・サバイバーを直接的に題材にした映画を作ることは今後、さらに困難になっていくであろう。それは既視感のある作品にならざるを得ないからである。過去の作品群との類似性をどうあがいても避け難くなっていくからである。第二次世界大戦終結後七十年以上が経った二十一世紀においてもホロコーストの記憶は継承され続けていくだろう。そして、映画という媒体もその継承に多大な貢献をする可能性がある。だがもしそうだとすればホロコースト映画は、斬新で効果的な手法を模索し続けなければならない。強制収容所の物語でも、ホロコースト・サバイバー本人の物語でもない、新たな視点を持ったポスト・ホロコースト映画の登場が期待されていくに違いない。『きっとここが帰る場所』は、そうした二十一世紀のホロコースト映画のひとつの形と言えよう。ただし、この映画におけるナチスの残党狩りは、シャイアンに旅をさせる口実に過ぎない、と見る向きもある。確かに、合計約四十分のアイルランド・パートが全編百十八分に占める割合や様々に展開する他のエピソードを考える時、『きっとここが帰る場所』が「ナチスの残党狩り」を基軸に展開しているとは言え、それを「ナチスの残党狩り」を単独の主題とした映画、更にはホロコースト映画と呼ぶには抵抗がある。それは、ホロコースト・サバイバーを父親世代にもつ人々の物語であり、ホロコーストから空間的にも時間的にも、そして精神的にも遠く離れた人々の物語に他ならないからだ。見方を変えれば、時に無関心や忘却というテーマと表裏を成し、ホロコーストを後景や部分に置きながらも、それを意識する、そうした柔軟で複眼的なスタンスが今後のホロコースト映画には必要だろう。

　前述したように『きっとここが帰る場所』はイタリア・フランス・アイルランドによる合作でハリウッドの資金力による大作ではない。全編英語の作品ではあるが、監督のソレンティーノもイタリア人である。近年製作された『アイアンクロス』(*My Honor Was Loyalty*, 二〇一五)は、イタリアによるナチス・ドイツの兵士の物語である。背景にホロコーストが描かれ、最前線で戦う名もなき兵士たちが描かれる。いわゆる低予算のB級作品と見なされているが、非ハリウッド視点でナチス・ドイツの若者を手堅く描いている。なぜイタリアでこうした類の映画が製作されたのかは分からない。ただ、ホロコースト映画は、今後、ハリウッドやドイツだけではなく、関連国やあるいは関連複数国による合作という形で描かれていく可能性がある。今までは発想すらされ得なかった意外な視点や、知られざる異国人救助者の物語がホロコースト映画の新たな地平を拓くかもしれない。

引用・参考文献

Berenbaum, Michael. *The World Must Know: the History of the Holocaust as Told in theUnited States Holocaust Memorial Museum*. Boston: Little, Brown, 1993.『ホロコースト全史』芝健介日本語版監修、石川順子・高橋宏訳、創元社、二〇〇五年。

Doneson, Judith E. *The Holocaust in American Film*. New York: Syracuse University Press, 2002.

Kerner, Aaron. *Film and the Holocaust*. New York: The Continuum International Publishing Group, 2011.
Scott, Anthony Oliver. "The '80s Are Long Over, Yet the Makeup Remains." *The New York Times*. November 1, 2012.
Sicher, Efraim. *The Holocaust*. New York: Routledge, 2005.
佐川和茂・坂野明子・大場昌子・伊達雅彦『ホロコースト表象の新しい潮流——ユダヤ系アメリカ文学と映画をめぐって』彩流社、二〇一八年。

DVD

『アイアンクロス』ニューセレクト、二〇一七年。

『アイヒマンを追え！ナチスがもっとも畏れた男』アルバトロス、二〇一七年。

『オデッサファイル』ソニー・ピクチャーズエンタテインメント、二〇一五年。

『きっとここが帰る場所』角川書店、二〇一二年。

『ゴールデンボーイ』パイオニアLDC、二〇〇二年。

『ザ・ストレンジャー』アイ・ヴィ・シー、二〇一一年。

『シンドラーのリスト』ユニバーサル・ピクチャーズ・ジャパン、二〇〇四年。

『戦場のピアニスト』アミューズソフトエンタテインメント、二〇〇三年。

『手紙は憶えている』ポニーキャニオン、二〇一七年。

『僕の大事なコレクション』ワーナー・ホーム・ビデオ、二〇〇六年。

『マラソンマン』パラマウント・ホーム・エンタテインメント・ジャパン、二〇一〇年。

3 文化の解釈学としての『境界を越えて』

梶原　克教

はじめに

C・L・R・ジェームズが一九六三年に出版した『境界を越えて』は、現在でいうスポーツ・ライティングの嚆矢とされている。この場合スポーツ・ライティングとは、単にスポーツを描写したりスコアや結果を追ったりするレポートではなく、スポーツを取り巻く環境、選手の出自や生活環境、ゲーム外社会での経験、スポーツ自体がもつ歴史性や美学的観点などを網羅的に記述するものを指す。文学的に見るなら、同書は自伝、競技描写、植民地と宗主国との関係にまつわる歴史記述、さらには芸術論などからなる混淆体であり、ペダンティックな記述から百科全書的な知識の披瀝をも含み様々なジャンルを横断している点において、ノースロップ・フライがいう「アナトミー」とみなすこともできる。

そもそも、筆者ジェームズ自身の来歴も、同書と同じく一筋縄では捉えられない。一九〇一年にトリニダードで生まれ、サッカレーやシェリーなどの文学作品に心酔しながらクリケットにも同時に魅せられていったジェームズは、同島で教師を務めつつ執筆活動をおこないながら、クリケット・プレイヤーとしても活躍していた。一九三二年には英国に移住し、マルクシストとして、そしてクリケット・ライターとして、社会運動や執筆をおこない、一九三八年には米国に移住する。一九五三年に米国から追放されたのちは、英国とトリニダードを行き来し、トリニダードを含む西インド諸島の独立運動やパン・アフリカ運動にコミットし続けた。また、マルクシストの観点から記した『ブラック・ジャコバン』という歴史書（ハイチ革命史）が『境界を越えて』とならぶ代表作であるいっぽうで、自分の思考にもっとも影響を及ぼしたのはマルクスでなくサッカレーだと述べるジェームズは、一九三六年には『ミンティ通り』という小説を、一九五三年にはモービー・ディック論（小説論）を発表しているように、歴史とフィクションとを往還し続けた人物でもある（もちろん歴史とフィクションは必ずしも別物ではないが）。『境界を越えて』は、そうしたジェームズらしさの集大成とも言える著作であり、それは前書きにも明らかである。というのも、そこでは「クリケットしか知らない者に、クリケットの何がわかるというのか」という問いが立てられ、それに答えるには「事実とともに観念」が関わらざるをえないとされているのだから。

それでは、「事実とともに観念」がかかわる領域を探求する題材として、文学ではなくなぜクリケットが選ばれたのか。ひとつには、記述スタイルの選択が関わっていると考えられる。というのも、ジェームズは描写の対象となるプレイヤー、観客、各地域共同体構成員と親しくなり、プレーと観客の反応を写し取り、系譜関係をたどり、それらを「芸術」という概念と照応させようとするのであり、そうした作業は、人類学的エスノグラフィとみなしうるからである。同書が一種のエスノグラフィだとするなら、ジェームズにとって研究対象たるクリケットは、文学と区別されるものではないのかもしれない。なぜならクリフォード・ギアツが指摘するように、人類学の記述自体が解釈であり、さらに二次的、三次的解釈であるからには、「創作」とみなすことができるのであり、『ボヴァリー夫人』のような「十九世紀フランスの田舎医者、姦通を犯す思慮の浅いその妻、彼女のろくでなしの愛人等からなる相互の関係を描いた類似の記述と変わらない」(一五—六)のだから。そこで本稿では、ジェームズの領域横断的姿勢に倣い、ギアツという人類学者による『文化の解釈学』における「厚い記述」を参考にしながら、『境界を越えて』を一種のエスノグラフィとして位置づけ、スポーツ・ライティングの可能性を探ってみたい。

一．ギアツによる人類学的視点とジェームズのクリケット観との類似性

人類学が果たしたブレイクスルーのひとつとして、啓蒙主義的「人間」観への批判が挙げられるが、クリフォード・ギアツも文化の解釈学を唱道するにあたり、啓蒙思想によって前提とされる「人間」なるものへの批判を次のようにおこなっている。

いうまでもなく啓蒙主義の人間観は、自然科学がベーコンの主張とニュートンの指導下で発見した観点、すなわち、人間は自然と完全に一致し、均一の構成を共有しているという見方であった。言い換えるなら、規則的に構成され、あくまでも不変で、見事なまでに単純な人間性が存在するという見方である。(三四)

続いて、そうした一定の法則に従った均一な人間性という啓蒙思想の発想は多様性の排除へ向かうことになるとギアツは指摘する。啓蒙主義的人間観では、「異なる時代、異なる場所における信仰、価値、慣習、制度に見られる人類の豊かな多様性は、人間性を規定するのに意味を持たないとされ、真に人間的なもの――不変的・一般的・普遍的なもの――を覆って見えなくするもの」（三四―五）として排除されるのだと。

さらにギアツは、古典的人類学に対しても同様の批判をおこなっている。というのも、彼は啓蒙主義にしても古典的人類学にしても、結果として

> 個性は特異なものとみなされ、それぞれの特徴は、真の科学者にとっての唯一の正当な研究対象――基本的・不変的・規範的類型――から派生した偶発的なものとみなされるようになる。こうした方法においては、どれほど入念に理論化し、どれほど豊富な資料に基づいて主張したとしても、生活の詳細は血のかよわないステレオタイプのなかに埋もれてしまう。（五一）

と述べ、「古典的人類学は文化の共通性を抽出して、そこに現れた総意による平均的人間を見ようとした」と指摘しているからだ。

それでは、ギアツは啓蒙主義や古典的人類学とは異なり、どのような形で多様性としての人間を理解しようとしているのだろうか。まずギアツは、人間性を理解するには普遍性や均一性を求めるのではなく、その多様性を理解しなければならないとして、こういっている。「人間とはなにかを知るには、個々人が何であるかを見いださねばならない。なぜなら個々の人間とは多種多様性にあるのだから」。加えてギアツは、身体（個体）の外部にある情報の源としての文化こそが「人間という概念」と多様な「個々の人間」との橋渡しをするのだとし、歴史的に作られた意味の体系としての文化のパターンに導かれて初めて、「人間」は「個々人」になるのだと結論づけている（五二）。

こうした「普遍性・一般性・全体性」と「個・多様性」をつなぐ媒介としての文化というギアツの発想は、偶然にもその十年前に記されたジェームズのクリケット観と一致している。というのも、ジェームズはクリケットを、「個」と「全体」という構造＝関係性を規定する文化として描いているからだ。『境界を越えて』の中でも、特に芸術と現実との関係について考察している「芸術とはなにか」という章に、それは記されている。ジェームズはクリケットを演劇、バレエ、

オペラ、ダンスと同類の劇的なスペクタクルと定義づけ、古代ギリシアから今日まで引き継がれてきた演劇との類縁性を指摘し、次のように述べている。クリケットは「厳密に個人として、しかしそれに劣らずある社会集団を代表するものとして、対峙し戦うことによって成り立っている」。つまり、個々のプレイヤーの達成はその卓越した力量や才能のおかげではあるが、それは絶えずチーム＝集団＝全体の勝ち負けという組織的構造に依拠しているのだと。言い換えるなら、クリケットでボールに向かう打者は、自分のチームを代表しているだけでなく、あらゆる意図においてチームそのものであり、「一と多」、「個人と社会」、「個と普遍」、「部分と全体」という基本的な関係が、クリケットをするものには構造として課されているのである（一九六―一九七）。

こうした構造は、あらゆるスポーツに当てはまるのではないかと思われるかもしれない。しかし『境界を越えて』では、随所でクリケットの構造的特殊性が指摘されている。まず前提として、野球においてプレーが有効なのが、キャッチャーから見て九〇度の領域に限られるのに対し、クリケットはピッチの三六〇度すべてがプレー可能な領域である。さらに、野球との違いについては次のように指摘されている。クリケットでは二人の打者が同時にピッチにいる。よって、打つ側の代表の位置は厳密に個人的とはいえ、交換可能である。野球ではバッターは一時に一人しかいない。よって、クリケットと野球の両方の構成要素である個別の出来事は、野球のほうが厳しく制限されている。野球の打者はボールを三つしか選べず、三つ目のストライクを打たねばアウトになり、打ったら必ず走らなくてはならないし、打順も固定されている。いっぽう、クリケットの打順は交換可能だ。野球のピッチャーは代えられるまで投げ続け、いったん代えられれば、もうその試合では投げられない。しかし、クリケットの投手は六球（あるいは八球）投げて交代しても良いし、投げ続けても良い。また、ピッチのどちら側から投球してもよい。つまりクリケットでは野球とは異なり、個人がチームを代表するという原則は守られながら、秩序に従ったメンバーの変更は全面的に許されている。換言すると、クリケットは野球に比べてはるかに自由度が保証されているということになる（一九八）。

それゆえジェームズは次のように指摘する。「クリケットの厳格な構造的枠組みのなかでのみ、「個人性」が花開くのだ」。先に引用したように、ギアツは文化のパターンに導かれて人間 (human) が個人 (individual) になるといっているが、同様に、ジェームズは以下のように続けている。「偉大な打者の偉大さは、彼自身の個の技術よりも、構造として組織された競技に含まれた多大なる可能性を動かすことにあるのだ」（二九八）と。

二 文化研究における身体論
——身体の対象化から文脈化へ

これまで見てきたように、啓蒙思想が人間という個体を対象化し、そこから普遍的な人間性を導き出そうとしたのに対し、ギアツやジェームズが着目する文化の機能とは、一個人や一集団を対象化するものではなく、その関係性、もしくは異なるセリー間の移行に焦点を当てるものだった。そうした対比は近年の身体文化論においても反復されている。それゆえ、それぞれ一九六〇年代と一九七〇年代を代表するジェームズとギアツの視点は、現代の身体文化論という問題系を先取りしていたものとみなすこともできる。

音楽やダンスやスポーツへの注目度の増加に比例して、近年の文化研究においても、身体および身体性は重要な議論の場となってきた。従来の「身体を統御する精神（頭脳）」という優劣関係を転覆させることで、文明VS野蛮だとか男性的VS女性的といったジェンダー観などを疑問に付す議論が盛んにおこなわれてきたのである。ジェーン・ギャロップの『身体を通して思考する』やサラ・アーメッドらの『肌を介して思考する』などの試みは、その代表といえる。また、アーメッドとステイシーは、精神の優越性のもとで排除されてきた領域を思考可能にする身体について、次のように指摘している。「精神を特権化することなく身体を前景化することで、また超越できない身体という存在を前提とすることで、偶然性や位置の決定性や差異の還元不能性、さらに感情や欲望の通路、存在の世俗性が強調される」（三）。

いっぽうで、身体を対象化することがフェティッシュ化につながり、逆に身体を抽象化してしまう危険も生じることになる。それゆえ、フレドリック・ジェイムソンは、「身体に言及することほど抽象的（disembodied）＝非身体的なことはない」（二八四）といって警戒を促している。同様に、ポール・ギルロイはポストコロニアリズムの文脈で、身体を中心化することへの懸念を表明している。というのも、現代のグローバルな商業環境では、身体性の特権化が人種的なフェティシズムを助長しかねないからである（二一一—二二二）。

こうした危険性は、そもそも身体そのものを対象化することに起因していた。それとは異なり、歴史や社会との関係性から捉えることでその危険性を避けようとしたひとつの例として、ヘニング・アイヒバーグによる『身体文化』が挙げられる。アイヒバーグは、スポーツする身体やダンスする身体を社会変化を構成する力動的なものと捉えようとして、「社会的身体がおこなう儀式としての身体文化は、社会の物質的原理に深く根ざしているために、労働のパターンを表象し、革命的変化を予示することさえある」（一六二）といっている。ジェームズが描くクリケットする身体も、この社会化され歴史化された身体論の流れに位置づけることが可能だろう。従来の個体表象のような、科学的分類の名のもとに容易に人種化され制度的に利用されかねない個別化された身体の表象に対して、ギアツやジェームズは身体を文脈化したと見なすことができるのではないか。そこで、クリケットする身体がジェームズによる記述の中でどのように位置づけられるのかについて、あらためてギアツの論と照らし合わせつつ検証してみたい。

三．文化の解釈学と厚い記述

ギアツは、自分が採用する「文化」という概念を記号論的 (semiotic) なものと規定している。

> 私が採る文化の概念は……本質的に記号論的なものである。人間はみずから紡ぎ出した意味の網に捕らわれた動物だと、私はマックス・ウェーバーとともに信じている。文化とはそうした網の目であるからには、文化の解明は法則を探求する実験科学ではなく、意味を探求する解釈科学に属するものである。（五）

この一節に明らかなように、ギアツにとっての文化の解釈学の主軸は「意味」の追求におかれている。そこで問題となるのがこの「意味」の定義となる。ギアツは「意味」を「象徴」の概念と対としてとらえ、「象徴とはいかなる物、行為、出来事、属性、関係に対しても用いられ、概念形成 conception の媒介 vehicle となる」といっているが、その「媒介となる概念形成（受胎）」が「象徴」の「意味」とされる（九一）。ギアツがこの前段で、文化を「人間が生活に関する知識と態度を伝承し、永続させ、発展させるために用いる、象徴形式に表現され伝承される概念のシステム」（八九）をあらわすものとしていることからもわかるように、彼にとっての文化とは、「象徴」によって媒介され（運ばれ）形成される意味のシステムなのである。

こうして文化と概念形成という視点から、ギアツの基本的視座が明らかになる。彼がのちに「社会的行為としての思考という概念形成（受胎）」について言及するさいに、思考について「神秘的過程」としてではなく、「有形の媒介（運び手）」として言及しているように（三六二）、ギアツは文化研究の焦点を「意味」それ自体ではなく、意味を運ぶメディア（シニフィアン）としての「象徴」にあてることにより、「意味」を個人的、趣味的相ではなく社会的、公共的、相互主観的な相においてとらえているのである。ギアツは象徴の交換においてあらわれる公的な空間での社会的行為として文化をとらえ、それをコミュニケーションの様式としてあつかう。彼にとって具体的な形をとらない概念や心性のようなものは存在しない。こうしたギアツの立場は、彼が文化について「テクスト」という概念を用いるときにさらに明らかになる。

ギアツによる文化の定義は、別所で「テクストの集積」（四四八）と表現されている。つまり、それは「記述された」ものであり、客体化されており、読み取ることが可能なものなのだ。しかも、このテクストを記述しているのは、文字や言葉ではなく人間の具体的な社会的行為なのである。ひとの行動は文字や言葉と同じように、意味を運ぶ象徴であり、意味を表現する象徴的行為である。文化が姿を見せるのは、この「社会的言説」（一九）の流れにおいてであり、ギアツの解釈の対象は、このような「行為によって記述された」テクストとしての文化なのである。

テクストとしての文化を解釈するエスノグラフィについて、ギアツは「厚い記述」というギルバート・ライルの表現を借り、行為としては同一である「まばたき」と「めくばせ」の間にある違いを用いて説明している。エスノグラフィの目的はどこにあるのかというと、ライルが「薄い記述」と呼んだもの、つまりめくばせを練習するもの、（真似をする者、めくばせする者、自然にまばたく者……）がおこなっている「右目をまたたく」という記述と、彼がやっている「秘密のたくらみがあるかのように、人をだますために友達がまたたくのを真似る」という「厚い記述」との間にあるのだ。言い換えるなら、エスノグラフィの目的は、無意識的なまばたき、めくばせ、ニセのめくばせ、めくばせの真似、めくばせの練習などが生まれ、知覚され、解釈される意味の構造のヒエラルキーにあり、このヒエラルキーがなければ、まばたき、めくばせなどは、存在しないに等しいのだということである（七）。

こうしてギアツは、人類学の著述はそれ自体が解釈であり、さらに二次的、三次的解釈なのだと定義づける。しかしここで留意したいのは、「現地人のみが一次的解釈をおこなう」と述べている点だ。ギアツはバリ島の闘鶏を「深い遊び

deep play」として記述することになるが、その終盤で次のようにいっている。

人間を固定したヒエラルキーの身分に嵌め込み、共同生活の大部分をその嵌め込みを軸として組織するといった問題全体に、闘鶏は社会的説明を与えている。闘鶏の機能は、もしそう呼びたいのなら、解釈である。闘鶏はバリの経験をバリ風に読み込んだものであり、彼ら自身による、彼ら自身の物語である。（四四八）

つまりギアツにとっての文化とは、自己表象、自己解釈を通して、つまり儀礼、遊びを通して、構成されるものであるから、文化とは自己言及的で、自己成就的で、メタコミュニケーション、すなわち象徴、解釈体を喚起する出来事なのである。

バリ島の闘鶏という文化が、リアリティを備えた出来事とバリ島人によるその解釈というテクスト複合体であるように、バリ島の闘鶏に関するギアツのエスノグラフィもリアリティ効果を目指すテクスト複合体である点において、文化（すなわちバリ島住民によるバリ）とその記述（ギアツによるバリ）は、構造的な同一性を獲得する。したがって、そのエスノグラフィの手法は循環論的であるがゆえに、「これは誰のテクストか」といったポストモダン人類学を構成する問は起こりえないことに留意したい。

四 エスノグラフィとしてのクリケット論

ジェームズの『境界を越えて』がギアツ的な意味でのエスノグラフィであり、文化の解釈学であると見なしうることを、両者が共有する視点を三つ挙げることにより検証したいと思う。まず、ギアツが「厚い記述」の具体例として記述したバリ島の闘鶏における三つの象徴形式が、ジェームズが挙げるクリケットの構成要素と類似している点についてみてみる。ギアツは闘鶏に見られる「不穏の充満 disquietfulness」が闘鶏に備わる三つの属性の結節点から生まれるといっており、その三つとは、「直接的な演劇形式」、「隠喩内容」、「社会的文脈」としている（四四四）。ジェームズはというと、クリケットの構成要素を次のように挙げている。

クリケットは何よりもまず劇的スペクタクルとしてある。属性としては、演劇、バレエ、オペラ、そしてダンスと同じなのだ……どんな劇的スペクタクルについても第二に考察すべきなのが、出来事（お望みならば偶然性といってもいい）と意図との関係だ。それは、ひとつの出来事と出来事の継起との関係であり、統一性のなかの多様性であり、戦闘と戦略の関係であり、部分と全体との関係のことだ……どんな劇的スペクタクルにも課されている構造的な力がもたらすクリケットの根源的魅力は、観衆にもたらされる計量不能な価値である。（一九六―九七）

ジェームズがクリケットの構成要素の第一として指摘する「劇的スペクタクル」は、ギアツが闘鶏について言及している「直接的な演劇形式」と一致している。また、クリケットにおける「出来事＝偶然性と意図との関係」とは闘鶏における「隠喩」と重なっている。というのも、出来事を記号として考えるなら、記号が隠喩化され慣例化される契機には恣意性＝偶然性が備わっているからであり、そこに「統一性のなかの多様性」が生じるからだ。さらに「観衆にもたらされる計量不能な価値」とは、クリケットのプレーが観客を通して社会化される相を指しているので、ギアツがいう「社会的文脈」に相当することになる。

次に、感情教育としての文化という点においても、ギアツとジェームズの視点は類似している。ギアツはバリ島の闘鶏について、こう指摘する。

闘鶏が述べていることは感情の語彙において述べられており、それは危険を冒すスリル、敗北の絶望感、勝利の快感である。しかも、闘鶏がいっていることは、危険は興奮であり、敗北が憂鬱で、勝利が喜びだという陳腐な言葉の反復だけではなく、そのように示された感情によって社会は組み立てられ、個々人は結びつけられているということである。（四四九）

つまり、「闘鶏に行き、参加することは、バリ島人にとって一種の感情教育」なのであり、そこでバリ島人が学ぶことは、「文化の中心的エートスと個人的感性が、社会的テクストに綴られたとき」それがどのようなものであるのかということなのである（四四九）。同様に、ジェームズもクリケットを感情様式と関連づけてこう述べている。

クリケットのプレイヤーはつねに、攻撃、防御、勇気、献身、堅実、果敢、賢明といった、人間の基本となる特質や感情を取り交わしながらプレーしており、このことは欠点にはならない……人びとに愛されている美しい音楽のいくつかは、そうした基本の感情だけから作り出されている。私たちはそこから抜け出すことはないし、それを新しく作り直す必要もない……そのような感情こそが人間生活の基本を形成しており、クリケットもまたこうしたものから成り立っているのである。（一九八）

ギアツの議論は、文化と象徴を強調するあまり、たとえばモーリス・ブロックによる批判のように、政治と文化を断絶させているとみなされることもある（一八八）。しかしバリ島の闘鶏に関する「厚い記述」においては、闘鶏という文化のフィールドにおいて「地位」、「身分」、「階級」が象徴を介して交換されていると述べられているように、ギアツの論には政治と文化の相互規定性が明示されている。そして、その相互規定性がギアツとジェームズが共有する三つめの視点につながるのである。

ギアツによると、「政治的問題を公式化し、それについて考えて対応するために、新たな象徴的枠組みを求めることが強化され」（二二一）るのだし、社会的行為の象徴的側面を見ることは、生活の世俗性に関わるものである（三〇）。ジェームズはというと、ヴィクトリア時代の政治とクリケットとの関係について次のように述べている。「デモクラシーを希求するヴィクトリア時代人の拡張された人格と欲求は、もはや演劇では満たされず、組織化されたクリケットというゲームによって満たされたのだ」（二一〇）。さらに、ジェームズはクリケット・ジャーナリズムに関わることで、植民地主義の遺制としてのスポーツマンシップを梃子に政治的コードへの介入をおこなっている。

私が「人種差別への」怒りを表明すると、私に好意的な者たちさえもが非難の声をあげた。クリケットに怒りが介入してはならないというのが約束事だったからだ。そんな意見も理解できた。私も連中と同じく愚かだったからだ。この約束事を植民地主義に則って改訂してみよう。どんなあからさまな差別に直面しても、それはクリケットとは無縁なのだから文句を言うな。それが「真のスポーツ精神」ということになっていたわけだ。だが私にはもうたくさんだった。そういうことにはもう金輪際おさらばすると、以前から表明していたし、このときもそう告げた。（二四一）

このように、文化と政治の相互規定性の開示はギアツとジェームズが共通して持つ方法であり、闘鶏やクリケットという形式を公的で社会的な回路につながる具体的な象徴として記し、解釈の相へ導くエスノグラフィのありかたなのである。

結び

以上のように、一九六三年に出版されたジェームズの『境界を越えて』は、その十年後に出版されることになるギアツの『文化の解釈学』という人類学的問題意識を先取りしていたともみなすことができるし、英語圏文学が持っていた記述形式の可能性をさらに広げたということもできるだろう。一九八〇年代以降のポストモダン人類学を経たために、『文化の解釈学』は、場合によっては前時代的産物とみなされるかもしれないし、同様にギアツの論と共通した視点を持つジェームズのそれも、同様にあつかわれるかもしれない。けれども、近年のあらたな人類学における動向には、ギアツの解釈学（そしてジェームズがスポーツ・ライティングに向かった根拠）との親近性も見てとれる。

ネイティヴがおこなう一次的解釈と、象徴記号から読み取る人類学者の二次的解釈、三次的解釈をギアツはアナロジーとして提示しているが、それはエドゥアルド・ヴィヴェイロス・デ・カストロが二〇〇九年に発表した『食人の形而上学』で言及する「翻訳」とも重なるものとみなすことができる。というのも、ヴィヴェイロス・デ・カストロは翻訳と多義性について、次のようにいっているからだ。

> 翻訳とは、多義性の空間に自らを落ち着け、そこに住み着くことなのである。多義性を破壊することではない。というのも、翻訳が前提とすることは、多義性は決して［現実的に］実在するものではないということであるのだが、だが［同時に］まったく逆に、翻訳は、多義性に価値を与え潜在化させるため、つまり接触している「言語」とのあいだに実在しないと想像された空間を、つまりは多義性によってまさに隠れた空間を、開き拡張するためになされる。多義性は、関係を妨げるものではない。むしろそれを根拠づけ活気づけるものなのである。（二〇六）

ギアツがネイティヴによる現実のセリーと文化（象徴）のセリーとの間にみた解釈の空間、そしてそれを記述する欧米人にとっての現実のセリーと記述（エスノグラフィ）のセリーとの間にある解釈の空間とは、引用にあるヴィヴェイロス・デ・カストロのいう「翻訳」の空間と同じで、関係と多様性を賦活してやまないものなのだ。

また、エドゥアルド・コーンも二〇一三年に発表した『森は考える』で、ヴィヴェイロス・デ・カストロ同様に非人間的・非人称的視点からの人類学を提示しているが、チャールズ・サンダース・パースの記号論を再評価して、自身の人類学に取り入れている点が特徴的である。コーンは生命を記号過程ととらえ、「生命とは記号のプロセスなのだ」と述べ、以下のように続けている。

> 長く伸びた鼻と舌は、未来のアリクイ（ひとつの「誰か」）に対して、アリの巣の構造に関するなにかを表す。パースの記号論でもっとも重要な貢献のひとつは、なにかが別のなにかを表すことを記号とするような、伝統的で二項対立的な理解のかなたを見すえていたことである。代わりに、記号過程における還元不可能な要素として、きわめて重要な第三の変項を認めるべきだと彼は主張した。つまり、記号は、ある「誰か」にとって何かを表すのである。（七四—五）

すでに見てきたように、ギアツは文化を本質的に記号論的なものとして捉えているし、それはパースの記号論における変項＝解釈項とも重なる発想であり、記号が何かを表象するだけでなく誰か（解釈者）にも向かうというコーンの視点は、ギアツが提示する現実と記述と解釈の三項と類似している。このように、半世紀以上前にジェームズとギアツが共有していた文化の解釈学は、まだ探求し尽くされていない可能性をはらんでいるのである。

引用文献

英語文献の日本語訳は筆者による。邦訳のあるものは参考にしたが、訳文は適宜変更している。原書と邦訳書が併記されている場合、引用頁数はすべて原書のそれを記している。

Ahmed, Sara and Stacey, Jackie. Ed. (2001) *Thinking Through the Skin*. London and New York: Routledge.

Bloch, Maurice. (1986) *From Blessing to Violence: History and Ideology in the Circumcision Ritual of the Merina of Madagascar*. Cambridge: Cambridge UP.

Eichberg, Henning. (1998) *Body Cultures: Essays on Sport, Space and Identity*. Ed. John Bale and Chris Philo. London and New York: Routledge.

Frye, Northrop. (2006) [1957] *Anatomy of Criticism*. Princeton University Press.　海老根宏ほか（訳）『批評の解剖』法政大学出版局．一九八〇年．

Jameson, Fredric. (1997) "On Cultural Studies". Ed. John Rajchman. *The Identity in Question*. 251–295.

Gallop, Jane. (1988) *Thinking Through the Body*. New York: Columbia.

Geertz, Clifford. (1973) *The Interpretation of Cultures: Selected Essays*. London: Fontana.　吉田禎吾ほか（訳）『文化の解釈学　I』『同　II』岩波現代選書．一九八七年．

Gilroy, Paul. (1997) "Exer(or)cising Power: Black Bodies in the Black Public Sphere". Ed. Helen Thomas. *Dance in the City*. 21–34.

James, C. L. R. (2001) [1938] *Black Jacobin: Toussaint L'Ouverture and the San Domingo Revolution*. London: Penguin.　青木芳夫（監訳）

『ブラック・ジャコバン――トゥサン＝ルヴェルチュールとハイチ革命』大村書店，一九九一年．

―― (1954) "Popular Art and the Cultural Tradition". Ed. Anna Grisham. (1992) *C. L. R. James Reader*. Oxford UK & Cambridge USA: Blackwell. 247 - 260.

―― (1993) [1963] *Beyond a Boundary*. Durham: Duke UP. 本橋哲也（訳）『境界を越えて』月曜社，二〇一五年．

―― (1969) "The Mighty Sparrow". (1997) *The Future in the Present: Selected Writings*. London: Alison & Busby. 191 - 212.

Kohn, Eduardo. (2013) *How Forests Think*. Berkeley: California UP. 奥野克巳ほか（訳）『森は考える』亜紀書房，二〇一六年．

ヴィヴェイロス・デ・カストロ，エドゥアルド．『食人の形而上学』檜垣立哉，山崎吾郎訳．洛北出版，二〇一五年．

※本論文は、日本英文学会第八九回大会シンポジウム「身体・人種・人間：英語圏文学研究の人類学的転回」における報告「文化の解釈学としての*Beyond a Boundary*」を大きく改訂したものであり、科学研究費補助金（基盤研究（C））課題番号17K02550「C・L・R・ジェームズの地理的移動と身体文化論との関連性およびその影響」による研究成果を含んでいる。

踊り継ぐ人々
――ポール・マーシャルの描くカーニバルとリングシャウト

風呂本　惇子

日本でも「リヴァー・ダンス」というショーで紹介されているが、アイリッシュ・ステップ・ダンスは、上半身と両腕を静止したまま足だけを活発に動かす。由来に関する諸説のなかで私の心に最も響いたのは、アイルランドが植民地として英国に占領されていた時期、アイルランド人が集まって踊ることを英国人の牧師や役人が嫌うので、パブで人々が上半身を動かさず、テーブルの下の見えないところで足だけ音楽に合わせて動かしていた、というものである。この説からすれば、こわばった上半身は、抑圧されていたアイルランド文化を物語ることになる。これを聞いて脳裏に浮かんだのが、カリブ海の島々および、アメリカ南部サウスカロライナやジョージアの沿岸地域に伝承されてきた「リングシャウト」である。輪になった人々が足を大地から離さず、手をたたき声高に歌い、リズミカルに踵の上げ下げのみで進んで行く。アイルランドのそれとは真逆に、動くのは上半身だけなのだ。ここにはどのような歴史の痕跡が刻みこまれているのだろうか。この小論では、カリブ系二世アメリカ作家ポール・マーシャルの描くカーニバルとリングシャウトに焦点を当て、その痕跡を確認してみようと思う。

一　カーニバルの力

カーニバル（謝肉祭）とは本来はイースターまでの四十日間（四旬節）の「受難節」が始まる直前の二日間を指すカトリックの祭典であるが、今では観光客目当てに休暇の時期に催すところもあり、国により開催時期が異なる。ジャマイカではイースター休暇の四月に、バルバドスでは八月第一月曜すなわちバンクホリデイに行う。キューバでは七月二六日のカーニバルに便乗して革命蜂起があったので、今ではカーニバルの日が革命記念日でもある。アメリカ南部ニューオーリンズのマルディ・グラや、ハイチ、またトリニダードではほぼ来歴通りの二月に行われる。トリニダードのアール・ラブレイスは小説『ドラゴンは踊れない』（一九七九）の冒頭で、人々にとってカーニバルがどれほど重要か語り、「踊れ！踊れ！踊れ！　踊りには邪悪を避ける力がある」（二八）と結んでいる。奴隷制度廃止後も植民地制度のもとで貧困と重労働の生活を強いられてきた人々にとって、生きる力を損なわれてしまわないよう鬱積した感情を発散するには、一年に一度のお祭りで踊ることは必要不可欠であった。だが、単なる「ガス抜き」だけではない。カリブ系一世アメリカ作家エドウィージュ・ダンティカは子供の頃、「恐ろしいもの、罪深いもの」と教えられ、近づくことができなかった故国ハイチのカーニバルで踊る人々の輪に、作家として自立してからようやく溶け込んだときの感覚を、ノン・フィクション『アフター・ザ・ダンス』（二〇〇二）に次のように表現している。「わたしの身体はより大きな存在のなかの、ちっぽけな片鱗になってしまった。集団憑依の一部、大きな歓喜の流れの一部になったのだ」（一四七）。移民して母語と異なる言語、異なる習慣や文化と葛藤し、緊張しながら生きてきた若い女性が、無名の一人となって故国の文化に全身で浸り、自分もここに属しているという連帯感を享受する。その喜びが生き生きととらえられている。

ラブレイスやダンティカと違って、ポール・マーシャルはバルバドスからの移民（バジャン）第二世代として、ニューヨークのブルックリンで生まれ育った。自伝的な第一長編『褐色の娘、褐色砂岩の家』（一九五九）が示す通り、勤勉と節約を信条に、一団となって経済的な向上をめざすそのコミュニティに、カーニバルの習慣はない。にもかかわらず、ラブレイスやダンティカに先立って、彼らが抽出したカーニバルの力を核とする二つの作品を書いている。以後の作品のほとんどがカリブ海の島を舞台にしていることと考え合わせれば、これは彼女が常に自分のなかのカリブ性を意識していたことの現れであろう。まず、短編集『魂よ、手をたたき歌え』（一九六一）のなかに収められた「バルバドス」。舞台はタイトル通りバルバドスである。若いときにアメリカへ移住し、働き通して財を蓄えた老人ワトフォードが帰郷し、白人農園主の屋敷に似た、ベランダに囲まれた白い大きな家を建てるが、村人たちとつきあおうとせず、いつも超然とベランダに座って新聞を読む姿を見せつける。掃除、洗濯、炊事のために雇われた若い娘とも、まったく口をきこうとしない。娘はあまりの寂しさに、一度は勇気をふるって話しかけようとするが、うるさそうに追い払われてしまう。ところが八月の第一月曜日、休みをとった娘は村人たちの一団といっしょにバスに乗って出かけてゆく。カーニバルという言葉は使われていないが、八月第一月曜はバルバドスのカーニバルの日である。娘が不在になると、ワトフォードは彼女の存在がいつの間にか欠かせぬものになっていたことに気づき、戻ってくるのをそわそわと待つ。やがて夜がふけ、バスやスティールドラムの賑やかな音がして、ようやく彼女が帰ってきた気配がする。帰りが遅かったことを叱ろうとして階下へ降りると、娘は村の若者と庭で踊っている。

二人の身体はくっついて一つの旋回する形になり、彼が歌うと彼女は帽子を耳の上に傾けて浮気女のように笑った。足下の小石を踏みつけて鳴らしながら踊る彼らは、その夜を自分たちのものだと主張していた。夜だけではない。スティールバンドは彼らだけのために演奏しているかのようだ。木々は彼らのうわついた仲間となり、彼らとともに揺れている。月も彼らのために空高く昇っていた。（一二三）

これを盗み見た老人は初めて彼女を一人の女として意識する。このあと、老人は彼女にあてがわれていた小さな部屋へ行って、いつもの権威をふりかざそうとするが、日頃あれほど怯えて縮こまっていた娘は、服従するどころか、彼の眼を見返しあざけりさえ顔に浮かべて、堂々と出て行ってしまう。名前さえ一度も呼ばれたことのないこの娘は、踊りを通して自分のなかにある若い力、威張りくさった老人がどんなに求めても手に入らぬ力を感じ取ったのである。小さな島バルバドスは常に大英帝国を恐れ、無力だったのに、この時期（実際の独立は一九六六年）カリブ海地域全体に浸透してきた自立の機運に感化されていく。

それを二人の力関係の逆転で表現しているのは明らかだが、内面化していた無力な自己像をかなぐり捨てる勇気を娘に与えるきっかけとなったのは、踊りなのである。

カーニバルを媒介に個人を変化させた踊りの力を、マーシャルは第二長編『選ばれた場所、時を超えた人々』（一九六九）でさらに探求する。舞台はバルバドスを想起させるカリブの架空の島ボーン・アイランド、その島のうちでも最も貧しい場所ボーン・ヒルズ。主要登場人物はアメリカのフィラデルフィアにある某リサーチセンターからこの地域の調査にやってきた社会学者サウル・アムロンとその妻ハリエット、彼らを当初だけ自分の家であるゲストハウスに滞在させる知的な混血女性マール。リサーチセンターが開発プロジェクトの対象に選んだので、ボーン・ヒルズは「選ばれた場所」なのだが、ここに暮らす貧しい人々は、歴史の背後にとり残されたかのように奴隷制時代とたいして変わらないサトウキビ労働の重圧に苦しむのみか、はるか昔に起こった奴隷反乱「カフィー・ネッドの乱」を昨日のことのように今も語りあう「時を超えた人々」なのだ。マールはアムロン夫妻に島の案内をしているとき、かつての農園主の大きな館が焼け落ちた跡地だというパイア・ヒルを指して、「カフィー・ネッドがやったの。わたしたちがふもとでちょっとした騒ぎを起こしている間に、彼がなにもかも焼き尽くしたのよ」と誇らしげに言う。「わたしたちが」と、まるで自分も反乱に加わっていたかのような言い方をする理由が読者にははっきりわかるのは、ボーン・アイランドじゅうがわきかえる八月第一月曜日のカーニバルのときである。ボーン・ヒルズの人々は毎年、カフィー・ネッドの乱のページェントを路上で演じ続けているのである。山車（だし）の上では農園主とネッドの闘いが演じられ、燃え上がる館がはりぼてで表現される。粗末な労働服を着て山車を囲む村人の行列は奴隷たちの姿を表し、そのなかにマールもいる。マールには毎年のことだが、今回はサウルとハリエットも奴隷の扮装で加わっている。彼らは最初、黙々とうなだれて行進する。先頭のスティールバンドは軍葬ラッパのような鈍いゆっくりした音をたたき出す。

確かに彼らは、この時間帯にすると決められている踊りをしてはいたが、それは大地からほとんど足を離さない抑制したツーステップであり、行進者たちの体力が一日中もつように意図されたものだった。（二八二）

（傍点は筆者による。以後、引用文中の傍点はすべて筆者のもの。）

「行進者たちの体力がもつように」と実際的な理由はつけてあるが、大地から離れぬ足は抑制された自由を表していよう。そしてそのひきずるような足音に伴奏がつく。女たちが腕を半ば上げ、それからいっせいに激しく振り下ろすと、腕につけている重たい銀の輪が驚くような響きを立てて手首に落ちてくる。半ばしか上げない腕も自由を抑制されていることの表現であり、その腕を振り下ろすことで打ち出される金属音は鎖の音の表現であろう。この地味で陰鬱な行進は、そのあとで演じられるネッドの蜂起を合図に、解放の喜びにわく快活な歌と踊りの群れに変身する。スティールバンドのテンポの速い陽気な音楽に合わせ、人々はうなだれていた頭をのけぞらせ、「足を地面から離して飛び跳ね」（二八五）、腕も空に向けて高々と上げる。そして彼らはネッドに率いられて先祖たちが自治共同体を形成し、ほぼ三年過ごすことができたという歴史を大声で歌う。ネッドの共同体は結局三年後には英国軍に敗れるが、ボーン・ヒルズの人々には三年間の偉業をたたえることが目的なのである。

彼らが性懲りもなく毎年同じ演目をくりかえすので、カーニバルのコンテストからは締め出され、町の見物人たちも半ばあきれ、半ば軽蔑の眼でこの行列を見ている。ボーン・ヒルズの「時を超えた人々」の執念のかたまりのように歌い継ぎ踊り継がれるこのページェントは、奴隷制時代とたいして変わらぬ状況のなかに取り残された人々の、新たなネッドを待ち望む思いの表れと受け止めることもできよう。一方、町の見物人は表面上冷ややかにふるまいながら、心のどこかで彼らの来るのを待っており、やがて他の仮装行列グループも、見物人も、ボーン・ヒルズのパレードに加わってその群れはふくれあがっていく。その群れが踊りながら進む目抜き通りに、バークレイ銀行、キングスレイ・アンド・サンズのオフィスなど、島の経済を動かす支配者たちの建物が並んでいる。その踊りの波は「注意と手当を怠れば、……ひとつの黒い力強い流れとなって行く手にあるものすべて押しつぶす河」(二八九―九〇)のようだという描写には、民衆の持ち得る力が暗示されている。この波は、カーニバルの最後をしめくくる「ラスト・ラップ」と呼ばれる「ジャンプ・アップ」の踊りをするために広場へなだれこんでゆく。「二日間の祭りが終わりに近付いたので、踊りは今や一種すてばちのような様子を帯びてきた。踏みつけられた草の上に跳ねながらすごい力で下りてくる何千もの足の下で、大地が揺れた」(三〇二)。

ガブリエル・アンチオープは著書『ニグロ、ダンス、抵抗』(二〇〇一)で十七世紀から十九世紀にかけてのカリブ海地域奴隷制史を扱い、最終章の第四章で奴隷制とダンスの関係を考察している。著者は、農園主から合法的に認められていなかった踊り、つまり夜、農園外で行う踊りの集会に、加われば懲罰の対象となったにもかかわらず、一日の重労働に疲れ切った身体を押してなお奴隷たちがやってきて踊ったのは、それによって支配者への「異議申し立ての空間」を皆で作りあげることができたからだ、と洞察している。ジャマイカのような大きな島なら逃亡奴隷のマルーン集団が山奥の森のなかに自治体を形成することは可能であったが、小さな島ではそれを可能にする地理的条件がない。それで夜中の踊りの集会でその都度、そのような精神的自治体を現出させることで代替していたのではないか、という考えである。したがって、ダンスは文字表現を奪われた奴隷たちが代わりに生み出した記述、すなわち口承の民話や民謡と同等の意味をもっていた、と結論づけている。マーシャルの小説の舞台は二十世紀の半ばであって、奴隷制度はとうに終わっているが、ボーン・ヒルズの人々とそれに合流する人々のかもしだす時空間は、まさに「時を越えて」アンチオープの言わんとしたものを呼び起こしているように思われる。

カーニバルに参加したあとで、三人の主要人物に転機が訪れる。サウルもマールも、カーニバルの踊りのなかで感じた連帯感がきっかけとなり、今まで他人に語らず目をそむけてきた自分の過去を互いにさらけだすことによって精神的に結ばれてゆく。過去と真剣に向き合うことを経て、ようやく未来に真剣に向き合うことができたのだ。一方、ハリエットの人生もこのカーニバル以後、変わってゆくが、建設的な変わり方ではなかった。彼女はボーン・ヒルズの人々と同じ扮装でパレードに加わるが、あくまでも部外者の白人の立場を捨てようとしなかった。彼女は人々が自分の言うことに耳を傾けず、その存在さえ気づかないように踊り続けるなかで、アメリカの裕福な白人がカリブの貧しい黒人に侮辱されたようなショックを受け、踊りの波から必死にぬけ出す。それればかりか、カーニバルのあと、夫が混血女性マールに心をひかれたことにも誇りを傷つけられ、彼をボーン・ヒルズから引き離すようフィラデルフィアに手をまわしさえする。サウルの怒りを買って自信を失った彼女は入水自殺する。カーニバルで踊る人々のすさまじいエネルギーのほとばしり、連帯感、それが個々の人物に影響を与え、自己変革の力を与える（あるいは奪う）という構想を抜きに、この小説を語ることはできない。

二　リングシャウトの力

その十四年後に出たマーシャルの第三長編『ある讃歌』（一九八三）も踊りがもたらす連帯感と、それが個人に与える力を小説構造の礎にしている。ニューヨークに暮らすエイヴィー・ジョンソンは夫と数年前に死別したが、家も仕事もあり、三人の娘たちも既に自立しているので友人とカリブ海クルーズを楽しめる身分である。ところがそのクルーズの最中にこれまでにない精神の動揺を体験し、途中で船をおり、一人だけ先に帰ろうとする。動揺のきっかけは、とっくの昔に亡くなった大伯母キューニーと争うなまなましい夢をみたことだった。ここで先祖霊と生身の人間との間に壁を置かない西アフリカ系の宇宙観について少し補足しておく必要があろう。西アフリカの宇宙観をピラミッド型に表すとすれば、頂上の「存在」はあまりに人間から遠く、日常生活に介入することはない。日常に介入するのは、その下にあって自然界にあまた存在する（日本の八百万（やおよろず）の神々にも似た）精霊である。精霊たちの下には先祖が位置し、ピラミッドの一番下位にある生身の人間たちとつながっている。だから人々は先祖に祈りを捧げ、供物をそなえ、助言を求めたり、精霊へのとりなしを頼んだりする。エイヴィーが先祖の夢にあれほど影響を受けるのは、心の底に大伯母への負い目があったからだという心理学的解釈はむろん可能だ。だが、この宇宙観は夢だけでなく小説後半の構成にも大いにかかわってくるのである。[1]

エイヴィーは子供のころ夏休みをサウスカロライナ沿岸の小島テイタムに住むキューニー大伯母のところで過ごし、イボ伝説を毎日のように聞かされていた。アフリカから連行されたイボ人の集団が、この小島に陸揚げされたとたん、未来を見通して皆でくるりと背を向け、海を歩いて故郷へ帰っていったという伝説である。ジョージアやサウスカロライナの沿岸には小さな島が多数存在し、たとえば十九世紀初頭に奴隷貿易が禁止されたあと、ひそかに陸揚げされそのまま本土へ運ばれずにそこにとどまった人々もいたと言われているが、こういう島には西アフリカ文化の痕跡が本土南部より濃く残っていることが推測される。子供だったエイヴィーの記憶にやきついているのは、くりかえし聞かされたイボ伝説だけでなく、その小島で老人たちのやっていたリングシャウトである。キリスト教(プロテスタント)の教会のなかで輪になった人々が擦り足で進みながら、手でタンバリンでも打つかのように膝、腿、胸をたたき、歌うのである。

『アフリカ系アメリカのダンス』(二〇〇七)の著者バーバラ・S・グラスは、リングシャウトは宗教礼拝として演じられる「時計の針と反対方向に進むサークル・ダンス」であり、キリスト教に改宗したアフリカ系アメリカ人が、アフリカの共同社会的やり方で、歌、踊り、感情、信仰を互に関係させつつ、新しい宗教の礼拝を続けられるように創りなおしたものだと定義している(三五)。踊りは「罪深い」が、足が交差したり、床から上げられぬ限り、世間では踊りとは見なさぬことを見越したその改変があまりに効果的だったので、「もはや踊りと認識されなくなった(四〇)」こと、興奮して足を動かした者を「落ち着かせるために輪から引き出した(四二)」ことも述べている。したがって、床あるいは大地から離れぬ足は誘惑に負けぬ信仰の強さを示すことになる。

文脈を小説に戻そう。キューニー大伯母には若い頃、リングシャウトのさなかに陶酔のあまり足を地面から離した、と非難され、その非難に抗議して教会をとびだし、意地を張って二度と戻らなかったという過去がある。だから仲間の老人たちの行うリングシャウトを離れたところから羨望のまなざしで見守るしかない。次の場面は、夢でエイヴィーが大伯母に会ったためによみがえった回想である。エイヴィーは大伯母と一緒に教会の外、道をへだてたこちら側からのぞき、老人たちの足擦りをひそかにまねている。自分もそこに加わりたくてたまらなかったのだ。

人々は履いている仕事用の重い靴の底を一度たりとも床から離すことを許さぬ滑るような奇妙な足擦りをしつつ前進していた。かかとだけが一歩ごとに上がり下がりし、ドラムのような正確で込み入った拍子ですりへった松材の床を打っていた。その響きは夜が更けるにつれ、シャウトがいっそう活気づくにつれ、テイタムじゅうに聞こえるのであった……（中略）……それは踊りであってはならないのだが、大伯母のそばに立っているエイヴィーには踊りのように見えたし、自分の身体が踊るような感じもした。

（三四―五）

クルーズの中途で寄港地グレナダに一人で残ったエイヴィーはここで不思議な老人レバート・ジョセフに出会う。彼に誘われてグレナダの多くの人々が里帰りする船にいっしょに乗せてもらって、小島キャリアクへ向かう。エイヴィーは船酔いのため、吐いたりくだしたりさんざんの目に会うが、これは長年のうちに彼女の内にたまった余計なもの、本来の自分の価値観とは相いれないのに中産階級の生活の表面的心地よさを保つために目をつぶってためてきてしまったものをすっかり排出して、新たな自己に生まれ変わるために必要な経過だった。そのような苦痛を体験したあとエイヴィーがキャリアクで出会ったのが、祭りの踊りである。ここでもう一度、先述の「西アフリカの宇宙観」における精霊と先祖のことを思い起こしたい。いつなんどき日常に介入してくるかわからぬ不思議な恐ろしい精霊の力、ヴドゥンと呼ばれるその力をなだめながら人間が平和に暮らしていけるように人々は歌、踊り、生贄のごちそうなどで構成されるさまざまな儀式を編み出し、先祖の仲介を願った。強制的にカリブ海の島々へ連行された人々は、内に抱えたこの宇宙観と支配者から与えられたカトリックの教義をなんとか合体させねばならない。たとえば、カトリック聖人と精霊を重ねるのである。精霊の名称こそ違っても、似たようなコンセプトから成る混淆宗教がカトリックの支配するそれぞれの地域に生み出された。フランス語圏ハイチのヴードゥー、スペイン語圏キューバのサンテリア、ポルトガル語圏ブラジルのカンドンブレなどである。ヴードゥーでは、マリアは水の精霊エジリ、ペテロは十字路の精霊レグバに重ねられた。レグバがペテロに重ねられた理由の一つは、天国への鍵をもつとされるペテロの聖画にある。ヴードゥーではいかなる儀式もまず、異なる世界をつなぐこの精霊を呼びだす。

　エイヴィーの出会った老人レバートはあたかもレグバの化身のごとく、祭りの広場に通じる門を開ける（二三二）。広場ではドラムの音と、人々の囲む円空間が、日常現実と切り離された特別の魔力が働きそうな「マジックサークル」を形成している。レバートとその一族がこの円のなかでひざまずき、「許したまえ」という厳粛な祈りの歌を先祖に捧げることで、祭りは始まる。盆休みに里帰りしてきた人々が先祖にお供えをし、円を描いて先祖の霊にも参加してもらって踊るという形自体は、日本の盆踊りに驚くほど似ている。違うのはそこに刻まれた歴史である。まず、「ネイション・ダンス」という、西アフリカのそれぞれの出身地を代表する踊りから始まる。ある老女がレバート・ジョセフとその親戚の者たちが明け渡したばかりの、無印の円へゆっくり進み出て、「ドラムと見物人の声を伴奏に、硬く踏み固められた土の上でただ一人、重々しいぎくしゃくした踊りを（実際は踊りとは言えないが）――裸足の足をほとんど地面から離さず――始めた」（二三七―八）。このようなネイション・ダンスをいくつか見ているうちに、エイヴィーの内部に変化が兆す。

残っているのはただ、もはや正確に発音することさえできぬ、彼らが民族と呼ぶものの少しばかりの名前、十二、三種類の歌の断片、ひそかに形態をとどめるはるか昔の踊り、そしてラムの酒樽が代用するドラムだけなのであった。すべてをそぎおとしたあとの骨。燃え尽きた果てに残ったもの。そしてこの人たちは、彼女が突然愛を覚え、自分にもあればよいのにと思った粘り強さで、それらにしがみついているのであった。思考が――新しい思考が――ぼんやりと、形もまだ半ばながら、からっぽになっていた彼女の内部をゆっくり満たし始めた。（二四〇―四一）

ここで音楽が活発なものに変わり、エイヴィーは我にかえる。今や、目の前では自分の民族が何であったかを知らない若い世代の人々が、誰でも参加してよい「クレオール・ダンス」を始めていた。円の内側で若手たちが活発に踊り、それを取り囲んで円の外側ではさっきネイション・ダンスをやっていた老人世代がゆっくりと踊っている。やがてクレオール・ダンスは、「両腕を上げ、カーニバルの挨拶の形に人差し指を突き出し、豊かな声で歌いながら……トリニダードのジャンプ・アップの踊りに」（二四五―六）変わっていく。それと対照的に控えめに、老人たちはリズミカルに歩を進めているが、「それは踊りとは呼べず、だが同時に、ただ歩いているだけでもない。彼らの衰えつつある体力を節約して夜じゅうつきあえるよう意図された、踊りならざる踊りであった」（二四六）。それまでエイヴィーは円から遠く離れたところで椅子に座って、ただの観光客か見物人のようにこれらを見ていたのだが、円がだんだんふくれてきたとき、椅子をかたづけ、じゃまにならないように場所を譲って立つ。さらに円がふくれて自分のいるところまで近づいた時、彼女は自然にそのなかに入っていく。

ついに、人間の体でできた動く壁がほとんど彼女に重なったとき、彼女も動いた――ごく通常の前進一歩であった。その同じ瞬間、たくさんの腕からなる一本の腕と思えるものが円のなかから延びてきて彼女を引き入れた。そして気がついてみると、彼女は周囲の年長の人々に混じって時計と反対の方向へ歩いているのであった。（二四七）

結び

文化人類学者アルフレッド・メトローは、ハイチのヴードゥーの踊りを、「聖なる柱の周りを、時計と反対回りに」円を描き、「足はあまり動かさず肩や腰で表現する」（一九〇）と描写しているが、小説内のキャリアクの踊りと非常に似通っている。同じ西アフリカ文化のなごりであることが感じられよう。キャリアクでも、人々は時計の動きとともに進んでいく歴史にいわば逆らう形で、記憶の風化を拒むかのように、昔から伝承してきた踊りとは呼べないような踊りを頑固に続けているのだ。エイヴィーはいつの間にか、我知らず、その老人たちと同じ足擦りを始める。そればかりか次第にドラムに反応して、体全体が生き生きと揺れ始める。その足擦りこそ、エイヴィーが子供のときに道をへだてて眺めていた教会のなかの老人たちのものと同じであった。

しかし、このように突然体を解き放ちながらも、彼女は昔ながらの規則を守るよう気をつけていた。彼女の靴底は一度も地面を離れなかった……（中略）……彼女の足は、滑ってはかかとを下ろす抑制したリズミカルな足の動き、キャリアクの足踏み、歴史の経過を越えて残るべく意図された擦り足を変えなかった。（二五〇）

カーニバルの行進者の体力を一日中もたせるため、あるいは祭りに加わる老人たちの体力を一晩中もたせるため……と説明されてきた「持続性」を意図したそのステップは、今やはっきり「歴史の経過を超えて残るべく意図された」もの、と言い換えられている。サウスカロライナのテイタム島の老人たちの擦り足は、信仰の強さをアピールするもの。カリブ海キャリアクの老人たちの擦り足は、記憶の風化をがんこに拒むもの。片やプロテスタントの衣をまとい、片やカトリックの衣をまとう。だが、たどっていけば源はひとつなのだ。この日、エイヴィーは今後の人生の指標を読み取った。アメリカへ帰ったら次の世代にイボ伝説、海を渡ってアフリカへ帰ったという先祖の話を伝える語り部になろう、と。エイヴィーもまた、踊りに加わったことで、自己変革の力、再生の力を得たのである。エイヴィーが我知らず踊りだしたこの場面こそ、アメリカ生まれのカリブ系作家マーシャルが、アメリカ南部とカリブ海で「踊り継ぐ」人々の心意気を表現し得た最高の場面ではないだろうか。

注

1 この宇宙観や、後述のヴードゥー儀式などについての参考資料は拙論「大西洋を渡った精霊たちのその後」（アメリカ学会『アメリカ研究』三八号、二〇〇四）を参照。

引用文献

Danticat, Edwidge. *After the Dance*. Crown Publishing Group, 2002.（くぼたのぞみ訳『アフター・ザ・ダンス』現代企画室、二〇〇三）

Glass, Barbara S. *African American Dance: An Illustrated History*. McFarland & Company, Inc. 2007.

アンチオープ、ガブリエル (Entiope, Gabriel)『ニグロ、ダンス、抵抗』（石塚道子訳）人文書院、2001.

Lovelace, Earl. *The Dragon Can't Dance*. Longman, 1979.

Marshall, Paule. *Soul Clap Hands and Sing*. Howard University Press, 1988.[1961]

——. *The Chosen Place, The Timeless People*. Vintage, 1984.[1969]

——. *Praisesong for the Widow*. G.P.Pitnam's Sons, 1983.（風呂本惇子訳『ある讃歌』山口書店、一九九〇）

Metraux, Alfred. *Voodoo in Haiti*, trans. Hugo Charteries. Shcken Books Inc,1972.[1959]

※これは初出・「踊り継ぐ人々——カリブ（系）文学へのひとつのアプローチ」（城西国際大学ジェンダー・女性学研究所『リム』第十一巻三号、二〇〇九）の後半部を抽出し、大幅な加筆・修正を施したものであることをお断りしておく。

あとがき

　本論集は、はしがきでも触れられているように、松本昇先生のご退職記念論集である。本論集では、論集刊行委員会を組織し、松本昇先生はじめ、西垣内磨留美、君塚淳一、中垣恒太郎、馬場聡の各委員が、原則として査読を含め編集にあたり、松本先生縁の研究者に各方面からお集まりいただいてご執筆願った。

　刊行委員会の先生方には、力を出していただいた。多忙の中、助け合いながら、本書をまとめることができた。本書の章立ては、在外研究中にも関わらず編集に加わってくださった馬場聡委員に負うところが大きい。松本先生の幅広い学問的交流を物語る様々な専攻を持つ方々からの論文を編むのは喜ばしいことではあったが、退職記念論集という括りのみで、多彩な執筆者ゆえに内容は多岐にわたり、どのようにまとめたものか頭を抱えたものだ。そこへオレゴンの彼方から馬場委員が助け舟を出してくださったのである。そのほか、本論集の表題『エスニシティと物語り——複眼的文学論』、そして英文表題 *Narrative and Ethnicity: Multifaceted Essays on Literary Works* も馬場案が元になっている。（表題については、二〇一九年の日本英文学会のシンポジウムのタイトルと酷似していることが判明したが、それは、表題を確定して内外にお知らせした後のことであった。全くの偶然であることをおことわりしておく。）

　その馬場委員は次のように語る。

　　松本先生と初めて言葉を交わしたのは、二〇〇五年の春のことでした。国士舘大学に着任したばかりの私に、一言「お化け屋敷へようこそ！」と意味不明な言葉をかけてくださったことを覚えています。未だにその言葉の意味するところは定かではありませんが、おそらく魑魅魍魎が跋扈するアカデミズムの世界で気を抜かずにがんばるように、ということだったのだと思います。同僚として過ごした六年間は、それこそ毎日のようにお互いの研究室を行き来し、多くの時間をご一緒してきました。カリキュラム改革やキャンパス統合を前にして日常業務に忙殺され、研究に時間を割くことがままならない私の様子を察して、時折、ねぎらいの言葉をかけてくださる松本先生に何度も救われたものでした。

当時まだ駆け出しの研究者だった私をご自身が企画されたさまざまな学会のシンポジウムや出版企画に誘ってくださり、この世界で生きていくイロハを教えてくださったことは、その後の私にとってかけがえのない財産になりました。なかでもヒューストン・ベイカー・ジュニアの『ブルースの文学——奴隷の経済学とヴァナキュラー』(法政大学出版、二〇一五年)の翻訳に際しては、豊富な黒人文学に関する知識と多くの訳書を手がけてきたご経験から少なからぬご助言をいただき、この企画を通して多くのことを学ぶことができました。

松本先生が会長を務められていた多民族研究学会では、甲斐甲斐しく後進の研究者のお世話をなさっていたことが印象に残っています。いつも親子ほど歳が離れた若手たちに囲まれて、対等な立場で接していらっしゃるお姿に、失礼ながら「ドナルドダックと甥っ子たち」の関係を見たものでした。決して驕らず、若手に対しても常に敬意を忘れない松本先生のお人柄に惹かれて、学会の門を叩いた方々が多かったように思います。そのニーズに答えるがごとく、松本先生は一貫して多民族研究学会の活動の目標のひとつを若手研究者の育成と公言されてきました。設立十五周年を迎えようとしている今、松本先生の残されたご意思を引き継ぎながら更なる学会の発展に努めていかねばと考えています。

大学を退職された現在は、郷里の長崎県の島原とご自宅のある神奈川を行き来する生活をされています。神奈川に滞在されているときには、お食事にお誘いいただくことが多いのですが、変わらず文学に対する情熱を熱くお話しになるご様子に、生涯、文学者であるお姿を見る事ができ、大変うれしく思います。島原で過ごされている時期には、所有されている船で海に出て、『老人と海』さながらに、釣り糸を垂れていらっしゃるようです。時折、活き絞めにした立派な魚を、宅急便で送っていただいています。これからも、末永くお元気で過ごされることをお祈りしています。

さて、私はといえば、論文の紙幅が必要なほど、様々なことが思い浮かぶ。しかし、これまた、上手にまとめるには一仕事になりそうだ。松本先生の功績やお人柄を知るには、人となりを鮮明に写し出していただいた馬場委員のお話で充分だろう。国士舘大学のかつての同僚でもあった馬場委員が代表して、筆を執ってくださった形だが、独自の話があるとすれば、こんなことだろうか。私は学会関係を中心に「まるみ先生」で通っているが、事の始まりは松本先生である。姓で呼ぶと舌がもつれるとおっしゃって、「まるみさん」と呼び慣わされているうち、この呼び方が定着したのである。松本先生の影響力、恐るべしである。多民族研究学会の会長に就任させていただいた折には、西垣内会長と意識的におっしゃってくださる方もおられたが、「まるみ先生」がやはり圧倒している。こんな会長もいてもいいかなと思っている。ある意味でこの学会の性格を示してもいるのである。

今回、編集を担当させていただいたが、このような仕事も松本先生とのお付き合いの中で学んだことのひとつである。パソコンやインターネット技術の進歩に伴い、多少リファインさせていただいてはいるが、基本的な部分は松本先生がなさっていたことの踏襲である。具体的なご指導が常にあったわけではないが、徒弟よろしく、そばでお仕事を拝見しながら、なんとかできるようになっていったように思う。私も育てられた数多くの研究者のうちの一人である。

松本先生の論集企画の多数に関わってこられた金星堂の福岡正人氏、倉林勇雄氏に本書でもご尽力いただいた。この場を借りて、感謝申し上げたい。

本書のそもそもの発端は、刊行委員会の若い方々からの声である。これも、若い研究者を慈しみ育てることを宗とされていた松本先生ならではのことである。多くの若い研究者に働きかけ、支援し、それに応える声が上がる、ここにもコール・アンド・レスポンスが存在する。松本昇先生、なんと幸せな方なのだろう。

平成と令和が交わるときに

西垣内　磨留美

松本昇先生　略歴

一九四八年、長崎県口之津生まれ。明治大学文学部卒業、同大学院文学研究科修士課程修了後、一九八一年、同大学院博士後期課程満期退学。国士舘大学専任講師、助教授を経て、同大学教授。二〇一八年、同大学早期退職。その間、多民族研究学会会長（二〇〇九～一五年）、日本学術振興会特別研究員審査委員（二〇一五～一七年）を歴任。現在、国士舘大学名誉教授。

主要業績

著書に『ジョン・ブラウンの屍を越えて——南北戦争とその時代』（共編著、金星堂、二〇一六年）、『アメリカン・ロードの物語学』（共編著、金星堂、二〇一五年）、『神の残した黒い穴をみつめて——須山静夫先生追悼論集』（共編著、音羽書房鶴見書店、二〇一三年）、『亡霊のアメリカ文学——豊穣なる空間』（共編著、国文社、二〇一二年）、『バード・イメージ——鳥のアメリカ文学』（共編著、金星堂、二〇一〇年）、『ハーストン、ウォーカー、モリスン——アフリカ系アメリカ人女性作家を繋ぐ点と線』（共編著、南雲堂フェニックス、二〇〇七年）、『越境・周縁・ディアスポラ——三つのアメリカ文学』（共編著、南雲堂フェニックス、二〇〇五年）、『記憶のポリティックス——アメリカ文学における忘却と想起』（共編著、南雲堂フェニックス、二〇〇一年）。訳書にゾラ・ニール・ハーストン『マグノリアの花——珠玉短編集』（共訳、彩流社、二〇一六年）、ヒューストン・A・ベイカー・ジュニア『ブルースの文学——奴隷の経済学とヴァナキュラー』（共訳、法政大学出版局、二〇一五年）、ヘンリー・ルイス・ゲイツ・ジュニア『シグニファイング・モンキー——もの騙る猿／アフロ・アメリカン文学批評理論』（監訳、南雲堂フェニックス、二〇〇九年）、ラルフ・エリスン『影と行為』（共訳、南雲堂フェニックス、二〇〇九年）、ラルフ・エリスン『見えない人間』（南雲堂フェニックス、二〇〇四年）、ゾラ・ニール・ハーストン『彼らの目は神を見ていた』（新宿書房、一九九五年）。

編著者紹介

西垣内　磨留美（にしがうち　まるみ）　長野県看護大学教授
著書に、『衣装が語るアメリカ文学』（共編著、金星堂、二〇一七年）、『アイリッシュ・アメリカンの文化を読む』（共著、水声社、二〇一六年）。翻訳書に、ゾラ・ニール・ハーストン『マグノリアの花――珠玉短編集』（共訳、彩流社、二〇一六年）。

君塚　淳一（きみづか　じゅんいち）　茨城大学教授
著書に、『ジョン・ブラウンの屍を越えて――南北戦争とその時代』（共編著、金星堂、二〇一六年）、『読者ネットワークの拡大と文学環境の変化』（共著、音羽書房鶴見書店、二〇一七年）、『衣装が語るアメリカ文学』（共著、金星堂、二〇一七年）

中垣　恒太郎（なかがき　こうたろう）　専修大学教授
著書に、『マーク・トウェインと近代国家アメリカ』（音羽書房鶴見書店、二〇一二年）、『アメリカン・ロードの物語学』（共編著、金星堂、二〇一五年）、『スタインベックとともに』（共編著、大阪教育図書、二〇一九年）。

馬場　聡（ばば　あきら）　日本女子大学准教授
著書に、『アメリカン・ロードの物語学』（共編著、金星堂、二〇一五年）、『衣装が語るアメリカ文学』（共編著、金星堂、二〇一七年）。翻訳書に、ヒューストン・ベイカー・ジュニア『ブルースの文学――奴隷の経済学とヴァナキュラー』（共訳、法政大学出版局、二〇一五年）。

著者紹介

田中　千晶（たなか　ちあき）　大阪大学非常勤講師
著書に、『亡霊のアメリカ文学――豊饒なる空間』（共著、国文社、二〇一二年）。翻訳書に、ヒューストン・A・ベイカー・ジュニア『ブルースの文学――奴隷の経済学とヴァナキュラー』（共訳、法政大学出版局、二〇一五年）、リディア・M・チャイルド『共和国のロマンス』（共訳、新水社、二〇一六年）。

程　文清（てい　ぶんせい）　帝京大学准教授
著書に、『エスニック研究のフロンティア』（共著、金星堂、二〇一四年）、『新たなるトニ・モリスン――その小説世界を拓く』（共著、金星堂、二〇一七年）。

寺嶋　さなえ（てらしま　さなえ）　日本女子大学兼任講師
著書に、『発見！不思議の国のアリス――鉄とガラスのヴィクトリア時代』（彩流社、二〇一七年）、『映画で読み解く現代アメリカ――オバマの時代』（共著、明石書店、二〇一五年）、『エスニック研究のフロンティア』（共著、金星堂、二〇一四年）。

ハーン小路　恭子（はーんしょうじ　きょうこ）　金沢大学准教授
著書に、『新たなるトニ・モリスン――その小説世界を拓く』（共著、金星堂、二〇一七年）。論文に、「"What an Unusual View!"――『ダンボ』におけるカウンターセンチメンタル・ナラティブとしての「ピンクの象のパレード」」『英文学と英語学』（二〇一七年）。翻訳書に、レベッカ・ソルニット『説教したがる男たち』（左右社、二〇一八年）。

清水　菜穂（しみず　なお）　宮城学院女子大学非常勤講師
著書に、『衣装が語るアメリカ文学』（共著、金星堂、二〇一七年）、『バード・イメージ――鳥のアメリカ文学』（共著、金星堂、二〇一〇年）。翻訳書に、ヒューストン・A・ベイカー・ジュニア『ブルースの文学――奴隷の経済学とヴァナキュラー』（共訳、法政大学出版局、二〇一五年）。

山本　伸（やまもと　しん）　四日市大学教授
著書に、『カリブ文学研究入門』（世界思想社、二〇〇四年）、『琉神マブヤーでーじ読本／ヒーローソフィカル沖縄文化論』（三月社、二〇一五年）。翻訳書に、エドウィージ・ダンティカ『デュー・ブレーカー』（五月書房新社、二〇一八年）、『クリック？クラック！』（五月書房新社、二〇一八年）。

丸山　悦子（まるやま　えつこ）　獨協大学非常勤講師
著書に、『エスニック・アメリカを問う――「多からなる一つ」への多角的アプローチ』（共著、彩流社、二〇一五年）。論文に、「国立アメリカン・ラティーノ博物館の建設運動とラティーノ・アイデンティティの考察」『常磐国際紀要』第二一号（二〇一七年）。「カリフォルニア州サンノゼ市のメキシカン・ヘリテージ・プラザ――メキシコ系アメリカ人有力者による文化遺産賞揚の試み」『移民研究年報』第二〇号（二〇一四年）。

峯　真依子（みね　まいこ）　中央学院大学助教
著書に、『奴隷の文学誌――声と文字の相克をたどる』（青弓社、二〇一八年）、『衣装が語るアメリカ文学』（共著、金星堂、二〇一七年）、『アメリカン・ロードの物語学』（共著、金星堂、二〇一五年）。

小林　朋子（こばやし　ともこ）　鹿児島県立短期大学准教授
著書に、『新たなるトニ・モリスン――その小説世界を拓く』（共著、金星堂、二〇一七年）、『身体と情動――アフェクトで読むアメリカン・ルネサンス』（共著、彩流社、二〇一六年）。『環大西洋の想像力――越境するアメリカン・ルネサンス文学』（共著、彩流社、二〇一三年）。

井村　俊義（いむら　としよし）　長野県看護大学准教授
著書に、『チカーノとは何か――境界線の詩学』（水声社、二〇一九年）、『第二次世界大戦の遺産――アメリカ合衆国』（共著、大学教育出版、二〇一五年）。翻訳書に、マイケル・タウシグ『模倣と他者性――感覚における特有の歴史』（水声社、二〇一八年）。

大﨑　ふみ子（おおさき　ふみこ）　鶴見大学名誉教授
著書に、『アイザック・B・シンガー研究　二つの世界の狭間で』（吉夏社、二〇一〇年）、『神の残した黒い穴を見つめて――アメリカ文学を読み解く／須山静夫先生追悼論集』（共編著、音羽書房鶴見書店、二〇一三年）。翻訳書に、アイザック・B・シンガー『メシュガー』（吉夏社、二〇一六年）。

河内　裕二（かわうち　ゆうじ）　明星大学非常勤講師
著書に『アメリカン・ロードの物語学』（共著、金星堂、二〇一五年）、『エスニック研究のフロンティア』（共著、金星堂、二〇一四年）、『アメリカ1920年代――ローリング・トウェンティーズの光と影』（共著、金星堂、二〇〇四年）。

鵜殿　えりか（うどの　えりか）　愛知県立大学名誉教授
著書に、『新たなるトニ・モリスン――その小説世界を拓く』（共編著、金星堂、二〇一七年）、『トニ・モリスンの文学』（彩流社、二〇一五年）、『ハーストン、ウォーカー、モリスン――アフリカ系アメリカ女性作家をつなぐ点と線』（共編著、南雲堂フェニックス、二〇〇七年）。

山田　恵（やまだ　めぐみ）　仙台白百合女子大学准教授
著書に、『アメリカン・ロードの物語学』（共著、金星堂、二〇一五年）。翻訳書に、ヘンリー・ルイス・ゲイツ・ジュニア『シグニファイング・モンキー――もの騙る猿／アフロ・アメリカン文学批評理論』（共訳、南雲堂フェニックス、二〇〇九年）。論文に、「チャールズ・ジョンソンの『キング博士の冷蔵庫とその他のベッドタイムストーリー』における仏教的視点について」『仙台白百合女子大学紀要』第二三号（二〇一九年）。

西田　桐子（にしだ　きりこ）　お茶の水女子大学・共愛学園前橋国際大学非常勤講師
論文に、「昭和三〇年代日本における「黒人文学」と文学運動の連環――木島始における戦後詩・民衆・ジャズ」『比較文学』（二〇一五年）、「戦後日本文学におけるアフリカ理解とその転機――アジア・アフリカ作家会議緊急東京大会の意味」『超域文化科学紀要』（二〇一六年）、「戦後日本文学の黒人表象と平和運動――占領期検閲から、文芸誌『新日本文学』のピークスキル事件ブームへ」『黒人研究』（二〇一八年）。

齋藤 博次（さいとう ひろつぐ） 岩手大学教授
著書に、『記憶のポリティックス――アメリカ文学における忘却と想起』（共著、南雲堂フェニックス、二〇〇一年）、『冷戦とアメリカ――覇権国家の文化装置』（共著、臨川書店、二〇一四年）、『〈法〉と〈生〉から見るアメリカ文学』（共著、悠書館、二〇一七年）。

中野 里美（なかの さとみ） 明治大学非常勤講師
著書に、『いま読み直すアメリカ自然主義文学』（共著、中央大学出版部、二〇一四年）。論文に、「Who knows 'the center of things' —John Dos Passos *Manhattan Transfer*—」『文芸研究第129号』（明治大学、二〇一六年）、「『ラヴ』におけるフォークロアの親和性とその作用」『*New Perspective* Number 207』（新英米文学会、二〇一八年）。

岩瀬 由佳（いわせ ゆか） 東洋大学准教授
著書に、『衣装が語るアメリカ文学』（共著、金星堂、二〇一七年）、『エスニック研究のフロンティア』（共著、金星堂、二〇一四年）、『亡霊のアメリカ文学――豊穣なる空間』（共著、国文社、二〇一二年）。

吉津 京平（よしづ きょうへい） 福岡大学・北九州市立大学非常勤講師
著書に、『アメリカン・ロードの物語学』（共著、金星堂、二〇一五年）、『エスニック研究のフロンティア』（共著、金星堂、二〇一四年）。論文に、「Kurt Vonnegut のカリブ海――*Cat's Cradle* におけるマージナルなトポスの表象」『九州アメリカ文学』（二〇一二年）。

新関 芳生（にいぜき よしたか） 関西学院大学教授
著書に、『異相の時空間――アメリカ文学とユートピア』（共著、英潮社、二〇一一年）。翻訳書にワイ・チー・ディモック、マイケル・T・ギルモア『階級を再考する――社会編成と文学批評の横断』（共訳、松柏社、二〇〇一年）。論文に、「予言する真鍮の頭部――ウィリアム・ダグラス・オコナーの『真鍮のアンドロイド』を読む」『人文論究』第62巻第2号（関西学院大学人文学会、二〇一二年）。

中村　善雄（なかむら　よしお）　京都女子大学准教授
著書に、『繋がりの詩学――近代アメリカの知的独立と〈知のコミュニティ〉の形成』（共著、彩流社、二〇一九年）、『アメリカ文学における幸福の追求とその行方』（共著、金星堂、二〇一八年）、『エコクリティシズムの波を超えて――人新生の地球を生きる』（共著、音羽書房鶴見書店、二〇一七年）

川村　亜樹（かわむら　あき）　愛知大学教授
著書に、『衣装が語るアメリカ文学』（共著、金星堂、二〇一七年）、『アメリカン・ロードの物語学』（共著、金星堂、二〇一五年）

畠山　研（はたけやま　けん）　八戸工業大学助教
論文に、「"A Shell Exploded": Gunpowder and the Great War in Woolf's *To the Lighthouse*」『ヴァージニア・ウルフ研究』第三十五号（二〇一四年）、「カナリアいろの病――マンスフィールド「カナリア」('The Canary') と第一次世界大戦」『東北』第四十九号（二〇一六年）、「"Everybody's Sick" ――ヘミングウェイ『日はまた昇る』(*The Sun Also Rises*) と戦後の娼婦ジョルジェット」『東北アメリカ文学研究』第三十九号（二〇一六年）。

白川　恵子（しらかわ　けいこ）　同志社大学教授
著書に、『繋がりの詩学――近代アメリカの知的独立と〈知のコミュニティ〉形成』（共著、彩流社、二〇一九年）、『アメリカ文学における幸福の追求とその行方』（共著、金星堂、二〇一八年）、*Ways of Being in Literature and Cultural Spaces* (co-authorship, Cambridge Scholars Press, 2016)。

平尾　吉直（ひらお　よしなお）　首都大学東京非常勤講師
著書に、『亡霊のアメリカ文学――豊穣なる空間』（共著、国文社、二〇一二年）、『ジョン・ブラウンの屍を越えて――南北戦争とその時代』（共著、金星堂、二〇一六年）、「先住民としてのオゴニ―オゴニ人作家ケン・サロ・ウィワの闘い」『多民族研究』十号（二〇一七年）。

伊達　雅彦（だて　まさひこ）　尚美学園大学教授
著書に、『ホロコースト表象の新しい潮流』（共編著、彩流社、二〇一八年）、『ユダヤ系文学に見る聖と俗』（共編著、彩流社、二〇一七年）、『ホロコーストとユーモア精神』（共編著、彩流社、二〇一六年）。

梶原　克教（かじはら　かつのり）　愛知県立大学教授
著書に『アダプテーションとは何か――文学／映画批評の理

論と実践』(共著、世織書房、二〇一七年)、「赤と緑が交叉するところ——カリブ作家にとっての歴史と風景の問題について」(『多民族研究』、二〇一七年)、『エスニック研究のフロンティア』(共著、金星堂、二〇一四年)。

風呂本　惇子(ふろもと　あつこ)
著書に、『新たなるトニ・モリスン——その小説世界を拓く』(共編著、金星堂、二〇一七年)。翻訳書に、ウィリアム・ウェルズ・ブラウン『クローテル——大統領の娘』(松柏社、二〇一五年)。論文に、「ケインリヴァー・ワールド——揺らぐショパンの小宇宙」『フォークナー第二十一号』(日本ウィリアム・フォークナー協会、二〇一九年)。

エスニシティと物語り
——複眼的文学論

2019年3月31日　初版第1刷発行

監　修　松本　昇
編　著　西垣内 磨留美
君塚　淳一
中垣　恒太郎
馬場　聡

発行者　福岡　正人

発行所　株式会社 金星堂
(〒101-0051) 東京都千代田区神田神保町3-21
Tel. (03)3263-3828 (営業部)
(03)3263-3997 (編集部)
Fax (03)3263-0716
http://www.kinsei-do.co.jp

組版／ほんのしろ
装丁デザイン／岡田知正
印刷所／モリモト印刷　製本所／牧製本

Printed in Japan

ISBN978-4-7647-1195-2 C1098